中医经典病房疑难危重症验案实录

主　编　任　毅

副主编　杜　磊　王成虎

编　委　王毅刚　王成虎　石立鹏　任　毅
孙　文　许建苹　杜　磊　杨　彤
张若黛　陈　勇　陈照龙　南瑞雪
钟骏慧　祝晓迎　姚秋菊　唐小亚
涂雅丹　曹　晋　谢晓梅　魏丹丹

人民卫生出版社
·北　京·

图书在版编目（CIP）数据

中医经典病房疑难危重症验案实录 / 任毅主编 . 北京 ：人民卫生出版社，2025. 5. -- ISBN 978-7-117-37971-7

Ⅰ. R249. 7

中国国家版本馆 CIP 数据核字第 2025DS4873 号

人卫智网	**www.ipmph.com**	**医学教育、学术、考试、健康，购书智慧智能综合服务平台**
人卫官网	**www.pmph.com**	**人卫官方资讯发布平台**

中医经典病房疑难危重症验案实录

Zhongyi Jingdian Bingfang Yinan Weizhongzheng Yan'an Shilu

主　　编：任　毅

出版发行：人民卫生出版社（中继线 010-59780011）

地　　址：北京市朝阳区潘家园南里 19 号

邮　　编：100021

E - mail：pmph @ pmph.com

购书热线：010-59787592　010-59787584　010-65264830

印　　刷：北京汇林印务有限公司

经　　销：新华书店

开　　本：710 × 1000　1/16　　**印张：**18　　**插页：**12

字　　数：333 千字

版　　次：2025 年 5 月第 1 版

印　　次：2025 年 7 月第 1 次印刷

标准书号：ISBN 978-7-117-37971-7

定　　价：69.00 元

打击盗版举报电话：010-59787491　E-mail：WQ @ pmph.com

质量问题联系电话：010-59787234　E-mail：zhiliang @ pmph.com

数字融合服务电话：4001118166　E-mail：zengzhi @ pmph.com

主编简介

任毅，教授，医学博士，主任医师，硕士研究生导师，博士后合作导师，重庆市中医院副院长。国家中医药管理局首批青年岐黄学者，重庆市医学领军人才，重庆市学术技术带头人，重庆英才·青年拔尖人才，重庆市中青年医学高端人才，重庆健康科普专家库首批专家；第六批全国老中医药专家学术经验继承人。先后师承国医大师陈可冀，全国名中医张西俭，全国老中医药专家学术经验继承工作指导老师罗玲，长江学者、岐黄学者方邦江。长期从事中医内科临床、科研和教学工作。擅于运用中医经典经方治疗心肺重症，如心力衰竭、呼吸衰竭等，以及冠心病、高血压、慢性阻塞性肺疾病、慢性咳嗽等常见内科疾病和各种疑难杂症；擅长亚健康状态人群的中医体质调理。

主持国家自然科学基金等各级别课题 20 项，发表中英文论文 92 篇，主编、参编专著 12 部，其中 1 部获中华中医药学会学术著作奖二等奖。《中国中医急症》杂志副主编。获得国家发明专利 2 项，软件著作权 1 项，实用新型专利 10 项。荣获全国抗击新冠肺炎疫情先进个人、中国好医生、重庆“最美医生”等荣誉。兼任中国中医药信息学会临床研究分会副会长，重庆市中医药学会急诊专业委员会主任委员，世界中医药学会联合会心血管病专业委员会常务理事、方药量效研究专业委员会常务理事，中华中医药学会李时珍研究分会常务委员等。

陈　序

千百年来，根植于中国传统文化和临床实践的中医药学，在民族繁衍、人民健康等方面发挥了不可磨灭的作用。2015 年，习近平致中国中医科学院成立 60 周年贺信写道："中医药学是中国古代科学的瑰宝，也是打开中华文明宝库的钥匙。"在科技日新月异、高速发展的今天，中医药学在拯救黎民、护佑生命中，仍发挥着重要作用。

要发挥好中医药的作用，首先要学好中医药、深刻理解中医药，如此才能对中医药有信心，才能大胆有效地运用。中医书籍汗牛充栋，初学者往往不知从何读起，岳美中老先生认为学习中医，当从方剂入手，方剂之祖为仲景，岳老是经方派专家，认为"法从仲景常思沛，医学长沙自有真"，因而读书还以从《伤寒论》《金匮要略》入手为好。学经典、跟名师、做临床是成为好中医的必由之路，历来成名成家而不熟经典者罕见，而深研经典却临证疗效不佳者，亦鲜有。

总结有效验案并深入分析，温故知新、举一反三是重要且极具价值的工作，对传承经典、发挥好中医药的作用具有重要意义。本书案例既有"覆杯而愈"的快速成功典范，也有"山重水复疑无路，柳暗花明又一村"的曲折探索，每个案例均完整、真实、详细地记录了中医诊治的过程，部分案例还有西医学的客观指标对比，在当今循证医学时代，这些客观指标是对经典经方治病救人较全面的记录和呈现，充分地体现了经典与临床的有机结合。

"将升岱岳，非径奚为？欲诣扶桑，无舟莫适。"在国家大力发展中医药的今天，中医人一定要找到一条学习、发扬中医药的正确道路。本书的出版，正是在这条道路上艰辛的探索历程，愿更多的中医人循着这条道路，回归经典，不畏艰难，砥砺前行。相信未来中医药定能发挥更大作用，获取更多民众信任，在中华民族伟大复兴的道路上，闪耀出夺目的光辉。是为序！

陈可冀

2024 年 6 月

张　序

重庆市中医院经典病房自2018年组建以来甫及五年有余，专业队伍皆中青年才俊，在任毅主任中医师的领导下，科室不仅运转顺利，而且屡克难症大病，在重庆市树立了群体性开展经典医学的榜样。本人案桌上一叠《中医经典病房疑难危重症验案实录》（以下简称《实录》）的文稿，即为他们工作成绩的总结。

中医经典病房，望词生义，应是奉行中医经典医学的病房。何谓经典医学？窃以为经典医学应当拥有两个属性：其一，久远的历史沉淀。中医由于没有系统的理化实验手段，其知识和技术的价值，只能依赖长时间的临床实践才能体现出来。其二，公认的影响力。无此则不足以成为经典。经典医学以上两种属性，使其界定存在一定的历史条件，虽然范围大小存在争议，但总不离中医古代的论说和技术。概括而言，经典医学的界定或为《黄帝内经》《伤寒杂病论》等，这是最普遍的意见。或主张汉唐医学为经典，清代徐灵胎重视汉唐古法古方，即为此见的一种表达形式。也有将经典医学理解为汉唐至明清的医学，这一主张多为当代部分学者的意见。

关于经典医学的不同主张，实际上反映了主张者不同的实践范围和学术信仰，从利于临床应用和中医学术发展，以及尊重中医学发展史的角度而言，经典医学一说存在局限性，反有门户之嫌。近年来关于经典医学的施行有增无减，这与这些学者、业者运用《黄帝内经》和仲景之学治疗疾病，尤其是治疗难症大病取得骄人的成效有关。在中医历史上擅用古法古方和古说治疗疾病者甚多，光绪年间四川郑钦安专攻仲景温阳救逆一法，创火神派医术，在西南地区很有影响力。民国时期上海曹颖甫发微金匮和伤寒，以轻灵运用仲景方见长，中华人民共和国成立后赵锡武、万友生等，都是擅长仲景医术的佼佼者。不可否认，宋元之后中医界盛行内科杂病、温病以及各专科的论说、方技由来已久。中华人民共和国成立后，西医技术介入中医院，尤其是中医病房，实际是西医主导了病房工作，用西医的观点取代中医本色的思维大行其道。在医疗市场方面，中医服务渐渐远离危急重症甚至普通的发热吐泻，而偏重慢病调理和养生保健。《中华人民共和国药典》对中药，尤其是对有毒中药剂量和配伍的规定，在一定程度上限制了《伤寒杂病论》中按今世观点属于超大剂量的治疗经验的运用。在上述因素的作用下，中医界大多数从业者，对仲景之学和方药应用的掌握受到极大局限，也影响了对仲景之学以及其他中医古医学说与方技的评价高度。推动并开展经典医学的工作对于挖掘中医古代医说和方技，更好地发挥提高中医药的临床价值有重要的现实意义。

21世纪初，李可先生深研仲景学术，在山西获得施行仲景之学大剂量运用麻桂、柴半、姜附等治病的机会，屡收挽危救亡的疗效，并因出版《李可老中医急危重症疑难病经验专辑》而影响业界。之后广东省中医院率先组建经典病房，奉行仲景之学术，必要时果断使用大剂重药治疗疾病，不乏疗效显著之绩，不仅受到业界的瞩目，还受到政府主管部门肯定。

如果一种医术，其应用仅有零星业者，效果只有个案，很难产生重大的影响力。以病房为单位施行一种医术，具有群体性、规模性的意义，两者自不可对等而论。重庆市中医院中医经典病房也是规模性、群体性实践和发展仲景之学的后起之秀，《实录》可以为证。

《实录》一书分理论篇和实践篇（验案记录）两个部分。理论阐述以任毅主任中医师为首的专业团队的理论为指导，涉及《黄帝内经》三阴三阳、阴阳多少、开阖枢及五运六气的标本气化（寒化热化）。其中本人以为寒化、热化是疾病病机变化机制的最重要方面。《伤寒论》六经辨治体系则是理论中的诊治大则，足以说明经典病房实践的主体医术乃仲景之学。此外，还介绍了常用经方和中药、方剂及其应用经验。实践篇是本人最重视的部分。共记载43案，其中35案为疑难危重症。35案虽非大数据，但也非个案之义可言。所以即使有人对中医经典病房的工作存有异议，阅读35案难病重症之后，也应当产生深思。本人也从阅读中获得借鉴，对于重剂使用麻桂、柴半、姜附等经验，我虽并不常用，但习惯不能否定事实。

我一直关注经典病房的工作，对《实录》的完成感到由衷的高兴。同时也期待中医经典病房全体同仁，在当前的基础上深入研索仲景之学和大剂方药治病的经验，最主要的是应厘清所用的理论指导，其合理性与不合理性以及应提高的部分，进一步明确大剂量猛药的施行条件，从而提高用药的精确性与安全性，还应找到大剂量猛药合理的剂量设计，减少纯经验的偏差等。

已故名医程门雪先生曾言："专则有进，杂则无成。"系言在一定的学习阶段专攻一技一学，学而有成，比贪多杂学的效果更好。必待学成一技一学后，心中已具判断力，乃可旁学他技他学。重庆市中医院经典病房五年余的工作进展正应验“专则有进”的学习规律，在此基础上，期待逐步扩大视野，汲取更多的学术营养。

以上杂序，无非是本人对于中医学术的感悟和思考，谬处盼正。

2024年6月

前　言

曾几何时，“中医见效慢，中医主要应用于养生保健，用于调理……”等说法甚嚣尘上。在这些道听途说的思想影响下，中医药逐渐退出疑难危重症救治的主要阵地，直至逐渐陷入被边缘化、被替代的窘境。殊不知，《伤寒杂病论》正是在“其死亡者，三分有二，伤寒十居其七”的历史环境下著成。经典的中医，无论危重疾病还是疑难杂症，只要治疗方法用之得当，都是济世活人的法宝、护佑生命的利器。中医药需要传承精华、守正创新，读经典、跟名师、做临床是传承发扬中医药的不二法门。中医经典著作名垂百世，在中医药相承弘扬的历史长河中，后世医家将中医经典理论灵活应用于临床实践，使其得以深远传承和发展。

在国家政策的支持鼓励和医院领导的关怀重视下，2018 年 12 月 18 日重庆市中医院中医经典科正式成立，科室以《黄帝内经》《伤寒杂病论》等中医经典著作为理论基础，思想上坚持中医的整体思维、意象思维、中和思维以及顺势思维，用药上大胆突破传统的剂量和“毒性”药物观念束缚，结合全国名老中医的实践经验，以六经辨证为诊疗辨证体系，以内服中药为主要治疗手段，综合运用多种传统中医特色疗法，对各种危重症和疑难杂症的诊治进行深入探索和全方位实践。中医经典科是一个新生的科室，对我们这个年轻的团队而言也是一次全新的挑战，在科室开创和建设的过程中，“迎难而上，锐意进取”的信念是科室前进的动力。在医院的统筹发展规划下，在院领导的大力支持下，在其他行政处室和兄弟科室的帮助协作下，通过科室团队成员的努力奋进，科室的发展与日俱进，五年多时间取得了一定成绩。

以中医为主导解决危重症和疑难杂症的难度和风险不言而喻。在科室建立之初我们也曾迷茫和彷徨，好在广东省中医院中医经典科通过近十年艰辛的探索，已经摸索出了一条中医发展的全新道路。广东省中医院中医经典科颜芳主任是带领本科室团队走上经典中医这条道路的领路人，科室聘请颜主任为客座教授，颜主任团队为我们提供了全方位的经典中医诊疗技术指导，定期安排陈党红副主任中医师等指导老师来我科进行学术讲座和查房指导，也为我们进行了远程查房指导和线上授课。在他们的精心指导示范下，科室的患者得到了纯正、高效的经典中医诊疗，不少危重疑难病患者的实际问题也被逐个击破。正是有了他们无私的指导和帮助，才有了这些案例的总结分析和编撰出版。

初入经典中医之门的医生，想要更加科学高效地学好经方、用好经方，需要深刻理解六经辨证的学术思想。然而中医经典著作原文文义高古，往往意在文字之外，初学者学之颇有难度，不能深刻理解其内涵。全面掌握经典中医，需要我们在临床中多加应用并善于总结，而医案则是行之有效的必备工具。中医医案是医者诊治疾病的书面记录，它真实生动地再现了医者诊治疾病时理、法、方、药一线贯穿的思维过程，其针对医者的实践进行记录总结，基于实际情况不尚空谈，既有成功之经验，又有失败之教训，怵惕砥砺，是以启人心智，垂范后学。

本书全面总结的43例经典病房真实案例，不仅有“重剂起沉疴”的典型病例，也有诊治早期疗效不佳的曲折临床救治过程，每个案例既包含基本资料、诊治过程、转归预后、按语等详细诊疗过程和心得体会，还记录了西医客观检测指标和检查结果，真实呈现了以中医为主导的诊治思维和患者的临床疗效，有效实现了经典理论与临床实践的高度融合。经典中医不仅是纯粹的经验医学，其中也有系统的理论支撑和严格的应用法度，除了临床验案的呈现和分析，本书还将六经辨证学术思想、常用中药、常用经方进行了简要的归纳和总结，方便读者查阅。

“熟读王叔和，不如临证多”，中医经典应当验之于临床，用之于实践。回顾五年多的探索历程，让我们重拾了中医药治疗疑难危重疾病的信心，也针对中医究竟是不是“慢郎中”的争论，给出了我们的答案。在这五年多的时间里，我们笃学不倦、探源溯流、学思践悟；在五年多的临床实践中，我们留心记载、总结分析、整理成册，希望这些体会能给初学经典中医的同道们提供一些思路。本书在编撰过程中得到了国医大师陈可冀和全国名中医张西俭两位老师的审阅和指导，并提出了宝贵意见和赐写序言，在此衷心致谢！

“人事有代谢，往来成古今，江山留胜迹，我辈复登临。”该书的出版，是青年中医们从经典到临床的艰辛探索和真实写照，愿中医学子们携起手来，从经典入手，立足临床，不怕困难，勇于实践，善于思考，勤于总结。然而，目前中医界对于“毒性”中药及其超剂量应用仍存在争议，所以对于书中“毒性”中药的运用和中药剂量的突破，初学者仍需谨慎看待。鉴于本团队成员还比较年轻，受认知水平及实践经验所限，可能存在不妥和疏漏之处，敬请各位读者朋友不吝赐教，以便修订提高。

2024 年 3 月 1 日

目　录

上篇　理　论　篇

下篇　实　践　篇

上篇

理论篇

第一章

六经辨证体系下的疾病辨析

《黄帝内经》成书于春秋战国时期，是我国现存最早的医学著作，被后世医家奉为中医学的经典。《伤寒论》成书于东汉末年，被后世医家称为“方书之祖”。《伤寒论》的六经学说在《黄帝内经》的基础上将三阴三阳理论进一步发展，从而使六经辨证成为后世治疗伤寒病的辨证总纲。其传承和发展主要体现在以下四个方面：一是经络之三阴三阳；二是气化之三阴三阳；三是阴阳离合规律及开、阖、枢的生理功能；四是热病的三阴三阳的发展变化规律。《伤寒论》所体现的六经辨证学术思想，以及组方中所体现的辨证论治思想，与《黄帝内经》中阴阳、脏腑、经络、病机、治法理论关系密切。六经辨证学术思想是对《黄帝内经》的继承与发展，《伤寒论》中六经辨证施治的理论体系指导着中医临床实践，并使中医文化得到传承和发展。

第一节　太　阳　病

一、太阳生理基础解读

（一）阴阳量大小：为三阳，阳气最大

《素问·天元纪大论》曰：“阴阳之气，各有多少，故曰三阴三阳也。”《素问·阴阳类论》曰：“所谓三阳者，太阳为经，三阳脉至手太阴……”《素问·经脉别论》云：“帝曰：太阳藏何象？岐伯曰：象三阳而浮也。”对各经阴阳之气量的多少做了明确规定，即少阳为一阳，阳明为二阳，太阳为三阳。太阳之阳气为最大。

（二）开阖枢（功能）：太阳为开——阳气宣通

《素问·阴阳离合论》曰：“三阳之离合也，太阳为开，阳明为合，少阳为枢。”太阳为开，谓阳气发于外，为三阳之表也。太阳主三阳之表，处于最外

围，故为开。太阳开，阳气便不断升发，不断释放，万物得阳生长，人体各项生理功能也随着太阳开放而有序运转。阳气有宣发、卫外和气化的作用，人依赖阳气的作用才能正常生活。如果因伤寒、伤风、阳虚、淤堵等因素，导致人体出现太阳阳气不能宣通而积蓄的状态，即为太阳开而不及，阳气郁闭，故太阳病常见恶寒发热；太阳开而太过可见太阳中风，临床表现为自汗、啬啬恶风、淅淅恶寒。

（三）标本中气：从本（寒化），从标（热化）

《素问·至真要大论》曰："少阴太阳从本从标。"太阳，于六气中主寒，于五行中属水，故而谓太阳寒水。太阳为三阳，其本为寒水之经，太阳标本异气，所以有标本之化。太阳标阳本寒，阳邪侵入太阳则从标化太过而本寒不及，为卫强营弱或热结膀胱；阴邪侵入太阳则从本化太过而标阳不及，为寒束肌表或寒水潴留。太阳本寒标阳，标本异化，故太阳病有温病、伤寒两大类别。"太阳病，发热而渴，不恶寒者，为温病"，此即太阳病从标化热化。

太阳病，既有内热烦渴，又有恶寒发热，头痛身痛，此即标本兼病，要标本兼治，所谓"有取标本而得者"，如大青龙汤证。太阳寒水之寒气"本"阴而"标"阳（太阳），此即所谓"标本异气"，故临证虽有寒邪伤人，但因患者属于偏阳（阴虚阳盛）体质，此时伤人致病之寒邪就会发生"从标（太阳，属性为阳）而化"，可有"寒气从阳化热"的病机发生，临床症状会表现出阳热特征。太阳、少阴均从本从标，太阳为开，阳气必须宣通输布，若阳气郁滞、宣散不开或者阳气不能从阳明走，可能出现太阳病。太阳从本从标，从阴阳的角度看，太阳在上时，也会表现出少阴君火的功能，所以在太阳病中有很多类型的少阴病证，故临床上使用的桂枝加附子汤、桂枝甘草龙骨牡蛎汤、茯苓四逆汤等均体现了太阳、少阴同治的思想。

二、太阳病常见病理类型

（一）病寒

水性本寒，手少阳三焦经之火，随着（足）太阳（膀胱经）下行，水得到手少阳三焦经之火，应当不寒，是癸水（肾水）而非壬水（膀胱的水）。水以蛰伏收藏为本性，火在内而秘固，水在外而收敛，称为平常人。木（肝）火（心）主里，自内而外生长，因此人体内之气在正常情况下是温煦的；金（肺）水（肾）主表，自外而内收藏，因此人体表面的气在正常情况下是清凉的。

癸水（肾水）温暖而壬水（膀胱水）寒凉则正常，癸水（肾水）寒凉而壬水（膀胱水）发热则生病。癸水（肾水）病就则多寒冷，壬水（膀胱水）则多病则多发热，因为丁火（心火）是由癸水（肾水）转化而成，所以少阴之脏（肾）易得寒病；壬水（膀胱水）是由丙火（小肠火）转化而成，所以太阳之腑（膀胱）易得热病。阳气潜藏则体表清凉而体内温暖，阳气泄漏则体内寒冷而体表火热。体表变寒凉而成为热火，体内变温泉而成为寒冰，体表越来越热而体内越来越寒，人的生气断绝，就会死亡。

(二) 开而不及

太阳主表，为人体肌表之藩篱。《素问·阴阳离合论》曰："太阳为开。""开"是指打开阳气之门，使阳气布散周身。当阳气布达肌表时，就能防御外邪入侵，抵制太阳病的发生。

太阳病实际上就是开的功能出现了异常。开的病变和其他病变一样，有不及和太过。开而不及，就是不能打开，这类疾病主要有太阳伤寒和太阳蓄水等病证。太阳不开的原因有外因，也有内因。

外因就是外感寒邪，寒主收引，阻碍开机，使阳气不能外达，临证可见发热恶寒、体痛身困、头项强痛、脉浮紧等麻黄汤类证。麻黄最善于宣通，宣发阳郁，故善于开，以麻黄为代表的表闭病证即是麻黄类方，治疗应祛除寒邪，恢复太阳之开机，代表方有麻黄汤、葛根汤、大(小)青龙汤和桂枝麻黄各半汤等。若寒郁而化热，形成外寒里热，即是大青龙汤，大青龙汤治疗外感风寒，兼有里热、水饮；邪热蕴肺，用麻杏石甘汤；若有麻黄汤的外寒并夹湿，可用麻黄加术汤。麻黄加术汤郁而化热，进入阳明阶段，日晡潮热，可用麻黄杏仁薏苡甘草汤；外表有寒，内有水饮，代表方是小青龙汤。

内部因素或由阳虚开达无力，或水饮、瘀血、痰浊阻碍阳气外出，主要有太阳少阴合病、脏结、太阳蓄水、太阳蓄血、结胸等病证。治疗阳虚者应补气回阳，体内蓄邪阻滞者应清除其邪。《伤寒论》中的代表方有麻黄附子细辛汤、茯苓四逆汤、真武汤、五苓散、桃核承气汤、大(小)陷胸汤以及半夏泻心汤等。

(三) 开而太过

太阳主开，既不可不及，又不可太过。太过则阳气发而不收，升而不降。以麻黄汤为代表，是开而不及，会产生水饮，而出现各种水肿病。而太阳开之太过，也会出现各种水液代谢异常的表现，以桂枝汤为代表，是汗出过多的开泄太过，可见自汗出、鼻涕多等症状，也包括五苓散证，可见小便频数不利等症状。临床反复鼻炎发作、扁桃体肥大、腺样体肥大、慢性咳嗽、咳嗽变异性哮喘者，这类患者多为虚寒体质，太阳寒水，水液不化，遇寒发病。太阳病与水液代谢密切相关，最关键的产物包括：汗液、小便、鼻涕、痰液、眼泪、唾液、分泌物(耳、眼、呼吸道、消化道)等。唾液多可从太阳病论治，用苓桂术甘汤；涎液多，是脾胃虚寒，可用理中丸；若水太多，可用苓桂术甘汤、五苓散。

以鼻炎为例来看太阳病治疗的配伍规律，开而不及用麻黄配附子，开泄太过用桂枝配附子。开而不及的鼻炎特点是受凉后鼻塞明显，以麻黄为代表用药，基础配伍是麻黄加附子，方剂可以用麻黄附子细辛汤或麻黄附子甘草汤；开泄太过的鼻炎特点是鼻炎发作流涕不止，以桂枝为代表用药，基础配伍是桂枝加附子，方剂可以用桂枝加附子汤。治疗还须兼顾平衡，用药时还可以加黄芪，一方面，要用开太阳之法宣散寒邪；另一方面，要用甘草、黄芪、附子等防止开而太过。

第二节　阳　明　病

一、阳明生理基础解读

（一）阴阳量大小：为二阳，阳气居中

《素问·阴阳类论》曰："所谓二阳者，阳明也。"阳明在人体对应的是二阳；《素问·至真要大论》曰："阳明何谓也？岐伯曰：两阳合明也。"合是聚合、合拢的意思，阳气从少阳、太阳的生发、释放的状态收拢聚合起来，使它转入蓄积收藏的状态，称为"两阳合明"，是阳气闭合的意思。在《黄帝内经》中，阳明没有达到阳气的最高状态，是因为阳气趋于闭合，所以阳明的阴阳量的大小为"二阳"，在三阳中属于居中的位置，是阳气敛藏的状态，所以敛降功能不利和阳热实证有一定的联系。

（二）开阖枢（功能）：阳明为阖——阖阳生阴

太阳为开，阳明为阖，少阳为枢，太阴为开，少阴为枢，厥阴为阖，开是显露、宣示，阖是收敛，枢是转换。三阴有开阖枢，三阳也有开阖枢，阳明的"阖"是一个"阖阳以生阴"的过程，阳明合拢的阳气就转化成太阴，由太阴去收纳。所谓"阖"就是把门关闭，把阳气之门关闭叫阳明，是指阳气敛蓄，阳气之门关闭，肃降有权而阴气生。如张景岳云："阳明为阖，谓阳气蓄于内，为三阳之里也。"阖是聚合、合拢的意思，是把阳气（人体所散之阳气和摄入的自然清气）从一种生发、释放的状态收拢聚合起来，使它转入蓄积收藏的状态，使之能腐熟水谷，蒸化水津，传导化物，化生精气，阖阳生阴。

（三）标本中气：阳明从中

阳明燥金，阳明对应六气是"燥"，"燥"就是阳明的本性，阳明病的生理、病理状态都与"燥气"密切相关。《易经》云："水流湿，火就燥。"阳明病最容易出现阳热实证以及阳明的"燥气为病"。但物极必反，《素问·至真要大论》曰："阳明厥阴，不从标本，从乎中也。"阳明在标本中的从化规律：阳明从中是阳明从太阴而化；太阳与少阴相对应，阳明与太阴相对应，厥阴与少阳相对应。

阳明之中，太阴湿土，燥从湿化，阳明以太阴为中气，阳明属阳为标，其本为燥，燥之对立面是湿，在转化过程中燥可以向湿的方面转化，同时阳明与太阴之间存在着相生关系，如吴鞠通在《温病条辨》中曰："秋燥之气，轻则为燥，重则为寒，化气为湿(其自注曰：化气为湿，土生金，湿土之母气也)。"就人体而言，阳明与太阴相表里，以太阴为中气，阳明包括手阳明大肠和足阳明胃，太阴包括手太阴肺和足太阴脾，它们表里之间相互协调，共同完成饮食的消化、吸收与排泄。因胃主受纳水谷，大肠主传化糟粕，但胃所受纳之水谷必赖脾之运化，以此为胃行其津液，而大肠的传化糟粕有赖肺气之肃降，此即阳明从中气而化之例。

二、阳明病常见病理类型

(一) 病燥

阳明在六气属"燥金"。"胃家实"是辨阳明病的总纲领，身热、汗出、不恶寒、反恶热、脉洪大是判断阳明病的主要依据。阖而不及表现出阳热不降，阖而太过，临床上最常见的表现是泄泻。若胃肠燥热，津液干涸，糟粕结硬，大便阻于肠内不得排出，使肠实胃满，不能进行正常的虚实更替，以致上下不得通顺，阳明有实无虚，从而形成阳明病。在三阳病中，太阳主表，阳明主里。阳明里证反映于外的证候，是为"阳明病外证"。阳明病外证，见身热，汗自出，不恶寒，反恶热，与太阳之表证有本质区别。太阳表证，虽有发热，但"必恶寒"；而阳明病属里实热证，故虽身热但并不恶寒，且因其里热炽盛，不仅不恶寒反而恶热。阳明里热蒸腾津液外泄，故汗出不断而量多，《伤寒论》中形容为"汗出濈濈然"，这与太阳中风仅表现为皮肤潮润的"漐漐汗出"有所不同。阳明热盛于里，气蒸于外，以致表里俱热，气血亢奋，所以脉见洪大。

(二) 阳明热化

阳明热证，是指阳明里热炽盛，但尚未敛结成实，热在气分而弥漫全身，充斥内外，表现为表里俱热的一种证候。阳明热证与阳明腑证比较，腑证可以说是有形之里实，而热证则是无形之里热。因热证之身热来自里热，并非邪在经表，故也不同于阳明经证。

阳明里热，弥漫全身，充斥内外，故一身表里皆热；热盛迫津外泄，故汗出；热盛津伤，故口燥舌干、烦渴而喜冷饮；阳明热甚，气血沸腾，故脉洪大或浮滑而数。上述所举大热、大汗、大渴、脉洪大，即"四大证"，是阳明热证的典型证候，也是阳明热证的辨证要点。治疗应当清热生津，用白虎汤。《伤寒论》中所说："伤寒，脉浮滑，此表有热，里有寒，白虎汤主之。"就是以脉断证并为阳明热证出其治法。伤寒脉浮滑，浮是热盛于外而表热，滑是阳盛于内而里热，表里俱热，说明太阳表邪已化热转属阳明。具体地说，就是邪热在里，邪热内炽，阳气亢盛，若能透发于外，则表里一身皆热；如果不能透发于外，达于四末，可见身大热而手足反厥冷。由于这种手足厥冷，是阳热盛于内而格阴于外，阴阳气不相顺接所致，故称为“阳厥”或“热厥”。“伤寒，脉滑而厥，里有热”，就是指这种证候，也当以白虎汤治疗。

（三）阳明寒化（湿化）

阳明病的虚寒证，是由于胃阳不足，寒从内生，受纳腐熟水谷无权，症见不能食。《伤寒论》中的“阳明病，若不能食者，名中寒”，即指此证。脾胃虚寒，中气不运，水谷精微不能正常化生与输布，因而不仅不能食，而且由于水湿内停，还可见小便不利。由于阴寒内盛，阳气不固而外泄，四肢禀气于胃，故可见手足濈然汗出。中阳不足，温运失职，胃肠寒气凝聚，可形成大便初硬后溏的“固瘕”。

阳明病虚寒证，可见不能食、小便不利、手足濈然汗出，有似阳明胃家实证，但胃家实必大便燥结难下，而阳明虚寒则是大便初硬后溏，两证截然不同。中焦阳虚，寒湿内生，还可发生黄疸。阳明病胃气虚寒，则脉迟无力，食难用饱，若饱食则胃气无力消磨，以致水谷不化，填滞中焦发生腹胀满；食郁于中，则微烦；清阳不升，则头目眩晕；水湿不能温运以下泄，故小便困难。若不及时治疗，必将使水谷不消，寒湿内蕴而发为“谷疸”，亦属黄疸病之一，其发病与饮食不化有关。这里的谷疸是因寒湿所致，故治当温化，若误认为是湿热蕴郁而投以寒凉泻下，必更伤脾胃之气，不但黄疸不除，而且腹满仍然如故。

第三节　少　阳　病

一、少阳生理基础解读

（一）阴阳量大小：为一阳，阳气最小

《素问·阴阳类论》曰：“一阳者，少阳也。”少阳，有阳气初生的含义，故又有“小阳”“幼阳”“稚阳”之称。少阳之火为“少火”，“少火生气”，人体五脏六腑、四肢百骸，皆赖此火温养。少阳作为一阳，一阳初动，是生化无穷的条件。与太阳、阳明相比，少阳的阳气量最小，如初升的太阳、新长的树苗一样，正气常表现出不足的状态。

（二）开阖枢（功能）：少阳为枢——气机之枢

《灵枢·根结》曰："太阳为开，阳明为阖，少阳为枢。"《说文解字》谓："枢，户枢也。"户枢指的是门的转轴，门开合的枢纽。既含有中心、机要、关键等意，同时也有控制、调节之意。少阳的功能特点有如枢机主运转而能够促进并调节太阳、阳明表里阳气的正常出入。少阳居太阳、阳明之中，是阳经经气流通的中心环节和关键部位。

《素问·六微旨大论》曰："升降出入，无器不有。"升降出入又是气化活动表现的基本形式。少阳为枢以气机之枢为本质，主司气化，其内涵体现在对经脉、营卫、气血、津液、元气的运行输布，脏腑功能正常发挥的协调，目的是维持机体正常的生命活动。而无论是营卫、气血、津液及元气的运行输布，还是脏腑的活动如肺之宣发肃降、脾之升清、胃之降浊、心火下降与肾水上升等，皆依赖气的升降出入以及气化而得以顺利进行。由此知"少阳为枢"归根结底是枢调气的升降出入，维持或恢复气的规律性活动。故吴鞠通也指出："盖胆为少阳，主升阳气之先，输转一身之阳气，体本阳也。"

（三）标本中气：少阳从本

《素问·六微旨大论》曰："少阳之上，火气治之，中见厥阴。"在标本中气的气化活动里，少阳属于阳经，其本质属性是相火，都为阳，故少阳从本，少阳的本就是相火，体现在生理或者病理状态下，少阳是一个化火（热化）的状态。少阳的特点就是"往上往外"，经常表现出一种"火"的状态。少阳标志的气候或病候本身属阳，从少阳这个名称，就知道它所代表的气候或病候是火热，所以少阳从本。少阳病基本的生理状态离不开火，但由于少阳是"一阳"，此火往往比较稚嫩，不宜用苦寒直折火热，临床上常采用和法。

二、少阳病常见病理类型

（一）病火

少阳从本，少阳之本气为火，少阳病往往与"火"有密切联系。《伤寒论》第96条："伤寒五六日，中风，往来寒热，胸胁苦满，嘿嘿不欲饮食，心烦喜呕，或胸中烦而不呕，或渴，或腹中痛，或胁下痞硬，或心下悸，小便不利，或不渴，身有微热，或咳者，小柴胡汤主之。"少阳为一阳，其火势往往不大，呈"郁火"之象。如低热、口苦、心烦、胁下胀满、脉弦等表现，虽有热象，但不甚剧烈，与阳明火热之大渴、大汗、面红、便秘、脉洪大等有明显区别。

少阳内寓相火，胆附于肝，其性主疏泄，三焦为气机通行的道路。少阳受邪，气郁不疏而化火，胆火循经上炎，则见口苦；灼伤津液，故咽喉干燥；肝开窍于目，少阳、厥阴风阳上扰，故目眩。因少阳病以疏泄不利，风火内动为其病变特点，以口苦、咽干、目眩为主要临床表现，所以《伤寒论》以"少阳之为病，口苦，咽干，目眩也”作为少阳病的辨证纲要。

少阳病的治疗，当以和解之法，用柴胡类方。如小柴胡汤由柴胡、黄芩、半夏、生姜、人参、炙甘草、大枣组成。柴胡配黄芩，清少阳经腑之热，并疏泄肝胆之气郁；半夏配生姜，能散能降，外散其结，内降其呕；人参、甘草、大枣甘温补脾，助正祛邪，以防邪传太阴。此方能升能降，能开能阖，祛邪而又扶正，使不经汗下而邪去正安，为“和法”之代表。

（二）枢机不利——升降、出入、寒热、阴阳

少阳不仅居于表里之间，而又位于阳经之末，阴经之始，故凡邪气出入进退，如表邪入里，或阳邪入阴，莫不与少阳有关。少阳主枢，除主表里之枢外，亦主阴阳之枢。少阳主枢，具体反映在脏腑经络病变的相互影响上。“邪在胆，逆在胃”，即指出少阳病会影响脾胃的功能；而脾胃功能是否健全，又是判断表邪是否入里，阳病是否转阴的重要标志之一。如《伤寒论》中说“伤寒六七日不解，无大热”，反映了表邪入里；而“其人躁烦”，则标志着邪聚阳明，将形成胃家实热证。

在表之邪所以能内传阳明，即“阳去入阴”，实与少阳枢机不利，不能透达表里之邪有关。正因为少阳枢机具有疏通、调节表里内外的作用，所以当三阳合病，脉见浮大至关上（浮为太阳之脉，大为阳明之脉，关上是为少阳所属部位）；三阳热盛，热阻神明而使人“但欲眠睡”；阳盛迫阴，故见睡则汗出等证时，既不能汗解，也不能用下法，唯有用小柴胡汤和解以利枢机，枢机利，则表里之邪得以透达，其病自愈。这就是三阳合病，治在少阳的道理所在。

少阳枢机不利，不仅可使表邪入里而内传阳明，亦可使病证由阳转阴，进一步发展成为三阴病。但能否传入三阴，也要看患者脾胃功能是否旺盛。若“伤寒三日，三阳为尽，三阴当受邪，其人反能食而不呕”，说明脾胃功能尚好。太阴为三阴之屏障，能食而不呕，反映了太阴脾气健旺，太阴不病则少阴、厥阴亦不会发病，故谓“三阴不受邪也”。

燮理少阳枢机之法，除了少阳病本证代表方小柴胡汤，治疗上可以分为以下几种情况：①偏表，用柴胡桂枝汤；②偏里偏太阴，用柴胡桂枝干姜汤；③偏阳明用大柴胡汤；④实证不明显或不宜过用苦寒，大柴胡汤又不适合，可以用小柴胡加芒硝汤；⑤少阳病本证化火，夹有痰湿，痰湿上冲变为痰火内扰，同时兼太阴里虚，用柴胡加龙骨牡蛎汤；⑥少阳病内陷，所谓“中见厥阴”，可按厥阴病治疗。

第四节 太阴病

一、太阴生理基础解读

(一) 阴阳量大小：为三阴，阴气最大

《素问·天元纪大论》曰："太阴之上，湿气主之。"《素问·六微旨大论》曰："太阴之上，湿气治之。"太阴在标为阴，湿气是本亦为阴，标本皆阴，是为纯阴坤卦之象，故《黄帝内经》称太阴为"三阴""至阴"，其阴气最盛。从命名、阴阳量大小来讲，太阴属于老阴、三阴，在人体的三阴三阳里面，太阴是阴气最大的。

(二) 开阖枢(功能)：太阴为开——承接阳气

《素问·阴阳离合论》曰："是故三阳之离合也，太阳为开，阳明为阖，少阳为枢。""是故三阴之离合也，太阴为开，厥阴为阖，少阴为枢。"太阴为开就是"打开，把阳明阖过来的阳气收纳、接纳"。所以太阴、阳明是一对矛盾，也是一对相互配合的阴阳，太阴与阳明互为表里，虚则太阴，实则阳明。太阴、阳明，太阳、少阴，厥阴、少阳，一阴配一阳，是六经里面形成的两两相对的三组关系。

(三) 标本中气：太阴从本

《素问·五行运大论》曰："中央生湿，湿生土，土生甘，甘生脾，脾生肉，肉生肺。其在天为湿，在地为土，在体为肉，在气为充，在藏为脾。"在标本中的气化规律属性里面，太阴的重点是湿。太阳、少阴从本从标，阳明、厥阴不从标本从乎中，少阳、太阴从本。少阳的本是火，太阴的本是湿，在太阴病中从湿化的病非常多；同样，凡是与湿相关的病，都与太阴有密切的关系。

二、太阴病常见病理类型

(一) 病湿

太阴之上，湿气主之，从本而化。足太阴脾为湿土，手太阴肺为寒燥，肺为储痰之器，清金不胜湿土而从湿化，表现为太阴之上，湿气主之，太阴本湿标阴，中见阳明燥气，但标本同气，远胜中见之气，故太阴从本化。太阴本气为湿，本气自现，最多见寒湿证。病机总体偏里虚寒，邪气伤之多从湿化，病痰饮水湿，病清浊不分，病位涉及肺、脾、肌肉、四肢、皮毛等。太阴里虚寒，湿盛则饮停，导致水饮不化津液，临证可见口干口渴但不欲饮，或漱水不

欲咽。

水流湿、火就燥，虚寒持续，水饮停聚过多，会出现腹胀呕逆、便溏下利的表现。病情若继续发展，还会发生水肿。《金匮要略·痰饮咳嗽病脉证并治》云："病痰饮者，当以温药和之。"治疗太阴病可用温药，比如胃肠型感冒、病毒性肠炎、细菌性痢疾患者，症见恶寒发热，全身酸痛，泄泻不止，可用理中丸治疗。太阴病寒，除了腹胀痛、腹泻等寒湿里证表现外，还可见太阴之虚寒外证，临床可表现出身体疼痛，如《伤寒论》第274条："太阴中风，四肢烦疼，阳微阴涩而长者，为欲愈。"第276条："太阴病脉浮者，可发汗，宜桂枝汤。"太阴病的虚寒外证，亦可用桂枝汤治疗。如果表证未解兼太阴寒湿盛，可用葛根汤或桂枝人参汤，表证已罢而虚寒水饮内盛，则可予理中丸或苓桂术甘汤。

（二）开而不及

太阴病最常见的病理类型还包括开而不及，开而太过。开而不及，如《素问·至真要大论》曰："太阴司天，湿淫所胜……胕肿骨痛，阴痹。阴痹者，按之不得，腰脊头项痛，时眩，大便难，阴气不用，饥不欲食，咳唾则有血，心如悬。"《素问·五常政大论》曰："太阴司天，湿气下临，肾气上从……大寒且至，蛰虫早附，心下否痛，地裂冰坚，少腹痛……"上述湿淫、地裂冰坚导致的大便难，皆属于太阴虚寒性大便难。开而不及表现为腹胀，腹胀不仅是阳明病的特点，也可为太阴病开而不及的表现。太阴病患者体质大虚，热化不及，也会出现开而不及的临床表现。如肠梗阻患者，腹胀便秘，可表现为阳明病，用大黄牡丹汤等治疗，但部分患者本气不足，表现为既有阳明的标实如口干口苦、大便不通等燥热表现，又有食欲差、畏寒、大便稀溏等本气虚寒症状，此即太阴的开而不及，故常用处方可予附子理中合大黄牡丹汤，或理中汤合小承气汤，或如《金匮要略·腹满寒疝宿食病脉证治》"胁下偏痛，发热，其脉紧弦，此寒也，以温药下之"，用大黄附子汤。太阴病，开而不及，运化无权，腹胀如鼓，偏虚的状态，用理中汤，偏实的状态，常用厚朴生姜半夏甘草人参汤。

（三）开而太过

太阴病开而太过，主要表现为洞泻不止，如《黄帝内经》所谓"湿胜则濡泻"。又如《伤寒论》第273条："太阴之为病，腹满而吐，食不下，自利益甚，时腹自痛。"此即太阴寒湿，开泄太过之病。又如《伤寒论》第277条："自利不渴者，属太阴，以其脏有寒故也，当温之，宜四逆辈。"太阴病导致腹泻不止、全身酸痛、倦怠、低热、腹胀、呕吐、恶心欲吐、间中腹痛、大便里急后重、泄泻不止，上述表现即是太阴病的开而太过。治疗太阴病开而太过可用理中汤，因太阴亏虚，脾胃运化水湿不利，蒸腾气化功能受阻，用理中汤既可以治疗泄泻不止,又可以治疗虚性运化不及的便秘,虚寒重者加附子,即附子理中汤。

第五节　少　阴　病

一、少阴生理基础解读

(一) 阴阳量大小:为二阴,阴气居中

《素问·六微旨大论》曰:"太阳之上,寒气治之,中见少阴……少阴之上,热气治之,中见太阳。"寒属阴,热属阳,从阴阳量大小来看,少阴是二阴,在太阴、少阴、厥阴三阴中其阴气处于居中的位置。如《灵枢·卫气行》曰:"其始入于阴,常从足少阴注于肾,肾注于心。"说明少阴位居阴分,为阴之枢纽。

(二) 开阖枢(功能):少阴为枢——阴阳之枢

《素问·阴阳离合论》曰:"太阴为开,厥阴为阖,少阴为枢。"开阖枢的功能属性方面,少阳为枢,少阴亦为枢,两者的区别是:"少阳枢"以枢转三阳经之气为主,使人体阴阳二气能够按时交接,同时疏泄人体气血,维持人体气机的正常。少阳还能够枢转排除邪气于体外,太阳、少阳、阳明之邪气,均可通过少阳之枢转而透达于外。"少阴枢"的功能多体现在阴阳二气的输布方面,《素问·阴阳应象大论》曰:"阳在外,阴之使也,阴在内,阳之守也。"少阴通过调节升降,枢转上下气机,使心火下行,肾水上济而成阴阳水火共济之态,使人寒热协调,阴阳平衡。

(三) 标本中气:从本(热化),从标(寒化)

《素问·至真要大论》曰:"少阳太阴从本,少阴太阳从本从标,阳明厥阴,不从标本从乎中也。"少阴从本从标,"风、热、湿、火、燥、寒"六气为本,三阴三阳为标,少阴六气属火,从本的时候就从火化,容易从阳化热,临床可见少阴热化证,如黄连阿胶汤证、猪苓汤证;少阴为二阴,从标之时从阴化寒,临床可见四逆汤证等。少阴从标从本,少阴病亦可表现为标本两端的症状,如出现太阳与少阴合病,或者太阳与少阴并病,寒热表里错杂的情况,其病机就是太阳荣卫失和传及少阴水火失和。

二、少阴病常见病理类型

（一）少阴寒化证

少阴是生命之枢机，调节心火与肾水，少阴病可以热化，也可以寒化。如阳气虚衰，阴寒内盛，无法从阴转阳而出现寒化证，主要临床表现为精神萎靡，四肢厥冷，下利清谷，无热恶寒，蜷卧，面色苍白，小便清长，脉微细，舌淡，苔白。少阴寒化证以阳虚阴寒内盛为特征，阳气虚衰，阴寒之邪内盛，心神不振，则精神萎靡，蜷卧；阳气虚，温煦功能减弱，不能温养四肢肌肤，则四肢厥冷，面色苍白；脾肾阳虚，不能蒸腾水谷，肠道传化失司，则下利清谷；不能固摄水液，则小便清长；阳气虚无力抗邪，故无热恶寒；阴阳两虚，则脉微细无力；舌淡，苔白为虚寒之象。

证治方面，少阴虚寒证，脉沉微迟弱，以四逆汤为主；若阳气为阴邪所闭，下利脉微者，可用白通汤，本证亦兼虚阳格拒，如服白通汤拒药不受者，用白通加人尿、猪胆汁法（寒因寒用，反佐以治）；若真寒假热，面色赤，身反不恶寒，脉微欲绝，急以通脉四逆法回阳救逆，重用干姜；若肾阳不振，寒水为患，四肢沉重疼痛，下利或有心悸、头眩，用真武汤振肾阳，兼行寒水；若少阴阳虚，背恶寒，脉沉，症以身疼、骨节疼、肢寒为主，用附子汤固本御邪；若脾肾阳虚，下利便脓血，脾气不约，不能统摄，下焦滑脱，以桃花汤温涩之；若以吐为重，烦躁，手足逆冷，需以温降浊阴法，用吴茱萸汤治疗；若精神倦怠兼发热恶寒（格阳者除外），需发表温经的，为太少两感所致，用麻黄附子细辛汤。

（二）少阴热化证

少阴功在枢转阴阳，如素体阴亏，阴不敛阳，热邪伤阴，阴虚火旺，则出现少阴热化证。其主要临床表现为心烦，心悸，不得卧或失眠，脉细数，或发热日轻夜重，咽干口燥，欲饮水，舌红或绛，苔少或剥或光。热邪伤阴，心失所养，心神不宁，则心烦，心悸，不得卧或失眠；热邪深入营分，则发热日轻夜重；热邪损伤阴液则咽干口燥，欲饮水；热重阴伤则舌红或绛，脉细数；苔少或剥或光为少阴热化伤阴之象。

少阴热化证，主症多见心烦不得卧，治疗以养阴清热泻火，用黄连阿胶汤；若咳而呕渴，小便不利，为阴虚，水道不利，水热互结证，用猪苓汤渗利。两者俱是少阴阴虚，均可见红绛舌、细数脉，但治则用药不同。前者以鸡子黄滋肾水而以黄连直折火热，后者以阿胶滋肾水而以滑石清热利湿，治疗少阴热化兼水饮内停。少阴咽痛四方（猪肤汤、甘草汤、桔梗汤、苦酒汤），亦是治疗少阴热证，有兼阴虚、兼表证、客热在经、溃而生疮之不同，示人以育阴清热泻火，散风寒润咽喉之大法。

第六节 厥阴病

一、厥阴生理基础解读

（一）阴阳量大小：为一阴，阴气最小

《素问·阴阳类论》曰："一阴至绝，作朔晦。"厥阴为阴至尽，故算至绝，阴尽则阳生，阳生是朔，阴尽是晦，故曰作朔晦，指厥阴具有阴中有阳，阴尽阳生的特点。《灵枢·阴阳系日月》曰："戌者九月，主右足之厥阴。亥者十月，主左足之厥阴。此两阴交尽，故曰厥阴。"戌亥为地支之尽，遇子则阳气来复，故曰厥阴。"厥阴"的阴量是最小的，但也积累了很多的阳热、阴气。它发出来的时候阴气量很小，所以厥阴出来一般是少阳。少阳再往上升发，到太阳，太阳阳气最旺，但盛极而衰，就是阖入阳明，然后阖阳生阴入太阴，再到少阴、厥阴。厥阴为人体阴阳之气交替转换的阶段，可以将其概括为：两阴交尽，谓之厥阴；阴极阳生，极而复返。

（二）开阖枢（功能）：厥阴为阖——阖阴生阳

《系辞》曰："阖户谓之坤，辟户谓之乾，一阖一辟谓之变，往来不穷谓之通。"辟即开也。坤阴的功能是收敛包容，主入内；乾阳的功能是开放行动，主外出。开阖是从两种不同角度来比喻太阳与阳明、太阴与厥阴的生理功能和病理变化。《素问·阴阳离合论》曰："三阴之离合也，太阴为开，厥阴为阖，少阴为枢。"厥阴闭藏于里，方能生化少阳，枢转阳气。厥阴主静而用阴，具有蓄积闭藏于内的生理特性。厥阴主闭，在人体中起着收纳、涵养的作用，乃育阴通阳之位，开、阖、枢共同调节气机使阴阳趋于平衡，以达到正气存内而邪不可干的目的。厥阴不藏则阳无以制，故发为消渴，气上撞心，心中疼热，下之利不止。

（三）标本中气：厥阴从中

《素问·至真要大论》曰："阳明厥阴，不从标本，从乎中也。故从本者，化生于本，从标本者，有标本之化，从中者，以中气为化也。"在三阴三阳的开阖枢中，厥阴为阖，是阴气凝聚成阳的状态。厥阴者，属风，应于肝木，其厥阴为标，风气为本，中见少阳相火之气，其化从乎中气。故《素问·六微旨大论》曰："所谓本也，本之下，中之见也；见之下，气之标也。"风、寒、暑、湿、燥、火，在天之六气也，三阴三阳合于地之十二支，而上奉天之六气，是以天气为本，而三阴三阳为标；本气之下，标气之上，而界于标本之间者为中气。故厥阴为标，风

为本。

标本同气，皆从本化；标本异气，从本从标；阳明、厥阴，从乎中气。夫厥阴者，属风，应于肝木，其厥阴为标，风气为本，中见少阳相火之气，其化从乎中气；少阳者，属热，应于胆木，其少阳为标，热为本，中见厥阴风木之气，其化从乎本气。《类经图翼·经络》谓："五行之气，以木遇火，则从火化，以金遇土，则从湿化，总不离于水流湿，火就燥，同气相求之义耳。"《四圣心源·六气从化》曰："木之化火也，木气方盛，而火气初萌，母强子弱，故手厥阴以相火而化气于风木。火气既旺，而木气已虚，子壮母衰，故足少阳以甲木而化气于相火。""冬不藏精，春必病温；冬伤于寒，春必病温。"厥阴与少阳，厥阴从中，少阳从本，厥阴中见少阳往往表现为少阳郁火郁热的状态。

二、厥阴病的常见病理类型

（一）病风

从六气论，厥阴之上，风气治之。厥阴之本气为风，无论何病，均与"风"有密切联系，"风火相煽"，风从火化，厥阴从中（少阳相火）。其在机体虽统属于手足厥阴两条经脉而分别内属于两种脏器，但心包附属于心，仅得离火之余气，肝则得震卦之全而独主风木，故前者气质偏弱，后者气质较强；强者司令，弱者从化，自然形成两经一气而火从风化，足经司令而主脏在肝的基本生态。因此，厥阴为病，不仅有阴阳错杂之机，而且有肝风内动之势，并且两者可以互为因果。阴阳为六气之本，六气为阴阳之化；阴进阳退则寒生，阳进阴退则热长，阴阳往复之间则风气乃成。

风性主动，病则必显动象。厥阴风动，因其发病机理之独特，其显象特点也与一般风证不同。厥阴风性为阴阳动荡而乘虚内窃之贼，不仅有寒热混杂之处，而且正居半实半虚之间，故其动摇之势虽甚，但终不如实风之有力而能外彻体窍、引动筋脉，只能乘虚内扰、攻冲于胸腹脏器之间。因此，其少见诸暴强直等外证，而以自觉之内证为主要表现。此外，其风源于肝，而肝为将军之官而禀性刚暴，自病也喜恃强凌弱而"善干他脏"，故其内动风象，每以他脏受害之状显露。

厥阴病提纲条文"消渴，气上撞心，心中疼热，饥而不欲食，食则吐蛔，下之，利不止"，正是要特别显示这种扑朔迷离的风象特点：阴阳动荡则肝风内扰诸脏，若风气横犯中土、消津耗营，则消渴易饥；风木克脾土、气伤胃逆则呕逆不食，甚至吐蛔；若上逆心胸，夹热冲心，则自觉气上撞心，甚至入肺而欲发奔豚；若下迫腹中，夹寒乘脾，则下利不止，甚至及肾而成久利；若肝风同夹寒热而攻冲于内，则心中或脘腹某处拘急绞痛而同时灼热，甚至彼此相争而厥热并发或厥热往复。因此，清代名医叶天士强调此"全是肝病"，"皆肝厥内风"

所致。

治厥阴病当以燮理阴阳为基础,平肝息风为主导,厥阴病之乌梅丸,集酸苦辛甘、大寒大热于一身,能够以杂治杂而兼理肝风。方中不仅以其辛甘助阳、酸苦坚阴、温清并补之相配合且能调理阴阳寒热虚实之错杂,而且以其重用酸收之长,突出敛肝息风之妙用。另外,厥阴风火相煽,常用风引汤、羚角钩藤汤等;厥阴风阳上扰,可选天麻钩藤饮、镇肝熄风汤等;体虚外风入中,拟黄芪桂枝五物汤、补阳还五汤、侯氏黑散、破格救心汤等;外风入中,气机逆乱,投大、小续命汤、续命煮散等,不一而足。

（二）阖而不及,厥阴寒化

感受寒邪与阳气衰微是形成厥阴寒证的基本原因,寒为阴邪,易伤阳气,阳虚则生寒,故寒与阳虚常互为因果而致病。厥阴为阴之尽,故其寒证亦可表现为寒之极。阴盛寒极,阳虚不达四末,致手足厥逆,也是厥阴寒证的一个突出表现。《伤寒论·辨厥阴病脉证并治》复举四逆汤及通脉四逆汤证,并以厥逆为必见之证,其道理亦在于此。如大汗或大下之后,以致阳虚而阴盛,阳虚不充四肢则为厥逆,此时虽无腹痛、下利等症,亦当以四逆汤救阳为急。又如汗出伤阳,阳虚则寒冷内生,血脉凝涩拘挛,因而腹痛下利;四肢为诸阳之本,阳虚不能温养四肢,故不但手足厥冷而且疼痛,说明阳气不仅无内温之力,而且亦无外护之能,仍应以四逆汤温阳退寒。手足厥逆,脉应沉微,方为阳虚之厥;若脉来疾促,按之无力,此乃虚阳与强阴相争,争则脉疾,不胜其阴寒,故手足反厥逆。

若厥阴寒逆作呕,阳虚而又脉弱,其人小便复利而身有微热,是为阴寒内盛而阳气外格之证,如果更见手足厥逆不回的,属于阳虚而寒进,故为难治之证,应急以四逆汤回阳救逆。若厥阴里寒而下利清谷,手足厥冷,里寒极盛,格阳于外,反见身微热,汗出,这是“里寒外热”,真阳欲从外脱的险证,当急以通脉四逆汤,摄阳以消阴。四逆汤、破格救心汤,以扶正托透,破阴散寒为总则,常用于治疗厥阴寒化,临床常见于皮肤病变、妇科、男科的陈寒冷积、伤口愈合不良、风湿免疫类疾病,以当归四逆汤为基础治疗。阖而不及,阴尽生阳,阳气升不出来,需助阳气来化火,兼太阳寒水,故厥阴病的代表方当归四逆汤的基础方是桂枝汤。若厥阴完全寒化,则按少阴寒化证治疗。故张锡纯谓:“凡人元气之脱,皆脱在肝。”

（三）阖而太过,厥阴热化

厥阴之寒,是感受寒邪而阳气不足;厥阴之热,是感受热邪或阳气被郁,属真热,并非虚阳外浮之假热。厥阴热证有厥阴之邪,外出少阳,由阴转阳,见呕而发热的小柴胡汤证、黄芩汤证、三黄泻心汤证、半夏类方证;有因于邪热深伏,阴郁不伸而格阴于外,见脉滑而厥的白虎汤证;有腹胀满、下利、谵语,大肠有燥屎的小承气汤证；亦有下利后，余热不尽蕴郁胸膈，“按之心下濡”之虚烦的栀子豉汤证。

若厥阴病虚寒下利，而转见脉数、口渴，说明阳热来复，正能胜邪，疾病有自愈的机转。如果脉数不解，口渴不除，则是阳复太过，热气有余。厥阴化热，肝不疏泄，以致气滞壅塞，湿聚热灼，津被热伤，血被热腐，湿热下迫，不仅见口渴，而且可见下利便脓血。由于湿性黏滞而热性急迫，故湿热下迫大肠，必以里急后重、便脓血黏液为其特点。厥阴湿热下利，治以白头翁汤清热燥湿、凉血疏肝。另外，厥阴病经常可见上热下寒，临床可见于失眠、痛经、不孕不育、胃肠道疾病、肝胆疾病患者，这些症状往往上下分离，上热下寒、上实下虚，常用方有柴胡桂枝干姜汤、引火汤等。

〔第二章〕

经方常用中药及方剂精解

第一节 常用中药

1. 桂枝

【来源】首载于《神农本草经》:"主上气咳逆,结气喉痹,吐吸,利关节,补中益气。"

【性味归经】辛、甘,温。归心、肺、膀胱经。

【功效】发汗解表,温通经脉,通阳化气。

【主治】风寒感冒,寒凝血滞,诸痛证,痰饮,蓄水证,心悸。

【临床应用】

(1)用于风寒表证。桂枝辛温,善祛风寒,能治风寒感冒、发热恶寒,不论有汗、无汗都可应用。如风寒表证,身不出汗,配麻黄同用,有相须作用,可促使发汗;如风寒表证,伴身有汗出,配芍药等,有协调营卫的作用。

(2)用于寒湿痹痛与经闭腹痛、痛经。桂枝能温通经脉,对寒湿性风湿痹痛,多配合附子、羌活、防风等同用;对气血寒滞所引起的经闭、痛经等症,常配合当归、芍药、桃仁等同用。

(3)用于水湿停滞所致的痰饮喘咳,以及小便不利。桂枝性温,善通阳气,能化阴寒,对阴寒遏阻阳气,津液不能输布,因而水湿停滞形成痰饮的病证,常与茯苓、白术等配伍应用:如膀胱气化失司、小便不利,用桂枝以通阳化气,助利水药以通利小便,常配合猪苓、泽泻等同用,如五苓散。

2. 麻黄

【来源】首载于《神农本草经》:"主中风、伤寒头痛,温疟。发表出汗,去邪热气,止咳逆上气,除寒热,破癥坚积聚。"

【性味归经】辛、微苦,温。归肺、膀胱经。

【功效】发汗散寒,宣肺平喘,利水消肿。

【主治】风寒感冒,胸闷喘咳,风水浮肿,咳逆哮喘。

【临床应用】

(1)用于感冒风寒及麻疹透发不畅，风疹身痒。麻黄性温辛散，能发汗散寒而解表，又可散风透疹。用于治外感风寒所引起的发热恶寒、无汗等症，常与桂枝相须为用，有发汗解表的作用。如治麻疹透发不畅，兼有咳嗽气急症状时，可在辛凉透疹药中酌加麻黄，因肺主皮毛，本品既能宣肺，又能发散，可收透疹、平喘的效果。至于用治风疹身痒，可与薄荷、蝉蜕等药配伍应用。

(2)用于咳嗽、气喘。麻黄能宣畅肺气而止咳平喘，故临床往往用治外邪侵袭、肺气不畅所致喉痒咳嗽、咳痰不爽或咳嗽紧迫、胸闷、气喘等症。如寒邪咳喘，多配苦杏仁、甘草同用；外有寒邪，内有痰饮，常配细辛、干姜、五味子、半夏等同用；至于肺热咳喘，常配石膏、苦杏仁、甘草等同用。

(3)用于风水水肿。麻黄既能发汗，又能利尿，故适用于水肿而伴有表证者，常与白术、生姜等同用。

3. 甘草

【来源】首载于《神农本草经》："主五脏六腑寒热邪气，坚筋骨，长肌肉，倍力，金疮，肿，解毒。"

【性味归经】甘，平。归心、肺、脾、胃经。

【功效】补中益气，泻火解毒，润肺祛痰，缓和药性，缓急定痛。

【主治】脾虚倦怠，心虚悸动，咳嗽气喘，痈疽喉痹，药食中毒，脘腹、四肢挛急疼痛。

【临床应用】

(1)用于脾胃虚弱及气血不足等证。甘草味甘性平，能补脾胃不足而益中气，对于脾胃虚弱所致之症，常与党参、白术、茯苓等补气健脾药配伍应用；对于心血不足、心阳不振，可与补血养阴及温通心阳药如阿胶、生地黄、麦冬、人参、桂枝等品配合应用。

(2)用于疮疡肿毒，咽喉肿痛。甘草生用则能泻火解毒，故常用于疮痈肿痛，多与金银花、连翘等清热解毒药配伍；对咽喉肿痛，可与桔梗、牛蒡子等配合应用，有清热利咽的功效。

(3)用于咳嗽气喘。本品甘缓润肺，有祛痰止咳的功效，在临床上用治咳嗽喘息等症，常与化痰止咳药配伍应用。作为辅助之品，因其性质平和，故不论肺寒咳喘或肺热咳嗽，均可配合应用。

(4)用于腹中挛急作痛。本品有缓解挛急之功，常与芍药配伍，治腹中挛急而痛。

此外，甘草还能缓和药性，有降低或缓和药物烈性的作用，历代本草文献上亦载本品有解药毒作用，可供研究。

4. 大枣

【来源】首载于《神农本草经》:“主心腹邪气,安中养脾,助十二经,平胃气,通九窍,补少气,少津液,身中不足,大惊,四肢重,和百药。……叶覆麻黄,能令出汗。”

【性味归经】甘,平。归脾经。

【功效】补脾胃,养营安神,缓和药性。

【主治】脾虚证,脏躁,失眠。

【临床应用】

(1)用于脾胃虚弱、气虚不足、倦怠乏力。本品功能补中益气,用治脾胃虚弱等症,每与党参、白术等配伍,可加强补中益气的功效。

(2)用于脏躁。大枣又能养营安神,临床上常与甘草、小麦等同用,以治脏躁。

此外,本品与甘遂、大戟、芫花等峻泻药配伍,既能缓和药性,又能补脾和胃。如与生姜同用,既能协调营卫,又可健脾和胃。

5. 生姜

【来源】首载于《神农本草经》:“主胸满咳逆上气,温中止血,出汗,逐风湿痹,肠澼,下利。生者尤良,久服去臭气……”

【性味归经】辛,温。归肺、脾、胃经。

【功效】发汗解表,温中止呕,解毒。

【主治】风寒感冒,胃寒呕吐,肺寒咳嗽,鱼蟹中毒。

【临床应用】

(1)用于风寒感冒、发热、恶寒。生姜用于解表,主要为发散风寒,多用治感冒轻症,煎汤,加红糖趁热服用,往往能得汗而解,也可用作预防感冒药物。生姜发汗作用较弱,常配合麻黄、桂枝等同用,作为发汗解表的辅助药物,能增强发汗力量。

(2)用于胃寒呕吐。生姜为止呕要药,可单独应用,治疗胃寒呕吐。也可治胃热呕吐,配合半夏、竹茹、黄连等同用。

(3)用于鱼蟹中毒、呕吐腹泻。生姜能解鱼蟹毒,单用或配紫苏同用。此外,生姜又能解生半夏、生天南星之毒,煎汤饮服,可用于半夏、天南星中毒引起的喉哑、舌肿、麻木等症。因此在炮制半夏、天南星的时候,常用生姜同制,以减少其毒性。

6. 杏仁

【来源】首载于《神农本草经》:“主咳逆上气,雷鸣,喉痹,下气,产乳,金疮,寒心贲豚。”

【性味归经】甘、苦,微温。有小毒。归肺、大肠经。

【功效】止咳平喘，润肠通便。

【主治】咳嗽气喘，胸满痰多，血虚津枯，肠燥便秘。

【临床应用】

(1)用于咳嗽气喘。杏仁苦泄降气而止咳，故可用于咳嗽、气喘等症，常与麻黄、甘草，或贝母、前胡等配伍应用。

(2)用于肠燥便秘。杏仁质润多油，故又有润肠通便之功，应用时可与火麻仁、瓜蒌子等润肠药配伍。

7. 柴胡

【来源】首载于《神农本草经》："主治心腹，去肠胃中结气，饮食积聚，寒热邪气，推陈致新。久服，轻身明目益精。"

【性味归经】苦，平。归心包、肝、三焦、胆经。

【功效】解表，退热，疏肝解郁，升举阳气。

【主治】表证发热，少阳证，肝郁气滞，气虚下陷，脏器脱垂，疟疾。

【临床应用】

(1)用于感冒、发热。柴胡功能解表，治疗感冒常与葛根、羌活等同用。

(2)用于寒热往来、疟疾。柴胡有较佳的退热作用，邪在少阳、寒热往来，常与黄芩、半夏等同用，如小柴胡汤；治疗疟疾，柴胡又可与草果、青皮等配伍应用。

(3)用于肝气郁结、胁肋疼痛、月经不调。柴胡既具有良好的疏肝解郁作用，又为疏肝诸药之向导，是治肝气郁结之要药。对胁肋疼痛无论内由肝郁、外因伤扑皆可应用；凡见肝气郁结所致的月经不调或痛经等，均可与当归、白芍、香附、郁金等药同用。

(4)用于气虚下陷、久泻脱肛、子宫下垂。柴胡药性升浮，配党参、黄芪等补气药物，对气虚下陷所致的久泻脱肛、子宫下垂等症，有升举阳气作用。

8. 半夏

【来源】首载于《神农本草经》："主伤寒，寒热，心下坚，下气，喉咽肿痛，头眩，胸胀，咳逆，肠鸣，止汗。"

【性味归经】辛，平。性沉降。有毒。归脾、胃、肺经。

【功效】燥湿化痰，降逆止呕，消痞散结。

【主治】痰多咳喘，痰饮眩悸，风痰眩晕，痰厥头痛，呕吐反胃，胸脘痞闷，梅核气；生用外治痈肿痰核。姜半夏多用于降逆止呕。

【临床应用】

(1)用于痰多咳嗽。半夏性燥而功能化痰，其所化之痰，以脾不化湿，聚而成痰者为主，为治湿痰的要药，适用于痰湿壅滞、咳嗽气逆等症，常与陈皮、茯苓等配伍；治痰多咳嗽，又常与贝母配伍应用。因其性温，故又可用治寒痰，宜与白芥子、生姜等同用；因其化痰力佳，故亦可治热痰与风痰，治热痰可与瓜蒌、黄芩等配伍；治风痰，宜与天南星等同用。

(2)用于胸脘痞闷、胸痹、结胸。半夏功能辛散温通、化痰、燥湿，故可用于痰饮内阻、胸脘痞闷，可配陈皮、茯苓等同用；如寒热互结，可配黄芩、黄连、干姜等同用，可收辛开苦降、散结除痞的功效，如半夏泻心汤。此外，又常用于胸痹疼痛，配瓜蒌、薤白等同用；治结胸可与瓜蒌、黄连等同用。

(3)用于瘿瘤瘰疬、疮疡肿痛、梅核气。半夏能化痰散结，可用以治疗痰湿结聚所致的瘿瘤、瘰疬痰核、阴疽肿痛，或痰气互结的梅核气等症。用治瘿瘤瘰疬痰核，可与海藻、山慈菇、贝母等配用。痈疽未溃者可用生半夏配生天南星等同研，调醋外敷，有散结消肿的功效。用治梅核气，可配厚朴、紫苏等同用。

(4)用于胃气上逆、恶心、呕吐。半夏有良好的降逆止呕功效，可用于多种呕吐，在使用时应根据不同的症状而予以不同的配伍。如治胃寒呕吐，可配合生姜或藿香、丁香等品；治胃热呕吐，可配合黄连、竹茹等药；治妊娠呕吐，可配合灶心土等品；治胃虚呕吐，可与人参、白蜜同用。

此外，配秫米还能治胃不和而卧不安之失眠，配硫黄而治肾阳不足、大便失调。

9. 人参

【来源】首载于《神农本草经》:“主补五脏，安精神，定魂魄，止惊悸，除邪气，明目，开心益智。”

【性味归经】甘，微寒。归脾、肺经。

【功效】大补元气，补肺益脾，生津，安神。

【主治】气虚欲脱，脉微欲绝，脾气不足，中气下陷，肺虚喘咳，气短乏力，津伤口渴，虚热消渴，失眠健忘，心悸怔忡，血虚萎黄，阳痿宫冷等。

【临床应用】

(1)用于气虚欲脱、脉微细。人参功能大补元气，所以常用以挽救气虚欲脱之症。临床上如遇气息短促、汗出肢冷、脉微细，或大量失血引起的虚脱等危急症候，可单用一味人参煎服，以补气固脱；如阳气衰微，又可与附子等同用，以益气回阳。

(2)用于肺虚气喘。肺气虚则呼吸短促、行动乏力、动辄气喘。本品能补肺气，可用于肺虚气喘，常与蛤蚧、胡桃肉等同用。

(3)用于脾胃虚弱、倦怠乏力、食欲不振、胸腹胀满，以及久泻脱肛。人参能鼓舞脾胃的元气，对脾胃虚弱之症，也为要药。用于倦怠乏力、气虚脱肛等症，常与黄芪、白术等配伍；用于纳呆、腹胀、泄泻等属于脾虚者，可与白术、茯苓、山药、莲子、砂仁等配伍同用。

(4)用于消渴，热病耗伤津液。人参能生津止渴，故可与生地黄、天花粉配伍，用于消渴；高热大汗后，气伤液耗而见身热口渴者，还可与清热泻火药如石膏、知母等同用，取其益气生津作用；如属热伤气阴，口渴汗多，气虚脉弱者，又可与麦冬、五味子相配伍，以达益气养阴而敛汗之功。

（5）用于神志不安、心悸怔忡、失眠。人参功能益心气、安心神，凡心悸怔忡、失眠、健忘等属于气血两亏、心神不安之症，往往也为要药，常与养血安神药如酸枣仁、桂圆肉、当归等同用。

此外，人参与祛邪之药同用，可用于余邪未清而正气已虚的病证，以起到扶正祛邪的功效。

10. 芍药

【来源】首载于《神农本草经》："主邪气腹痛，除血痹，破坚积寒热，疝瘕，止痛，利小便，益气。"李中梓《雷公炮制药性解》："赤者专主破血利小便，除热明眼目。白芍酸走甘，故能泻水中之火，因怒受伤之证，得之皆愈。"

【性味归经】苦、酸，微寒。归肝经。

【功效】养血敛阴，柔肝止痛，平肝阳。

【主治】肝血亏虚，月经不调，肝脾不和，胸胁脘腹疼痛，四肢挛急疼痛，肝阳上亢，头痛眩晕等。

【临床应用】

（1）用于月经不调，经行腹痛、崩漏、自汗、盗汗。白芍能养血敛阴，治妇科疾病，常与当归、熟地黄、川芎等药配合应用。本品如与桂枝同用，能协调营卫，用以治疗外感风寒、表虚自汗而恶风；与龙骨、牡蛎、浮小麦等药同用，可敛阴潜阳，用治阴虚阳浮所致的自汗、盗汗等症。

（2）用于肝气不和所致的胁痛、腹痛，以及手足拘挛疼痛。白芍功能养血而柔肝，缓急而止痛，治胁痛，常与柴胡、枳壳等同用；治腹痛及手足拘挛，常与甘草配伍；治痢疾腹痛，可与黄连、木香等同用。

（3）用于肝阳亢盛所引起的头痛、眩晕。白芍生用，能敛阴而平抑肝阳，故可用于肝阳亢盛的头痛、眩晕等症，常与桑叶、菊花、钩藤、蒺藜等同用。

11. 葛根

【来源】首载于《神农本草经》："主消渴，身大热，呕吐，诸痹，起阴气，解诸毒。"

【性味归经】甘、辛，平。归脾、胃经。

【功效】解表，透疹，生津，止泻。

【主治】表证发热，项背强痛，麻疹不透，热病口渴，阴虚消渴，热泻热痢，脾虚泄泻。

【临床应用】

（1）用于外感发热、恶寒、无汗、项强。葛根有发汗、退热作用，与柴胡等配伍可用于表热证；与麻黄、桂枝、芍药同用治风寒表证而见项背强、无汗、恶风者。

(2)用于麻疹透发不畅。葛根有透发麻疹作用，因其兼有生津、止泻功能，所以麻疹发热口渴，或伴有腹泻等症，常与升麻等配合应用。

(3)用于胃热口渴等症。本品又能生津止渴，对热病口渴，或消渴等症，可配麦冬、天花粉等同用。

(4)用于脾虚泄泻、湿热泻痢。本品性能升发清阳，鼓舞脾胃阳气上升，有止泻的作用，临床常配合党参、白术等治疗脾虚泄泻；又可配黄连、黄芩等，用于湿热泻痢。

12. 白术

【来源】首载于《神农本草经》，名“术”：“主风寒湿痹，死肌，痉，疸，止汗，除热，消食，作煎饵。”李中梓《雷公炮制药性解》：“白术甘而除湿，所以为脾家要药，胎动痞满吐泻，皆脾弱也。用以助脾诸疾自去，有汗因脾虚，故能止之。”“苍术辛甘祛湿，脾胃最喜，故宜入之。大约与白术同功，乃药性谓其宽中发汗，功过于白术。又谓其补中除湿，力不及白术。”

【性味归经】苦、甘，温。归脾、胃经。

【功效】补脾燥湿，利水，止汗。

【主治】脾气虚弱，脾虚积滞，脾虚饮停，痰饮，肌表不固而汗多以及胎动不安。

【临床应用】

(1)用于脾胃虚弱，食少胀满，倦怠乏力，泄泻。白术有补脾燥湿的作用，补脾胃可与党参、甘草等配伍；消痞除胀可与枳壳等同用；健脾燥湿止泻可与陈皮、茯苓等同用。

(2)用于水湿停留、痰饮、水肿。白术既能燥湿，又能利水，故可用于水湿内停之痰饮或水湿外溢之水肿。治寒饮可与茯苓、桂枝等配伍；治水肿常与茯苓皮、大腹皮等同用。

(3)用于表虚自汗。本品与黄芪、浮小麦等同用，有固表止汗之功，可治表虚自汗。此外，本品又可用于安胎，治妊娠足肿、胎气不安等症，有内热者可与黄芩等配伍；腰酸者可与杜仲、桑寄生等同用。

13. 茯苓

【来源】首载于《神农本草经》：“主胸胁逆气，忧恚，惊邪，恐悸，心下结痛，寒热烦满，咳逆，口焦舌干，利小便。久服安魂养神，不饥延年。”

【性味归经】甘，平。归心、肺、脾、肾经。

【功效】利水渗湿，健脾，化痰，宁心安神。

【主治】水肿，痰饮，脾虚泄泻，心悸，失眠。

【临床应用】

(1)用于小便不利，水肿。茯苓功能利水渗湿，药性平和，利水而不伤正气，为利水渗湿要药。凡小便不利、水湿停滞的证候，不论偏于寒湿，或偏于湿热，或属于脾虚湿聚，均可配合应用。如偏于寒湿者，可与桂枝、白术等配伍；偏于湿热者，可与猪苓、泽泻等配伍；属于脾气虚者，可与党参、黄芪、白术等配伍；属虚寒者，还可配附子、白术等同用。

(2)用于脾虚泄泻，带下。茯苓既能健脾，又能渗湿，对于脾虚运化失常所致泄泻、带下，应用茯苓有标本兼顾之效，常与党参、白术、山药等配伍，也可作为补肺脾，治气虚之辅助药。

(3)用于痰饮咳嗽，痰湿入络，肩背酸痛。茯苓既能利水渗湿，又具健脾作用，对于脾虚不能运化水湿，停聚化生痰饮之症具有治疗作用，可与半夏、陈皮同用，也可配桂枝、白术同用。治痰湿入络、肩酸背痛，可配半夏、枳壳同用。

(4)用于心悸、失眠。茯苓能养心安神，故可用于心神不安、心悸、失眠等，常与人参、远志、酸枣仁等配伍。

14. 大黄

【来源】首载于《神农本草经》："主下瘀血，血闭，寒热，破癥瘕积聚，留饮，宿食，荡涤肠胃，推陈致新，通利水谷，调中化食，安和五脏。"

【性味归经】苦，寒。归脾、胃、大肠、心包、肝经。

【功效】攻积导滞，泻火凉血，行瘀通经。

【主治】积滞便秘，血热吐衄，目赤咽肿，热毒疮疡，烧烫伤，瘀血诸证，湿热痢疾、黄疸、淋证。

【临床应用】

(1)用于大便燥结，积滞泻痢，以及热结便秘、壮热、苔黄。大黄泻下通便、清除积滞，故可用于大便不通及积滞泻痢、里急后重、溏而不爽等症；又因它能苦寒泻热，荡涤肠胃积滞，对于热结便秘、高热神昏等属于实热壅滞的证候，用之可以起到清热泻火的作用。在临床应用时，本品常与芒硝、厚朴、枳实等配伍。

(2)用于火热亢盛、迫血上溢，以及目赤暴痛，热毒疮疖。大黄泻下除热，有泻血分实热的功效，故又能用治血热妄行而上溢，如吐血、衄血；对目赤肿痛、热毒疮疖等症属于血分实热壅滞的证候，可配黄连、黄芩、牡丹皮、赤芍等同用。

(3)用于产后瘀滞腹痛，瘀血凝滞、月经不通，以及跌打损伤、瘀滞作痛。大黄入血分，又能破血行瘀，故可用于瘀血留滞的实证，在使用时须配合活血行瘀的药物，如桃仁、赤芍、红花等。

此外，大黄又可清化湿热而用于黄疸，临床多与茵陈、栀子等药配伍应用；

如将本品研末，还可作为烫伤及热毒疮疡的外敷药，具有清热解毒的作用。

15. 芒硝

【来源】首载于《神农本草经》，名“朴硝”：“主百病，除寒热邪气，逐六腑积聚，结固，留癖，能化七十二种石。”

【性味归经】辛、咸、苦，寒。归胃、大肠、三焦经。

【功效】泻热通便，消食饮热结，化痰散痞。

【主治】积滞便秘，咽痛，口疮，目赤，痈疮肿痛。

【临床应用】

(1)用于实热积滞、大便燥结。芒硝味咸苦而性寒，功能润燥通便而泻实热，故对实热积滞、大便秘结，常配合大黄相须为用，泻热导滞的作用较为显著。

(2)芒硝外用能清热消肿，如皮肤疮肿，或疮疹赤热、痒痛，可用本品溶于冷开水中涂抹；口疮、咽痛，可用本品配合硼砂、冰片等外吹患处，有清热、消肿、止痛的功效。

16. 石膏

【来源】首载于《神农本草经》：“主中风寒热，心下逆气惊喘，口干，舌焦，不能息，腹中坚痛，除邪鬼，产乳，金疮。”

【性味归经】辛、甘，微寒。归肺、胃经。

【功效】清热泻火，收敛生肌。

【主治】温热病气分实热证，肺热喘咳，胃火牙痛，头痛，实热消渴，溃疡不敛，湿疹瘙痒，水火烫伤，外伤出血。

【临床应用】

(1)用于温热病、肺胃大热、高热不退、口渴、烦躁、脉洪大。石膏药性寒，善清气分实热，故适用于肺胃实热证，常与知母相须为用，以增强清里热的作用。

(2)用于温病高热，身发斑疹。温病发斑，多由胃火旺而血热炽盛所致，此多为气血两燔，常用清热泻火功效较强的石膏，配合凉血解毒药如玄参、牡丹皮、赤芍、鲜地黄、板蓝根等同用。

(3)用于胃火亢盛所致的头痛、齿痛、牙龈肿痛。石膏能清泻胃火，故胃火亢盛所引起的疾病，可配合知母、牛膝、生地黄等同用。

(4)用于肺热咳嗽、气喘。邪热袭肺，可见身发高热、咳嗽、气急鼻煽、口渴欲饮等症，可用石膏清泄肺热，佐以麻黄、苦杏仁等宣肺、止咳平喘等品(即麻杏石甘汤)。

(5)用于湿疹水火烫伤，疮疡溃后不敛及创伤久不收口。石膏煅后研末外用，治疗以上诸外科病，有清热、收敛、生肌的作用，常合升丹、黄柏、青黛等同用。

17. 龙骨

【来源】首载于《神农本草经》:"主心腹鬼疰,精物,老魅,咳逆,泄痢脓血,女子漏下,癥瘕坚结,小儿热气惊痫。齿主小儿、大人惊痫癫疾狂走,心下结气,不能喘息,诸痉,杀精物。"

【性味归经】甘、涩,平。归心、肝、肾经。

【功效】重镇安神,平降肝阳,收敛固涩。

【主治】心神不宁,心悸失眠,惊痫癫狂,肝阳眩晕,滑脱,湿疮痒疹,疮疡久溃不敛。

【临床应用】

(1)用于神志不安,失眠,惊痫,癫狂。龙骨功能重镇安神,为临床所常用,常与酸枣仁、茯苓、远志等同用。

(2)用于虚阳上越、头晕目眩。龙骨又适用于肝阴不足、虚阳上越所引起的头目昏花等症,可配牡蛎、白芍等同用,有平肝益阴、潜敛浮阳的功效。

(3)用于遗精,崩漏,虚汗,泄泻,带下。龙骨有收涩之功,应用比较广泛,可治疗多种体虚滑脱的病证。如用治崩漏、带下,常与牡蛎、海螵蛸等配合应用;如用于表虚自汗,又可配黄芪、白芍等同用;如属大汗亡阳,又能与附子、人参、牡蛎等同用。

(4)龙骨外用还能生肌敛疮,对阴汗瘙痒、疮疡久不愈等病症有显著疗效。

18. 牡蛎

【来源】首载于《神农本草经》:"主伤寒寒热,温疟洒洒,惊恚怒气,除拘缓鼠瘘,女子带下赤白。久服强骨节,杀邪鬼,延年。"

【性味归经】咸、涩,微寒。归肝、胆、肾经。

【功效】重镇安神,平肝潜阳,收敛固涩,软坚散结,制酸止痛。

【主治】心神不安,惊悸失眠;肝阳上亢,头目眩晕;痰核,瘿瘤,瘰疬,癥瘕积聚;自汗、盗汗、遗精、滑精、遗尿、尿频、崩漏、带下等滑脱诸症;胃痛泛酸;百合病;外伤出血;疮痈肿毒,疮疡湿疹。

【临床应用】

(1)用于神志不安,心悸怔忡,失眠。牡蛎能重镇安神,临床用于神志不安、心悸、失眠等症,常与龙骨等配合应用。

(2)用于肝阳上亢、头晕目眩,以及肝风内动、惊痫、四肢抽搐。牡蛎有养阴潜阳作用,故适用于肝阴不足、肝阳上亢,往往配伍珍珠母、钩藤等同用;对邪热伤阴、虚风内动,又可配伍龟甲、鳖甲等同用,有养阴息风的功效。

(3)用于遗精,崩漏,虚汗,泄泻,带下。牡蛎具有良好的收涩作用,对体虚滑脱之症,常与龙骨配伍应用。

(4)用于瘰疬,瘿瘤。牡蛎软坚化痰以散结,故常与玄参、贝母、夏枯草等配合,治疗瘰疬、瘿瘤。

(5)用于胃痛泛酸。牡蛎制酸以除痛,为近时所常用,适用于胃痛泛酸。

19. 黄芩

【来源】首载于《神农本草经》:“主诸热黄疸,肠澼,泄痢,逐水,下血闭,恶疮,疽蚀,火疡。”

【性味归经】苦,寒。归肺、胆、脾、大肠、小肠经。

【功效】清热燥湿,泻火解毒,止血,安胎。

【主治】湿温、暑湿,胸闷呕恶,湿热痞满,泻痢,黄疸,肺热咳嗽,高热烦渴,血热吐衄,痈肿疮毒,胎动不安。

【临床应用】

(1)用于湿温发热、胸闷、口渴不欲饮,以及湿热泻痢、黄疸。黄芩清热燥湿作用颇强,对湿温发热,可与滑石、豆蔻、茯苓等配合应用;对湿热泻痢、腹痛,又常与白芍、葛根、甘草同用;对于湿热蕴结所致的黄疸,可与茵陈、栀子、淡竹叶等同用。

(2)用于热病高热烦渴,或肺热咳嗽,或热盛迫血外溢的吐血、衄血、便血、崩漏,以及热毒疮疡。黄芩能清实热,泻肺火。治热病高热,常与黄连、栀子等配伍;治肺热咳嗽,可与知母、桑白皮等同用;治血热妄行,可与生地黄、牡丹皮、侧柏叶等同用;对热毒疮疡,可与金银花、连翘等药同用。

20. 黄连

【来源】首载于《神农本草经》:“主热气,目痛,眦伤,泣出,明目,肠澼,腹痛,下利,妇人阴中肿痛。久服,令人不忘。”

【性味归经】苦,寒。归心、肝、胆、胃、大肠经。

【功效】清热燥湿,泻火解毒。

【主治】湿热痞满,呕吐吞酸,湿热泻痢,高热神昏,心烦不寐,血热吐衄,痈肿疔疮,目赤牙痛,消渴。外治湿疹,湿疮,耳道流脓。

【临床应用】

(1)用于湿热内蕴、胸中烦热痞满、舌苔黄腻、黄疸,以及肠胃湿热留恋、呕吐、泻痢、痔疮等症。黄连清热燥湿的作用很强,配黄芩、大黄等,能治湿热内蕴之症。对湿热留恋肠胃,常配合半夏、竹茹以止呕,配木香、黄芩、葛根等以治泻痢。

(2)用于热病高热、口渴烦躁,甚至神昏谵语,心火亢盛、失眠、心烦、血热妄行、吐血衄血,以及热毒疮疡等症。黄连为泻火解毒要药,对热病高热、心火亢盛,有良好疗效,常配合栀子、连翘等同用;对于血热妄行,可配伍黄芩、大黄等同用;对热毒疮疡,可配伍赤芍、丹皮等药同用。

此外，黄连还可用于胃火炽盛的中消证，可配合天花粉、知母、生地黄等同用。外用以黄连汁点眼，可治火盛目赤；涂口，可治口舌生疮。

21. 黄柏

【来源】首载于《神农本草经》，名"檗木"："主五脏肠胃中结气热，黄疸，肠痔，止泄痢，女子漏下赤白，阴阳伤蚀疮。"

【性味归经】苦，寒。归肾、膀胱、大肠经。

【功效】清热燥湿，泻火解毒，清虚热。

【主治】湿热带下，热淋涩痛，湿热泻痢，黄疸，湿热脚气，痿证，骨蒸劳热，盗汗，遗精，疮疡肿毒，湿疹瘙痒。

【临床应用】

(1)用于湿热泻痢、湿热黄疸，以及小便淋漓涩痛、赤白带下，阴部肿痛，足膝肿痛，痿软无力。黄柏清热燥湿之力与黄芩、黄连相似，但以除下焦之湿热为佳。治疗泻痢，与黄芩、黄连合用；治疗黄疸，与栀子、茵陈合用；如配苍术、牛膝，可用于足膝肿痛、下肢痿软无力；如配合知母、生地黄、淡竹叶、木通，可用于小便淋涩热痛；如配合白芷、龙胆，可用于带下，阴肿。

(2)用于热毒疮疡，湿疹。黄柏燥湿泻火解毒的功效颇好，用治湿热疮疡、湿疹之症，既可内服，又可外用；内服配黄芩、栀子等药同用，外用可配大黄、滑石等研末撒敷。

(3)用于阴虚发热，或梦遗滑精。黄柏除清实热外，尚能清虚热以疗潮热骨蒸，泻肾火以疗梦遗滑精，常与知母、地黄等同用。

22. 栀子

【来源】首载于《神农本草经》："主五内邪气，胃中热气，面赤酒皰皻鼻，白癞，赤癞，疮疡。"

【性味归经】苦，寒。归心、肝、肺、胃经。

【功效】清热泻火，凉血解毒。

【主治】热病心烦，湿热黄疸，血淋涩痛，血热吐衄，目赤肿痛，火毒疮疡。

【临床应用】

(1)用于热病发热，心烦不宁。栀子善能泻火清热而除烦。在外感热病的气分证初期，见有发热、胸闷、心烦等症，可用栀子配合豆豉，以透邪泻热、除烦解郁。如属实热火证而见高热烦躁、神昏谵语等症，可用本品配黄连等泻火而清邪热。

(2)用于热毒、实火引起的吐血、鼻衄、尿血、目赤肿痛和疮疡肿毒。栀子又有凉血止血、清热解毒的作用，用治血热妄行，常与生地黄、侧柏叶、牡丹皮等配伍；治目赤肿痛，可与菊花、石决明等配伍；治疮疡肿毒，可与黄连、金银花、连翘等同用。

此外，本品又能泻热利湿，可用于湿热郁结所致的黄疸、面目皮肤发黄、疲倦、饮食减少等症，常与黄柏、茵陈蒿等同用。又能用生栀子研末，与面粉、黄酒调服，有消肿活络的作用，可用于跌仆损伤、扭挫伤、皮肤青肿疼痛等症，为民间常用的“吊筋药”，尤其适用于四肢关节附近的肌肉、肌腱损伤。

23. 豆豉

【来源】首载于《名医别录》：“主伤寒头痛寒热，瘴气恶毒，烦躁满闷，虚劳喘吸，两脚疼冷。又杀六畜胎子诸毒。”

【性味归经】辛、甘、微苦，寒（因炮制方法不同，又有偏于辛微温者）。归肺、胃经。

【功效】解表，除烦。

【主治】月经不调，痛经，经闭，风湿痹痛，跌打肿痛，小便不利，小儿疳积，脉管炎。

【临床应用】

(1) 用于伤风感冒、发热、恶寒、头痛等症。豆豉的解表力较弱，用治外感表证多配合其他解表药同用，其用于风热、风寒，随加工方法而异。如用于感冒风热多用清豆豉，并配合薄荷、连翘等应用；如用于感冒风寒多用淡豆豉，并配合葱白等应用。

(2) 用于胸中烦闷、虚烦不眠等症。豆豉配栀子有除烦作用，主要用于热病后出现的虚烦不眠、心中懊侬。

24. 枳实

【来源】首载于《神农本草经》：“主大风在皮肤中，如麻豆苦痒，除寒热结，止利，长肌肉，利五脏，益气轻身。”

【性味归经】苦，微寒。归脾、胃、大肠经。

【功效】行气除胀满，化痰开痹，消积导滞。

【主治】胃肠积滞，湿热泻痢，胸痹，结胸，气滞胸胁疼痛，产后腹痛。

【临床应用】

(1) 用于胸腹胀满。枳实理气行气作用较强，故一般认为本品有破气作用，功能行气滞、除胀满，用于胸腹胀满，常与木香、橘皮等同用。此外，对食积不化、脘腹胀满者，可配山楂、神曲等同用；脾虚而见脘腹胀满闷塞者，常配合白术同用；对病后劳复、身热、心下痞闷者，可配栀子、豆豉等同用；寒凝气滞而见胃痛者，可配合橘皮、生姜同用。

(2) 用于胸痹结胸，以及痰多咳嗽，风痰眩晕。本品既能理气，又能化痰，对痰湿遏阻胸阳、胸阳不振、胸痹疼痛，可配瓜蒌、薤白、桂枝等同用；用治痰热互结、胸痞，按之疼痛，可配黄连、瓜蒌等同用；对于痰多咳嗽、风痰眩晕等可配陈皮、半夏、天麻等同用。

(3)用于食积停滞、便秘腹痛及泻痢不畅、里急后重。枳实苦降下行，功能消积导滞，治便秘腹痛，常配合大黄、厚朴等同用；治泻痢后重，常配合木香、槟榔等同用。

此外，本品还可用于胃下垂、脱肛、子宫脱垂等症，宜与补气升阳之品同用；近年来发现本品又有升压作用，可用于休克。

25. 厚朴

【来源】首载于《神农本草经》："主中风，伤寒，头痛，寒热，惊悸，气血痹，死肌，去三虫。"

【性味归经】苦、辛，温。归脾、胃、肺、大肠经。

【功效】燥湿消痰，下气除满。

【主治】湿滞伤中，脘痞吐泻，食积气滞，腹胀便秘，痰饮喘咳。

【临床应用】

(1)用于湿阻脾胃、脘腹胀满以及气滞胸腹胀痛，便秘腹胀，梅核气。厚朴既能温燥寒湿，又能行气宽中，为消胀除满之要药，常与苍术、陈皮等配合用于湿困脾胃、脘腹胀满等症。本品行气作用较佳，对气滞胸腹胀痛，可配木香、枳壳同用；便秘腹胀，可配大黄、枳实同用；治痰气互结之梅核气，可配紫苏叶、半夏等同用。

(2)用于痰多咳嗽。厚朴能温化痰湿，下气降逆，故可用于痰湿内蕴、胸闷喘咳，常与紫苏子、半夏，或麻黄、苦杏仁等同用。

26. 桃仁

【来源】首载于《神农本草经》："主瘀血，血闭癥瘕，邪气，杀小虫。"

【性味归经】苦、甘，平。归心、肝、大肠经。

【功效】活血祛瘀，润肠通便，止咳平喘。

【主治】经闭痛经，癥瘕痞块，肺痈肠痈，跌仆损伤，肠燥便秘，咳嗽气喘。

【临床应用】

(1)用于瘀血所致的经闭、痛经、产后瘀滞腹痛、癥积、跌打损伤。本品味苦而入心肝血分，善泄血分之壅滞，祛瘀力较强，应用范围较广，临床治血瘀经闭、痛经，常配红花、当归，川芎等同用，如桃红四物汤。治产后瘀滞腹痛，常配炮姜、川芎等，如生化汤。治癥积痞块，配三棱、莪术等。治跌打损伤，瘀肿疼痛，常配当归、红花、大黄等，如复元活血汤。

(2)用于肺痈、肠痈。本品常配清热药同用，以清热解毒活血消痈。如《备急千金要方》苇茎汤，《金匮要略》大黄牡丹汤。

(3)用于肠燥便秘。本品为种仁，含油脂，能润燥滑肠，常配苦杏仁、柏子仁等同用，如五仁丸。

(4)用于咳嗽气喘。本品有止咳平喘作用，常配苦杏仁等同用。

27. 牡丹皮

【来源】首载于《神农本草经》:"主寒热,中风瘛疭,痉,惊痫,邪气,除癥坚瘀血留舍肠胃,安五脏,疗痈疮。"

【性味归经】苦、辛,微寒。归心、肝、肾经。

【功效】清热凉血,活血化瘀。

【主治】热入营血,温毒发斑,吐血衄血,夜热早凉,无汗骨蒸,经闭痛经,跌仆伤痛,痈肿疮毒。

【临床应用】

(1)用于温毒发斑,血热吐衄。本品苦寒,入心肝血分。善清营分、血分实热,功能清热凉血止血。治温病热入营血,迫血妄行所致发斑、吐血、衄血,可配水牛角、生地黄、赤芍等药用;治温毒发斑,可配栀子、大黄、黄芩等药,如牡丹汤(《圣济总录》);治血热吐衄,可配大黄、大蓟、茜草等药,如十灰散(《十药神书》);治阴虚血热吐衄,可配生地黄、栀子等药,如滋水清肝饮(《医宗己任篇》)。

(2)用于温病伤阴,阴虚发热,夜热早凉、无汗骨蒸。本品性味苦、辛,寒,入血分而善于清透阴分伏热,为治无汗骨蒸之要药,常配鳖甲、知母、生地黄等药,如青蒿鳖甲汤(《温病条辨》)。

(3)用于血滞经闭、痛经、跌打伤痛。本品辛行苦泄,有活血祛瘀之功。治血滞经闭、痛经,可配桃仁、川芎、桂枝等药,如桂枝茯苓丸(《金匮要略》);治跌打伤痛,可与红花、乳香、没药等配伍,如牡丹皮散(《证治准绳》)。

(4)用于痈肿疮毒。本品苦寒,清热凉血之中,善于散瘀消痈。治火毒炽盛,痈肿疮毒,可配大黄、白芷、甘草等药,如将军散(《本草汇言》);若配大黄、桃仁、芒硝等药,可治瘀热互结之肠痈初起,如大黄牡丹汤(《金匮要略》)。

28. 橘皮

【来源】首载于《神农本草经》:"主胸中瘕热逆气,利水谷。久服去臭,下气通神。"

【性味归经】苦、辛,温。归肺、脾经。

【功效】理气健脾,燥湿化痰。

【主治】用于脘腹胀满,食少吐泻,咳嗽痰多。

【临床应用】

(1)用于胸腹胀满等症。橘皮辛散通温,气味芳香,长于理气,能入脾肺,故既能行散肺气壅遏,又能行气宽中,用于肺气壅滞、胸膈痞满及脾胃气滞、脘腹胀满等症,常与木香、枳壳等配伍应用。

(2)用于湿阻中焦、便溏泄泻等症。橘皮苦温燥湿而能健脾行气,故常用于湿阻中焦、便溏泄泻等症,可配伍苍术、厚朴同用。

⑶用于湿痰寒痰，痰多咳嗽。橘皮善于燥湿化痰，为治湿痰壅肺、痰多咳嗽的常用要药，每与半夏、茯苓同用，如二陈汤（《太平惠民和剂局方》）。

⑷用于脾虚食少、消化不良、恶心、呕吐等症。本品燥湿而能健脾开胃，适用于脾胃虚弱、饮食减少、消化不良，常与人参、白术、茯苓等配合应用。因其既能健脾，又能理气，故往往用作补气药之佐使，可使补而不滞，有防止壅遏作胀之功。

29. 附子

【来源】首载于《神农本草经》："主风寒咳逆，邪气温中，金疮，破癥坚积聚，血瘕，寒湿踒躄，拘挛，膝痛，不能行步。"

【性味归经】大辛，大热。有毒。归心、脾、肾经。

【功效】回阳救逆，温脾肾，散寒止痛。

【主治】亡阳虚脱，肢冷脉微，阴寒水肿，阳虚外感。

【临床应用】

⑴用于厥逆亡阳、脉微欲绝。附子辛烈而热，主要用于冷汗自出、四肢厥逆、脉微弱，或因大汗、大吐、大逆所致的病证，常配合人参、干姜、炙甘草等品同用。如冷汗淋漓、亡阳厥逆者，除用附子、人参外，须再加龙骨、牡蛎等固涩敛汗药；如大出血后手足厥冷、汗出脉微，可以用人参、附子、龙骨、牡蛎配合麦冬、五味子等同用，以回阳救阴。

⑵用于肾阳不足、畏寒肢冷、脾阳不振、腹痛、便溏。附子功能峻补元阳，益火之源，凡肾阳不足、命火衰微、畏寒肢冷、阳痿、尿频，皆可应用，多配伍肉桂、熟地黄、菟丝子、山茱萸等；如脾阳不振、脘腹冷痛、大便溏泄，又可用附子配合益气温脾的党参、白术、干姜、炙甘草等药同用。

⑶用于风寒湿痹、周身骨节疼痛。附子药性温热，能祛除寒湿，因此对风湿痹痛属于寒气偏胜者，有良好的散寒止痛作用，常与桂枝等品合用。

30. 干姜

【来源】首载于《神农本草经》："主胸满咳逆上气，温中止血，出汗，逐风，湿痹，肠澼，下利。"

【性味归经】辛，温。归心、肺、脾、胃、肾经。

【功效】温中，回阳，温肺化痰。

【主治】脘腹冷痛，呕吐，泄泻，亡阳厥逆，寒饮喘咳，寒湿痹痛。

【临床应用】

⑴用于脾胃虚寒、呕吐泄泻、脘腹冷痛，阴寒内盛、四肢厥冷、脉微弱。本品善温脾胃之阳而除里寒，常与党参、白术、炙甘草等配伍同用。如辅助附子，可增强回阳救逆之功，以治阴寒内盛、四肢厥冷等症。

⑵用于肺寒咳嗽、痰稀而多、形如白沫。本品温燥辛散，不仅能温肺以散

寒，又能燥湿以化痰，故可用于寒咳多痰，常与细辛、五味子、茯苓、炙甘草等同用。

31. 细辛

【来源】首载于《神农本草经》："主咳逆，头痛，脑动，百节拘挛，风湿，痹痛，死肌。久服明目，利九窍，轻身长年。"

【性味归经】辛，温。归心、肺、肝、肾经。

【功效】发散风寒，祛风止痛，温肺化饮。

【主治】风寒感冒，头痛，牙痛，风湿痹痛，鼻渊，肺寒咳嗽。

【临床应用】

(1)用于感冒风寒、发热恶寒、头痛身痛、鼻塞等症。细辛能散寒止痛，常与羌活、荆芥、川芎等同用，治疗外感风寒头痛较剧的病证；对于外感风寒、阴寒里盛的病证，亦可应用，须配合麻黄、附子等同用。

(2)用于头痛，齿痛，风湿痹痛。细辛止痛力强，对于头痛、齿痛都有较显著的疗效，头痛可配合羌活、白芷等同用，齿痛可配合白芷、石膏等同用。对于风湿痹痛，以属于寒湿者为宜，可与羌活、川乌、草乌等配合应用。

(3)用于痰多咳嗽。细辛能温肺以化痰饮，所以主要用于治疗肺寒咳嗽、痰多质稀色白，常与干姜、半夏等配伍应用。

此外，本品又能通鼻窍，疗口疮。用于鼻渊，常配合白芷等应用；用于口舌生疮，可单用一味细辛，研末敷于脐部。

32. 当归

【来源】首载于《神农本草经》："主咳逆上气，温疟寒热，洗洗在皮肤中，妇人漏下绝子，诸恶疮疡，金疮，煮饮之。"

【性味归经】甘、辛，温。归肝、心、脾经。

【功效】补血活血，调经止痛，润肠通便。

【主治】血虚萎黄，眩晕心悸，月经不调，经闭痛经，虚寒腹痛，肠燥便秘，风湿痹痛，经闭痛经，跌仆损伤，痈疽疮疡。

【临床应用】

(1)用于月经不调、痛经、经闭、崩漏及血虚体弱。当归功能补血，常与黄芪、党参等配伍，用治血虚体弱；因其又能活血，故可用于调经，为妇科常用药品。治月经不调、经行愆期或过少，常与熟地黄、芍药、川芎等配伍；治经行腹痛，常与香附、延胡索等同用；治经闭不通，可与桃仁、红花等配伍；治崩漏，可与阿胶、地黄、艾叶等同用。

(2)用于跌打损伤瘀痛，痈肿血滞疼痛，产后瘀滞腹痛，风湿痹痛及经络不利。本品具有良好的活血作用，故临床上应用比较广泛，适用于各种瘀滞作痛之证。治损伤瘀痛，可与红花、桃仁、积雪草等品配伍。治痈肿瘀滞疼痛，在肿疡期，可与金银花、连翘、牡丹皮、赤芍、甘草等配伍。在溃疡期，如气血两虚者，可与黄芪、熟地黄、党参等配伍；如气血不和而有肿块未消、排脓未尽者，可合黄芪、金银花、甘草、乳香等同用。治产后瘀滞腹痛，可与益母草、川芎、桃仁等配伍。治风湿痹痛，可与羌活、独活、防风、秦艽等配伍。用于经络不利、筋骨酸痛，可与桂枝、鸡血藤、白芍等同用。

(3)用于血虚肠燥便秘。常与肉苁蓉、何首乌等配伍。

33. 川芎

【来源】首载于《神农本草经》，名“芎䓖”：“主中风入脑，头痛，寒痹，筋挛，缓急，金疮，妇人血闭，无子。”

【性味归经】辛，温。归肝、胆、心包经。

【功效】活血祛瘀，祛风止痛。

【主治】心脉瘀阻之胸痹心痛，肝郁气滞之胁肋胀痛，肝血瘀阻之胸胁刺痛，瘀血阻滞之跌仆损伤，疮疡肿痛，月经不调，经闭痛经，产后瘀痛，恶露不行，多种头痛和风湿痹痛。

【临床应用】

(1)用于胸胁疼痛，风湿痹痛，癥瘕结块，疮疡肿痛，跌仆伤痛，月经不调，经闭痛经，产后瘀痛。川芎辛散温通，功能活血祛瘀，作用广泛，适用于各种瘀血阻滞之症，尤为妇科调经要药。治月经不调、经闭、痛经，常配当归等药同用；治胸胁疼痛，可配柴胡、香附等同用；治风湿痹痛，可配羌活、独活等同用；治癥瘕结块，可配三棱、莪术等同用；治疮疡肿痛、跌打损伤，可配乳香、没药等同用。

(2)用于感冒头痛，偏头痛。川芎辛香善升，能上行头目颠顶，具有祛风止痛作用，为治头风、头痛要药，可配细辛、白芷等同用，亦可根据头痛属于何经进行适当配伍。对于感受风寒邪引起的头痛，可配荆芥、防风、羌活等；用治风热头痛，与菊花、僵蚕等配伍。

此外，近年来临床常用本品治疗冠心病心绞痛。

34. 黄芪

【来源】首载于《神农本草经》：“主痈疽，久败疮，排脓止痛，大风癞疾，五痔，鼠瘘，补虚，小儿百病。”

【性味归经】甘，微温。归脾、肺经。

【功效】补气升阳，固表止汗，托疮生肌，利水退肿。

【主治】气虚乏力，食少便溏，中气下陷，久泻脱肛，便血崩漏，表虚自汗，气虚水肿，内热消渴，血虚萎黄，半身不遂，痹痛麻木，痈疽难溃，久溃不敛。

【临床应用】

(1)用于气虚衰弱，倦怠乏力，或中气下陷、脱肛、子宫脱垂等症。黄芪健脾益气，且具升阳举陷的功效，故可用于气虚乏力及中气下陷等症。在临床上用于补气健脾，常与党参、白术等配伍；用于益气升阳而举陷，常与升麻、柴胡、炙甘草等合用。

(2)用于表虚不固的自汗。黄芪功能固护卫阳，实表止汗。用于表虚自汗，常与麻黄根、浮小麦、牡蛎等配伍；如表虚易感风寒者，可与防风、白术同用。

(3)用于气血不足、疮疡内陷、脓成不溃或久溃不敛。黄芪能温养脾胃而生肌，补益元气而托疮，故为疮痈要药，临床上多用于气血不足、疮痈内陷、脓成不溃、或溃破后久不收口。如用于疮疡内陷或久溃不敛，可与党参、肉桂、当归等配伍；用于脓成不溃，可与当归、金银花、白芷、皂角刺等同用。

(4)用于水肿、脚气、面目浮肿。黄芪能益气而健脾，运阳而利水，故可用于水肿而兼有气虚症状者，多配合白术、茯苓等同用。

此外，本品又可与活血祛瘀通络药如当归、赤芍、桃仁、红花、地龙等配伍，用于中风偏枯、半身不遂，有益气活血、通络利痹的功效。对于消渴，也可应用，常与生地黄、麦冬、天花粉、山药等配伍。

35. 干地黄

【来源】首载于《神农本草经》："主折跌绝筋，伤中，逐血痹，填骨髓，长肌肉。作汤除寒热积聚，除痹。生者尤良，久服，轻身不老。"

【性味归经】甘，寒。归心、肝、肾经。

【功效】清热凉血，养阴生津。

【主治】热入营血，热病伤阴，烦渴，内热消渴，骨蒸劳热，温病发斑，血热所致的吐血、衄血、崩漏、尿血、便血。津伤便秘，咽喉肿痛。

【临床应用】

(1)干地黄甘寒，略带苦味，性凉而不滞，质润而不腻。配玄参，则滋阴降火，用治咽喉焮肿；配牡丹皮、赤芍，则清热凉血，用于热入营血；配白茅根、侧柏叶，则凉血止血，用于血热妄行；配鲜石斛、麦冬，则清热生津，用于热病伤津。

(2)用于肾阴不足，骨蒸潮热，盗汗，遗精及消渴等症。本品滋肾益阴，适用于肾阴不足所引起的各种病证，常与山茱萸、牡丹皮等配伍应用；如属阴虚火旺、骨蒸潮热等症，可与龟甲、知母、黄柏等同用。

36. 泽泻

【来源】首载于《神农本草经》："主风寒湿痹，乳难，消水，养五脏，益气力，肥健。久服耳目聪明，不饥，延年，轻身，面生光，能行水上。"

【性味归经】甘，寒。归肾、膀胱经。

【功效】利水渗湿，泻热。

【主治】小便不利，水肿胀满，泄泻尿少，痰饮眩晕，热淋涩痛。

【临床应用】泽泻甘淡渗湿，利水作用与茯苓相似，亦为利水渗湿常用之品，且药性寒凉，能泻肾与膀胱之热，故对水湿偏热者，尤为适宜。治小便不利、水肿、淋浊、带下等症，常与茯苓、猪苓、车前子等配伍；治泄泻及痰饮所致的眩晕，可与白术配伍。

此外，本品应用于肾阴不足、虚火亢盛，配生地黄、山茱萸等同用，有泻相火作用。

37. 猪苓

【来源】首载于《神农本草经》："主痎疟，解毒，蛊疰不祥，利水道。久服轻身耐老。"

【性味归经】甘、淡，平。归肾、膀胱经。

【功效】利尿渗湿。

【主治】小便不利，水肿胀满，脚气，泄泻，淋浊，带下。

【临床应用】本品甘淡渗泄，利水渗湿作用较强，用于水湿停滞的水肿，单用即可。如《子母秘录》治妊娠从脚至腹肿，小便不利，以及《杨氏产乳方》治通身肿满，小便不利，皆单用一味猪苓为末，热水调服。治疗水湿内停所致之水肿、小便不利，也常与泽泻、茯苓、白术同用，如四苓散(《明医指掌》)。治肠胃寒湿，濡泻无度，常与肉豆蔻、黄柏等同用，如猪苓丸(《圣济总录》)。猪苓药性沉降，通利水道，小便畅则淋浊除，用于阴虚有热之小便不利，淋浊，多与阿胶、泽泻等同用，如猪苓汤(《伤寒论》)。治湿浊带下，与茯苓、泽泻合用，如止带方(《世补斋不谢方》)。

38. 茵陈蒿

【来源】首载于《神农本草经》："主风湿寒热邪气，热结，黄疸。久服，轻身，益气，耐老。"

【性味归经】苦、辛，微寒。归脾、胃、肝、胆经。

【功效】清利湿热，利胆退黄。

【主治】黄疸尿少，湿温暑湿，湿疮瘙痒。

【临床应用】

(1)用于黄疸尿少。本品苦泄下降，微寒清热，善于清利脾胃肝胆湿热，使之从小便出，为治黄疸之要药。治身目发黄，小便短赤之阳黄证，常与栀子、大黄同用，如茵陈蒿汤(《伤寒论》)；治黄疸湿重于热者，可与茯苓、猪苓等同用，如茵陈五苓散(《金匮要略》)；治脾胃寒湿郁滞，阳气不得宣运之阴黄，多与附子、干姜等配伍，如茵陈四逆汤(《卫生宝鉴》)。

(2)用于湿温暑湿。本品其气清香，清利湿热，治疗外感湿温或暑湿，身热倦怠，胸闷腹胀，小便不利，常与滑石、黄芩、木通等药同用，如甘露消毒丹(《医效秘传》)。

(3)用于湿疮瘙痒。本品苦而微寒，其清利湿热之功，可用于湿热内蕴之湿疮瘙痒，风痒瘾疹，可单味煎汤外洗，也可与黄柏、苦参、地肤子等同用。

39. 天花粉(栝楼根)

【来源】首载于《神农本草经》，名“栝楼根”：“主消渴，身热，烦满，大热，补虚安中，续绝伤。”

【性味归经】甘、微苦、酸，微寒。归肺、胃经。

【功效】清热生津，消肿排脓。

【主治】肺热咳嗽，胸痹，结胸，消渴，便秘，痈肿疮毒。

【临床应用】

(1)用于肺热燥咳，热病伤津，消渴。本品能清肺润燥，生津解渴。故临床上用于肺热燥咳，可与沙参、麦冬等配伍；用于热病伤津及消渴，可与麦冬、知母等配伍。

(2)用于痈肿疮疡。本品对疮疡未溃者有消肿作用，已溃脓出不畅者有排脓作用，但均以热毒炽盛者为宜，常与连翘、蒲公英、浙贝母等药同用。

40. 薤白

【来源】首载于《神农本草经》：“主金疮，疮败，轻身不饥，耐老。”

【性味归经】辛、苦，温。归肺、胃、大肠经。

【功效】通阳散结，行气导滞。

【主治】胸痹心痛，脘腹痞满胀痛，泻痢后重。

【临床应用】

(1)用于胸痹。本品辛散苦降、温通滑利，善散阴寒之凝滞，通胸阳之闭结，为治胸痹之要药。治寒痰阻滞、胸阳不振所致胸痹，常与瓜蒌、半夏、枳实等配伍，如瓜蒌薤白白酒汤、瓜蒌薤白半夏汤、枳实薤白桂枝汤等(《金匮要略》)；治痰瘀胸痹，则可与丹参、川芎、瓜蒌皮等同用。

(2)用于脘腹痞满胀痛，泻痢里急后重。本品辛行苦降，有行气导滞、消胀止痛之功。治胃寒气滞之脘腹痞满胀痛，可与高良姜、砂仁、木香等同用；治胃肠气滞，泻痢里急后重，可单用本品或与木香、枳实配伍。

41. 知母

【来源】首载于《神农本草经》：“主消渴，热中，除邪气，肢体浮肿，下水，补不足，益气。”

【性味归经】苦，寒。归肺、胃、肾经。

【功效】清热泻火，滋肾润燥。

【主治】热病烦渴，肺热燥咳，骨蒸潮热，内热消渴，肠燥便秘。

【临床应用】

(1)用于温热病、高热烦躁、口渴、脉洪大等肺胃实热之证及肺热喘咳、痰黄而稠。知母苦寒，上能清肺热，中能清胃火，故适用于肺胃有实热的病证。本品常和石膏同用，可以增强石膏的清热泻火作用。

(2)用于阴虚发热、虚劳咳嗽及消渴。知母能泻肺火而滋肾，故不仅能清实热，且可清虚热。在临床上多与黄柏同用，配入滋阴药中，如知柏地黄丸，治阴虚火旺、潮热骨蒸等症。又本品配养阴润肺药如沙参、麦冬、川贝母等，可用于肺虚燥咳；配清热生津药如天花粉、麦冬、葛根等，可用于消渴。

42. 麦冬

【来源】首载于《神农本草经》："主心腹结气，伤中伤饱，胃络脉绝，羸瘦，短气。久服，轻身不老，不饥。"

【性味归经】甘、微苦，微寒。归心、肺、胃经。

【功效】清心润肺，养胃生津。

【主治】肺燥干咳，阴虚劳嗽，喉痹咽痛，津伤口渴，内热消渴，心烦失眠，肠燥便秘。

【临床应用】

(1)用于肺阴受伤，燥咳，咯血，心烦不安。麦冬为清润之品，既能润肺止咳，又能清心降火。用治肺虚热咳、咯血等症，可与沙参、天冬、生地黄等配伍；用于清心除烦，可与竹叶卷心、莲子心等同用。

(2)用于津伤口渴。麦冬能滋养胃阴而生津，故可用于阴虚内热、胃阴耗伤、津少口渴等，常与石斛、沙参、天冬、生地黄、玉竹等配伍应用。

43. 酸枣仁

【来源】首载于《神农本草经》："主心腹寒热，邪结气，四肢酸疼，湿痹。久服安五脏，轻身延年。"

【性味归经】甘、酸，平。归肝、胆、心经。

【功效】养心补肝，宁心安神，敛汗，生津。

【主治】虚烦不眠，惊悸多梦，体虚多汗，津伤口渴。

【临床应用】

(1)用于虚烦失眠，心悸、怔忡等症。酸枣仁养阴血、益心肝、安定心神，主要用于血虚不能养心或虚火上炎出现的心悸、失眠等症，往往与茯苓、柏子仁、丹参、熟地黄等同用。

(2)用于虚汗。酸枣仁有收敛止汗的功效，治虚汗可与牡蛎、浮小麦等同用。

(3)用于津伤口渴。本品味甘酸，有敛阴生津止渴之功，可用治津伤口渴，常与生地黄、麦冬、天花粉同用。

44. 桔梗

【来源】首载于《神农本草经》："主胸胁痛如刀刺，腹满，肠鸣幽幽，惊恐悸气。”

【性味归经】苦、辛，平。归肺经。

【功效】宣肺，利咽，祛痰，排脓。

【主治】咳嗽痰多，胸闷不畅，咽痛音哑，肺痈吐脓。

【临床应用】

⑴用于咳嗽痰多等症。桔梗辛开苦泄，功能宣肺祛痰。如外感咳嗽，常配合解表药同用。属于外感风寒者，可与荆芥、防风、紫苏叶、苦杏仁等配伍；外感风热，可与前胡、牛蒡子、菊花、桑叶等配伍。

⑵用于咽痛音哑。治疗咽喉肿痛、声音嘶哑，可与牛蒡子、甘草、山豆根、射干等同用。

⑶用于肺痈。本品能祛痰而排脓，用治肺痈，可与薏苡仁、冬瓜子、桃仁、鲜芦根、鱼腥草等配伍。

45. 山药

【来源】首载于《神农本草经》，名“薯蓣”：“主伤中，补虚羸，除寒热邪气，补中益气力，长肌肉，久服耳目聪明，轻身不饥，延年。”

【性味归经】甘，平。归肺、脾、肾经。

【功效】补脾胃，益肺肾。

【主治】食少倦怠，虚咳，尿频，虚热消渴，泄泻。

【临床应用】

⑴用于脾胃虚弱，食少体倦，泄泻，妇女白带过多。山药性平不燥，作用和缓，为一味平补脾胃的药品，故不论脾阳亏或胃阴虚，皆可应用。临床上用治食少倦怠或脾虚泄泻，常与党参、白术、扁豆等补脾胃之品配伍；治妇女白带，常与芡实、白术、茯苓等同用。

⑵用于肺虚久咳，肾虚梦遗精滑，小便频数。山药益肺气，养肺阴，故可用于肺虚痰嗽久咳之证，如有肺阴不足症状者，可与沙参、麦冬等同用。本品又能益肾涩精，如肾亏遗精，则可与熟地黄、山茱萸、龙骨等配伍应用；治小便频数，则可配益智、桑螵蛸等同用。

此外，本品又可用治消渴，可与生地黄、黄芪等同用。

46. 薏苡仁

【来源】首载于《神农本草经》：“主筋急拘挛，不可屈伸，风湿痹，下气。久服轻身益气。其根下三虫。”

【性味归经】甘、淡，凉。归脾、胃、肺经。

【功效】利水渗湿，健脾止泻，除痹，排脓，解毒散结。

【主治】水肿，脚气，小便不利，脾虚泄泻，湿痹拘挛，肺痈，肠痈，赘疣，癌肿。

【临床应用】

(1)用于小便不利，水肿，脚气，湿温。薏苡仁功能利水渗湿，作用较为缓弱，然而因其性微寒，故可用于湿热内蕴之证，治小便短赤，可与滑石、通草等同用；治湿温病邪在气分，湿邪偏胜者，可与苦杏仁、豆蔻、淡竹叶、木通等同用。本品又具健脾之功，用以治脾虚水肿、脚气肿痛，配伍茯苓、白术、木瓜、吴茱萸等同用。

(2)用于泄泻，带下。本品既能健脾，又能渗湿，故适用于脾虚有湿的泄泻、带下，可与白术、茯苓等配伍。

(3)用于湿滞痹痛，筋脉拘挛。本品能祛除湿邪、缓和拘挛，故可用于湿滞皮肉筋脉引起的痹痛拘挛，常与桂枝、苍术等配合应用。

(4)用于肺痈，肠痈。薏苡仁上能清肺热，下利肠胃湿热，常用于内痈，具有排脓消痈之功。治肺痈胸痛、咳吐脓痰，可与鲜芦根、冬瓜子、桃仁、鱼腥草等配伍；治肠痈，可与败酱草、附子等同用。

47. 吴茱萸

【来源】首载于《神农本草经》："主温中，下气，止痛，咳逆，寒热，除湿血痹，逐风邪，开腠理，杀三虫。"

【性味归经】辛、苦，大热。有小毒。归肝、胃、脾、肾经。

【功效】温中止痛，降逆止呕，杀虫。

【主治】厥阴头痛，寒疝腹痛，寒湿脚气，经行腹痛，脘腹胀痛，呕吐吞酸，五更泄泻。

【临床应用】

(1)用于脘腹冷痛，疝痛，脚气疼痛，以及经行腹痛。吴茱萸温散开郁、疏肝暖脾，善解厥阴肝经郁滞，有行气止痛的功效。治胃腹冷痛，可配温中散寒的干姜或行气止痛的广木香；治寒疝少腹痛，可配理气止痛的乌药、小茴香及川楝子；治脚气疼痛，可配舒筋活络的木瓜。由于本品祛寒、止痛之功甚佳，故在临床上又常配伍桂枝、当归、川芎等品，治妇女少腹冷痛、月经后期。还可配伍补骨脂、肉豆蔻、五味子，治脾肾虚寒、腹痛泄泻。

(2)用于肝胃不和、呕吐涎沫等症。本品能疏肝理气，又有降逆止呕之功，故可用治肝胃不和而致呕吐涎沫，可配生姜、黄连等同用。

此外，根据近代使用经验，治蛲虫病，可用吴茱萸三钱，加水煎取汁，第一天晚上服头汁，第二天晚上服二汁，连服三至五剂。

48. 山茱萸

【来源】首载于《神农本草经》："主心下邪气，寒热，温中，逐寒湿痹，去三虫。久服轻身。"

【性味归经】酸、涩，微温。归肝、肾经。

【功效】补益肝肾，涩精，敛汗。

【主治】腰膝酸软，头晕耳鸣，阳痿遗精，遗尿，尿频，以及冲任虚损导致的崩漏、月经过多、虚汗不止、带下量多。

【临床应用】

(1)用于肝肾不足，头晕目眩，耳鸣，腰酸等症。山茱萸功能补肝益肾，凡肝肾不足所致的眩晕、腰酸等症，常与熟地黄、枸杞子、菟丝子、杜仲等配伍同用。

(2)用于遗精、遗尿、小便频数、虚汗不止等症。山茱萸酸涩收敛，能益肾固精。对肾阳不足引起的遗精、尿频均可应用，常配合熟地黄、菟丝子、沙苑子、补骨脂等同用；对于虚汗不止，本品又有敛汗作用，可与龙骨、牡蛎等同用。

此外，本品又能固经止血，可用治妇女体虚、月经过多等症，可与熟地黄、当归、白芍等配伍应用。

49. 五味子

【来源】首载于《神农本草经》："主益气，咳逆上气，劳伤羸瘦，补不足，强阴，益男子精。"

【性味归经】酸、甘，温。归肺、心、肾经。

【功效】收敛固涩，益气生津，补肾宁心。

【主治】久嗽虚喘，梦遗滑精，遗尿尿频，久泻不止，自汗盗汗，津伤口渴，内热消渴，心悸失眠。

【临床应用】

(1)用于久咳虚喘。本品味酸收敛，甘温而润，能上敛肺气，下补肾阳。为治疗久咳虚喘之要药。治肺虚久咳，可与罂粟壳同用，如五味子丸(《卫生家宝方》)；治肺肾两虚之喘咳，常与山茱萸、熟地黄、山药等同用，如都气丸(《症因脉治》)。本品长于敛肺止咳，配伍麻黄、细辛、干姜等，可用于寒饮咳喘证，如小青龙汤(《伤寒论》)。

(2)用于梦遗滑精，遗尿尿频。本品甘温而涩，入肾经能补肾涩精止遗，为治肾虚精关不固之遗精滑精及遗尿尿频之常用药。治滑精，可与桑螵蛸、附子、龙骨等同用，如桑螵蛸丸(《世医得效方》)；治梦遗，常与麦冬、山茱萸、熟地黄等同用，如麦味地黄丸(《医宗金鉴》)。

(3)用于久泻不止。本品味酸涩性收敛，能涩肠止泻。治脾肾虚寒，久泻不止，可与吴茱萸同炒香研末，米汤送服，如五味子散(《普济本事方》)；或与补骨脂、肉豆蔻、吴茱萸同用，如四神丸(《内科摘要》)。

(4)用于自汗，盗汗。本品五味俱全，以酸为主，善于敛肺止汗。治自汗、盗汗，可与麻黄根、牡蛎等同用。

(5)用于津伤口渴，内热消渴。本品甘以益气，酸能生津，具有益气生津止渴之功。治热伤气阴，汗多口渴，常与人参、麦冬同用，如生脉散（《内外伤辨惑论》）；治阴虚内热，口渴多饮之消渴证，多与山药、知母、天花粉等同用，如玉液汤（《医学衷中参西录》）。

(6) 用于心悸，失眠。本品既能补益心肾，又能宁心安神。治阴血亏损，心神失养，或心肾不交之虚烦心悸、失眠多梦，常与麦冬、丹参、酸枣仁等同用，如天王补心丹（《摄生秘剖》）。

50. 乌梅

【来源】首载于《神农本草经》："主下气，除热烦满，安心，肢体痛，偏枯不仁，死肌，去青黑痣、恶疾。"

【性味归经】酸，平。归肝、脾、肺、大肠经。

【功效】敛肺，涩肠，生津，安蛔。

【主治】肺虚久咳，久泻久痢，虚热消渴，蛔厥呕吐腹痛。

【临床应用】

(1) 用于久咳不止。乌梅敛肺而止咳，对于久咳不止，痰液稀少等症，可与罂粟壳、半夏、苦杏仁等配伍应用。

(2) 用于久泻久痢。乌梅又有涩肠止泻作用，治疗泻痢日久不止，常与肉豆蔻、诃子、苍术、茯苓等配伍。

(3) 用于虚热口渴。乌梅能生津止渴，可治气阴两虚的烦热口渴及暑热烦渴，可与天花粉、葛根、麦冬、人参、黄芪等同用。

(4) 用于蛔虫为患所致的呕吐腹痛等症。乌梅味酸，蛔得酸则伏，故能和胃安蛔，常与黄连、黄柏、干姜、细辛、花椒、附子等配伍，治蛔厥腹痛。

本品外用，又可用于牙关紧闭，以乌梅肉擦之；用于外疡胬肉，以乌梅炭研末外敷。

第二节　常用方剂

一、太阳病常用方剂分析

1. 桂枝汤

【组成】桂枝三两（去皮）　芍药三两　甘草二两（炙）　生姜三两（切）　大枣十二枚（擘）

【原文】（第12条）太阳中风，阳浮而阴弱。阳浮者，热自发；阴弱者，汗自出。啬啬恶寒，淅淅恶风，翕翕发热，鼻鸣干呕者，桂枝汤主之。

(第 13 条)太阳病,头痛发热,汗出恶风,桂枝汤主之。

(第 15 条)太阳病,下之后,其气上冲者,可与桂枝汤。

(第 17 条)若酒客病,不可与桂枝汤,得之则呕,以酒客不喜甘故也。

(第 19 条)凡服桂枝汤吐者,其后必吐脓血也。

(第 24 条)太阳病,初服桂枝汤,反烦不解者,先刺风池、风府,却与桂枝汤则愈。

(第 25 条)服桂枝汤,大汗出,脉洪大者,与桂枝汤,如前法。若形似疟,日再发者,汗出必解,宜桂枝二麻黄一汤。

(第 42 条)太阳病,外证未解,脉浮弱者,当以汗解,宜桂枝汤。

(第 44 条)太阳病,外证未解者,不可下也,下之为逆,欲解外者,宜桂枝汤主之。

(第 45 条)太阳病,先发汗,不解,而复下之,脉浮者不愈。浮为在外,而反下之,故令不愈。今脉浮,故知在外,当须解外则愈,宜桂枝汤。

(第 53 条)病常自汗出者,此为荣气和。荣气和者,外不谐,以卫气不共荣气和谐故尔。以荣行脉中,卫行脉外,复发其汗,荣卫和则愈,宜桂枝汤。

(第 54 条)病人藏无他病,时发热,自汗出而不愈者,此卫气不和也,先其时发汗则愈,宜桂枝汤。

(第 56 条)伤寒不大便六七日,头痛有热者,与承气汤。其小便清者,知不在里,仍在表也,当须发汗。若头痛者,必衄,宜桂枝汤。

(第 57 条)伤寒发汗,已解半日许,复烦,脉浮数者,可更发汗,宜桂枝汤。

(第 91 条)伤寒,医下之,续得下利清谷不止,身疼痛者,急当救里。后身疼痛,清便自调者,急当救表。救里宜四逆汤,救表宜桂枝汤。

(第 95 条)太阳病,发热汗出者,此为荣弱卫强,故使汗出,欲救邪风者,宜桂枝汤。

(第 164 条)伤寒大下后,复发汗,心下痞,恶寒者,表未解也,不可攻痞,当先解表,表解乃可攻痞。解表宜桂枝汤,攻痞宜大黄黄连泻心汤。

(第 234 条)阳明病,脉迟,汗出多,微恶寒者,表未解也,可发汗,宜桂枝汤。

(第 240 条)病人烦热,汗出则解,又如疟状,日晡所发热者,属阳明也。脉实者,宜下之;脉浮虚者,宜发汗。下之与大承气汤,发汗宜桂枝汤。

(第 276 条)太阴病,脉浮者,可发汗,宜桂枝汤。

(第 372 条)下利腹胀满,身体疼痛者,先温其里,乃攻其表。温里四逆汤,攻表桂枝汤。

(第 387 条)吐利止而身痛不休者,当消息和解其外,宜桂枝汤。

【方义】桂枝与生姜,皆为辛温药,解肌发汗,解卫分之邪;芍药与大枣相配,芍药味酸,营养营阴,大枣味甘,有养津液的作用;甘草还可补中益气,扶正祛邪。诸药相合,外能调和营卫,内能调和气血,调理脾胃。

【症状】恶风寒、发热、汗出、心悸、腹痛、消瘦、头晕、晕厥、疲倦、乏力、失眠、多梦、自汗;皮损不红、局部暗淡,脉浮缓弱等。

【加减】①腹痛便秘,倍芍药;②胸满腹胀、咳喘、痰多者,加厚朴、苦杏仁;③便秘腹痛,加大黄;④自汗盗汗、黄汗浮肿、小便不利者,加黄芪;⑤汗多、食欲不振、脉沉迟者,加人参;⑥头晕、项背拘急或腹泻者,加葛根;⑦胸腹部的搏动感明显者,加龙骨、牡蛎;⑧荨麻疹,皮肤干燥者,合麻黄汤。

【现代研究】桂枝汤具有解热、抗炎、镇静、镇痛、抗疲劳等作用,对血压和心率、胃肠运动、免疫功能、汗腺分泌均具有双向调节作用,适用于以自汗出、脉弱等为特征的疾病和虚弱体质的调理。

【注意事项】

(1)服用桂枝汤后,一定要出汗,不出汗则无法达到解肌的效果,一般要喝热粥,并要温覆取汗。

(2)要注意出汗的程度,以遍身微似有汗为佳。

(3)避风保暖,饮食宜清淡,禁生冷、黏滑、肉面、五辛、酒酪等。

(4)形体肥胖或发热恶寒无汗者,或发热、烦躁、口渴引饮、舌红、苔干或黄腻者,当忌用或慎用。

2. 麻黄汤

【组成】麻黄三两(去节)　桂枝二两(去皮)　甘草一两(炙)　杏仁七十个(去皮尖)

【原文】(第35条)太阳病,头痛,发热,身疼,腰痛,骨节疼痛,恶风,无汗而喘者,麻黄汤主之。

(第36条)太阳与阳明合病,喘而胸满者,不可下,宜麻黄汤。

(第37条)太阳病,十日以去,脉浮细而嗜卧者,外已解也。设胸满胁痛者,与小柴胡汤。脉但浮者,与麻黄汤。

(第46条)太阳病,脉浮紧,无汗,发热,身疼痛,八九日不解,表证仍在,此当发其汗。服药已微除,其人发烦,目瞑,剧者必衄,衄乃解。所以然者,阳气重故也,麻黄汤主之。

(第51条)脉浮者,病在表,可发汗,宜麻黄汤。

(第52条)脉浮而数者,可发汗,宜麻黄汤。

(第55条)伤寒脉浮紧,不发汗,因致衄者,麻黄汤主之。

(第232条)脉但浮,无余证者,与麻黄汤。

(第235条)阳明病,脉浮,无汗而喘者,发汗则愈,宜麻黄汤。

【方义】麻黄发汗散寒,开毛窍,启闭平喘;桂枝通阳,助麻黄发散风寒;

杏仁利肺平喘，助麻桂解表发汗；甘草和中护正。

【症状】头痛、发热、身痛、腰痛、骨痛；恶风、易感冒、鼻塞、咳喘、胸闷；无汗、少汗；鼻出血、烦躁、不想睁眼；活动不利、浮肿；脉浮、脉浮数、脉浮紧；皮肤干燥粗糙、盆腔脏器脱垂等。

【加减】①肌肉痛、浮肿者，加白术；②关节痛，再加附子；③汗多、怕热，加生石膏；④脉弱者，加黄芪；⑤无汗、皮肤痒，合桂枝汤。

【现代研究】麻黄汤具有解热、平喘、镇咳、兴奋中枢、增加腺体分泌、抗流感病毒等作用，适用于以无汗而喘或无汗身痛、脉浮有力为特征的疾病。

【注意事项】

(1)肤白多汗，极度消瘦，心脏功能不全，甲状腺功能亢进症，严重贫血者慎用或忌用。

(2)本方可能导致心慌出汗，应避免空腹服用，不宜与咖啡、浓茶共饮。

(3)本方服用后可能导致睡眠困难或易醒，停药后可恢复。

3. 桂枝加厚朴杏子汤

【组成】桂枝三两(去皮) 甘草二两(炙) 生姜三两(切) 芍药三两 厚朴二两(炙，去皮) 杏仁五十个(去皮尖) 大枣十二枚(擘)

【原文】(第18条)喘家作桂枝汤，加厚朴、杏子佳。

(第43条)太阳病，下之微喘者，表未解故也，桂枝加厚朴杏人汤主之。

【方义】本方由桂枝汤加厚朴、杏仁构成。方中桂枝汤解肌散邪；杏仁、厚朴降气消痰，止咳平喘。诸药合用共奏解肌祛风、降气平喘之功效。

【症状】发热、汗出恶风、气喘、脉浮缓、苔薄白等。

【加减】①痰不易咳出，加桔梗、前胡；②痰多，合三子养亲汤；③痰黄稠者，加黄芩、桑白皮；④气喘不平者，加葶苈子、紫苏子；⑤胸闷气壅，加瓜蒌皮、郁金；⑥汗出肢冷，加麻黄、细辛、附子。

【现代研究】桂枝加厚朴杏子汤对体温、汗腺有双向调节作用，并具有抗菌、抗炎、抗病毒、抗过敏、镇静、镇痛、抑制支气管平滑肌痉挛、增加心肌血流量等作用。现代常用于治疗感冒、支气管哮喘、支气管炎、腺病毒肺炎等。

【注意事项】外感风热，体内素有郁热内蕴者不宜。

4. 小青龙汤

【组成】麻黄三两(去节) 芍药三两 五味子半升 干姜三两 甘草三两(炙) 桂枝三两(去皮) 半夏半升(洗) 细辛三两

【原文】(第40条)伤寒表不解，心下有水气，干呕，发热而咳，或渴，或利，或噎，或小便不利，少腹满，或喘者，小青龙汤主之。

(第41条)伤寒，心下有水气，咳而微喘，发热不渴。服汤已渴者，此寒去欲解也，小青龙汤主之。

【方义】麻桂相须，发汗解表，麻黄兼能开宣肺气以解喘咳之证，桂枝化气行水以利内饮之化；干姜、细辛温肺化饮，兼协麻桂解表祛邪；佐用辛苦而温之半夏，燥湿化痰，和胃降逆。纯用辛温，恐辛散耗气，温燥伤津，故以酸味之五味子敛肺止咳、芍药和营养血。

【症状】发热、喘、恶寒、身痛、咳嗽；痰液及涕多而清稀如水、量多，口不干渴，口中清涎多，口渴，呕吐；腹泻、尿少、腹胀、浮肿、局部水肿；面色青灰、鼻鸣、吞咽困难；舌苔白、湿润、舌面水滑等。

【加减】①烦躁、口干，加生石膏；②体弱、心悸、烦躁者，去麻黄；③小便不利，少腹满者，去麻黄，加茯苓；④长期服用激素，面色晦暗，加附子；⑤支气管哮喘慢性期，面色黄，肌肉松弛，浮肿，加玉屏风散。

【现代研究】小青龙汤具有解热、平喘、抗炎、抗过敏、改善肾上腺皮质功能及肺功能等作用，适用于以恶寒、口不渴、痰唾涕等分泌物量多清稀为特征的疾病。

【注意事项】

(1)因本方多温燥之品，故阴虚干咳无痰或痰热证者，不宜使用。

(2)忌海藻、菘菜、羊肉、饧、生菜、生葱。

(3)服药后可能出现口干渴，是正常反应，不能饮用冷水或食用生冷水果。

(4)体质羸瘦者，不可多服本方。

5. 五苓散

【组成】猪苓十八铢(去皮)　泽泻一两六铢　茯苓十八铢　桂枝半两(去皮)　白术十八铢

【原文】(第71条)太阳病，发汗后，大汗出，胃中干，烦躁不得眠，欲得饮水者，少少与饮之，令胃气和则愈。若脉浮，小便不利，微热消渴者，五苓散主之。

(第72条)发汗已，脉浮数，烦渴者，五苓散主之。

(第73条)伤寒，汗出而渴者，五苓散主之。不渴者，茯苓甘草汤主之。

(第74条)中风发热，六七日不解而烦，有表里证，渴欲饮水，水入则吐者，名曰水逆，五苓散主之。

(第141)病在阳，应以汗解之，反以冷水潠之，若灌之，其热被劫不得去，弥更益烦，肉上粟起，意欲饮水，反不渴者，服文蛤散。若不差者，与五苓散。

(第156条)本以下之，故心下痞，与泻心汤。痞不解，其人渴而口燥烦，小便不利者，五苓散主之。

(第244条)太阳病，寸缓、关浮、尺弱，其人发热汗出，复恶寒，不呕，但心下痞者，此以医下之也。如其不下者，病人不恶寒而渴者，此转属阳明也。小便数者，大便必硬，不更衣十日，无所苦也。渴欲饮水，少少与之，但以法救之，渴者宜五苓散。

(第386条)霍乱,头痛发热,身疼痛,热多欲饮水者,五苓散主之,寒多不用水者,理中丸主之。

【方义】重用泽泻为君,利水渗湿。臣以茯苓、猪苓助君药利水渗湿。佐以白术补气健脾以运化水湿,合茯苓既可彰健脾制水之效,又可奏输津四布之功。并佐以桂枝温阳化气以助利水,且可辛温发散以祛表邪,一药而表里兼治。诸药相伍,共奏淡渗利湿,健脾助运,温阳化气,解表散邪之功。

【症状】尿少、小便不利、消渴、口渴、水入即吐、吐涎沫;烦躁、头痛、发热、身痛、脐下悸;头晕、行走不稳;上腹不适、胃中振水音、肠鸣音、腹泻或大便不成形、下利;畏光、眼花缭乱、复视;汗出、肤黄、易浮肿、多汗、多水疱、小便黄、积液;脉浮或浮数、舌胖大质嫩边齿痕、苔白厚腻、水滑苔等。

【加减】①水肿兼有表证,与越婢汤合用;②水湿壅盛,与五皮饮合用;③泄泻偏于热者,去桂枝,加车前子、木通,以利水清热;④低热、淋巴结肿大、胸闷恶心、食欲不振者,合小柴胡汤;⑤腹胀、嗳气、咽喉异物感、舌苔厚腻者,加半夏;⑥暑天多汗、头痛烦渴、小便涩者,加滑石、寒水石、生石膏、炙甘草;⑦腰腿疼痛、血压高,加怀牛膝;⑧黄疸或胆红素偏高者,加茵陈。

【现代研究】五苓散具有保肝、降脂、抑制酒精性脂肪肝形成、利尿、调节水电解质代谢、缓解颅内高压等作用,适用于以口渴、吐水、腹泻、汗出而小便不利为特征的疾病。

【注意事项】

(1)本方虽有纠正脱水的作用,但对于重度脱水及伴有严重电解质紊乱者,不能单纯依靠本方,须结合补液等其他纠正水电解质紊乱的措施。

(2)少数患者服用本方后,或会出现腹泻或便秘,可减量或停服。

(3)吐水者宜用散剂,无上消化道症状者可用汤剂。

(4)服用五苓散后宜饮热开水,取微汗为宜,平时忌食冰冷食物。

(5)本方与非甾体类解热镇痛药联用,可能会影响疗效。

6. 桃核承气汤

【组成】桃仁五十个(去皮尖) 桂枝二两(去皮) 大黄四两 芒硝二两 甘草二两(炙)

【原文】(第106条)太阳病不解,热结膀胱,其人如狂,血自下,下者愈。其外不解者,尚未可攻,当先解其外。外解已,但少腹急结者,乃可攻之,宜桃核承气汤方。

【方义】桃仁苦甘平,活血破瘀;大黄苦寒,下瘀泻热,二者合用,瘀热并治,芒硝咸苦寒,泻热软坚,助大黄下瘀泻热;桂枝辛甘温,通行血脉,既助桃仁活血祛瘀,又防硝黄寒凉凝血之弊;桂枝与芒硝、大黄同用,相反相成,桂枝得硝、黄则温通而不助热；芒硝、大黄得桂枝则寒下而不凉遏。炙甘草护胃安中，并缓诸药之峻烈，诸药合用，共奏破血下瘀之功。

【症状】脾气不好、烦躁、面色暗红有光泽；腹胀、腹痛、便秘、少腹部可触及包块；神志不清、记忆力下降、注意力不集中、失眠、头痛；月经不调、闭经、痛经、经前烦躁、下血紫黑等。

【加减】①失眠、抑郁，合柴胡加龙骨牡蛎汤；②肌肤甲错，疾病慢性化者，合桂枝茯苓丸；③跌打损伤，瘀血留滞，疼痛不能转侧，加赤芍、当归尾、红花、苏木；④火旺而血瘀于上，头痛头胀，面红目赤，加生地黄、牡丹皮、栀子、牛膝；⑤月经不调，经闭而属实证，加当归、红花。

【现代研究】桃核承气汤具有降低血液黏度、抗凝血、改善微循环、降血脂、降血糖、抗缺氧、解热、泻下等作用。

【注意事项】

(1)药后或月经来潮，或出现便血、尿血，为疾病向愈的征兆。

(2)仲景条文提出“先食温服”，以使药力直达病所，迅速发挥逐瘀下行之力。临床使用时，多嘱咐患者在饭前 1 小时空腹服药。

(3)体质虚弱者慎用。

(4)本方破血下瘀，孕妇忌用。

(5)表证未解者，当先解表，而后用本方。

7. 栀子豉汤

【组成】栀子十四个(擘) 香豉四合(绵裹)

【原文】(第 76 条)发汗后，水药不得入口，为逆，若更发汗，必吐下不止。发汗吐下后，虚烦不得眠，若剧者，必反复颠倒，心中懊憹，栀子豉汤主之。

(第 77 条)发汗若下之而烦热，胸中窒者，栀子豉汤主之。

(第 78 条)伤寒五六日，大下之后，身热不去，心中结痛者，未欲解也，栀子豉汤主之。

(第 221 条)阳明病，脉浮而紧，咽燥口苦，腹满而喘，发热汗出，不恶寒，反恶热，身重。若发汗则躁，心愦愦反谵语。若加温针，必怵惕，烦躁不得眠。若下之，则胃中空虚，客气动膈，心中懊憹，舌上胎者，栀子豉汤。

(第 228 条)阳明病下之，其外有热，手足温，不结胸，心中懊憹，饥不能食，但头汗出者，栀子豉汤主之。

(第 375 条)下利后，更烦，按之心下濡者，为虚烦也，宜栀子豉汤。

【方义】栀子味苦性寒，泻热除烦，降中有宣；香豉体清气寒，升散调中，宣中有降，二药相合，共奏清热除烦之功。寓宣散于清降之中，清轻宣泄，善解胸膈之郁热。

【症状】烦躁、失眠、胡言乱语；身重、胸闷、发热、胸痛；口干、口苦、腹胀、饥不能食；喘、出汗、头汗；舌红、苔黄、脉数、脉浮紧、易饥饿等。

【加减】①兼顾气虚之人，加炙甘草，成为栀子甘草豆豉汤；②兼顾呕吐，加生姜，成为栀子生姜豉汤。

【现代研究】栀子豉汤具有镇静催眠、抗抑郁、抗氧化、调节肠道菌群、改善胰岛素抵抗、调节内分泌紊乱等作用。

【注意事项】

(1)脾胃虚寒，大便溏者，不宜服用本方。

(2)应用栀子豉汤的过程中，要注意避免食用过于辛辣的食物，同时避免食用过于寒凉的食物，以免损伤胃气。

8. 桂枝甘草汤

【组成】桂枝四两(去皮)　甘草二两(炙)

【原文】(第64条)发汗过多，其人叉手自冒心，心下悸，欲得按者，桂枝甘草汤主之。

【方义】桂枝辛甘性温，入心助阳；炙甘草甘温，甘缓补中益气。桂、甘相伍，辛甘合化，温通心阳，心阳得复，则心悸自平。本方为治疗心阳虚之祖方。

【症状】出汗、心下悸、喜按、胸闷、短气、乏力。

【加减】①烦躁者，加龙骨、牡蛎，成为桂枝甘草龙骨牡蛎汤；②恶寒、咽喉疼痛，加半夏、生姜。

【现代研究】桂枝甘草汤具有双向调节心律、保护心肌、抗血栓、改善心功能、调节神经系统、调节血压等作用。

【注意事项】

(1)心悸，兼喜冷、口苦、脉数者，忌用。

(2)心悸，仍汗出不止，脉虚而不调者，忌用。

(3)心悸，兼四肢厥冷、小便不利等阳虚水饮表现者，忌用。

9. 小建中汤

【组成】桂枝三两(去皮)　甘草二两(炙)　大枣十二枚(擘)　芍药六两　生姜三两(切)　胶饴一升

【原文】(第100条)伤寒，阳脉涩，阴脉弦，法当腹中急痛，先与小建中汤，不差者，与小柴胡汤主之。

(第102条)伤寒二三日，心中悸而烦者，小建中汤主之。

【方义】重用饴糖，甘温补中；甘草、大枣则补益脾胃，培育生化之源；倍芍药以养阴和营，芍药、甘草相配又能酸甘化阴，缓急止痛；桂枝、生姜温中散寒。诸药配伍，共奏建立中气、补益气血、调和阴阳、缓急止痛之功。

【症状】心悸、咽干、烦躁、鼻出血；腹痛、易饥饿、食少、营养不良、好甜食、大便干结甚至如粟状；遗精、四肢酸痛、手足热、易疲劳、烘热汗出；体形消瘦、中年后皮肤干枯发黄、头发黄而细软稀少；阳脉涩、阴脉弦（阳脉涩：寸脉或脉象浮取而涩，提示血亏；阴脉弦：尺脉或脉象沉取而弦，提示有里寒，寒性收引则腹痛）、脉缓无力、舌质柔嫩、舌苔薄白等。

【加减】①面色黄，肌肉松弛，浮肿貌，加黄芪；②食欲不振，面色憔悴，加人参或党参；③面色黄，皮肤干燥，或痛经，或产后瘦弱，加当归；④腹痛剧烈见有包块者，可合大建中汤；⑤自汗者，加黄芪、防风；⑥盗汗者，加浮小麦、桑白皮、青蒿、地骨皮；⑦胃纳不佳，饮食停滞者，加鸡内金、神曲、党参，或白术、茯苓、莱菔子、炒谷 / 麦芽等；⑧心烦不宁者，加酸枣仁、炒栀子、淡豆豉等。

【现代研究】小建中汤具有调节免疫功能的作用，能够提高机体免疫力，增强机体的抗病能力。小建中汤还具有调节神经系统的作用，能够缓解神经紧张、焦虑等症状，从而改善睡眠质量。适用于以消瘦、慢性腹痛、大便干结为特征的疾病。

【注意事项】

(1)肥胖者，或发热、恶寒、无汗者，或发热、烦躁、口渴引饮、舌红、苔干或黄腻者，当忌用或慎用。

(2)部分患者服用本方可出现肠鸣、腹泻，可减少白芍的用量。

(3)饴糖“补虚乏，止渴，去血”，是本方的重要药物，不可或缺。因此，糖尿病患者慎用或忌用。

10. 炙甘草汤

【组成】甘草四两（炙）　生姜三两（切）　人参二两　生地黄一斤　桂枝三两（去皮）　阿胶二两　麦冬半升（去心）　麻子仁半升　大枣三十枚（擘）

【原文】（第 177 条）伤寒脉结代，心动悸，炙甘草汤主之。

【方义】炙甘草益气养心；生地黄滋阴养血；麦冬滋养心阴；桂枝温通心阳，与生地黄相伍，可收气血阴阳并补之效。佐以人参补中益气；阿胶滋阴养血；麻子仁滋阴润燥；大枣益气养血；生姜辛温，具宣通之性，合桂枝以温通阳气，配大枣以益脾胃、资化源、调阴阳、和气血。加酒煎服，清酒辛热，可温通血脉，以行药势。诸药相配，阴血足而血脉充，阳气旺而心脉通。气血充足，阴阳调和。

【症状】脉结代、心律失常、心悸；消瘦、营养不良、肌肉萎缩、皮肤干枯、面色憔悴；出血、贫血；大便干结难解，排便气短心慌，虚汗淋漓；咳嗽、气短等。

【加减】①偏于阳气弱，重用人参、甘草、桂枝，加附子、干姜等；②偏于阴血不足，重用阿胶、麦冬；③失眠梦多，加酸枣仁、川芎；④舌红瘦、出血属热者，可以去生姜、桂枝；⑤尿血，合猪苓汤。

【现代研究】炙甘草汤具有止血、升血压、抗心律失常、抗心肌损伤、抗缺氧、改善贫血、增强免疫力、抗皮肤衰老、抗炎、抗肿瘤等作用。

【注意事项】

(1)本方可能出现腹胀、食欲不振等不适感,可减少服药量。

(2)服用本方同时,应加强饮食营养,多吃含有胶质的动物食品。

(3)肥胖水肿、高血压、有血栓或高黏血症者慎用。

11. 半夏泻心汤

【组成】半夏半升(洗) 黄芩三两 干姜三两 人参三两 黄连一两 大枣十二枚(擘) 甘草三两(炙)

【原文】(第149条)伤寒五六日,呕而发热者,柴胡汤证具,而以他药下之,柴胡证仍在者,复与柴胡汤。此虽已下之,不为逆,必蒸蒸而振,却发热汗出而解。若心下满而硬痛者,此为结胸也,大陷胸汤主之;但满而不痛者,此为痞,柴胡不中与之,宜半夏泻心汤。

【方义】半夏散结除痞,又善降逆止呕,辛热之干姜温中散寒,以苦寒之黄芩、黄连泻热开痞。此方证寒热互结,又缘于中虚失运,升降失常,故以人参、大枣甘温益气以补脾虚。甘草补脾和中而调诸药。诸药相伍,寒热平调,使寒去热清,升降复常,则痞满可除,呕利自愈。

【症状】上腹部满闷不适、恶心、腹胀、呕吐、肠鸣;易口腔溃疡、牙龈出血,口干、口苦、口黏;睡眠障碍、心悸、早搏、胸闷等。

【加减】①疼痛明显,加川楝子、木香、乳香、没药;②食欲不振,加神曲、山楂、鸡内金等;③反酸,加牡蛎、海螵蛸;④呕血、便血,加仙鹤草、茜草或合用黄土汤等。

【现代研究】半夏泻心汤具有调节胃肠运动、保护胃黏膜、抑制幽门螺杆菌、抗消化性溃疡等作用。

【注意事项】

(1)黄连用量不宜过大,过大会抑制食欲。

(2)甘草多用可能导致反酸、腹胀、浮肿等。

(3)食积和痰浊内结之痞满者,不宜使用。

12. 麻杏石甘汤

【组成】麻黄四两(去节) 杏仁五十个(去皮尖) 甘草二两(炙) 石膏半斤(碎,绵裹)

【原文】(第63条)发汗后,不可更行桂枝汤。汗出而喘,无大热者,可与麻黄杏仁甘草石膏汤。

(第162条)下后,不可更行桂枝汤;若汗出而喘,无大热者,可与麻黄杏子甘草石膏汤。

【方义】方用麻黄为君,取其能宣肺而泄邪热,是"火郁发之"之义。但其性温,故配伍辛甘寒之石膏为臣药,而且用量倍于麻黄,使宣肺而不助热,清肺而不留邪，肺气肃降有权，喘急可平，是相制为用。杏仁降肺气，用为佐药，助麻黄、石膏清肺平喘。炙甘草既能益气和中，又与石膏合而生津止渴，更能调和于寒温宣降之间，是佐使药。

【症状】身热不解，有汗或无汗，咳逆气急，鼻煽，口渴，舌苔薄白或黄，脉浮而数。

【加减】①肺中热甚，津液大伤，汗少或无汗者，加重石膏用量，或加炙桑皮、芦根、知母；②若表邪偏重，无汗而见恶寒，当酌加解表之品，如荆芥、薄荷、淡豆豉、牛蒡子之类，在用清泄肺热为主的同时，开其皮毛，使肺热得泄而愈；③若痰黏稠、胸闷者，加瓜蒌、贝母、黄芩以清热化痰，宽胸利膈。

【现代研究】麻杏石甘汤具有解热、平喘、镇静、抗炎、抗变态反应、抗流感病毒等作用。

【注意事项】风寒咳喘，肺肾两虚者，不宜使用。

13. 大青龙汤

【组成】麻黄六两（去节）　桂枝二两（去皮）　甘草二两（炙）　杏仁四十枚（去皮尖）　生姜三两（切）　大枣十枚（擘）　石膏鸡子大（碎）

【原文】（第38条）太阳中风，脉浮紧，发热恶寒，身疼痛，不汗出而烦躁者，大青龙汤主之。若脉微弱，汗出恶风者，不可服之，服之则厥逆，筋惕肉瞤，此为逆也。

（第39条）伤寒脉浮缓，身不疼，但重，乍有轻时，无少阴证者，大青龙汤发之。

【方义】方用麻黄、桂枝、生姜辛温发汗以散风寒，能使内热随汗而泄。甘草、生姜、大枣甘温补脾胃、益阴血，以补热伤之津；无津不能作汗，又可以充汗源。石膏甘寒清解里热，与麻黄配伍能透达郁热。杏仁配麻黄，一降一升，能宣降肺气利于达邪外出。诸药配伍，一是寒热并用，表里同治，侧重于“在表者，汗而发之”；二是发中寓补，汗出有源，祛邪而不伤正。

【症状】发热无汗，烦躁，脉有力者。

【加减】①里热明显者，石膏加量，加天花粉；②咽喉痛明显，加金银花、连翘、牛蒡子；③浮肿者，加茯苓、泽泻、紫苏叶；④热甚者，加大青叶、蝉蜕；⑤气血虚甚者，加黄芪、白术、生地黄、何首乌；⑥瘀甚者，加当归、丹参；⑦小儿夏季外感高热：咽红、扁桃体肿大，加金银花、蒲公英、牛蒡子；烦躁不安加钩藤、蝉蜕。

【现代研究】大青龙汤具有解热、抑菌、提高巨噬细胞的吞噬功能等作用。

【注意事项】

（1）体质较弱者，应当慎用。

（2）凡属阳虚者忌服。

(3)表虚者忌服。

(4)有汗而烦者忌服。

(5)若脉搏微弱,出汗容易虚脱者,应当禁用。

(6)临床应用中,患者出汗即当停药,不可过量服用,否则会因出汗过多而伤身。

二、阳明病常用方剂解析

1. 白虎汤

【组成】知母六两　石膏一斤(碎)　甘草二两(炙)　粳米六合

【原文】(第176条)伤寒脉浮滑,此以表有热、里有寒,白虎汤主之。

(第219条)三阳合病,腹满身重,难于转侧,口不仁,面垢,谵语遗尿。发汗则谵语,下之则额上生汗,手足逆冷。若自汗出者,白虎汤主之。

(第350条)伤寒脉滑而厥者,里有热,白虎汤主之。

【方义】重用石膏,辛甘而寒,主入肺胃气分,善能清阳明气分大热,清热而不伤阴,并能止渴除烦;臣以知母苦寒质润,又滋阴润燥,救已伤之阴津,以止渴除烦。石膏配知母相须为用,清热除烦、生津止渴之力尤强,为治气分大热之最佳配伍。粳米、炙甘草益胃生津,缓石膏、知母苦寒重降之性,可防大寒伤中之弊,并留恋药气,甘草兼以调和诸药为使。四药配伍,共奏清热除烦、生津止渴之效。

【症状】腹胀、身重、口舌麻木、面部油腻;胡言乱语、遗尿、手足冷、神昏;发热、口渴、口苦、烦躁、活动不利、自汗、脉浮滑等。

【加减】①神昏谵语、抽搐者,加羚羊角、水牛角;②谵语、大便秘结、小便短赤,加大黄、芒硝;③消渴、烦渴引饮,加天花粉、芦根、麦冬等;④关节疼痛、汗出、怕风,加桂枝;⑤关节疼痛,口中黏,舌苔厚腻,加苍术;⑥甲状腺功能亢进症、肺炎、感冒等见多汗、脉滑者,合小柴胡汤;⑦流感、肺炎等见项背强、烦躁者,合葛根汤。

【注意事项】

(1)白虎汤证有不同的类型,临床不应被"白虎汤四大证"(大热、大渴、汗大出、脉洪大)所局限。四大证不必悉具,但见一证便是。

(2)皮肤暗黑、黄肿、满面红光者慎用。

(3)脉沉细、口不干渴、恶寒无汗者忌用。

(4)本方中粳米不可缺。"米熟汤成"是煎煮时间的标准。黏稠的米汤有助于石膏微细颗粒悬浮,增加汤中有效成分的含量。

2. 调胃承气汤

【组成】大黄四两(去皮,清酒洗)　甘草二两(炙)　芒硝半斤

【原文】(第 29 条)伤寒脉浮,自汗出,小便数,心烦,微恶寒,脚挛急,反与桂枝,欲攻其表,此误也。得之便厥,咽中干,烦躁,吐逆者,作甘草干姜汤与之,以复其阳。若厥愈足温者,更作芍药甘草汤与之,其脚即伸。若胃气不和,谵语者,少与调胃承气汤。若重发汗,复加烧针者,四逆汤主之。

(第 70 条)发汗后,恶寒者,虚故也。不恶寒,但热者,实也,当和胃气,与调胃承气汤。

(第 94 条)太阳病未解,脉阴阳俱停,必先振栗汗出而解。但阳脉微者,先汗出而解;但阴脉微者,下之而解。若欲下之,宜调胃承气汤。

(第 105 条)伤寒十三日,过经谵语者,以有热也,当以汤下之。若小便利者,大便当硬,而反下利,脉调和者,知医以丸药下之,非其治也。若自下利者,脉当微厥;今反和者,此为内实也,调胃承气汤主之。

(第 123 条)太阳病,过经十余日,心下温温欲吐,而胸中痛,大便反溏,腹微满,郁郁微烦。先此时自极吐下者,与调胃承气汤。

(第 207 条)阳明病,不吐不下,心烦者,可与调胃承气汤。

(第 248 条)太阳病三日,发汗不解,蒸蒸发热者,属胃也,调胃承气汤主之。

(第 249 条)伤寒吐后,腹胀满者,与调胃承气汤。

【方义】大黄苦寒以泻热通便,荡涤肠胃;芒硝咸寒以泻下除热,软坚润燥;以炙甘草调和大黄、芒硝攻下泻热之方,使之和缓。调和肠胃,承顺胃气,驱除肠胃积热,使胃气得和,气机相接。

【症状】胡言乱语、胸痛、发热、恶寒、烦躁;呕吐、出汗、口渴;便秘或大便稀而不畅、腹胀、尿频;脚抽搐、脉浮或滑、苔黄燥、脉沉实等。

【加减】①热盛者,加知母、石膏;②血热妄行,加生地黄、白茅根、藕节;③风热在上,加桑叶、菊花;④腹胀满甚,加枳壳、厚朴;⑤有瘀血,加牡丹皮、桃仁、赤芍。

【现代研究】调胃承气汤对胃肠运动有兴奋和抑制的双重调节作用,且较为缓和,还具有导泻、保护胃肠黏膜等作用。

【注意事项】产妇、孕妇,年老体弱、脾胃虚寒、血虚津亏者,不宜使用本方。

3. 小承气汤

【组成】大黄四两(酒洗)　厚朴二两(炙,去皮)　枳实三枚(大者,炙)

【原文】(第 208 条)阳明病,脉迟,虽汗出,不恶寒者,其身必重,短气,腹满而喘,有潮热者,此外欲解,可攻里也。手足濈然汗出者,此大便已硬也,大承气汤主之。若汗多,微发热恶寒者,外未解也,其热不潮,未可与承气汤。若腹大满不通者,可与小承气汤,微和胃气,勿令至大泄下。

(第 209 条)阳明病,潮热,大便微硬者,可与大承气汤;不硬者,不可与之。若不大便六七日,恐有燥屎,欲知之法,少与小承气汤,汤入腹中,转矢气者,此有燥屎也,乃可攻之;若不转矢气者,此但初头硬,后必溏,不可攻之,攻之必胀满不能食也。欲饮水者,与水则哕。其后发热者,必大便复硬而少也,以小承气汤和之。不转矢气者,慎不可攻也。

(第 213 条)阳明病,其人多汗,以津液外出,胃中燥,大便必硬,硬则谵语,小承气汤主之。若一服谵语止者,更莫复服。

(第 214 条)阳明病,谵语,发潮热,脉滑而疾者,小承气汤主之。因与承气汤一升,腹中转气者,更服一升。若不转气者,勿更与之。明日又不大便,脉反微涩者,里虚也,为难治,不可更与承气汤也。

(第 250 条)太阳病,若吐、若下、若发汗后微烦,小便数,大便因硬者,与小承气汤和之,愈。

(第 251 条)得病二三日,脉弱,无太阳柴胡证,烦躁,心下硬,至四五日,虽能食,以小承气汤少少与,微和之,令小安,至六日,与承气汤一升。若不大便六七日,小便少者,虽不受食,但初头硬,后必溏,未定成硬,攻之必溏。须小便利,屎定硬,乃可攻之,宜大承气汤。

(第 374 条)下利谵语者,有燥屎也,宜小承气汤。

【方义】方中大黄泻热通便,枳实破气消痞,厚朴行气散满,诸药并用,共奏轻下热结,除满消痞之功效。

【症状】大便硬,腹大满,心烦,潮热,谵语,脉滑而疾。

【加减】①气虚者,加党参、白术;②血虚者,加何首乌、当归;③肝胃不和,加柴胡、白芍、甘草;④脾胃湿热,加藿香、豆蔻;⑤脾虚气滞,加党参、白术、砂仁;⑥胃气上逆,加生姜、半夏。

【现代研究】小承气汤对肠黏膜具有修复功能,能够调节肠道菌群紊乱,预防多器官衰竭,降低炎症因子的表达水平。

【注意事项】气虚寒性腹泻、气虚寒性便秘,甚至因虚寒而致水气不行者不宜用。

4. 大承气汤

【组成】大黄四两(酒洗) 厚朴半斤(炙,去皮) 枳实五枚(炙) 芒硝三合

【原文】(第 208 条)阳明病,脉迟,虽汗出,不恶寒者,其身必重,短气,腹满而喘,有潮热者,此外欲解,可攻里也。手足濈然汗出者,此大便已硬也,大承气汤主之。若汗多,微发热恶寒者,外未解也,其热不潮,未可与承气汤。若腹大满不通者,可与小承气汤,微和胃气,勿令至大泄下。

(第 209 条)阳明病,潮热,大便微硬者,可与大承气汤;不硬者,不可与之。

若不大便六七日，恐有燥屎，欲知之法，少与小承气汤，汤入腹中，转矢气者，此有燥屎也，乃可攻之；若不转矢气者，此但初头硬，后必溏，不可攻之，攻之必胀满不能食也。欲饮水者，与水则哕。其后发热者，必大便复硬而少也，以小承气汤和之。不转矢气者，慎不可攻也。

（第212条）伤寒若吐、若下后，不解，不大便五六日，上至十余日，日晡所发潮热，不恶寒，独语如见鬼状。若剧者，发则不识人，循衣摸床，惕而不安，微喘直视，脉弦者生，涩者死，微者，但发热谵语者，大承气汤主之。若一服利，则止后服。

（第217条）汗出谵语者，以有燥屎在胃中，此为风也，须下者，过经乃可下之。下之若早，语言必乱，以表虚里实故也。下之愈，宜大承气汤。

（第220条）二阳并病，太阳证罢，但发潮热，手足漐漐汗出，大便难而谵语者，下之则愈，宜大承气汤。

（第238条）阳明病，下之，心中懊憹而烦，胃中有燥屎者，可攻。腹微满，初头硬，后必溏，不可攻之。若有燥屎者，宜大承气汤。

（第240条）病人烦热，汗出则解，又如疟状，日晡所发热者，属阳明也。脉实者，宜下之；脉浮虚者，宜发汗。下之与大承气汤，发汗宜桂枝汤。

（第241条）大下后，六七日不大便，烦不解，腹满痛者，此有燥屎也。所以然者，本有宿食故也。宜大承气汤。

（第242条）病人小便不利，大便乍难乍易，时有微热，喘冒不能卧者，有燥屎也，宜大承气汤。

（第251条）得病二三日，脉弱，无太阳柴胡证，烦躁，心下硬，至四五日，虽能食，以小承气汤少少与，微和之，令小安，至六日，与承气汤一升。若不大便六七日，小便少者，虽不受食，但初头硬，后必溏，未定成硬，攻之必溏。须小便利，屎定硬，乃可攻之，宜大承气汤。

（第252条）伤寒六七日，目中不了了，睛不和，无表里证，大便难，身微热者，此为实也。急下之，宜大承气汤。

（第253条）阳明病，发热汗多者，急下之，宜大承气汤。

（第254条）发汗不解，腹满痛者，急下之，宜大承气汤。

（第255条）腹满不减，减不足言，当下之，宜大承气汤。

（第256条）阳明少阳合病，必下利。其脉不负者，为顺也；负者，失也。互相克贼，名为负也。脉滑而数者，有宿食也，当下之，宜大承气汤。

（第320条）少阴病，得之二三日，口燥咽干者，急下之，宜大承气汤。

（第321条）少阴病，自利清水，色纯青，心下必痛，口干燥者，可下之，宜大承气汤。

（第322条）少阴病六七日，腹胀不大便者，急下之，宜大承气汤。

【方义】方中大黄苦寒泻热，攻积通便，荡涤肠胃邪热积滞，用为君药。芒硝咸苦而寒，泻热通便，润燥软坚，协大黄则峻下热结之力尤增，为臣药。芒硝、大黄合用，既可苦寒泻下，又能软坚润燥，泻热推荡之力颇峻。积滞内阻，致使腑气不通，则内结之实热积滞恐难速下，故本方重用厚朴亦为君药，行气消胀除满，臣以枳实下气开痞散结，助厚朴行气而除痞满。二者与大黄、芒硝相伍，泻热破气，推荡积滞，以成速泻热结之功。四药合用，使塞者通，闭者畅，热得泄，阴得存，阳明腑实之证可愈。全方峻下行气，通导大便，以承顺胃气下行。

【症状】腹满痛，不大便，谵语神昏，或烦躁不安或头剧痛，发热多汗，脉滑数，口干燥。

【加减】①若兼气虚者，宜加人参；②兼阴津不足者，加玄参、生地黄。

【现代研究】大承气汤能兴奋肠管，促进肠蠕动，增加肠容积和肠血流量，保护肠黏膜屏障，防治内毒素血症和多器官功能损害等。

【注意事项】

(1) 用方中大黄活血祛瘀，厚朴、枳实能行气，且该方剂泻下峻猛，易致胎漏或胎动不安，故孕妇便秘忌用。

(2) 服药期间，饮食不宜过多、过饱，宜多进食富含粗纤维的食物，并多饮水。

(3) 忌食辣椒及燥烈、油腻不消化的食物，忌饮酒类及含有酒精的饮料，如白酒、红酒、啤酒和醪糟等，以防助湿生热。

(4) 大承气汤方中枳实、厚朴宜先煎，去渣后下大黄，不可久煎，这样有利于大黄蒽醌成分的溶出。最后将芒硝溶入煎好的药液中，使芒硝保持咸寒之性，有利于其软坚润燥作用的发挥。

5. 猪苓汤

【组成】猪苓一两(去皮)　茯苓一两　阿胶一两　滑石一两(碎)　泽泻一两

【原文】(第 223 条)若脉浮发热，渴欲饮水，小便不利者，猪苓汤主之。

(第 319 条)少阴病，下利六七日，咳而呕渴，心烦不得眠者，猪苓汤主之。

【方义】方中猪苓归肾与膀胱经，功专淡渗利水，乃方中诸利水药中“性之最利者”，为君药。泽泻、茯苓助君药利水渗湿，且泽泻兼可泻热，茯苓兼可健脾，同为臣药。滑石清热利水，阿胶滋阴养血止血，既益已伤之阴，又防诸药渗利重伤阴血，并止淋证出血，俱为佐药。诸药配伍，利水渗湿，兼养阴清热，俾水湿去，邪热清，阴津复，则诸症可痊。

【症状】小便不利，发热，口渴欲饮，或心烦不寐，或兼有咳嗽、呕恶、下利，舌红苔白或微黄，脉细数；血淋，小便涩痛，点滴难出，小腹满痛。

【加减】①发热或反复感冒者，合小柴胡汤；②尿路结石、腹痛腰痛者，合四逆散；③小便不利，加车前子、木通等。

【现代研究】猪苓汤具有利尿、调节水电解质平衡、抑制肾结石形成、改善肾功能、抗菌的作用，对泌尿系局部炎症也有抑制作用。

【注意事项】腹胀、食欲不振者慎用。

6. 茵陈蒿汤

【组成】茵陈蒿六两　栀子十四枚(擘)　大黄二两(去皮)

【原文】(第236条)阳明病，发热汗出者，此为热越，不能发黄也。但头汗出，身无汗，剂颈而还，小便不利，渴引水浆者，此为瘀热在里，身必发黄，茵陈蒿汤主之。

(第260条)伤寒七八日，身黄如橘子色，小便不利，腹微满者，茵陈蒿汤主之。

【方义】方中重用茵陈为君药，本品苦泄下降，善能清热利湿，为治黄疸要药。臣以栀子清热降火，通利三焦，助茵陈引湿热从小便而去。佐以大黄泻热逐瘀，通利大便，导瘀热从大便而下。

【症状】一身面目俱黄，黄色鲜明，发热，无汗或但头汗出，口渴欲饮，恶心、呕吐，腹微满，小便短赤，大便不爽或秘结，舌红苔黄腻，脉沉数或滑数有力。

【加减】①黄疸、身热、皮肤痒者，合栀子柏皮汤；②胆道感染、腹痛腹胀者，合大柴胡汤；③皮肤瘙痒剧烈、小便黄赤者，合麻黄连翘赤小豆汤；④黄疸用本方泻下后，可选用茵陈五苓散。

【现代研究】茵陈蒿汤具有保肝、利胆、降血脂等作用。

【注意事项】

(1)面色萎黄、神疲乏力、贫血、食欲不振、容易腹泻、脉缓、心肾功能不全者，慎用。

(2)黄疸色如烟熏属阴黄者，慎用。

三、少阳病常用方剂解析

1. 小柴胡汤

【组成】柴胡半斤　黄芩三两　人参三两　甘草三两(炙)　半夏半升(洗)　生姜三两(切)　大枣十二枚(擘)

【原文】(第37条)太阳病，十日已去，脉浮细而嗜卧者，外已解也。设胸满胁痛者，与小柴胡汤。

(第96条)伤寒五六日，中风，往来寒热，胸胁苦满，嘿嘿不欲饮食，心烦喜呕，或胸中烦而不呕，或渴，或腹中痛，或胁下痞硬，或心下悸，小便不利，或不渴，身有微热，或咳者，小柴胡汤主之。

（第97条）血弱气尽，腠理开，邪气因入，与正气相抟，结于胁下。正邪分争，往来寒热，休作有时，嘿嘿不欲饮食，脏腑相连，其痛必下，邪高痛下，故使呕也，小柴胡汤主之。

（第99条）伤寒四五日，身热恶风，颈项强，胁下满，手足温而渴者，小柴胡汤主之。

（第100条）伤寒，阳脉涩，阴脉弦，法当腹中急痛，先与小建中汤，不差者，小柴胡汤主之。

（第103条）太阳病，过经十余日，反二三下之，后四五日，柴胡证仍在者，先与小柴胡。呕不止，心下急，郁郁微烦者，为未解也，与大柴胡汤下之则愈。

（第104条）伤寒十三日不解，胸胁满而呕，日晡所发潮热，已而微利，此本柴胡证，下之以不得利，今反利者，知医以丸药下之，此非其治也。潮热者，实也，先宜服小柴胡汤以解外，后以柴胡加芒硝汤主之。

（第144条）妇人中风七八日，续得寒热，发作有时，经水适断者，此为热入血室，其血必结，故使如疟状，发作有时，小柴胡汤主之。

（第148条）伤寒五六日，头汗出，微恶寒，手足冷，心下满，口不欲食，大便硬，脉细者，此为阳微结，必有表，复有里也。脉沉，亦在里也。汗出，为阳微。假令纯阴结，不得复有外证，悉入在里，此为半在里半在外也。脉虽沉紧，不得为少阴病。所以然者，阴不得有汗，今头汗出，故知非少阴也。可与小柴胡汤。设不了了者，得屎而解。

（第229条）阳明病，发潮热，大便溏，小便自可，胸胁满不去者，与小柴胡汤。

（第230）阳明病，胁下硬满，不大便而呕，舌上白胎者，可与小柴胡汤。上焦得通，津液得下，胃气因和，身濈然汗出而解。

（第231条）阳明中风，脉弦浮大而短气，腹都满，胁下及心痛，久按之气不通，鼻干，不得汗，嗜卧，一身及目悉黄，小便难，有潮热，时时哕，耳前后肿。刺之小差，外不解。病过十日，脉续浮者，与小柴胡汤。

（第266条）本太阳病不解，转入少阳者，胁下硬满，干呕不能食，往来寒热。尚未吐下，脉沉紧者，与小柴胡汤。

（第379条）呕而发热者，小柴胡汤主之。

（第394条）伤寒差以后，更发热，小柴胡汤主之。脉浮者，以汗解之；脉沉实者，以下解之。

【方义】柴胡性升散而向外，可透泄少阳半表之邪，并疏畅肝胆郁滞之气机；黄芩降泄而走里，能清泄少阳半里之热；柴胡之升散，得黄芩之降泄，两药配伍，相得益彰，为和解少阳的基本结构。肝胆五行属木，脾胃属土，木克土。肝胆之气不畅，横逆犯胃，故佐以半夏、生姜和胃降逆止呕。邪由外传内，缘于正气本虚，故以人参、大枣益气健脾，取其扶正而达邪之义，亦有防邪之内向之用。炙甘草助参枣扶正，且调和诸药，为使。诸药合用，和解少阳，兼补胃气，祛邪为主，兼顾正气，使半表半里之邪得解，少阳枢机得利，胃气调和，则诸症自除。

【症状】胁下痞硬、往来寒热、口苦、胸胁苦满、上腹及两胁不舒、心烦喜呕、耳前后肿、乳房疼痛结块、淋巴结肿大；腹痛、腹胀、便秘、大便稀、呕吐、胃口差；发热、恶寒、恶风、项强；月经后期、手足冷、潮热；胸闷、气短、鼻干；身黄、目黄、排尿困难、尿少；面黄或发青、表情淡漠、情绪低落、沉默寡言、抑郁苦楚、敏感多疑、睡眠障碍；欲望低下、性欲减退、乏力、怕冷；脉细、阳脉涩、舌上白苔、阴脉弦、脉浮细、脉弦浮大、脉沉紧。

【加减】①胸中烦而不呕，去半夏、人参，加瓜蒌子；②咳喘病日久不愈，咳少量白黏痰，加干姜、五味子；③心下悸，小便不利，去黄芩，加茯苓；④胁下痞硬，去大枣，加牡蛎；⑤咽喉或食管异物感，合半夏厚朴汤；⑥口干眼干、渴不多饮、小便不利，合五苓散；⑦咽喉疼痛，加桔梗。

【现代研究】小柴胡汤能够解热抗炎、促进体内生成 IL-1、IL-2，且能增强 NK 细胞和 T 细胞活性，破坏受感染肝细胞，清除 HBV 等，具有明显的免疫调节、诱导干扰素生成、改善记忆、调节情绪的作用。在体外具有抗肿瘤作用，与其阻断细胞周期、增殖抑制和凋亡诱导作用有关。

【注意事项】

(1)不建议久服，注意中病即止。

(2)方中黄芩用量不宜大，特别是肝病患者。

(3)因柴胡升散，半夏性燥，故阴虚血少者忌用。

(4)肝肾功能不全者慎用。

2. 大柴胡汤

【组成】柴胡半斤　黄芩三两　芍药三两　半夏半升(洗)　生姜五两(切)　枳实四枚(炙)　大枣十二枚(擘)　大黄二两(根据王叔和编次、林亿等校订本的方后注云："一方加大黄二两。若不加，恐不为大柴胡汤。")

【原文】(第 103 条)太阳病，过经十余日，反二三下之，后四五日，柴胡证仍在者，先与小柴胡。呕不止，心下急，郁郁微烦者，为未解也，与大柴胡汤下之则愈。

(第 136 条)伤寒十余日，热结在里，复往来寒热者，与大柴胡汤；但结胸，无大热者，此为水结在胸胁也。但头微汗出者，大陷胸汤主之。

(第 165 条)伤寒发热，汗出不解，心中痞硬，呕吐而下利者，大柴胡汤主之。

【方义】重用柴胡，疏解少阳之邪；黄芩清泄少阳郁热，与柴胡相伍，和解清热，以解少阳之郁；大黄、枳实泻热通腑，行气破结，内泻阳明热结；芍药缓急止痛，与大黄相配可治腹中实痛，合枳实能调和气血，以除心下满痛；半夏和胃降逆，辛开散结；配伍大量生姜，既增止呕之功，又解半夏之毒，大枣和中益气，与生姜相配，调脾胃、和营卫，并调和诸药。诸药合用，既不悖少阳禁下原则，又可和解少阳、内泻热结，使少阳与阳明之邪得以分解。

【症状】呕吐、心悸、烦躁、往来寒热、胁痛；腹泻、腹痛、胸闷、便秘、腹胀、恶寒、易抑郁、易焦虑、易紧张不安、易激动、头痛、眩晕、乏力、睡眠障碍、舌苔厚、食欲不振、嗳气、恶心、反酸烧心、口苦、便秘等。

【加减】①烦躁、心下痞、脉滑数、有出血倾向者，加黄连；②面部充血、小腹压痛、小腿皮肤干燥、舌暗者，合桂枝茯苓丸；③焦虑、腹满胀气者，加栀子、厚朴；④咽喉异物感者，合半夏厚朴汤；⑤哮喘痰稠难咳者，合排脓散；⑥黄疸，加茵陈、栀子；⑦脘胁剧痛，加川楝子、延胡索；⑧胆结石，加金钱草、海金沙、郁金。

【现代研究】大柴胡汤具有利胆保肝、降脂、降压、增强胃肠动力、免疫调节、抗炎、抗过敏、抗内毒素、抑菌等作用。

【注意事项】

(1)单纯少阳证者慎用。

(2)单纯阳明证者慎用。

(3)少阳阳明病而阳明尚未结热成实者慎用。

3. 柴胡桂枝汤

【组成】桂枝一两半(去皮)　黄芩一两半　人参一两半　甘草一两(炙)　半夏二合半(洗)　芍药一两半　大枣六枚(擘)　生姜一两半(切)　柴胡四两

【原文】(第146条)伤寒六七日，发热，微恶寒，支节烦疼，微呕，心下支结，外证未去者，柴胡桂枝汤主之。

【方义】方用柴胡透泄少阳之邪从外而散，疏泄气机之郁滞，黄芩助柴胡以清少阳邪热，柴胡升散，得黄芩降泄，则无升阳劫阴之弊；桂枝散太阳未尽之邪，芍药敛营养血止痛；半夏、生姜降逆和胃；人参、大枣扶助正气，俾正气旺盛，则邪无内向之机，可以直从外解。

【症状】发热、恶寒、四肢不利、自汗、恶风、胁痛；恶心、呕吐、腹痛、腹胀、消瘦、食欲不振；身体刺痛、皮肤风团、丘疹、红斑；失眠、心悸、头痛等。

【加减】①腹泻、口渴、浮肿，合五苓散；②过敏性疾病，加荆芥、防风；③寒疝腹痛，加荔枝核、小茴香、大腹皮；④外感风寒伴胃痛，热甚尿赤，加石膏、滑石、连翘。

【现代研究】柴胡桂枝汤具有解热、抗病毒、保肝、抗炎、增强免疫、参与体液细胞免疫、镇静、镇痛等作用。对体温、汗腺以及胃肠道有双向调节作用。

【注意事项】

(1)忌烟、酒及辛辣、生冷、油腻食物。

(2)不宜在服药期间同时服用滋补性中药。

(3)风寒感冒者不适用。

(4)阴虚血少者慎用,肝阳上亢者忌用。

4. 柴胡加龙骨牡蛎汤

【组成】半夏二合半(洗)　大枣六枚(擘)　柴胡四两　生姜一两半(切)　人参一两半　黄芩一两(根据赵开美本)　龙骨一两半　铅丹一两半　桂枝一两半(去皮)　茯苓一两半　大黄二两　牡蛎一两半(熬)

【原文】(第 107 条)伤寒八九日,下之,胸满烦惊,小便不利,谵语,一身尽重,不可转侧者,柴胡加龙骨牡蛎汤主之。

【方义】柴胡、桂枝解外邪而除身重;龙骨、牡蛎、铅丹收敛浮越之正气而镇内止烦惊;黄芩、大黄清少阳、阳明之热以和胃;茯苓化饮,通利小便;人参、大枣、生姜益气养荣,扶正祛邪;半夏和胃降逆,止呕化痰。诸药相伍,共奏和解少阳,通阳泻热、重镇安神之功效。

【症状】胸闷、烦躁、惊恐、胡言乱语;身重、疲劳感、怕冷;心悸、头晕、耳鸣、脐部动悸、睡眠障碍;小便不利、尿少;苔黄腻、脉弦硬或滑而有力等。

【加减】①腰酸腿软,神倦遗泄,去黄芩、大黄、柴胡,加枸杞子、山茱萸、地黄;②阴虚,合六味地黄丸;③痰热壅盛,阳明腑实,癫狂逆乱,语无伦次者,去人参、桂枝,配礞石滚痰丸;④心烦不寐,急躁易怒者,去桂枝、大黄,加炒酸枣仁、远志;⑤烦躁,少腹疼痛,便秘,加桃仁、芒硝;⑥胸闷腹胀、焦虑不安,加栀子、厚朴、枳壳;⑦腹泻、消瘦,食欲不振,去大黄,加炙甘草。

【现代研究】柴胡加龙骨牡蛎汤具有抗抑郁、改善焦虑情绪、镇静、安眠、抗癫痫等作用。

【注意事项】

(1)忌海藻、菘菜、生葱、猪肉、冷水。

(2)服药后有些患者会出现腹泻腹痛,停药后即可缓解。

5. 柴胡桂枝干姜汤

【组成】柴胡半斤　桂枝三两(去皮)　干姜三两(根据赵开美本)　栝蒌根四两　黄芩三两　牡蛎二两(熬)　甘草二两(炙)

【原文】(第 147 条)伤寒五六日,已发汗而复下之,胸胁满,微结,小便不利，渴而不呕，但头汗出，往来寒热，心烦者，此为未解也，柴胡桂枝干姜汤主之。

【方义】方中柴胡、黄芩合用，清解少阳郁热；栝楼根、牡蛎逐饮开结；桂枝、干姜通阳散寒、温化水饮；甘草调和诸药。本方寒温并用，攻补兼施，既可和解枢机，又可温化水饮。初服邪正相争，故微烦，复服气机宣通，表里皆和，则周身汗出而愈。

【症状】往来寒热，寒重热轻，神经症，胸胁胀痛痞闷，小便不利，渴而不呕，但头汗出，心烦。

【加减】①面色萎黄，月经不调，或眩晕、腹痛、浮肿者，合当归芍药散；②口渴、浮肿者，合五苓散；③多汗、心悸不安者，加浮小麦、大枣。

【现代研究】柴胡桂枝干姜汤具有抗疲劳、抗焦虑及抑郁、调节自主神经功能紊乱和血管异常痉挛、镇静、安眠、退热等作用。

【注意事项】临床应用之时，便溏重者，重用干姜，而减轻黄芩用量；口苦重者，加重黄芩用量，而减少干姜用量。

四、太阴病常用方剂解析

1. 桂枝加芍药汤

【组成】桂枝三两（去皮） 芍药六两 甘草二两（炙） 生姜三两（切） 大枣十二枚（擘）

【原文】（第 294 条）本太阳病，医反下之，因而腹满时痛者，属太阴也，桂枝加芍药汤主之。大实痛者，桂枝加大黄汤主之。

【方义】方中桂枝、生姜温中阳散寒气；炙甘草、大枣健脾补中益气；重用芍药，和营通络，缓急止痛，取其“主邪气腹痛，除血痹”的双重作用。本方桂枝、生姜、炙甘草、大枣相配辛甘化阳；芍药、炙甘草、大枣相配，酸甘化阴。诸药配伍调理阴阳，通阳和络，缓急止痛。

【症状】腹胀、腹满时痛、食不下、呕吐、下利、便秘、舌红、苔薄白、脉弦细、腹痛等。

【加减】①腹满甚者，加厚朴、枳壳；②腹痛甚者，加大芍药用量；③阴伤便秘，加当归、肉苁蓉、苦杏仁。

【现代研究】桂枝加芍药汤具有解热、解痉、镇静、抗惊厥等作用。

【注意事项】脾胃虚弱者不宜使用。

2. 理中丸

【组成】人参三两 甘草三两（炙） 白术三两 干姜三两

【原文】（第 386 条）霍乱，头痛发热，身疼痛，热多欲饮水者，五苓散主之；寒多不用水者，理中丸主之。

(第396条)大病差后,喜唾,久不了了,胸上有寒,当以丸药温之,宜理中丸。

【方义】方中干姜辛热,温中焦脾胃,助阳祛寒,为君药。人参益气健脾,培补后天之本助运化,为臣药。白术健脾燥湿,为佐药。炙甘草益气和中,缓急止痛,调和诸药,为使药。四药合用,温中焦之阳气,祛中焦之寒邪,健中焦之运化,吐泻冷痛诸症悉可除。

【症状】畏寒喜温、精神萎靡,呕吐腹痛、腹满腹胀、下利不渴、食欲不振、心下痞硬或涎唾多而清稀,中寒霍乱,阳虚失血,胸痹虚证,病后喜唾,小儿慢惊,舌质淡红,苔白或厚或腻者。

【加减】①若呕吐,去白术,加生姜;②心悸、腹痛,加肉桂;③严重消瘦,食欲不振,人参加量。

【现代研究】理中丸具有抗消化性溃疡、升血压、止血、调整肾上腺皮质功能等作用。

【注意事项】

(1)若腹泻,但腹部有热胀疼痛者不能服用。

(2)服药期间忌生冷油腻及难消化的食物。感冒发热患者、孕妇慎用。

(3)凡急症吐下,非人参不愈者,人参可以用生晒参,也可以用红参。

3. 桂枝人参汤

【组成】桂枝四两(别切,去皮)　甘草四两(炙)　白术三两　人参三两　干姜三两

【原文】(第163条)太阳病,外证未除而数下之,遂协热而利,利下不止,心下痞硬,表里不解者,桂枝人参汤主之。

【方义】方中人参补脾益气,干姜温中散寒,白术健脾燥湿,甘草和中补虚,四味相合,共奏温中散寒止利之功;桂枝解太阳之表邪,并能助理中丸温中散寒。诸药相伍,共成温里解表之剂。

【症状】下利不止,心下痞硬,兼发热恶寒。

【加减】①呕吐甚重者加法半夏;②腹泻甚而尿少者,重用白术,加车前子;③里寒重者,加炮附子以增温中散寒之功。

【现代研究】桂枝人参汤能抑制毛细血管通透性,有抗肿瘤、镇痛、抑制血小板聚集、增强机体免疫力、调节水液代谢等作用。

【注意事项】煎煮药物时,当后下桂枝,后下者,取其解表散邪,与诸药同煎者,取其温中散寒补阳也。本方煎后去滓再煎。再煎者,取方药醇和之性,使药物功用既能有效地祛邪,又能和谐脾胃之气,以使病证除而脾胃之气复。

五、少阴病常用方剂解析

1. 四逆汤

【组成】甘草二两(炙)　干姜一两半　附子一枚(生用,去皮,破八片)

【原文】(第 29 条)伤寒脉浮,自汗出,小便数,心烦,微恶寒,脚挛急,反与桂枝,欲攻其表,此误也。得之便厥,咽中干,烦躁,吐逆者,作甘草干姜汤与之,以复其阳。若厥愈足温者,更作芍药甘草汤与之,其脚即伸。若胃气不和,谵语者,少与调胃承气汤。若重发汗,复加烧针者,四逆汤主之。

(第 91 条)伤寒,医下之,续得下利清谷不止,身疼痛者,急当救里。后身疼痛,清便自调者,急当救表。救里宜四逆汤,救表宜桂枝汤。

(第 92 条)病发热头痛,脉反沉,若不差,身体疼痛,当救其里,宜四逆汤。

(第 225 条)脉浮而迟,表热里寒,下利清谷者,四逆汤主之。

(第 323 条)少阴病,脉沉者,急温之,宜四逆汤。

(第 324 条)少阴病,饮食入口则吐,心中温温欲吐,复不能吐,始得之,手足寒,脉弦迟者,此胸中实,不可下也,当吐之。若膈上有寒饮,干呕者,不可吐也,当温之,宜四逆汤。

(第 353 条)大汗出,热不去,内拘急,四肢疼,又下利厥逆而恶寒者,四逆汤主之。

(第 354 条)大汗,若大下利而厥冷者,四逆汤主之。

(第 372 条)下利腹胀满,身体疼痛者,先温其里,乃攻其表。温里宜四逆汤,攻表宜桂枝汤。

(第 377 条)呕而脉弱,小便复利,身有微热,见厥者,难治,四逆汤主之。

(第 388 条)吐利汗出,发热恶寒,四肢拘急,手足厥冷者,四逆汤主之。

(第 389 条)既吐且利,小便复利而大汗出,下利清谷,内寒外热,脉微欲绝者,四逆汤主之。

【方义】方中生附子大辛大热,入心、脾、肾经,温壮心肾之阳,回阳破阴以救逆,生用则能迅达内外以温阳逐寒。辛热之干姜,入心、脾、肺经,既与附子相须为用以增温里回阳之力,又温中散寒,助阳通脉。炙甘草益气补中,与姜、附温补结合,治虚寒之本;缓姜、附峻烈之性,使其破阴回阳而无暴散之虞;调和药性,并使药力持久。三药合用,药少力专而效捷,大辛大热,使阳复厥回。

【症状】身痛、发热、恶寒、头痛、出汗、四肢痛、活动不利、肌肉痉挛、手足冷;呕吐、腹泻、腹胀;胸闷、胸痛;脉沉、脉弱、脉微等。

【加减】①阳气衰微欲脱,加人参;②阳衰阴竭,阴阳离决,汗出而微,脉微欲绝,附子、干姜加量,加猪胆汁;③水肿、妇女带下,合四君子汤;④黄疸晦暗,加茵陈蒿;⑤心功能不全、心悸,加肉桂;⑥呕吐、便血、皮下出血,合泻心汤。

【现代研究】四逆汤具有强心、保护心肺、升血压、抗休克、调节下丘脑-垂体-肾上腺轴、促进新陈代谢等作用。

【注意事项】

(1)附子有毒,为减毒增效,一是久煮,二是与干姜、炙甘草同煎。

(2)面色红润、口臭声粗、大便燥结、小便短赤、脉滑数有力、舌质红瘦、苔焦黄或黄腻者,慎用。

(3)身体瘦弱者、老人、儿童,生附子用量不宜盲目加大。

2. 麻黄附子细辛汤

【组成】麻黄二两(去节)　细辛二两　附子一枚(炮,去皮,破八片)

【原文】(第301条)少阴病,始得之,反发热,脉沉者,麻黄细辛附子汤主之。

【方义】麻黄取其辛温,发汗散寒解表。炮附子取其大辛大热之性,温补阳气,助麻黄鼓邪外出。因麻黄发汗之力较峻,阳虚之人用之则恐损耗其阳,且阳虚更无力助其宣散表邪,遂与附子同用则无伤阳之弊,相辅相成,为助阳解表之常用配伍。细辛归肺肾二经,芳香气浓,性善走窜,通彻表里,既能祛风散寒以助麻黄解表,又可鼓动阳气以协附子助阳散寒。三药并用,使外感风寒之邪得以表散,在里之阳气得以振奋。

【症状】发热恶寒、无汗、鼻塞、咳嗽、面黄、疼痛;心动过缓、睡眠障碍、震颤抽动;闭经、月经后期、便秘;脉沉、脉沉紧、脉沉细等。

【加减】①腰部沉重、神疲乏力,加干姜、茯苓、白术、炙甘草;②消瘦、食欲欠佳,加桂枝、炙甘草、生姜、大枣。

【现代研究】麻黄附子细辛汤具有镇痛、镇静、调节免疫、抗炎、抗变态反应以及肾上腺素样的作用。

【注意事项】

(1)麻黄、附子、细辛均有较大偏性,但经过煎煮以后,其性可减,故本方只能用汤剂,不可用粉末。

(2)本方不可长期大量使用,一般得效以后,可停服或减少用量。

(3)本方应餐后服用,空腹服用可能出现发汗、无力、心悸等反应。

(4)部分患者服用本方可能出现口唇、舌尖、趾指发麻感,停药后可以恢复。

(5)细辛为马兜铃科植物,含有黄樟醚,对肾脏有一定毒性,肾功能不全者应慎用。

3. 真武汤

【组成】茯苓三两　芍药三两　生姜三两(切)　白术二两　附子一枚

(炮,去皮,破八片)

【原文】(第 82 条)太阳病发汗,汗出不解,其人仍发热,心下悸,头眩,身瞤动,振振欲擗地者,真武汤主之。

(第 316 条)少阴病,二三日不已,至四五日,腹痛,小便不利,四肢沉重,疼痛,自下利者,此为有水气。其人或咳,或小便利,或下利,或呕者,真武汤主之。

【方义】炮附子辛热,温补肾阳,使水有所主;白术甘温,健脾燥湿,使水有所制;生姜辛温,宣发肺气,使水有所散;茯苓淡渗,走膀胱,佐白术健脾,且有利水之用;芍药活血脉,利小便,且芍药有敛阴和营之用,可制姜附刚燥之性。全方既能活血以利水,又能开痹以通络,如此三焦上下脏腑之水,肌腠表里内外之水皆可去。

【症状】发热、多汗、咳嗽、心下悸、心慌、头晕;抽搐、畏寒肢冷、四肢沉重、四肢痛;精神萎靡、反应迟钝、乏力困重、肢体震颤、步态不稳或无法站立、面色黄或苍白;呕吐、腹泻、腹痛、尿少、腹大如鼓、下肢按之如泥;舌胖大、苔滑、脉沉细无力等。

【加减】①血压不稳定、心功能不全者,加红参、肉桂;②更年期综合征等见汗出、失眠多梦、惊恐不安者,合桂枝加龙骨牡蛎汤;③肾功能不全、浮肿、面黄者,合黄芪桂枝五物汤。

【现代研究】真武汤具有强心、兴奋下丘脑 - 垂体 - 肾上腺轴、改善肾功能、保护神经元等作用。

【注意事项】

(1)真武汤方中的附子,应炮制后供药用,一般不生用。

(2)水煎服时附子应单味先煎,煎至不麻口时,其他药物再共入煎,未煎熟者禁服,以免中毒。

(3)慎风寒外袭,以预防感冒。

(4)禁饮酒类及含有酒精的饮料,以免生湿。

(5)服药期间,忌食生冷瓜果,以防伤及阳气。

4. 黄连阿胶汤

【组成】黄连四两　黄芩二两　芍药二两　鸡子黄二枚　阿胶三两

【原文】(第 303 条)少阴病,得之二三日以上,心中烦,不得卧,黄连阿胶汤主之。

【方义】重用黄连泻心火,黄芩清解郁热,以达“阳有余,以苦除之”之效;芍药、阿胶、鸡子黄滋肾阴,有“阴不足,以甘补之”之意。鸡子黄为血肉有情之品,擅长养心滋肾,宜生用。诸药合用,共奏清心火,滋肾阴,交通心肾之功效。

【症状】心中烦，不得卧，口咽干燥，舌红少苔，脉沉细数。

【加减】①气虚者，加党参、黄芪；②血虚者，加当归、熟地黄；③肝郁者，加柴胡、白芍；④肝阳上亢者，加钩藤、生龙骨、生牡蛎。

【现代研究】黄连阿胶汤具有抗焦虑、安神、减轻肾小管和肾小管间质损伤、降低肾毒性、减轻炎症反应等作用。

【注意事项】

(1)阳虚火衰之悸烦不眠者不宜用。

(2)方中黄连用量较大，不宜长期使用。

5. 四逆散

【组成】甘草十分(炙)　枳实十分(破，水渍，炙干)　柴胡十分　芍药十分

【原文】(第318条)少阴病，四逆，其人或咳，或悸，或小便不利，或腹中痛，或泄利下重者，四逆散主之。

【方义】方中取柴胡入肝胆经，升发阳气，疏肝解郁，透邪外出，为君药。芍药敛阴养血柔肝为臣，与柴胡合用，以补养肝血，条达肝气，可使柴胡升散而无耗伤阴血之弊。佐以枳实理气解郁，泻热破结，与芍药相配，又能理气和血，使气血调和。使以甘草，调和诸药，益脾和中。枳实与柴胡配伍，一降一升，加强舒畅气机之功，并奏升清降浊之效。原方用白饮(米汤)和服，亦取中气和则阴阳之气自相顺接之意。

【症状】四肢冷，胸胁苦满，脘腹胀痛，脉弦。

【加减】①咳嗽，加五味子、干姜；②心悸，加桂枝；③小便不利者，加茯苓；④腹中痛者，加炮附子；⑤泄利下重者，加薤白；⑥气郁甚者，加香附、郁金；⑦有热者，加栀子。

【现代研究】四逆散可以缓解心理压力导致的躯体症状，具有抗抑郁、催眠、调整胃肠道功能、保肝、抗炎、免疫调节、升血压、改善微循环等作用。

【注意事项】四肢冷、面色白、精神萎靡属虚寒者慎用。

六、厥阴病常用方剂解析

1. 当归四逆汤

【组成】当归三两　桂枝三两(去皮)　芍药三两　细辛三两　大枣二十五枚(擘)　甘草二两(炙)　通草二两

【原文】(第351条)手足厥寒，脉细欲绝者，当归四逆汤主之。

【方义】当归甘温，养血和营以疗血虚；桂枝辛温，温经散寒以通脉；细辛温经散寒，增桂枝温通之力；芍药养血和营，既助当归补益养血，又配桂枝以和阴阳；通草通利经脉以畅血行；大枣、甘草益气健脾，养血补虚；重用大枣，既合归芍以补营血，又防桂枝、细辛燥烈太过，伤及阴血。全方共奏温经散寒、养

血通脉之功。

【症状】手足冷、疼痛剧烈如刺、四肢冰冷疼痛、肢体末端紫暗、疼痛、阳痿、脉细欲绝等。

【加减】①恶心、呕吐、头痛腹痛者，加吴茱萸、生姜；②关节剧烈疼痛，加炮附子，或合麻黄附子细辛汤；③牙龈出血、口腔溃疡、便秘、关节肿痛等，可以合用黄芩汤、泻心汤等；④贫血者，合十全大补汤。

【现代研究】当归四逆汤具有扩张末梢血管、抑制血小板聚集及动静脉旁路血栓形成、改善血液循环、镇痛抗炎等作用。

【注意事项】

(1)细辛有小毒，古人有“细辛不过钱”的说法。汤剂不受此限制，但应该严格把握适应证和禁忌证。

(2)本方开盖煎煮，以利细辛中的黄樟醚挥发。

(3)本方服用后，患者大多手足转温，或有口干感，是正常反应。

(4)心动过速、心律不齐者慎用。

2. 吴茱萸汤

【组成】吴茱萸一升(洗)　人参三两　生姜六两(切)　大枣十二枚(擘)

【原文】(第243条)食谷欲呕，属阳明也，吴茱萸汤主之。得汤反剧者，属上焦也。

(第309条)少阴病，吐利，手足逆冷，烦躁欲死者，吴茱萸汤主之。

(第378条)干呕，吐涎沫，头痛者，吴茱萸汤主之。

【方义】吴茱萸辛苦性热，上可温胃散寒，下可温暖肝肾，又能降逆止呕，一药而三经并治；重用辛温之生姜，生姜乃呕家之圣药，温胃散寒，降逆止呕；吴茱萸与生姜配伍，相须为用，颇宜阴寒气逆之机。甘温之人参，补益中焦脾胃之虚；佐以甘平之大枣，益气补脾，调和诸药。人参、大枣并用，补益中气，与吴茱萸、生姜合用，使清阳得升，浊阴得降，遂成补虚降逆之剂。

【症状】呕吐、反酸、腹痛腹泻、手足冷、烦躁、胸闷、头痛、头晕、脉迟、脉弦缓等。

【加减】①吐水、眩晕，合小半夏加茯苓汤；②头晕、头痛，胃部胀满，有振水音，合苓桂术甘汤；③恶寒者，加炮附子；④手足麻痹或四肢懈怠，加桂枝；⑤心悸不寐或血虚，加当归、茯苓；⑥呕多，加半夏；⑦腹胀满，加砂仁、厚朴；⑧腹痛口苦，加芍药。

【现代研究】吴茱萸汤具有镇痛、镇静、扩张血管、抑制肿瘤生长、改善心脏功能、抗消化性溃疡、止泻、止呕等作用。

【注意事项】

(1)吴茱萸有小毒，大剂量使用要慎重，煎煮时间要长。

(2)吴茱萸味道极苦，入煎时宜先用热开水冲洗数次。

3. 乌梅丸

【组成】乌梅三百枚　细辛六两　干姜十两　黄连十六两　当归四两　附子六两(炮，去皮)　蜀椒四两(出汗)　桂枝六两(去皮)　人参六两　黄檗六两

【原文】(第338条)伤寒，脉微而厥，至七八日肤冷，其人躁，无暂安时者，此为脏厥，非蛔厥也。蛔厥者，其人当吐蛔。今病者静，而复时烦者，此为脏寒。蛔上入其膈，故烦，须臾复止，得食而呕，又烦者，蛔闻食臭出，其人常自吐蛔。蛔厥者，乌梅丸主之。又主久利。

【方义】方中乌梅酸温安蛔，涩肠止痢，为君药。花椒、细辛性味辛温，辛可伏蛔，温能祛寒，黄连、黄檗清泄胆胃内热，共为臣药。附子、干姜、桂枝温脏祛寒；人参、当归养气血，共为佐药。全方共奏缓肝调中，清上温下之功。

【症状】呕吐、烦躁，肢体厥冷，疼痛，久利。

【加减】①若热重者，去附子、干姜；②寒重者，减去黄连、黄柏；③无虚者，去人参、当归；④呕吐者，酌加吴茱萸、半夏；⑤腹痛甚，可酌加木香、川楝子；⑥便秘者，可酌加大黄、槟榔。

【现代研究】乌梅丸具有抗菌消炎、麻醉蛔虫、解痉止痛、促进胆囊收缩和胆汁分泌、保护胰岛B细胞、改善胰岛素抵抗等作用。

【注意事项】

(1)乌梅丸方证有不同类型，如腹痛型、腹泻型、反流型、烦热型等，临床表现不一。

(2)本品含有马兜铃科植物细辛，肾病患者慎用，长期服用需要定期复查肾功能。

(3)病缓者以丸治，病急者以汤服。

下篇

实践篇

〔 第一章 〕

常 见 疾 病

柴胡桂枝干姜汤治疗肺部感染案例

【基本资料】

李某某，男，79 岁，于 2019 年 8 月 4 日入院。

主诉：发热恶寒 3 天。

现病史：患者于入院 3 天前无明显诱因感全身乏力，发热恶寒，体温最高 39.0℃，伴恶心、呕吐，纳差，无呕血及咖啡色胃内容物，无咽痛、咳嗽，无鼻塞流涕，无肌肉酸痛，少许头昏，无头痛，无心慌胸闷胸痛等不适，伴小便不利，尿频、尿急，每次量少，无尿痛及尿灼热感，无皮疹，无腹泻腹痛。患者自服头孢、感冒冲剂、抗病毒口服液及退热药后全身汗出，热退，数小时后再次发热，如此反复，遂来我院急诊就诊。急诊查血常规，中性粒细胞（NEUT）87.5%。C 反应蛋白（CRP）264.32mg/L。以“发热待查：肺部感染？泌尿道感染？其他？”收入中医经典科。

既往史：平素体质尚可，否认其他疾病病史。

中医四诊：望之少神，面色少华，精神疲倦，语声低微，发热恶寒，伴恶心、呕吐数次，均为胃内容物，口干微苦，少许咳嗽，有黄白色黏痰，痰液难以咳出，纳差，睡眠差，小便不利，尿频、尿急，每次量少，无尿痛及尿灼热感，大便正常。舌淡红，苔黄少津，脉弦细。

体格检查：生命体征平稳，入院查体心肺及腹部未见阳性体征。

辅助检查：血常规提示中性粒细胞 87.5%。C 反应蛋白 264.32mg/L。尿常规未见明显异常。胸腹部 CT 提示：左肺下叶炎症伴左侧胸腔少许积液，双肺上叶少许陈旧性病变；主动脉、冠状动脉钙化；扫及肝脏及双肾囊性灶，有多囊肝、多囊肾可能；左侧肾上腺结节，有腺瘤可能，建议必要时做增强助诊；前列腺增生、钙化；胸椎、腰椎骨质增生，多个椎体压缩性改变。

中医诊断：发热（少阳合并太阴证）

西医诊断：社区获得性肺炎，非重症

【诊治过程】

初诊：2019年8月5日

中医四诊：患者神清，精神疲倦，发热恶寒，体温最高39.0℃，伴恶心、呕吐，口干微苦，少许咳嗽，有黄白色黏痰，痰液难以咳出，纳眠差，小便不利，尿频、尿急，每次量少，无尿痛及尿灼热感。舌淡红，苔黄少津，脉弦细。

病机分析：少阳合并太阴证，热郁少阳。往来寒热，口苦呕逆，太阴不运故纳差。

治法：和少阳，运太阴。

处方用药：柴胡桂枝干姜汤。

北柴胡 60g　桂枝 45g　干姜 30g　天花粉 60g
酒黄芩 45g　牡蛎[先煎] 30g　炙甘草 30g

共1剂，每日3次，水煎服

服药后，患者未再发热，无恶心、呕吐，仍咳嗽，咳少许黄白色黏痰，食欲欠佳，睡眠一般，小便频数稍有好转。守方1剂。

二诊：2019年8月6日

中医四诊：患者神清，精神一般，无发热恶寒，无恶心、呕吐，少许咳嗽，咳少许黄白色黏痰，口干微苦好转，胃纳较差，睡眠一般，小便不利稍有好转，仍有尿频、尿急，每次量少，无尿痛及尿灼热感，大便正常。舌淡红，苔薄黄，脉弦细。

病机分析：少阳郁热夹痰浊故口仍苦，水热不去故小便频急，太阴不运故纳差。

治法：和少阳，运太阴，祛痰热。

处方用药：理中汤合清气化痰丸合缩泉丸。

生晒参 20g　白术 20g　干姜 10g　陈皮 15g
苦杏仁 15g　麸炒枳实 15g　酒黄芩 15g　瓜蒌皮 15g
茯苓 20g　胆南星 10g　法半夏 15g　山药 30g
乌药 15g　盐益智 30g

共2剂，每日1剂每日3次，水煎服。

【预后转归】

患者诸症好转，无发热恶寒，无恶心、呕吐，无咳嗽、咳痰，纳、眠可，小便调，大便正常，于2019年8月8日出院。

【按语】

1. 本案病机：太阴少阴本虚寒化，少阳郁热，发热期以和少阳为主，兼运太阴。

患者年过七旬，脏腑功能渐衰，两本不足，太阴本虚。起居不慎，复感外邪，卫外失和，失于表解，陷入少阳半表半里，故见发热恶寒。患者外感表证后服用寒凉药物，脾气受损，中土失于运化，胃气上逆，故恶心、呕吐、纳差，三焦气机失调故小便不利，口干微苦为汗下津伤、津亏失润所致。综上，患者病机符合少阳证兼太阴亏虚，脾虚津伤。治疗上一方面需要和解少阳，用小柴胡汤；另一方面须温运太阴，可选理中汤；同时亦需要兼顾补津液，方选柴胡桂枝干姜汤加减。

柴胡桂枝干姜汤，出自《伤寒论》第147条："伤寒五六日，已发汗而复下之，胸胁满，微结，小便不利，渴而不呕，但头汗出，往来寒热，心烦者，此为未解也，柴胡桂枝干姜汤主之。"原方：柴胡半斤，桂枝三两(去皮)，干姜三两，栝蒌根四两，黄芩三两，牡蛎二两(熬)，甘草二两(炙)。上七味，以水一斗二升，煮取六升，去滓，再煎，取三升，温服一升，日三服。初服微烦，复服，汗出便愈。

柴胡桂枝干姜汤主要用于少阳病兼脾虚津伤证。该证成因多为伤寒汗不得法，又下之过早，汗下两伤，津液受损，脾气被伤，邪传少阳。往来寒热、心烦、胸胁满微结，是少阳经腑同病，枢机不利的表现；小便不利，则是少阳枢机不利，气化失常，三焦水道不调的特征；口渴为汗下津伤、津亏失润所致；头汗出则是三焦热郁所致，热郁体内不得外越则身无汗，郁热上蒸。以方测证，此证还当有脾虚便溏等临床表现。

患者虽有呕吐，与原条文不呕相悖，但往往临床中不应拘一证之有无，需抓主证，诸证合参。本案患者有寒热往来、口干微苦之少阳证，又可见小便不利之三焦失畅，还可见津液不足之太阴虚寒证，故符合少阳兼里虚寒之病机，治以柴胡桂枝干姜汤以和少阳，运太阴，畅达三焦，温脾生津。柴胡、黄芩解少阳经邪，清少阳腑热，疏少阳气郁，为方中主药；天花粉生津止烦渴；牡蛎软坚散结，以疗气机之凝结；桂枝配干姜，通阳化阴，助气化以畅三焦；干姜为理中汤主药，干姜配甘草辛甘化阳以温补脾阳，而甘草又有保中护正的作用。

2. 后期培元固本，从太阴少阴辨治尿频，补中有疏，补而不滞。

二诊中，考虑患者少阳之邪已解，以太阴虚寒为主，同时存在痰热壅肺及膀胱虚寒，遂予理中汤温胃散寒，合清气化痰丸清热化痰，理气止咳，加缩泉丸补肾缩尿。方中干姜温胃散寒，人参补气健脾，白术、茯苓健脾祛湿，甘草和中补土，胆南星、瓜蒌皮清热化痰，半夏燥湿化痰，苦杏仁宣肺平喘，陈皮理气化痰，枳实破气除痞，山药补肾固精，益智温补肾阳，乌药温肾散寒。服用2剂后，患者无发热恶寒，无恶心、呕吐，无咳嗽、咳痰，纳、眠可，小便调，大便正常，诸症痊愈出院。

临床判断病在少阳，以口干口苦为准，这也是此患者临床应用柴胡类方的主要依据之一。《素问·金匮真言论》曰："南方赤色，入通于心……其味苦，其类火……"火之味苦，少阳郁火，多见口干口苦，口干口苦反映少阳的邪热有现实意义，故张仲景把口干口苦作为《伤寒论》少阳病提纲证的主证之一。伤寒五六日，为表病常传少阳之期。本案中患者过用汗法，失于表解而陷入少阳半表半里兼太阴虚寒，津液大伤，而使阳证变为半表半里的阴证。少阳为半表半里，为枢，不仅是表里传变的枢机，也是三阳病传入三阴的枢机。因此，少阳病多有兼见证，如少阳兼表的柴胡桂枝汤证，少阳兼里实的大柴胡汤、柴胡加芒硝汤证。

柴胡桂枝干姜汤正是与大柴胡汤证相对的方剂，是少阳兼里虚寒之证。仲景于《伤寒论》第146条论少阳兼表的柴胡桂枝汤，紧接着在第147条论少阳传入太阴的柴胡桂枝干姜汤证，其用意在于说明少阳为病影响脾胃时，须分寒热虚实不同而治之。临床上患者病情纵然有千变万化，但我们只要抓住它的主证，辨对病机，灵活掌握，则左右逢源而万变不离其宗。

附：患者胸部CT影像见图1（文末彩插，余同），治疗前后患者舌象变化见图2、图3。患者住院期间者体温（T）、心率（HR）变化见表1。

表1 住院期间患者体温、心率变化

时间	T/℃	HR/（次/min）
2019年8月4日	38.0	90
2019年8月5日	36.5	72
2019年8月6日	36.4	78
2019年8月7日	36.1	68
2019年8月8日	36.2	61

纯中医治疗肺部感染伴化脓性扁桃体炎案例

【基本资料】

邹某，男，31岁，于2019年1月25日入院。

主诉：发热3天。

现病史：入院前3天，患者无明显诱因出现发热，最高体温达39.9℃，伴寒战，腰部酸痛，咽痛，全身多关节隐痛，遂于外院就诊。先后予头孢西丁钠、左氧氟沙星、退热针治疗后大汗出，体温可降至正常，但不久再度上升，病程中患者体温波动在38.2~39.9℃之间，发热时头痛头晕，自觉头重脚轻，口干，时感恶心欲呕，为进一步治疗，来我院就诊，急诊以“发热待查”收入中医经典科。

既往史：既往体健，平素盗汗。

中医四诊：精神状态较差，发热，寒战，腰部酸痛，咽痛，全身多关节隐痛，头痛头晕，头重脚轻，口干，时感恶心欲呕，纳差，失眠，二便正常。舌淡红，边有齿痕，苔薄黄微腻，脉细数。

体格检查：体温39.9℃，脉搏126次/min，呼吸26次/min，血压143/89mmHg，咽部黏膜充血，可见白色脓点。双肺呼吸音粗，未闻及明显干、湿啰音。腹部查体阴性。

辅助检查：血常规示白细胞（WBC）11.64×10^9/L，中性粒细胞87.4%。C反应蛋白40.2mg/L。胸部CT提示右肺上叶后段感染。

中医诊断：外感发热（少阳证）

西医诊断：社区获得性肺炎，非重症；急性化脓性扁桃体炎

【诊治过程】

初诊：2019年1月26日

中医四诊：患者精神状态较差，发热寒战，腰部酸痛，咽痛，全身多关节隐痛，头痛头晕，头重脚轻，口干，时感恶心欲呕，纳差，失眠，大便正常，小便少色黄。舌淡红，边有齿痕，苔薄黄微腻，脉细数。

病机分析：本虚不足，感受外邪，少阳郁热，故往来寒热，咽喉疼痛，口干、小便量少，为热侵阳明，灼伤津液之兆。

治法：解表清热，和少阳，清阳明。

处方用药：小柴胡汤。竹叶石膏汤代茶饮。

处方如下：

柴胡 60g	生半夏^先煎 30g	人参 20g	甘草 15g
黄芩 30g	生姜 30g	大枣 25g	

2剂，每4小时服一次药，温服。

配合竹叶石膏汤煎汤代茶饮：

淡竹叶 15g	石膏^先煎 125g	生半夏^先煎 35g	麦冬 125g
人参 15g	炙甘草 15g	粳米 60g	

2剂，每日1剂，煎成2 500ml，代茶饮。

服药后，患者未再发热，腰部酸痛、全身多关节隐痛明显减轻，头痛头晕缓解，不再恶心欲呕。

二诊：2019年1月28日

中医四诊：患者神清，精神状态较前好转，未再发热，感咽痛明显，吞咽即疼痛，不敢进食，口干，睡眠好转，盗汗，二便基本正常。舌淡红，边有齿痕，苔黄厚腻，脉细数。

病机分析：患者发热缓解，为阳明热邪已弱，舌苔转黄，咽痛明显，为少阳

郁热兼内有湿浊未尽且有热化之机。

治法：和解少阳，解毒利湿。

处方用药：小柴胡汤加味。

柴胡 60g	生半夏先煎 30g	人参 20g	甘草 15g
山豆根 10g	板蓝根 30g	芦根 20g	白茅根 20g
葛根 20g	黄芩 30g	生姜 30g	大枣 25g

2 剂，每日 1 剂，每日 3 次，水煎服。

服药后，患者未再发热，继续配合竹叶石膏汤煎汤 1 剂代茶饮，巩固疗效，处方如下：

淡竹叶 15g	石膏先煎 60g	生半夏先煎 35g	麦冬 125g
人参 20g	炙甘草 15g		

1 剂，煎 2 500ml，代茶饮。

服药后，咽痛较前好转，口干缓解，扁桃体脓点消退，仍肿胀，可清淡饮食。

【预后及转归】

2019 年 1 月 30 日患者出院。出院时患者未再发热，少许咽部不适，夜间盗汗减轻，无口干，纳、眠可，二便调。舌淡红，边有齿痕，苔薄白，脉细滑。2019 年 1 月 28 日查 CRP 13.2mg/L，复查血常规已经恢复正常（WBC 6.33×10^9/L，NEUT 53.3%）。2019 年 1 月 30 日复查胸部 CT 提示右肺上叶后段感染较前大部分吸收。

【按语】

1. 本案病机：太阴本虚，感受外邪，邪郁少阳，湿浊内蕴，阳明内热津亏。

患者因备孕要求中医治疗，住院全程未使用抗生素，以纯中医治疗而得痊愈。患者反复发热，寒热交替，乃邪气客于半表半里之兆，正气胜邪则发热，邪气胜正则寒战，邪气外束则关节隐痛，畏寒、头痛头晕为邪气欲出太阳而未出之征。太阳不得出，故少阳不能完成其枢机之功，在上焦表现为咽痛，中焦表现为恶心、呕吐，下焦表现为腰酸痛，邪热内扰故口干失眠，舌淡红，边有齿痕，苔薄黄微腻为津液耗灼而化热之兆，脉细数为阳明内热兼津亏之象。

《伤寒论》第 96 条："伤寒五六日，中风，往来寒热，胸胁苦满，嘿嘿不欲饮食，心烦喜呕，或胸中烦而不呕，或渴，或腹中痛，或胁下痞硬，或心下悸，小便不利，或不渴，身有微热，或咳者，小柴胡汤主之。""往来寒热""胸胁苦满""心烦喜呕""嘿嘿不欲饮食"，此为柴胡四证。在临证上只要四证具其一，便可作为少阳病来治疗，往往会有比较理想的效果，不必悉具。该患者发热与畏寒（寒战）交替，且有咽痛、恶心欲呕表现，可确诊为少阳病。

小柴胡汤为少阳病代表方，用药七味，然健运中土的参、姜、草、枣占了四味，可见少阳病的根源是太阴脾虚。柴胡苦平，透解邪热，疏达经气，通半表半里之结滞；半夏和胃降逆，降水逆痰浊；黄芩苦寒泻热，降郁火。先健运中土，再以柴胡疏通表里，半夏、黄芩降之，生姜升之，使气机通畅，津液循环得以恢复。人参、炙甘草扶助正气，抵抗病邪；生姜、大枣和胃气，生津。更加山豆根、板蓝根、芦根、白茅根清湿热、解邪毒而利咽，芦根兼有利湿之功，使热毒自小便出，再加葛根升清退余热而通经络，用后可使邪气得解，少阳得和，上焦得通，津液得下，胃气得和，有汗出热解之功效。

2. 竹叶石膏汤与太阴阳明同病。

患者入院时病程已有 3 天，精神疲倦，恶心欲呕吐，脉细数，考虑少阳病同时合并阳明内热津伤，故合用竹叶石膏汤，参《伤寒论》第 397 条"伤寒解后，虚羸少气，气逆欲吐，竹叶石膏汤主之"。方中以竹叶、石膏清肺胃之热。然热则灼津成痰，恐痰留于中，痰不去热终不除，故以半夏体滑之品，化痰逐湿，而通运太阴之湿，湿去则阳明热孤矣，且其性善散逆气，故又为止呕之圣药，又以生姜之辛散，以助半夏之不及，一清一散，邪自不能留恋。人参、甘草、粳米以运脾养胃，麦冬以保肺，共护太阴也。此方虽云清热，而却不用苦寒，虽养阴又仍能益气，不伤中和之意。

从后世的医案看，竹叶石膏汤大多用于发热性疾病的后期，患者精神萎靡，极度消瘦，前人常用"骨瘦如柴""形销骨立"来描述，但根据我们临床观察，即使形体偏胖，只要符合阳明内热津伤之病机的患者，亦有不错疗效。此方即白虎人参汤去知母而加半夏、麦冬、竹叶，病后虚烦少气，为余热未尽，故加麦冬、竹叶于人参、甘草之温中益气药中，以清热生津；加半夏者，治痰饮上逆欲呕。病后余热与伏气发温不同，故不用知母之苦寒以伐少阴，而以麦冬之甘寒养胃阴清热。

附：治疗前后患者舌象变化，详见图 4~ 图 7。治疗前后胸部 CT 影像变化详见图 8~ 图 13，住院期间患者体温、心率、白细胞、中性粒细胞变化见表 2。

表 2　患者住院期间体温、心率、白细胞、中性粒细胞变化

时间	T/℃	HR/（次 /min）	WBC/（$\times 10^9$/L）	NEUT/%
2019 年 1 月 25 日	39.9	125	11.64	87.4
2019 年 1 月 26 日	37.8	85		
2019 年 1 月 27 日	36.8	90		
2019 年 1 月 28 日	36.6	84	6.33	53.3
2019 年 1 月 29 日	36.9	60		

开太阳、和少阳纯中医治疗社区获得性肺炎案例

【基本资料】

石某某，男，87 岁，于 2021 年 10 月 14 日入住中医经典科。

主诉：鼻塞、流涕 2 天，发热 7 小时。

现病史：患者于入院前 2 天受凉后出现鼻塞、流涕，伴轻度咳嗽，全身乏力，恶寒，汗出，自行口服复方氨酚烷胺胶囊后症状无缓解。7 小时前患者开始出现发热，伴流涕，全身乏力，咳嗽，家属遂拨打 120 就诊于重庆市中医院发热门诊。测体温 39.5℃，完善血常规提示中性粒细胞升高，C 反应蛋白 33.27mg/L，查胸部 CT 提示双肺多发感染性病变，考虑社区获得性肺炎，予布洛芬混悬液退热、左氧氟沙星抗感染、强力枇杷露止咳治疗后，以“社区获得性肺炎”收入中医经典科。

既往史：30 余年前因胃溃疡出血行胃大部切除术，余无特殊。

中医四诊：患者少神，精神倦怠，恶寒发热，伴流涕，全身乏力，偶有咳嗽，汗出，饮食正常，睡眠较差，体重无明显变化，大便正常，小便频数。舌淡红，苔薄黄，脉浮滑。

体格检查：体温 38.0℃，脉搏 98 次 /min，呼吸 24 次 /min，血压 118/65mmHg，呼吸运动未见异常，肋间隙未见异常，语颤未见异常。叩诊清音，呼吸规整，双肺呼吸音清晰，双下肺可闻及湿啰音，无胸膜摩擦音。心率 98 次 /min，律齐，各瓣膜听诊区未闻及病理性杂音，无心包摩擦音。舌淡红，苔薄黄，脉浮滑。

辅助检查：血常规示白细胞 7.79×10^9/L，中性粒细胞 91.9%，淋巴细胞 2.7%，红细胞 4.16×10^{12}/L；C 反应蛋白 33.27mg/L，降钙素原（PCT）2.12ng/ml。胸部 CT 平扫示双肺多发感染性病变。

中医诊断：发热（太阳证）

西医诊断：社区获得性肺炎，非重症

【诊治过程】

一诊：2021 年 10 月 14 日

中医四诊：患者神清，精神较差，恶寒发热，伴流涕，全身乏力，偶有咳嗽，汗出，饮食正常，睡眠较差，体重无明显变化，大便正常，小便频数。舌淡红，苔薄黄，脉浮滑。

病机分析：恶寒发热，伴流涕，为太阳病之象，汗出，为太阳表虚之证。

治法：开太阳，疏表散邪。

处方用药：桂枝汤。

桂枝 45g 白芍 45g 炙甘草 30g 大枣 25g

生姜 45g

1 剂，水煎服，嘱其服药后喝热稀粥，盖被子发汗。

中医特色疗法：特定电磁波谱（TDP）治疗（背部）+ 普通电针治疗（双侧风池、太阳、列缺、合谷、风门、手三里）疏风散寒止咳；中医定向透药治疗（背部）温经散寒止咳；皮内针治疗（三阴交、阴陵泉、定喘）持续刺激穴位，定喘止咳；穴位贴敷治疗（感冒贴：双侧肺俞、足三里、中府）清肺泻热止咳；超声药物透入（背部）+ 智能化炎症治疗机（背部）抗炎泻热止咳。

服药后，患者少量汗出，恶寒减轻，未发热。守方 2 剂。

二诊：2021 年 10 月 17 日

中医四诊：患者神清，精神较差，无恶寒发热，无流涕，全身乏力好转，咳嗽再次发作，咳嗽剧烈，引起腹痛，无汗，饮食正常，睡眠较差，大便偏稀，小便仍频数。舌淡红，苔薄黄，脉浮弦。

病机分析：考虑太阳余邪未尽，太阴本虚，有邪气传少阳之势。

治法：开太阳，和少阳。

处方用药：柴胡桂枝汤。

桂枝 25g 黄芩 25g 人参 25g 炙甘草 15g

生半夏先煎 35g 赤芍 25g 大枣 20g 柴胡 60g

生姜 25g

2 剂，每日 1 剂，水煎服。

服药后，患者咳嗽明显减轻，腹痛改善，小便无明显变化。

三诊：2021 年 10 月 19 日

中医四诊：患者神清，精神较差，无恶寒发热，无流涕，全身乏力好转，无咳嗽，无腹痛腹泻，偶有汗出，饮食正常，睡眠较差，体重无明显变化，大便正常，小便频数减轻。舌淡红，苔薄黄微腻，脉弦细滑。复查胸部 CT 提示双肺炎性病变基本吸收，血常规、降钙素原恢复正常，C 反应蛋白 32mg/L。

病机分析：表邪得散，郁热得解，少阳枢机较前通利，痰浊渐除，仍有余邪，兼两本亏虚。

辨证处方：守方 2 剂。

【转归预后】

患者神清，精神好转，无恶寒发热，无流涕，全身乏力好转，无咳嗽，腹痛减轻，无明显汗出，饮食正常，睡眠较差，体重无明显变化，大便正常，小便频数好转。舌淡红，苔薄黄微腻，脉细软滑。带原方 3 剂出院。

【按语】

1. 本案病机：太阴本虚，太阳中风，表寒客肺，土运不足。

《伤寒论·辨太阳病脉证并治》曰："太阳病，发热，汗出，恶风，脉缓者，名为中风。"患者不慎感受外邪，以发热，伴流涕、全身乏力，汗出，咳嗽，恶寒为主要表现，四诊合参，当属中医学之"外感发热"范畴，六经属太阳病。患者年过八旬，两本亏虚，起居不慎，适逢风寒，感受外邪，太阳藩篱不固，邪气客于表及肌肉腠理，经气不疏，表邪不解，故恶寒；邪客于太阳表，正邪相争，郁而化热，故见发热；外邪犯肺，肺失清肃，故见咳嗽；正气不足，津液亏虚，肢体失于濡养，则见全身乏力。

"有汗用桂枝，无汗用麻黄"是运用经方治疗外感疾病的准则，通过有汗、无汗的描述来阐述表虚、表实的病机。有汗，提示津液有所亡失；无汗，多提示津液充实（当然亦有阳虚或津亏不能作汗者）。使用桂枝汤的依据应是太阳表虚，表虚的病因除了正气失于固护，腠理疏松，营阴外泄外，在里还有太阴亏虚，运化不足之机。桂枝汤一方面以桂枝开太阳解表达邪，另一方面又以甘草、生姜、大枣运太阴调中养胃生津。

2. 邪犯少阳，三焦郁滞，水液循行不利可致小便频数，和少阳而通利二便亦为常法。

患者入院症见恶寒发热，汗出，脉浮，正符合太阳中风表现，方以桂枝汤原方，1剂退热，3剂症状已解八成，按桂枝汤服法，药后啜粥再盖被取汗，则疗效当更佳。然患者表证渐解而小便频数，其脉并无沉细无力之象，反仍显浮象，虽有两本亏虚基础，其当下病机仍不离开太阳、散表邪。通过细查患者脉象，结合舌苔，可知其表邪未解，太阳少阳合病，邪气客于半表半里之郁热，故调整使用柴胡桂枝汤，其中小柴胡汤治疗的咳嗽是由于气机不利，少阳三焦津气郁滞，逆乱壅阻于肺，从而影响肺的宣发肃降功能。方中柴胡苦平，疏利少阳之气；黄芩清泄邪热；半夏和胃降逆，降泄浊气。邪气得解，少阳得和，上焦得通，津液得下，胃气得以调和，清气得升，浊气得降，津气得以顺行，从而上中下三焦和调，肺的宣降功能恢复，同时津液循行得以复旧，咳嗽病根消除，小便亦转通畅而解。

高龄患者，体质虚弱，发热、咳嗽起病，在起病初期即当争取截断病势，控制感染，否则很可能病情加重，出现休克、呼吸衰竭等危及生命的并发症，导致病死率明显升高。从西医角度，早期使用大剂量广谱抗生素，采用抗生素"降阶梯"治疗的观念已深入人心，但也存在因抗生素大量使用带来的一系列潜在不良反应。本案全疗程未使用抗生素，通过六经辨证和遵经典经方原方原量的运用，以纯中医治疗社区获得性肺炎，同样在短期内截断病势，取得满意疗效，亦为中医治疗急性感染性热病之典范。

附：住院期间患者炎症指标变化详见表 3；治疗前后舌象变化详见图 14、图 15。

表 3 患者住院期间炎症指标变化

指标	2021 年 10 月 13 日	2021 年 10 月 14 日	2021 年 10 月 15 日	2021 年 10 月 16 日	2021 年 10 月 17 日	2021 年 10 月 18 日
WBC/（$\times 10^9$/L）	7.79	8.59	8.13	6.26	4.92	4.57
NEUT/%	91.9	87.7	84.8	79.2	63.8	62.6
CRP/（mg/L）	33.27	64.19	174.32	125.35	60.96	32.0
PCT/（ng/L）	2.12		1.62	1.52	0.7	0.35

柴胡类方治疗肺部感染合并尿路感染案例

【基本资料】

熊某某，女，76 岁，于 2020 年 7 月 27 日入住中医经典科。

主诉：发热 3 天。

现病史：患者于 3 天前受凉后发热，当时体温不详，自服风寒感冒颗粒后大汗出，测体温约 37.5℃。后体温仍有反复升高，自服复方对乙酰氨基酚片，服药后恶心、呕吐，呕吐物为胃内容物，非喷射性，无咖啡色样物质，伴心慌，发热无缓解，又自服中成药（具体不详）后，体温未见下降，反上升至 39.4℃，出现嗜睡（家属代诉），伴恶寒，无寒战，全身乏力，全身肌肉胀痛，小便偶有失禁，无鼻塞、喷嚏、流涕，自服安宫牛黄丸 1 粒，服药 2 小时后测体温降至 37.2℃，神志转清，小便失禁好转。后体温再次升高，波动在 38.0℃左右，入院当天凌晨自服连花清瘟颗粒，体温可下降，但未至正常，为求进一步诊治入住中医经典科。

既往史：高血压病史 20 年，冠心病（冠状动脉粥样硬化性心脏病）病史 20 年，慢性阻塞性肺疾病病史 8 年，2 型糖尿病病史 1 年，规律服用降压、降糖等药物，血压、血糖控制可。

中医四诊：患者望之少神，面色少华，精神较差，时有干咳，咳声轻微，恶寒发热，伴头晕头痛，夜间为甚，晨起时视物旋转，心慌心烦，乏力、全身肌肉胀痛，纳差，感恶心欲吐，口干口苦，夜寐不安，小便量可，色黄，大便干燥。舌红，苔黄腻，脉浮弦滑数。

体格检查：体温 37.7℃，脉搏 111 次 /min，呼吸 23 次 /min，血压 133/77mmHg，

双肺呼吸音粗，左侧肺上叶可闻及少量湿啰音。心率 111 次 /min，心律齐，各瓣膜听诊区未闻及病理性杂音。腹平软，无压痛、反跳痛。

辅助检查：胸部 CT 平扫提示左肺上叶下舌段少许炎症，主动脉硬化，心包积液。血常规示白细胞 6.78×10^9/L，中性粒细胞 86.2%，红细胞 3.06×10^{12}/L，血红蛋白（Hb）91g/L。C 反应蛋白 113.20mg/L。降钙素原 19.61ng/ml。尿液分析示白细胞计数 1 764.20 个 /μl，红细胞计数 25.60 个 /μl，细菌计数（++++），尿蛋白（+），隐血（+），白细胞（镜检）（++/HP），透明度：浑浊。

中医诊断：外感发热（太阳少阳合病）

西医诊断：社区获得性肺炎，非重症；泌尿道感染；高血压 3 级（极高危）；2 型糖尿病；冠状动脉粥样硬化性心脏病；慢性阻塞性肺疾病

【诊治过程】

一诊：2020 年 7 月 27 日

中医四诊：患者精神差，时有干咳，咳嗽无力，恶寒发热，伴头晕头痛，夜间为甚，阵发性视物旋转，心慌心烦，乏力、全身肌肉胀痛，纳差，感恶心欲吐，口干口苦，夜寐不安，小便量可，色黄，大便干燥。舌红，苔黄腻，脉浮弦滑数。

病机分析：发热伴恶寒，是太阳表证不解，口干口苦、恶心为邪气已入半表半里，口渴欲饮，大便干燥难解为邪入阳明，热扰心神故夜寐不安。从六经分析为太阳表寒合少阳、阳明郁热。

治法：开太阳，和少阳，降阳明。

处方用药：柴胡桂枝汤加味。

北柴胡 30g	生半夏（先煎）20g	黄芩 20g	生晒参 20g
桂枝 20g	赤芍 20g	炙甘草 15g	生姜 6g
大枣 10g	石膏（先煎）30	酒大黄（后下）10g	

1 剂，每日 3 次，水煎服。

中医外治予穴位贴敷治疗双侧足三里、天枢、中脘健脾开胃；耳穴压丸双侧心、肝、脾、肺、肾调补正气，祛邪外出；皮内针治疗双侧安眠、三阴交、内关宁心安神；超声药物透入双下肢以透邪外出。

服药后，患者体温峰值下降至 37.2℃，解稀便数次，无腹痛。

二诊：2020 年 7 月 28 日

中医四诊：精神较差，体温峰值较前下降，诉头晕，恶寒较前稍减轻，干咳，心慌心烦稍缓解，乏力、全身肌肉胀痛，纳差，感恶心欲吐，口干口苦欲饮水，夜寐不安，大便不成形，小便量较前增多，色黄。舌红，苔黄腻，脉弦滑。

病机分析：恶寒减轻，太阳表寒初步得解，仍口干口苦，恶心欲呕吐，乃少阳郁热不解，欲饮心烦为热扰心神之兆，治疗继续和少阳，降阳明。

治法：和少阳，降阳明，运太阴。

处方用药：小柴胡汤加味。

北柴胡 30g	黄芩 20g	炙甘草 20g	生晒参 20g
生半夏先煎 20g	生姜 25g	大枣 25g	滑石粉包煎 15g
石膏先煎 20g	知母 10g	山药 15g	白茅根 30g

2 剂，每日 1 剂，每日 3 次，水煎服。

服药后，患者暂未发热，未再解稀便。

三诊：2020 年 7 月 30 日

中医四诊：精神一般，未发热，今日最高体温 36.9℃，仍诉头晕、呃逆、腹胀，乏力稍改善，恶寒缓解，活动后稍感喘累气促，偶干咳，仍口干口苦，诉心慌心烦较前缓解，全身肌肉胀痛较前缓解，食欲稍好转，夜寐不安，大便已解、偏干，小便量可、色黄、伴灼热感。舌红，苔黄腻，脉浮滑。

辅助检查：尿液分析示白细胞计数 49.10 个 /μl，细菌计数 25 468.40 个 /μl，白细胞（酯酶法）(++)，白细胞（镜检）1~2 个 /HP。血常规示白细胞 4.23×10^9/L，红细胞 2.78×10^{12}/L，血红蛋白 86g/L，红细胞压积 25.8%。C 反应蛋白 56.40mg/L。降钙素原 5.95ng/ml。

病机分析：发热恶寒、肌肉胀痛缓解，为太阳表寒已除，口干口苦仍存在，乃少阳郁热仍存，大便干、小便灼热色黄，为阳明余热未清，膀胱蓄水化热明显。结合舌苔脉象，亦为少阳、阳明郁热之兆。

治法：和少阳，降阳明，运太阴。

处方用药：在二诊方的基础上去白茅根、滑石；减少生姜剂量至 10g，大枣剂量减至 10g，增加山药剂量至 30g；黄芩、石膏剂量加至 30g，加连翘 15g、忍冬藤 60g 清热解毒、疏风通络，合用五苓散增强利水通淋之力。用药如下：

北柴胡 30g	黄芩 30g	炙甘草 20g	生晒参 20g
生半夏先煎 30g	生姜 10g	大枣 10g	连翘 15g
石膏先煎 30g	知母 10g	山药 30g	忍冬藤 60g
茯苓 15g	猪苓 15g	白术 15g	盐泽泻 25g
桂枝 10g			

2 剂，每日 1 剂，每日 3 次，水煎服。

服药后患者未再发热，精神好转，纳增。

四诊：2020 年 8 月 1 日

中医四诊：精神一般，连续三天未再发热，自诉晨起头晕明显，呃逆，未见呕吐，腹胀，乏力稍改善，恶寒较前缓解，偶干咳，口干口苦明显，心慌心烦较前减轻，全身肌肉胀痛较前改善，食欲好转，夜寐改善，大便已解、偏干，小便量可、色黄、灼热感减轻。舌红，苔薄腻，脉弦。

辅助检查：尿液分析示白细胞计数 36.00 个 /μl，细菌计数 9 529.60 个 /μl，白细胞（酯酶法）（++），白细胞（镜检）1~3 个 /HP。血常规示白细胞 6.4×10^9/L，中性粒细胞 81.3%，淋巴细胞比率 7.1%，血红蛋白 83g/L。C 反应蛋白 24.85mg/L。降钙素原 0.77ng/ml。

病机分析：恶寒发热缓解，为太阳表证已除；夜寐改善，因阳明郁热得治。仍口干口苦，乃少阳郁热不尽，头晕、呃逆、腹胀，结合脉象弦，考虑为津液亏虚，气阴不足，运化失施之征，在清解郁热同时，注意益气养阴增液。

治法：和少阳，降阳明，运太阴，养阴生津。

调整处方：在前方的基础上将黄芩用量减至 15g，生姜用量减至 5g，石膏用量减至 10g。加乌梅 30g、北沙参 30g、麦冬 30g、葛根 20g 养阴生津，健脾益胃。3 剂。

服药后，患者精神明显好转，小便灼热感减轻。

五诊：2020 年 8 月 5 日

中医四诊：精神好转，患者诉昨日夜间汗出明显，自觉发热，无恶寒，体温正常，晨起头晕较前减轻，呃逆，未见呕吐，腹胀，乏力较前缓解，偶干咳，仍口干，声嘶，口苦减轻，心慌心烦较前减轻，全身肌肉胀痛明显改善，食欲可，夜寐安，大便正常，小便量可、色黄、灼热感进一步减轻。舌红，苔稍白腻，脉细弦。

辅助检查：血常规示白细胞 6.09×10^9/L，淋巴细胞比率 12.9%，红细胞 2.82×10^{12}/L，血红蛋白 86g/L。C 反应蛋白 33.80mg/L。降钙素原 0.2ng/ml。

病机分析：患者汗出乃气虚不摄之兆，口干口苦为少阳郁热夹杂津亏，余热未清，灼伤咽喉则声音嘶哑，治疗当以和解少阳，补脾益气，固表止汗为主，兼清郁热，利咽开音。

治法：和少阳，运太阴。

处方用药：小柴胡汤合补中益气汤加减。

桔梗 15g　当归 15g　黄芩 10g　陈皮 15g
升麻 15g　柴胡 30g　党参 20g　丹参 10g
大枣 10g　浮小麦 30g　蝉蜕 20g　炒僵蚕 15g

2 剂，每日 1 剂，每日 3 次，水煎服。

服药后，患者精神可，无畏寒发热，偶有体位改变后头晕，但头晕程度较前减轻，呃逆、腹胀、乏力改善，无明显干咳，稍有口干，无口苦，无心慌心烦，无全身肌肉胀痛，食欲较入院时明显改善，夜寐改善，夜间汗出减轻，大便正常，小便量可、色黄减轻、尿后灼热感明显缓解。带上方 5 剂出院。

【按语】

1．本案病机：太阴本虚，气血不足，太阳不解，邪入少阳，郁而化热，致阳明同病。

患者为老年女性，因入院前 3 天受凉后感发热，伴见恶寒，头晕头痛，干咳，心慌心烦，乏力、全身肌肉胀痛，纳差，口干口苦，夜寐不安，大便干燥，小便量可，色黄。年老体弱，不慎感受寒邪，正气衰弱，无法抗衡邪气，邪气侵犯肌表，邪正相争，内传少阳，寒热往来发为本病。夜间发热，白天可退为太阳邪气与卫阳相争，寒热往来之象；口干口苦为邪犯少阳，相火不降，少阳郁热；邪气上犯头目，清阳不升，浊阴不降，清窍失养，故见头晕头痛；纳差、大便干燥为外寒束表，卫郁不舒，表气郁闭，里气不和，影响胃气和降，为阳明不降之象。

治疗先予柴胡桂枝汤和解少阳，开太阳，调和营卫。《伤寒论》第 146 条："伤寒六七日，发热，微恶寒，支节烦疼，微呕，心下支结，外证未去者，柴胡桂枝汤主之。"方中用柴胡透泄少阳之邪从外而解，疏泄气机之郁滞，黄芩助柴胡以清少阳邪热，柴胡升散，得黄芩降泄，则无升阳劫阴之弊；半夏、生姜降逆和胃，人参、大枣扶助正气，正气旺盛，则邪无内传之机，可以直从外解。患者入院初时见高热，伴便秘，为阳明经腑同病，故加用石膏辛甘微寒，入肺胃二经，功善清解，透热出表，以除阳明气分之热，酒大黄通降阳明，清泄腑实之热。

二诊患者表寒已退，半表半里之郁热仍存，故心烦，口干口苦、欲饮水，小便不利，考虑为阳明里热下注伤津之象。《伤寒论》第 96 条："伤寒五六日，中风，往来寒热，胸胁苦满，嘿嘿不欲饮食，心烦喜呕，或胸中烦而不呕，或渴，或腹中痛，或胁下痞硬，或心下悸，小便不利，或不渴，身有微热，或咳者，小柴胡汤主之。"治疗再予小柴胡汤疏解少阳，通利三焦经气，加用知母苦寒，助石膏清肺胃热，滋阴润燥救以伤之阴津，山药益胃生津，滑石利尿通淋，白茅根清肺胃之热，生津止渴，全方共奏和解少阳，清肺生津之功。

2. 口干的辨证，常分太阳、阳明两端，当有气化、津亏之别。

《伤寒论》第 71 条曰："太阳病，发汗后，大汗出，胃中干，烦躁不得眠，欲得饮水者，少少与饮之，令胃气和则愈。若脉浮，小便不利，微热消渴者，五苓散主之。"患者口干，小便不利，脉浮表现符合该方证，方中泽泻以其甘淡，直达肾与膀胱，利水渗湿；茯苓、猪苓之淡渗，强其利水渗湿之力；白术、茯苓健脾以运化水湿。五苓散证的作用在于开太阳、运太阴，疏表达邪，提壶揭盖，临证关键在于脉浮、小便不利（尿总量不多，且有尿不尽感）伴口干，却未必多饮（与口渴之别）。《素问·灵兰秘典论》："膀胱者，州都之官，津液藏焉，气化则能出矣。"膀胱的气化有赖于阳气的蒸腾，故方中又以桂枝温阳化气以助利水，解表散邪以祛表邪，故合用五苓散利水渗湿，温阳化气。

清代叶天士曰："女子以肝为先天。"《灵枢·本神》提到："肝藏血，血舍魂。"该患者经过少阳、阳明郁热的煎熬，加之解表散邪耗费津液，病机逐渐转为气阴不足之象，故见头晕、乏力、呃逆，治疗在"和解半表半里之间"、清郁热的基础上，合用补中益气汤及乌梅、沙参、麦冬、葛根等养阴生津，健脾益胃，亦体现了"救阴不在血，而在津与汗"的学术思想。经治疗，患者津液得充，虚汗得敛，肝血自然恢复，夜寐改善。

患者入院时炎症指标偏高，病程中未予抗生素治疗，谨守病机，按六经辨证施治，灵活调整处方思路，使患者邪热得解，胃气相和，水湿之邪从小便而去，后期经过益气养阴，正气得复，故使病愈。

附：住院期间患者体温、白细胞、降钙素原、C反应蛋白变化，详见表4。

表4 住院期间患者体温、白细胞、降钙素原、C反应蛋白变化

时间	T/℃	WBC（$\times 10^9$/L）	PCT/（ng/ml）	CRP/（mg/L）
2020年7月27日	37.4	6.78	19.61	113.2
2020年7月29日	37.5	4.23	5.95	56.4
2020年8月1日	36.8	6.40	0.77	24.85
2020年8月4日	36.6	6.09	0.2	33.8

小柴胡汤合半夏泻心汤治疗慢性胃窦炎伴糜烂案例

【基本资料】

杨某，女，55岁，于2019年11月5日收入中医经典科。

主诉：反复胃脘部胀满伴干呕1月，加重1周。

现病史：患者于1月前无明显诱因感胃脘部胀满、反酸、干呕，偶有疼痛，进食后加重，晨起及矢气后缓解，无头晕头痛，无胸闷胸痛，无咳嗽咳痰，无腹痛腹泻等不适，2019年10月9日于外院行胃镜检查提示慢性胃窦炎伴糜烂，予口服雷贝拉唑钠肠溶片20mg、每日1次，羔羊胃提取物/维B_{12}颗粒3g、每日3次，安胃疡胶囊2粒、每日4次口服，服药后胃痛可缓解，但胃脘部胀满、干呕无明显改善；期间间断我院门诊口服中药治疗，效果欠佳。1周前上述症状加重，为进一步诊治来我院就诊，门诊以"慢性胃窦炎"收入中医经典科。

既往史：2年前行阑尾切除术，3年前胃镜示反流性食管炎。余无特殊。

体格检查：体温36.6℃，脉搏87次/min，呼吸20次/min，血压144/99mmHg，双肺呼吸音清晰，双侧肺未闻及干、湿啰音，心率87次/min，律齐，各瓣膜听诊区未闻及病理性杂音。

中医四诊：望之少神，精神较差，胃脘部胀满，干呕，偶有反酸，口干口苦，口臭，平素怕冷，无恶寒发热，饮食正常，夜寐安，大便近期偏稀，小便正常。舌

淡红，苔薄稍黄，脉弦。

辅助检查：胃镜提示慢性胃窦炎伴糜烂。胸片未见明显异常。上腹部CT平扫提示肝囊肿可能，其他待除外；双肾尿酸盐结晶可能。

中医诊断：胃痞（少阳证）

西医诊断：慢性胃窦炎伴糜烂；高脂血症

【诊治过程】

一诊：2019年11月5日

中医四诊：患者精神较差，觉胃脘部胀满，时有干呕，偶有反酸，伴口干口苦，口臭，怕冷，畏风，无发热，饮食尚可，夜寐安，大便偏稀，小便正常。舌淡红，苔薄稍黄，脉弦。

病机分析：少阳郁热，故口苦口干；太阴不运，故痰浊内蕴；夹郁热攻冲，故反酸、口臭。津血生化不足，卫外不充，故怕冷畏风。

治法：和解少阳，运太阴。

处方用药：小柴胡汤合半夏泻心汤加减。

北柴胡 60g	酒黄芩 25g	生晒参 25g	炙甘草 25g
大枣 25g	生半夏先煎 30g	酒黄连 5g	砂仁后下 15g
木香后下 15g	生姜 25g		

1剂，每日3次，水煎服。

中医特色疗法予皮内针（双侧内关、梁门、大陵）和胃消胀，普通电针治疗中脘、下脘（双侧足三里、天枢、胃俞、脾俞、膈俞）和胃止呕，穴位贴敷治疗中脘（双侧足三里、天枢）补益中土，隔物灸治疗（双侧脾俞、胃俞、天枢）及中药封包热熨腹部健运中土。

服药后，患者胃脘部胀满减轻，干呕缓解，口臭减轻，仍不敢进食，守方1剂。

二诊：2019年11月7日

中医四诊：患者神清，精神可，胃脘部胀满好转，与昨日相比进食稍多，腹胀好转，无干呕，口臭进一步改善，口干口苦好转，无反酸，无恶寒发热，夜寐安，大小便正常。舌淡红，苔薄稍黄，脉弦。

病机分析：太阴得运则胃脘胀减轻，少阳郁热得清则口干口苦好转，升降得复则纳食增。患者目前症状持续改善，继续守方3剂。

三诊：2019年11月10日

中医四诊：患者神清，精神可，未诉胃脘部胀满，进食进一步增多，无干呕，口臭缓解，无口干口苦，无反酸，无恶寒发热，夜寐安，大小便正常。舌淡红，苔白微腻，脉弦滑。

病机分析：少阳郁热得减，仍有太阴湿化之象，加强运太阴，在原方基础上加用炒白术健运中土，温而不致热化，具体用药如下。

北柴胡 60g　酒黄芩 25g　生晒参 25g　炙甘草 25g
大枣 25g　生半夏先煎 30g　酒黄连 5g　砂仁后下 15g
木香后下 15g　生姜 25g　炒白术 20g

1 剂，每日 3 次，水煎服。

【预后及转归】

患者神清，精神可，未诉胃脘部胀满，进食可，无干呕，无口干口苦，无反酸，无恶寒发热，夜寐安，大小便正常。舌淡红，苔薄，根部微白腻，脉弦。患者目前症状基本已愈，在原方基础上柴胡减半，加用桂枝 10g，于 2019 年 11 月 11 日带中药 7 剂出院。

【按语】

1. 本案病机：少阳郁热，太阴不运，饮逆攻冲。

《伤寒论》第 266 条："本太阳病不解，转入少阳者，胁下硬满，干呕不能食，往来寒热，尚未吐下，脉沉紧者，与小柴胡汤。"患者胃脘部胀满，进食后加重，干呕，口干口苦，正契合该条文病机。少阳经病证多表现为三焦经以及胆经的病证。少阳病证，邪不在表，也不在里，汗、吐、下三法均不适宜，只可采用和解方法。小柴胡汤，多由邪在少阳，经气不利，郁而化热所致。治疗以和解少阳为主，兼补胃气，运太阴；该方既可祛邪，又兼扶正气，使邪气得解，胃气调和，升降自复。

本方中柴胡苦平，入少阳，透解邪热，疏达经气；黄芩清泄邪热；半夏和胃降逆；人参、炙甘草扶助正气，抵抗病邪；生姜、大枣和胃气，生津液。全方可使邪气得解，少阳得和，上焦得通，津液得下，胃气得和，有汗出热解之功效。

《伤寒论》第 149 条："伤寒五六日，呕而发热者，柴胡汤证具，而以他药下之，柴胡证仍在者，复与小柴胡汤，此虽已下之，不为逆。必蒸蒸而振，却发热汗出而解，若心下满而硬痛者，大陷胸汤主之，但满而不痛者，柴胡不中与之，宜半夏泻心汤。"小柴胡汤易生姜为干姜，柴胡换为黄连则变为半夏泻心汤，区别在于，小柴胡汤中有柴胡偏于升发少阳之火，半夏泻心汤有黄连重在降阳明。患者首诊小柴胡汤证犹在，但腹胀明显，满而不痛，有心下痞满，故首诊以小柴胡汤合半夏泻心汤，加用木香、砂仁理中焦脾胃气机，化中焦湿浊。患者服药 1 剂后腹胀、口干口苦等症改善明显，故继续守方。三诊时患者腹胀明显减轻，食纳较前增加，在原方基础上加用白术以顾护中土。出院前患者腹胀已消，可基本正常饮食，考虑少阳邪热渐去，在原方基础上柴胡减量，加用桂枝升发甲木而助气化以巩固疗效。

2. 土壅木郁，为消化系统疾病之常见格局，疏木达土，为破局之常法。

甲乙同禀木气，戊己土位居于中央，为升降之轴。木曰曲直，木气的舒畅条达有助于土气之疏达，甲木上逆，而克戊土，乙木下陷，而克己土，邪郁少阳，致木气郁滞，木不疏土，而成土气壅实之格局。若正气尚足，邪从阳化，阳土顺降不及，从阳化燥，最终可形成木气郁滞，甲木郁而相火不降，同时己土不运，戊土不降之局面，《伤寒杂病论》中小柴胡汤、半夏泻心汤类方剂则有助于破局。回顾病例，此患者在治疗上以运转少阳枢机为主，兼顾太阴脾土，疗效确切，是灵活运用经典经方的真实临证体现。

《神农本草经》言柴胡主“去肠胃中结气，饮食积聚，寒热邪气，推陈致新”。柴胡善调畅肝胆之气，推动少阳枢机，并由此促进脏腑功能的正常运行。在小柴胡类方中，柴胡辛散以助少阳胆气之出，黄芩苦寒以助厥阴肝气之入，柴芩并用，则出入如常矣。中气如轴，四维如轮，其气为人身气机升降出入之枢纽，胃气以降为顺，胃气不降每由火旺气实所致，故降胃每用黄连、黄芩。半夏泻心汤用于寒热之邪结于中焦脾胃，升降失职。气机不畅，致心下痞满，按之柔软不痛。盖脾胃居中央，中央者，四运之轴，升降之枢。脾胃和则纳化衡常，升降有序。若寒邪直中，或湿困脾阳，则脾气不升而生寒；辛辣厚味，燥伤胃阴，则胃气不降而生热。寒热互结，则升降运化障碍，致水为饮，谷为滞；津液气血化生不足，则脏腑肢骸因之而虚损。半夏泻心汤寒热并用以和阴阳，苦辛同施以调升降，补泻共进以理虚实，使脾胃得复，寒热得化。故凡脾胃虚弱，升降失度所致之寒热错杂，清浊无序病证，皆可用本方治之。

附：治疗期间患者舌象变化详见图 16、图 17。

疏木达土、调和升降法治疗头晕案例

【基本资料】

刘某某，女，62 岁，于 2019 年 10 月 15 日入院。

主诉：反复头晕 10 余年，复发加重 1 周。

现病史：患者于 10 余年前无明显诱因出现头晕，无视物旋转，无头痛、恶心、呕吐，无昏厥、肢体偏瘫，无腹痛、腹泻等，于当地医院就诊，测得血压升高，最高血压 200/90mmHg，诊断为原发性高血压。予口服降压药物治疗，可好转，后患者长期口服厄贝沙坦片、苯磺酸氨氯地平片，平素血压控制一般。1 周前，患者再次出现头晕不适，伴恶心、口干，入睡困难，未呕吐，无视物旋转，无畏寒、发热，无咳嗽、咳痰，无心悸、胸闷，无心前区刺痛，无腹痛、腹泻，无尿频、尿急、尿痛等症状，4 天前于我院门诊就诊，予口服艾司唑仑片治疗，睡眠稍改善，2 天前于我院门诊行动态血压监测，患者感头晕仍明显，今为进一步治疗来我院就诊，门诊以“眩晕”收入中医经典科。

既往史：5 年前于当地医院检查诊断为腔隙性脑梗死。平素易焦虑、紧张，睡眠欠佳，入睡困难，睡后易醒。否认其他疾病史。

中医四诊：望之少神，精神倦怠，面色暗淡无光，语声低沉，未闻及异常气味，头晕乏力，失眠，阵发性恶心，食欲尚可，二便调。舌淡红，苔白腻，左脉弦滑，右脉弦细。

体格检查：体温 36.7℃，呼吸 21 次 /min，心率 82 次 /min，血压 145/80mmHg，心肺未查及异常体征，颈软无抵抗，旋颈试验（–），共济失调征（–）。

辅助检查：血常规、尿常规、粪便常规、肝肾功能、血脂、血糖、C 反应蛋白未见异常。腹部彩超示肝实质回声密集，左肾囊肿。头颅 CT 未见明显异常。颈动脉、椎动脉血管彩超未见确切异常。经胸心脏彩超示左室舒张功能减退。

中医诊断：眩晕（少阳证）

西医诊断：原发性高血压 3 级（极高危）；失眠

【诊治过程】

一诊：2019 年 10 月 15 日

中医四诊：患者精神状态较差，头晕，伴恶心，口干，无恶寒发热，饮食正常，睡眠较差，大便正常，小便正常。舌淡红，苔白腻，左脉弦滑，右脉弦细。

病机分析：患者年老，两本渐亏，平素精神紧张，容易焦虑，导致机体少阳枢机不利，木郁土虚，湿浊内生，上扰清窍，浊阴不降，清阳不升，清窍失养，发为头晕；气机不利，少阳相火不降，灼伤津液，故口干；入睡困难为肝肾亏虚，心肾不交，肾水不能上济心阴所致。舌淡红，苔白腻，左脉弦滑，右脉弦细，符合少阳痰浊阻络，少阳枢机不利之象。

治法：和解通络，化痰安神。

处方用药：柴胡加龙骨牡蛎汤加味。

北柴胡 40g	龙骨先煎 25g	牡蛎先煎 25g	生晒参 25g
桂枝 25g	茯苓 25g	生半夏先煎 25g	酒黄芩 25g
大黄后下 30g	大枣 25g	白术 15g	天麻 15g
生姜 10g			

1 剂，每日 3 次，水煎服。

服药后，患者恶心减轻，睡眠改善。头晕仍存在。

二诊：2019 年 10 月 16 日

中医四诊：患者精神状态一般，仍诉头晕，恶心较前减轻，口干，睡眠较前改善。食欲可，大便正常，小便正常。舌淡红，苔白腻，左脉弦滑，右脉弦细。

病机分析：少阳枢机得以枢转，痰阻气机得以缓和，然中土运化无力。

治法：和少阳，运太阴，化湿浊。

处方用药：柴胡加龙骨牡蛎汤合半夏白术天麻汤。桂枝减量至5g，防温燥太过；柴胡减量至20g，以防升发太过；白术加量至30g以增运中土、燥湿化痰之效；酒黄芩加量至30g，以增苦降之效；加泽泻45g以利水渗湿，酒川芎20g活血行气。处方如下：

北柴胡20g	龙骨[先煎] 25g	牡蛎[先煎] 25g	生晒参25g
桂枝5g	茯苓25g	生半夏[先煎] 25g	酒黄芩30g
大黄[后下] 30g	大枣25g	白术30g	天麻15g
生姜10g	泽泻45g	酒川芎20g	

1剂，每日3次，水煎服。

服药后，患者头晕缓解，仍轻度恶心，无呕吐，无腹泻。

三诊：2019年10月17日

中医四诊：患者精神较前改善，诉头晕较前缓解，仍感轻度恶心，未呕吐，口干稍缓解，睡眠较前进一步改善。食欲可，大便正常，小便正常。舌淡红，苔薄白腻，左脉弦滑，右脉弦细。

病机分析：木升金降、水火交济，故头晕、失眠改善，四维既圆，中气自旺，故精神改善。脉之弦象提示肝木有过旺之虞。

治法：和少阳、运太阴，减用寒凉，加用平肝柔筋之品。

处方用药：二诊方基础上减大黄至10g，以防寒凉伤阳；天麻加量至20g，加钩藤30g，以镇肝熄风汤；加葛根30g以舒经生津。处方如下：

北柴胡20g	龙骨[先煎] 25g	牡蛎[先煎] 25g	生晒参25g
桂枝5g	茯苓25g	生半夏[先煎] 25g	酒黄芩30g
大黄[后下] 10g	大枣25g	白术30g	天麻20g
生姜10g	泽泻45g	酒川芎20g	钩藤[后下] 30g
葛根30g			

3剂，每日1剂，每日3次，水煎服。

服药后，患者头晕进一步减轻，偶有轻度恶心、反酸。余同前。

四诊：2019年10月20日

中医四诊：患者头晕、口干均好转，诉胃脘部灼热不适，伴轻度恶心、反酸，未呕吐，纳、眠可，大小便正常。舌淡红，苔薄白微腻，左脉弦滑，右脉弦细。

病机分析：中土失于健运，胃气上逆。

治法：和少阳，降阳明，运中土，平肝风。

处方用药：三诊方加槟榔10g以降气，加姜厚朴15g燥湿消痰、下气除满，木香10g理气健脾。处方如下：

北柴胡20g	龙骨[先煎] 25g	牡蛎[先煎] 25g	生晒参25g
桂枝5g	茯苓25g	生半夏[先煎] 25g	酒黄芩30g

大黄后下 10g	大枣 25g	白术 30g	天麻 20g
生姜 10g	泽泻 45g	酒川芎 20g	钩藤后下 30g
葛根 30g	槟榔 10g	姜厚朴 15g	木香 10g

7 剂,每日 1 剂,每日 3 次,水煎服。

服药后,患者头晕明显好转,轻度口干,胃脘部灼热、反酸较前缓解,无恶心、呕吐。

【预后及转归】

头晕消失,无恶心,无反酸烧心,无胃脘灼热,纳、眠可,二便调,病情明显好转,于 10 月 21 日带昨日方药出院。

【按语】

1. 本案病机:木郁土虚,中土不运,少阳枢机不利,相火扰心。

本患者为一例高血压头晕患者,此次入院血压未见显著升高,头晕明显,但患者平素易焦虑,导致肝气不疏,致木郁土虚,中土运化失司,则痰湿内生,上扰清窍,浊阴不降,清阳不升,清窍失养,发为本病;脾虚则升清之力不足,津液不能上承于口,且木郁可化火,灼伤津液,则见口干,然肾水尚足,未见口干欲饮之症;少阳相火不降,心肾不交,阳不入阴,则见入睡困难;中土斡旋失司,戊土不降,胃气上逆,则见反酸、烧心等症。《素问·至真要大论》曰:"诸风掉眩,皆属于肝。"《素问·六元正纪大论》曰:"木郁之发……,甚则耳鸣眩转……"《灵枢·口问》曰:"上气不足,脑为之不满,耳为之苦鸣,头为之苦倾,目为之眩。"《灵枢·卫气》曰:"上虚则眩。"《灵枢》所论之眩晕的关键是"髓海不足""上气不足""脑不满"和"上虚",俨然一派虚象。眩晕有实证和虚证之分,实证见于肝火上炎,或肝郁化火,"风火皆阳,阳多兼化,阳主乎动,两阳相搏",厥逆攻脑,清官受扰,而致头晕目眩;虚证多见于肾阴虚损,累及肝阴,以致肝肾阴亏,不能制约肝阳,出现肝阳上亢,虚风内动,头重身摇,而为头晕。眩晕实证以平肝、潜阳、息风为治疗原则,眩晕虚证当以补虚为主。综合分析,该患者属虚实夹杂,以偏实证为主,予以燥湿化痰、和解枢机为主,故予柴胡加龙骨牡蛎汤加减治疗,疗效显著。

《伤寒论》第 107 条:"伤寒八九日,下之,胸满烦惊,小便不利,谵语,一身尽重,不可转侧者,柴胡加龙骨牡蛎汤主之。"原为伤寒误下而设,治疗邪犯少阳,表里俱病之证。少阳为阴阳之枢机,邪犯少阳,当枢机不利,阴阳不调;而此方的本质属柴胡类方,即由小柴胡汤化裁而来,恰能宣畅枢机,转邪外出,调和阴阳。本方由柴胡、半夏、人参、桂枝、茯苓、铅丹、龙骨、牡蛎、大黄、生姜、大枣合而成方,由于铅丹具有毒性,多以磁石、琥珀等重镇安神药替代。方中以小柴胡汤和解少阳,宣畅枢机,使陷里之邪,得以枢转而出;加桂枝者,非取其解肌祛风,而欲其通阳透达,助小柴胡汤转出里邪;少量大黄,并无峻猛伤正之弊，而有泻热和胃之功；至于铅丹、龙骨、牡蛎，重镇安神，定惊止烦；妙在茯苓一味，既可淡渗利水，疏通三焦，又能宁心安神以止烦惊；去甘草者，不欲其甘缓之性妨碍祛邪也。如此攻补合用，而究以和解少阳为基础，而有此方诸般奇妙之用。

2. 浅析中气与气机升降之关系。

中气者，中土之气，运化之气也，为万物之母。《素问·至真要大论》："是故百病之起，有生于本者，有生于标者，有主于中气者……"人身中部之气名曰"中气"，脾胃主之，上部之气曰"宗气"，肺主之，下部之气名曰"元气"。元气为中气之根，宗气为元气之根。肾中水火俱足，乃生元气，元气运动，乃生中气。

《圆运动的古中医学》："人秉大气五行而生脏腑，大气的五行是融合的，人身亦然。人身中阴阳五行，是圆运动着的。"圆运动为生理，运动不圆为病理。阳生阴降，中气如轴，金木水火主圆运动之四维。中气旋转，才有气之升降浮沉。四维皆由中气一气斡旋所化，故曰"土为四象之母，土生四象"（《四圣心源》）。人身上部之气，由右下降，下部之气，由左上升，中气居中，以旋转升降。人一身气机升降出入之动力，皆源于中气。中气如轴，四维如轮。轴运轮行，轮运轴灵。轴运轮行，是指中气运旋使四维气机升降：木气生发、火气煊通、金气敛降、肾水封藏，中气循环圆运，生生不息。轮运轴灵，四维升降循环周流，则可以化生中气。四维旋转，能不断补充中气，使中气充足，运旋有力。若轴不旋转，轮不升降即为病理。在中医治疗方面，有运轴行轮、运轮复轴治法，亦有轮轴并运之法。调理四维之升降，木升金降、水火交济，四维既圆，中气自旺，此为运轮复轴治法。若是中气大虚，则中轴旋转停顿，四维升降倒作，圆运动则不运动，出现上下左右俱病，治以温运中土，中气运则整个升降出入圆运动得以恢复，此为运轴行轮之法。但临床上健中气则必降胆木，四维升降则中气旋转，因中气生于相火也，此为轴轮并运之法。中气者，万物之生命也，中气贯穿，足见中气的重要性。在临证分析及用药处方中，尤要顾护中气。

附：治疗期间患者舌象变化，详见图 18~ 图 20。

温氏奔豚汤合黄芪桂枝五物汤治疗腰痛案例

【基本资料】

向某某，女，38 岁，于 2019 年 11 月 19 日入院。

主诉：左臀部疼痛 2 月，加重 10 天。

现病史：2 月前患者无明显诱因出现左臀部疼痛，疼痛为间断胀痛为主，偶有放射至左大腿及小腿后侧，偶有麻木感，伴有下肢活动受限，无明显腰部疼痛、下肢无力及大小便障碍，患者至当地诊所行针灸治疗，疼痛无缓解，自行贴敷膏药及外涂药物疼痛无缓解。1 个月前，患者久坐后出现左臀部疼痛加重，仍以胀痛为主，俯卧位、坐位及站立时疼痛明显加重，伴有腰部疼痛，行走困难。10 天前患者因工作久站再发左臀部胀痛，伴左侧下肢麻木，久坐或久站后加重，翻身不利，不能平卧，来中医经典科住院治疗。

既往史：剖宫产术后 13 年；左腕皮肤裂伤后 12 年；异位妊娠术后 7 年；脂肪肝确诊 1 月。患者职业为教师(需长期久站)。

中医四诊：精神状态一般，轻度跛行，体形稍胖，左臀部胀痛，伴左侧下肢麻木，久坐或久站后加重，翻身不利，不能平卧，喜右侧卧位，无口干口苦，无恶寒发热，饮食正常，睡眠不佳，二便正常。舌淡，苔白腻，脉沉细。

体格检查：生命体征平稳，神志清楚，心肺及腹部查体未见异常，腰 5 椎体棘突处叩击痛，椎旁 1cm 处压痛，直腿抬高试验及加强试验(+)，股神经牵拉试验(+)，左下肢感觉障碍伴肌力下降至Ⅲ级。

辅助检查：1 个月前腰椎及髋关节磁共振(MRI)示双髋关节 MR 平扫未见明确异常；扫及子宫小结节影，提示肌瘤可能；腰椎及椎间盘退行性变性；腰 4、腰 5、骶 1 椎终板炎；腰 3/4 及腰 4/5 椎间盘轻度膨出，腰 5/ 骶 1 椎间盘向左后突出，硬脊膜囊及左侧神经根受压。

中医诊断：痹证(少阴证)

西医诊断：腰椎间盘突出症

【诊治过程】

一诊：2019 年 11 月 19 日

中医四诊：患者精神倦怠，诉左侧臀部胀痛，伴左侧下肢麻木，久坐或久站后加重，翻身不利，左下肢乏力，跛行，不能平卧，喜右侧卧位，饮食正常，无口干口苦，睡眠不佳，二便正常。舌淡，苔白腻，脉沉细。

病机分析：反复就医，病程日久，久站伤及筋骨，肾主骨生髓，查看其体形稍胖，为肾虚不制水之象，其发病本质为少阴亏虚，且其肢体疼痛麻木为久坐久站后加重，乃肾阳不足，无以鼓动气血，气血循行缓慢，最终停滞无以濡养肌肉筋骨，“不荣则痛”。患者虽无明显寒象，但察其舌淡，苔白腻，脉沉细，均为少阴温煦不足之象。

治法：温少阴，养血通痹。

处方用药：黄芪桂枝五物汤合小剂量温氏奔豚汤加减。

黄芪 45g	桂枝 45g	砂仁 5g	生晒参 15g
附子先煎 10g	干姜 15g	白芍 45g	大枣 45g

山药 30g	牛膝 25g	茯苓 25g	泽泻 15g
炙甘草 25g	沉香后下 5g	肉桂 5g	

2剂,每日1剂每日3次,水煎服。

配合中医特色疗法予黄芪桂枝五物汤行中药定向透药(双侧肾俞、腰阳关、命门),TDP照射腰骶部,针刺(双侧环跳),超声药物透入(双侧足三里、委中、阳陵泉),梅花针叩刺(双侧环跳、阴门、阳陵泉、血海),中药封包腰腹部,腰骶部推拿等治疗以温补肾阳,通络止痹。

服药后,患者左臀部疼痛稍缓解,左下肢麻木稍减轻,余症状无明显变化。

二诊:2019年11月22日

中医四诊:患者左臀部疼痛稍缓解,疼痛以间断胀痛,时有麻木感,跛行缓解,无畏寒,无潮热汗出,无口干口苦,纳可,眠欠佳,舌淡红,苔薄腻,脉沉弦。

病机分析:患者得温少阴及养血通痹法后,肾阳来复,气血自行,疼痛及麻木症状好转,寒邪渐消,可见舌苔转为薄腻,舌淡红,正邪交争,可见脉象为沉弦,因其无明显怕热、大便干燥、口干等化热之象,故予温氏奔豚汤加量。

治法:同一诊。

处方用药:同一诊处方,温氏奔豚汤加量。

黄芪 45g	桂枝 45g	砂仁 10g	生晒参 30g
附子先煎 20g	炮姜 30g	白芍 45g	大枣 45g
山药 60g	牛膝 45g	茯苓 45g	泽泻 30g
炙甘草 45g	沉香后下 10g	肉桂 10g	

3剂,每日1剂,每日3次,水煎服。

服药后,患者左臀部疼痛较前明显缓解,自觉睡眠及食欲好转,左下肢麻木仍存。

三诊:2019年11月25日

中医四诊:患者左臀部疼痛较前明显缓解,左侧肢体麻木感改善不明显,睡眠改善,食欲较前明显增加。舌红,苔薄腻,脉沉弦。

病机分析:刻下患者左臀部疼痛已明显缓解,睡眠及食欲好转,可见温肾阳之法已得效,正气逐渐恢复,但舌质已偏红,恐其温煦益气之力太过,畏其壅滞,故暂去沉香及人参,然改善肢体麻木感仍效果不显,其血脉痹久,草木之类药力尚浅,需予虫类药搜风剔络。

治法:温少阴,运太阴,养血通络。

处方用药:予前方中去沉香、人参,加鸡血藤30g、木香15g、全蝎10g加强养血行气通痹作用。

【预后及转归】

服用上方5剂后患者感左臀部疼痛较前明显缓解,左侧肢体麻木感明显改善，要求出院后回家继续调养，于 11 月 30 日出院。1 周后随访，病情明显好转且稳定。

【按语】

1. 本病病机：脾肾亏虚，营卫气血不足，外感风寒之邪，血脉痹阻。

痹证是以关节疼痛肿胀、感觉异常以及活动不利为主要表现的病证。该案例中患者虽为中青年女性，形体丰满，看似正气充沛，但察看其体形偏胖，因职业关系需久站，同时劳心劳力，耗伤气血。《金匮要略·血痹虚劳病脉证并治》中提到血痹患者多为“夫尊荣人，骨弱肌肤盛，重困疲劳汗出，卧不时动摇，加被微风”之人。《素问·宣明五气》曰：“久视伤血，久卧伤气，久坐伤肉，久立伤骨，久行伤筋，是谓五劳所伤。”站立过久则损伤肾气，肾主骨生髓，肾气不足、少阴亏虚则伤骨骼，因而出现疼痛麻木反复发作。劳伤气血，两本不足，水湿内停，故见形体虚浮也。

痹证病因不外正虚与邪实两个方面，二者常相互影响。肢体得麻木疼痛，活动不利为病之标，而少阴亏虚，正气不足实为病之本。《金匮要略·血痹虚劳病脉证并治》曰：“血痹阴阳俱微，寸口关上微，尺中小紧，外证身体不仁，如风痹状，黄芪桂枝五物汤主之。”该患者病程较长，病久必致正气不足，肾精亏虚，营血化生不足，脉道不充而见细弱脉，治疗这类痹证当重在补益肾精，使人体气血阴阳生化有根，经脉充实，邪气自能祛除。黄芪桂枝五物汤中黄芪、桂枝走阳分，以甘温益气，通阳行痹，白芍、大枣走阴分，以和营养血行痹。

腰背是督脉循行路线，督脉不升，任脉不降，少阴亏虚，必致血脉郁滞，故用温氏奔豚汤，温经通阳，引火归元而显效。温氏奔豚汤(附子、肉桂、红参、沉香、砂仁、山药、茯苓、泽泻、牛膝、炙甘草)，由人参四逆汤去干姜，桂附理中汤去白术，桂附八味丸去熟地黄、牡丹皮、山茱萸，加沉香、砂仁、牛膝而成，是一首纯阳益火、救困扶危的妙方。温热灵动，彻上彻下，通行十二经表里内外。功能温养先天命门真火，救元阳之衰亡，固元气之厥脱。补火生土，化湿醒脾，补土制水，而消水肿。纳气平喘，安养冲脉。不仅温补两本之不足，还消五脏寒积，逐六腑冷凝，除骨脉寒痹，破沉寒痼冷，散寒行气治诸痛。患者入院时舌淡，苔白腻，脉沉细，符合“脉自微涩”的表现。《金匮玉函经二注》曰：“故一见脉微，则知其阳之不足，一见脉涩，则知其阴之多阻，此血痹之本脉也，而其邪入之处，则自形其小紧。”沉细之脉，也符合“血痹阴阳俱微”之象，治疗当益气温阳，气血充足则邪自去。《素问·阴阳应象大论》曰：“形不足者，温之以气；精不足者，补之以味。”故经方治疗血痹更重扶正。本案两方合用，以甘温之药和营之滞，助卫之行，营卫通畅而痹痛麻木自消。

2. 针引阳气的运用。

《金匮要略·血痹虚劳病脉证并治》中还提到血痹“宜针刺引阳气，令脉和、紧去则愈”，仲景治疗痹证，有针药并施之法。“针引阳气”为治疗血痹用针的一大原则。《素问·评热病论》云：“邪之所凑，其气必虚。”血痹的病机乃阳气不足于表，风、寒、湿邪气乘虚客于体表，故服用中药的同时，配合针刺等中医特色疗法可起到事半功倍之效。在治疗中不仅要补充阳气，还要想办法让阳气去到合适的部位，如使阳气充斥于外，风寒湿邪则不能久居，邪去则血痹可愈。即《金匮要略浅注》之“邪因以阻其阴，必得气通，而血方可循其度”，气血皆通则病愈。

针引阳气能达到“治寒，能针化阳和”的目的，即用针法调动、振奋阳气，推动血脉运行，从而使血痹得解。患者肌肤麻木，病在体表，《灵枢·寿夭刚柔》曰：“阴中有阴，阳中有阳，审知阴阳，刺之有方……在外者，筋骨为阴，皮肤为阳。”“病在阴之阴者，刺阴之荥输，病在阳之阳者，刺阳之合。”根据上述原则，在该患者身上采用梅花针叩刺环跳、阴门、阳陵泉、血海，同时中药封包腰腹部，体针针刺足阳明胃经、足太阳膀胱经、足少阳胆经之合穴（足三里、委中、阳陵泉），治疗直指病位，使阳气直达体表，病情向愈。

附：患者入院后舌象变化详见图 21~ 图 23。

滋肾养阴除湿治疗消渴案例

【基本资料】

彭某，男，45 岁，于 2021 年 6 月 16 日入院。

主诉：口干多饮、多尿 4 年，加重伴乏力 2 天。

现病史：患者于 4 年前无明显诱因出现口干多饮，夜间较甚，伴口苦，尿频、色黄、泡沫多，感小腹坠胀、腰部酸痛，双眼视物模糊，视力下降，四肢皮肤瘙痒，时感反酸、烧心、呃逆，偶有左侧胸前区闷胀不适。患者至外院体检时发现空腹血糖 7.1mmo1/L，未予重视及治疗。近 3 个月患者空腹血糖在 9.5~10.5mmo1/L 之间波动，入院前 2 天患者感上述症状加重，伴乏力明显，遂至我院门诊就诊，测空腹血糖 12.4mmo1/L，门诊以“消渴”收入中医经典科。

既往史：脂肪肝、高脂血症病史 5 年余，慢性非萎缩性胃炎病史 3 年余。

中医四诊：患者神清，精神状态一般，无恶寒发热，觉口干口苦，易汗出，饮食一般，夜寐差、多梦，近 3 个月体重减轻 5kg，尿频、色黄、多泡沫，时感尿痛、尿不尽，小便时有中断，阴囊部感潮湿、瘙痒，大便质稀，2~3 次 / 天。舌淡红，苔薄白乏津，脉沉细。

体格检查：生命体征平稳，心肺腹查体未见明确异常，双下肢无水肿。

辅助检查：空腹血糖 8.9~10.6mmol/L，餐后 2 小时血糖 11.3~21.2mmol/L，糖化血红蛋白 7.4%，血脂检查示低密度脂蛋白胆固醇（LDL-C）5.8mmol/L。腹部彩超：肝实质回声不均匀，脂肪肝。

中医诊断：消渴（少阴证）

西医诊断：2 型糖尿病；高脂血症；脂肪肝；慢性非萎缩性胃炎

【诊治过程】

一诊：2021 年 6 月 16 日

中医四诊：同【基本资料】中医四诊。

病机分析：少阴热化，故小便疼痛而色黄。少阳郁热故口干口苦，易汗出。太阴不运，湿浊内生，湿热下注，故小便不利，阴囊潮湿。

治法：温少阴，运太阴，和少阳，利湿浊。

处方用药：肾气丸、猪苓汤合小柴胡汤加减。

熟地黄 30g	山茱萸 30g	山药 30g	盐泽泻 20g
茯苓 20g	牡丹皮 20g	人参 10g	白术 20g
炙甘草 10g	干姜 10g	车前草 15g	金钱草 15g
砂仁后下 5g	柴胡 15g	黄芩 15g	石斛 10g

1 剂，每日 1 剂，每日 3 次，水煎服。

服药后，患者口干减轻，小便较前通利。余同前。

二诊：2021 年 6 月 17 日

中医四诊：患者感口干多饮、小便尿频、色黄较前有所改善，诉汗出明显，感双目干涩，视力下降，其余症状较前改善不明显，仍口苦，眠差。舌淡红，苔薄白乏津，脉弦细。血糖示 9.3mmol/L（空腹），18.1mmol/L（餐后 2 小时）。

病机分析：少阴本虚，仍有郁热攻冲，肾水不足，经脉失养。

治法：同前。

处方用药：于前方中加用覆盆子 15g、五味子 15g 滋肾养肝明目，扶助真阴。

生地黄 20g	山茱萸 30g	山药 30g	盐泽泻 20g
茯苓 20g	牡丹皮 20g	人参 10g	麸炒白术 20g
炙甘草 10g	干姜 10g	车前草 15g	金钱草 15g
砂仁后下 5g	柴胡 20g	黄芩 20g	石斛 10g
五味子 15g	覆盆子 15g		

2 剂，每日 1 剂，每日 3 次，水煎服。

服药后患者口干略减，腰痛改善。余同前。

三诊：2021 年 6 月 19 日

中医四诊：患者口干多饮稍有改善，仍感口苦，小便欠通畅，时感小便无力，小腹坠胀，腰部酸痛较前减轻，汗出减少，饮食一般，睡眠欠佳，大便较前成形，仍感阴囊部感潮湿、瘙痒。舌淡红，苔薄白乏津，脉弦。血糖：7.2mmol/L（空腹），18.7mmol/L（餐后 2 小时）。

病机分析：真阴得填，郁热得降，湿浊仍重。

治法：滋肾养肝，育阴利水。

处方用药：五苓散、玉液汤合酸枣仁汤加减。

猪苓 15g	盐泽泻 20g	茯苓 15g	肉桂 15g
白术 15g	炒酸枣仁 30g	酒川芎 10g	知母 15g
盐车前子 30g	山药 30g	黄芪 15g	炒鸡内金 10g
葛根 10g	五味子 10g	天花粉 10g	甘草 10g

2 剂，每日 1 剂，每日 3 次，水煎服。

服药后，患者口干、多饮、多尿减轻。小便较前通畅。

四诊：2021 年 6 月 21 日

中医四诊：患者口干、多饮、多尿明显改善，小便无力好转，小便通畅，小腹坠胀、腰部酸痛不显，双眼视物模糊，视力下降，汗出减少，饮食一般，夜寐可，大便成形，阴囊部感潮湿、瘙痒明显改善，舌淡红，苔薄白，脉弦。血糖：6.6mmol/L（空腹），11.5mmol/L（餐后 2 小时）。

病机分析：真阴得填，少阴热化渐解，郁热渐清。滋阴填髓中有气滞之象。

治法：同前。

处方用药：于前方中加麦冬、南沙参、石斛、姜厚朴养阴增液、行气消滞。

猪苓 15g	盐泽泻 20g	茯苓 15g	肉桂 15g
白术 15g	炒酸枣仁 30g	酒川芎 10g	知母 15g
盐车前子 30g	山药 30g	黄芪 15g	炒鸡内金 10g
葛根 10g	五味子 10g	天花粉 10g	甘草片 10g
麦冬 15g	南沙参 15g	石斛 30g	姜厚朴 15g

2 剂，每日 1 剂，每日 3 次，水煎服。

服药后，患者口干多饮进一步改善，小便通畅有力，尿频好转，夜尿 1 次。大便成形，阴囊潮湿瘙痒缓解，血糖控制尚可，为 6.7mmol/L（空腹），10.9mmol/L（餐后 2 小时），守方 7 剂带药出院。

【预后转归】

患者出院后 12 日随访，精神状态良好，无明显口干口苦，饮水量正常，小便通畅，无明显腰酸痛，活动后稍汗出，纳、眠可，炎热天气稍感阴囊潮湿，血糖为 6.4mmol/L（空腹），11.0mmol/L（餐后 2 小时），病情稳定。

【按语】

1. 本案病机：少阴亏虚，肾水不足，少阴热化，郁热攻冲，太阴不运，湿浊下流。

消渴是以多饮、多食、多尿、乏力、消瘦，或尿中有甜味为主要临床表现的一种疾病。消渴的病机主要为阴津亏损，燥热偏胜，以阴虚为本，燥热为标。《灵枢·五变》曰："五脏皆柔弱者，善病消瘅。"指出本虚是消渴发病的内在因素。《素问·阴阳别论》曰："二阳结谓之消。"《素问集注》释曰："二阳，阳明胃气也。消，消渴也。"《脉经》谓："消中脾胃虚，口干饶饮水，多食亦肌虚。"指出消渴在本虚的基础上，发生阳明热化，故出现本患者所表现的消渴引饮，心烦燥热，失眠不安的表现。诚如《素问·六元正纪大论》曰："少阴热化，施于阳明。"

将消渴分为上、中、下三消论治是为常法。上消主症为烦渴多饮、口干舌燥；中消主症为多食易饥，形体消瘦，大便干结；下消主症为尿频量多，尿如脂膏。治疗上消，《金匮要略·消渴小便不利淋病脉证并治》曰："渴欲饮水，口干舌燥者，白虎加人参汤主之。""趺阳脉浮而数，浮即为气，数即消谷而大坚。气盛则溲数，溲数即坚，坚数相抟，即为消渴"，则阐述了胃热气盛，逼迫津液偏渗膀胱而形成的中消证。其以消谷善饥，小便数，大便坚为主症。治疗可予调胃承气汤加减以通腑泻热，生津润燥以止渴。而下消，《金匮要略·消渴小便不利淋病脉证并治》谓"男子消渴，小便反多，以饮一斗，小便一斗，肾气丸主之"，指出了从温少阴的方法治疗消渴。而临床上三消症状并不是截然分开，往往同时存在，仅表现程度上有轻重不同而已，如该患者既有上消之口干多饮，又有下消之尿频、乏力，同时还有少阴热化夹饮、太阴不运之阴囊潮湿，大便稀溏，故治疗上亦应二者兼顾、上下同治。

患者辨证为少阴热化，故治疗以肾气丸去桂附之辛温，加人参、黄芪、砂仁、鸡内金运太阴而除湿浊，加柴胡、黄芩、葛根、知母以解少阳阳明郁热，合五苓散之渗利以除下焦热化之湿，使患者少阴得充、郁热得降、湿浊得除而诸证得减。

2. 经方辨治消渴基本思路

糖尿病早期多见口干口渴，饮水多，或口苦咽干，或尿频量多，或头昏不适，或精神不振，肢体困倦，或耐力减弱，或心烦焦虑，或莫名火起易发脾气，或纳差，或易饥多食，或易出虚汗，或皮肤干燥，或腹泻，或便秘，或阳痿早泄等。也可无任何不适症状。此期多见阳明病、少阳病或少阳、阳明合病，阳明、太阴合病。病机关键在于胃虚津伤，营卫郁滞，营弱卫虚。临证常用小柴胡汤、柴胡去半夏加栝蒌根汤、竹叶前胡汤、黄芪竹叶汤、栀子类方（如栀子甘草豉汤、枳实栀子豉汤）、玉液汤等。

糖尿病中晚期，或口干、口渴、舌燥、饮水多，或口苦咽干，或尿频量多，或消瘦较快，或盗汗，或自汗多，或创伤溃疡久不愈合，或头晕、心慌、胸闷不适，或腰膝酸软，或神疲懒动、但欲寐，或四肢乏力，或皮肤干燥瘙痒、肌肤甲错，或肢体麻木，或视物昏花，或纳差、腹胀，或腹泻，或便秘，或畏寒、四肢不温，或水肿，或阳痿、早泄等。此期多见阳明、太阴合病，少阳、阳明、少阴、太阴合病，厥阴病。病机关键在于胃虚津伤，真阳亏虚，营卫郁滞，营弱卫虚。常用大阴旦汤、柴胡桂枝干姜汤、柴胡去半夏加栝蒌根汤、乌梅丸、四逆汤、当归四逆汤、甘草泻心汤、半夏泻心汤、生姜泻心汤、茯苓四逆汤、真武汤、肾气丸等。

临床辨治糖尿病，先明辨六经，再析病机层次，考量证候传变趋势，精准选用经方，疗效大都非常明显，既能降低血糖指标，又能改善患者症状和体质。

附：治疗期间患者舌象变化详见图 24~ 图 27。

第二章

疑难杂症

开太阳、和少阳治疗头晕伴心悸案例

【基本资料】

何某某，女，56 岁，于 2019 年 11 月 10 日入院。

主诉：反复头晕 1 年余，加重伴心悸、胸闷 2 个月。

现病史：患者于 1 年前因情绪波动后出现头晕，伴头颈部胀痛不适，无心悸、胸闷、胸痛，无恶寒发热，就诊于当地医院，诊断为“高血压”，反复测得血压升高，最高达 160/100mmHg，予复方利血平氨苯蝶啶片治疗 2 个月后，测得血压正常，自行停服降压药，后未监测血压水平。此后患者头晕反复发作，复测血压波动在 140~150/90~100mmHg，临时服药（具体不详）控制血压及休息后头晕可缓解。2 个月前患者无明显诱因再次出现头晕发作，伴恶风、心悸、胸闷，头颈部酸胀不适，全身汗出，否认胸痛，于当地诊所口服中药治疗后症状无明显改善，后至其他医院就诊，完善相关检查未见明显异常，诊断自主神经功能紊乱，予口服药物治疗（具体不详）后上述症状仍无减轻，且呈逐渐加重趋势，为进一步治疗来我院就诊，急诊以“高血压、自主神经功能紊乱”收入中医经典科。

既往史：否认冠心病、肾病、脑卒中等病史。平时长期于菜市场工作，环境潮湿。儿子因“精神分裂症”自杀去世，受到精神刺激较大。

中医四诊：少神，表情忧虑，面色晦暗，精神疲倦，语声低沉，头晕伴恶风、胸闷心悸，颈部酸胀，食欲欠佳，畏寒，间断汗出，眠差，二便调。舌质淡红，苔白腻，脉弦滑。

体格检查：体温 36.7℃，呼吸 22 次 /min，心率 82 次 /min，血压 130/75mmHg，双肺呼吸音清，未闻及干、湿啰音，律齐，各瓣膜听诊区未闻及病理性杂音。双下肢不肿。

辅助检查：血常规、肝肾功能、甲状腺功能未见明显异常。尿液分析：细菌计数 159.3 个 /μl，尿蛋白（+/–）。胸部 CT：右肺中叶，左肺舌叶少许增殖灶。心脏彩超：左室舒张功能减退。胃镜：慢性非萎缩性胃炎。

中医诊断：眩晕（太阳、少阳合病）

西医诊断：原发性高血压 2 级（中危组）；自主神经功能紊乱？慢性非萎缩性胃炎

【诊治过程】

一诊：2019 年 11 月 10 日

中医四诊：患者头晕明显，心悸、胸闷，以夜间较重，伴头颈部酸胀不适，阵发性全身汗出，活动后加重，平素恶风怕冷，无发热，无心前区刺痛，无恶心、呕吐，无腹胀、腹痛，精神状态差，平素怕冷，饮食较差，夜寐不安，大小便正常。舌质淡红，苔白腻，脉弦滑。

病机分析：患者年近六旬，平素久处寒冷潮湿之地，体质寒湿，两本不足，加之情绪悲郁，金气不足，木气郁而疏泄失常，思虑过度则致中土气机不畅，少阳枢机不利，肾水不能上滋心火，则发为头晕、心悸；精神疲倦为阳虚不能养精；发病前气温渐降，寒邪犯太阳，肌表经脉不利，则见头颈部酸胀；恶风、怕冷为表寒束、表虚不固、营卫失和所致。

治法：开太阳，解表散寒。

处方用药：桂枝加葛根汤。

葛根 30g　桂枝 15g　赤芍 15g　炙甘草 10g

生姜 10g　大枣 5g

1 剂，每日 3 次，水煎服

服药后，患者全身汗出，自觉舒畅。余同前。

二诊：2019 年 11 月 11 日

中医四诊：头晕、心悸、胸闷减轻，头颈部酸胀稍好转，全身汗出后自觉舒适，仍怕风、怕冷。饮食较差，睡眠改善，大小便正常。舌质淡红，苔白腻，脉弦滑。

病机分析：表寒得以宣发，气机得以舒畅，但少阴虚寒，卫阳不足。

治法：开太阳，温少阴。

处方用药：前方加量，加用制附片温少阴。

葛根 60g　桂枝 45g　赤芍 45g　炙甘草 30g

生姜 45g　大枣 45g　制附片^(先煎) 30g

1 剂，每日 3 次，水煎服。

服药后，患者头颈部酸胀感好转，汗出减少。余同前。

三诊：2019 年 11 月 12 日

中医四诊：心悸、胸闷、好转，不慎再次受凉后头晕反复，头颈部酸胀减轻，汗出较前减少。仍恶寒、怕风。偶有呃逆不适，伴胃脘部嘈杂不适。饮食欠佳，睡眠一般，大小便正常。舌质淡红，苔白腻，脉弦滑。

病机分析：表邪渐解，不慎再次受凉，经脉滞涩，清窍失养，头晕加重，火不暖土，中土不运，戊土不降，胃气上逆，木郁则化火，胃阴不足。

治法：开太阳，益胃阴。

处方用药：桂枝加葛根汤合益胃汤加味。

葛根 60g　　桂枝 45g　　赤芍 45g　　炙甘草 30g
生姜 45g　　大枣 45g　　制附片先煎 30g　　北沙参 30g
麦冬 30g　　生地黄 30g　　玉竹 15g

1 剂，每日 3 次，水煎服。

服药后患者症状较前无明显改变。

四诊：2019 年 11 月 13 日

中医四诊：昨日夜间心悸、气短、胸闷较前加重，伴全身汗出，头颈部酸胀不适仍存在，四肢乏力，仍有恶寒、怕风。昨日夜间未能入睡，饮食一般，解稀便 1 次，小便正常。舌质淡红，苔白腻，脉弦滑。

病机分析：患者素体湿盛，加之情绪波动，气机不畅，导致痰湿、水饮内生，湿郁生热，且有表虚不固，则见汗出、怕风、怕冷，清阳不升，清窍失养，则头晕明显，属表里同病。心悸、胸闷、气短是少阳枢机不利、胆火内郁之象；胆火上炎，更兼胃热上蒸，心神不宁，入睡困难。

治法：运太阴，和少阳，降阳明。

处方用药：柴胡加龙骨牡蛎汤加减。

柴胡 24g　　黄芩 9g　　人参 9g　　大枣 12g
生半夏先煎 12g　　桂枝 9g　　茯苓 9g　　大黄后下 12g
龙骨先煎 9g　　牡蛎先煎 9g　　金礞石先煎 9g

2 剂，每日 1 剂，每日 3 次，水煎服。

服药后，患者心悸、气短、胸闷较前稍好转，仍有全身汗出。睡眠改善。

【预后及转归】

患者头晕减轻，心悸胸闷及睡眠改善，于 11 月 15 日带上方 5 剂出院。

【按语】

1. 本病病机：少阴虚寒，火不暖土，中土不运，痰湿内生，少阳枢机不利，相火不降，太阳表寒。

本例患者以头晕伴心悸入院，结合患者既往湿冷生活环境，少阴虚寒，火不暖土，中土不运，寒湿内生，初起因情志刺激，五志过极化火而扰动心神，经过治疗后症状减轻，但丧子之痛难以平复，长期悲郁不解，导致木郁土虚，阴阳失衡，扰动少阳胆腑，相火妄动，枢机不利，最终造成阴阳气不得交合。近期加重,考虑天气变化,寒客肌表,卫阳被郁,胸阳不振,发为畏寒、心悸。

《易经》云:太极生两仪,两仪生四象,四象生八卦。其中的四象就是太阳、少阳、太阴、少阴。太阳为一身之藩篱,主一身之表,统摄营卫,而风寒暑湿燥火六淫之邪,多由太阳侵入,外邪始袭人体,则正邪相争于表,导致营卫失调,治当解散表邪,使邪从外解。该患者治疗上先予开太阳、解表散寒,兼顾温补元阳,以防汗出伤正,表邪内陷,致变证。《伤寒论》第 14 条:“太阳病,项背强几几,反汗出恶风者,桂枝加葛根汤主之。”“几几”是形容短羽之鸟,尚不能飞腾,动则先伸其颈之状。项背强几几者,即项背强急、俯仰转侧不能自如的样子。太阳病,汗出恶风,是桂枝汤证,今又见项背强几几,故加缓解该症的葛根。葛根汤治太阳病项背强几几、无汗恶风者,这里的“反汗出恶风者”,是对葛根汤而言,暗示二方在应用上的主要鉴别点,而以一“反”字传其神。桂枝汤解肌祛风,调和营卫,葛根味甘性平,其作用有三:一则升阳发表,解肌祛风,助桂枝汤以解表;二则舒筋通络,解经脉气血之凝滞;三则起阴气而润燥,以缓解经脉之拘挛。

该患者表邪得解后,再予以和解少阳、安神定志治疗。少阳病证,多由太阳病发展而来,亦有初起即为少阳病证者。此时邪气尚存而正气已伤,邪正多相持于表里之间。柴胡加龙骨牡蛎汤出自《伤寒论》第 107 条:“伤寒八九日,下之,胸满烦惊,小便不利,谵语,一身尽重,不可转侧者,柴胡加龙骨牡蛎汤主之。”该方原为主治因伤寒太阳表证误下,邪热内陷,三阳经均受邪,形成表里错杂,虚实互见之证,可和解少阳、镇惊安神。本病患者长期悲郁不解,以致木郁土虚,扰动少阳胆腑,相火妄动,故给予柴胡加龙骨牡蛎汤加减治疗,诸症好转出院。

2. 浅谈“木郁达之”。

“木郁达之”出自《素问·六元正纪大论》:“郁之甚者,治之奈何?岐伯曰:木郁达之,火郁发之……”东方属木,木在五行为春,在脏为肝,春季应该是万物萌动,一派欣欣向荣的景象。肝主疏泄,性喜条达而恶抑郁,故肝与春相应,正如《素问·诊要经终论》曰:“正月、二月,天气始方,地气始发,人气在肝。”人体的健康要顺应春季的生发和肝气的条达之性。

《黄帝内经》“五郁”之疾,缘于运气之太过与不及的变化而发生,属于外感范围。五运六气,是以五行、六气、三阴三阳等理论为基础,说明自然界气候变化对人体生理、病理影响的学说。人与天地相参,与日月相应。岁运正常之年,疾病很少流行,而当运气太过或不及之年,气候发生异常变化,影响人体健康则可导致疾病的发生。五运之气被胜制后,由于抑郁过甚,则有复气发作,称为“郁发之气”。所谓“五郁”,就是由这种郁发之气而产生的疾病。

后世在此基础上进一步推演,认为内伤因素也可发生五郁病证,从而丰富发展了五郁理论。“木郁”是“五郁”之一。《丹溪心法》戴云:“郁者,结聚而不得发越也。当升者不得升,当降者不得降,当变化者不得变化也。此为传化失常,六郁之病见矣。”木郁即肝郁。肝为风木之脏,职司疏泄,性喜条达,一有抑郁,拂逆其性,便成肝郁之证。肝郁之因,虽有内、外两端,但临床所见,乃以情志失调致肝气郁结者居多。如郁怒伤肝,气机不畅,胁肋胀痛,胸闷噫气,咽间如窒等。在妇女则常致少腹胀痛,月经不调。

气郁日久化火,则可见口苦、吞酸、目赤等。肝和胆互为表里,胆附于肝,同具疏泄之功,所以肝病常累及于胆,如湿热之邪蕴结,肝胆失于疏泄,可见胁痛、口苦,甚则身发黄疸。“达之”,即畅达之意,疏利肝胆、理气解郁是其主要方法:肝气郁结,当疏肝理气;肝郁化火,当清肝泻火;肝郁克土,当抑木扶土;肝胆湿热,当疏利肝胆。

附:治疗期间患者舌象变化详见图28~图31。

调和营卫治愈顽固性失眠案例

【基本资料】

方某,男,65岁,于2019年4月24日入院。

主诉:失眠1月余。

现病史:1月余前患者因受凉感冒后出现流涕、畏寒,自服感冒药后流涕缓解,畏寒减轻,但仍有畏寒、恶风症状,夜间尤甚,春季睡觉仍需盖两床厚棉被,夜间睡眠差,常燥热,出一身大汗后惊醒,伴心烦,难以入眠。曾在外院就诊,诊断为脑供血不足,中医考虑为湿热证,经治疗后上述症状无明显改善,以“顽固性失眠”收入中医经典科。

既往史:患者既往有高血压病史10年余,自服氨氯地平片血压控制良好。

中医四诊:神清,精神疲倦,表情痛苦,畏寒恶风,虽自觉间断燥热而不敢去衣,易汗出,夜间尤甚,睡后易醒,口干不多饮水,饮食一般,眠差,每晚夜尿2~3次,大便偏稀不爽。舌淡红胖大中见裂纹,苔薄白腻,脉弦浮而缓。

体格检查:生命体征正常,无发热寒战及肢体抽搐,扪及皮肤少量汗液,心肺及腹部未见异常体征。

辅助检查:血常规、尿常规、大便常规未见明显异常。肝功能:前白蛋白174mg/L。心电图:窦性心律不齐,偶发室性期前收缩。

中医诊断:不寐(营卫不和证)

西医诊断:失眠;高血压;偶发室性期前收缩

【诊治过程】

一诊：2019 年 4 月 24 日

中医四诊：患者精神疲倦，难以入睡，即使入睡也易惊醒，畏寒畏风，多穿衣服则燥热但不敢去衣，常自汗出，伴口干口苦，心烦，纳一般，大便偏稀，小便频，无尿急尿痛。舌淡红，胖大中见裂纹，苔薄白腻，脉弦浮而缓。

病机分析：阳气亏虚，故畏寒；虚阳外越，故汗出；阴不敛阳，故口干口苦。

治法：滋阴潜阳，补肾填精。

处方用药：潜阳封髓丹加减。

玄参 60g	肉桂 8g	山茱萸 15g	熟地黄 30g
麦冬 30g	五味子 8g	巴戟天 15g	炮附片(先煎) 8g
砂仁(后下) 20g	黄柏 10g	炙甘草 10g	醋龟甲(先煎) 8g

2 剂，每日 1 剂，每日 3 次，水煎服。

服药后，患者仍燥热、畏寒、多汗，夜寐差。

二诊：2019 年 4 月 26 日

中医四诊：患者睡眠未见明显改善，夜间汗出较多，燥热，口干口苦、欲饮热水但不多饮，纳一般，睡后易醒，小便较频，量不多，无尿痛，大便偏稀不爽。舌淡红，胖大中见裂纹，苔薄黄，脉浮弦。

病机分析：少阴里虚、太阳营卫不和故畏寒燥热、汗出恶风反复发作，少阳阳明里热夹湿故口干口苦，大便不爽。

治法：温阳固表，调和营卫，兼清里热。

处方用药：桂枝加附子汤合大黄黄连泻心汤。

桂枝 45g	白芍 45g	炙甘草 45g	生姜 30g
大枣 40g	大黄(后下) 15g	酒黄连 15g	黄芩 15g
炮附片(先煎) 30g			

1 剂，每日 3 次，水煎服。

服药后，患者睡眠略有改善，仍易醒，小便次数减少。

三诊：2019 年 4 月 27 日

中医四诊：患者精神略有改善，夜间较难入睡，仍会汗出醒来，汗出较前减少，汗出前仍伴有燥热，夜间畏寒较前减轻，无明显肢冷，纳尚可，大便溏泄、黏腻，小便正常。舌淡红，胖大中见裂纹，苔薄黄，脉弦。

病机分析：畏寒汗出仍是营卫不和之征，大便溏为太阴寒化夹湿之象。

治法：温阳固表，和解营卫，兼运太阴。

处方用药：桂枝加附子汤合大黄泻心汤，生姜易干姜。

桂枝 45g	白芍 45g	炙甘草 45g	大枣 40g
干姜 20g	酒黄连 15g	黄芩 15g	大黄(后下) 15g

炮附片先煎30g

1剂,每日3次,水煎服。

服药后,患者口干、心烦、燥热反复,睡眠差较前加重,便溏有改善。

四诊:2019年4月28日

中医四诊:患者诉燥热心烦仍有反复,汗出难寐,自服六味地黄丸后无明显改善。纳可,大小便正常。舌淡红,胖大中见裂纹,苔薄黄,乏津,脉大而迟。

病机分析:仍是营卫不和,温太阴后有热化之象。

治法:调和营卫,温阳固表,滋阴潜阳。

处方用药:桂枝加附子汤加味。

桂枝45g	赤芍45g	生姜45g	大枣40g
炙甘草30g	炮附片先煎50g	醋龟甲先煎8g	砂仁后下30g
五味子10g	骨碎补20g	山茱萸10g	山药20g

2剂,每日1剂,每日3次,水煎服。

服药后,患者眠差、烦热、汗出无明显改善。

五诊:2019年4月30日

中医四诊:患者精神倦怠,昨日外出稍吹风后即感畏寒,日间大汗出,夜间睡眠差,心中烦热,夜寐仍有汗出,口中干渴不多饮,纳尚可,大便正常,小便调。舌淡红,胖大中见裂纹,苔薄黄,脉弦浮。

病机分析:太阳中风故畏寒,营卫不和、卫强营弱故汗出,郁热扰心故心烦。

治法:调和营卫,解肌发表,清热透邪。

处方用药:桂枝汤加味。嘱服药后喝稀粥一碗并卧床盖被子休息。

桂枝15g	赤芍15g	炙甘草10g	大枣15g
炒栀子10g	干姜6g	浮萍10g	

1剂,每日3次,水煎服。

服药后,患者觉全身微微发热,但未出汗,睡眠有所改善,畏寒、汗出、心烦均减轻。

六诊:2019年5月1日

中医四诊:患者服药并照此调摄后未明显汗出,燥热心烦较前有所缓解,夜间睡眠改善,虽有醒来但能继续入睡,稍畏风,无畏寒及大汗出。舌淡红,胖大中见裂纹,苔薄白,脉浮软。

病机分析:营卫得调故畏寒汗出减轻,里热得清故心烦改善,畏风为太阴表虚之象。

治法:继续以调和营卫为基础,兼顾运太阴而益气。

处方用药:桂枝加黄芪汤加味。

桂枝 20g	赤芍 20g	炙甘草 10g	大枣 20g
炒栀子 10g	干姜 6g	黄芪 15g	白术 15g

2 剂，每日 1 剂，每日 3 次，水煎服。

【预后转归】

患者睡眠进一步改善，夜间盖一床棉被即可，亦未发作畏寒汗出，精神转佳，恶风缓解，外出时亦不畏风汗出，心中燥热感明显缓解，纳可，二便调。舌淡红，苔薄白，脉滑。患者病情缓解，带药 7 剂出院，处方如下：

桂枝 18g	赤芍 15g	炙甘草 10g	大枣 20g
炒栀子 10g	干姜 6g	黄芪 15g	白术 15g

患者经治疗后完全康复。

【按语】

1. 本案病机：太阴本虚，太阳中风，营卫不和，邪气入里化热。

对任何疾病，都要分清表里、寒热、虚实，患者初诊时汗出、心烦、神疲乏力等表现，类似老年肾虚之虚阳外浮之证，治以补肾滋阴潜阳之潜阳封髓丹而疗效不显。肾虚之脉，当细数或滑大而沉取无力。如《慎斋遗书》载一案："一妇泄泻，两尺无神，此肾燥不合也。"患者脉弦浮而缓，并非肾虚之脉也。《伤寒论·辨太阳病脉证并治》曰："太阳之为病，脉浮，头项强痛而恶寒。""太阳病，发热，汗出，恶风，脉缓者，名为中风。"患者畏寒、恶风、汗出，结合脉象实为太阳表邪不解之证。

病位在表，当辨表实、表虚，《伤寒论》第 20 条："太阳病，发汗，遂漏不止，其人恶风，小便难，四肢微急，难以屈伸者，桂枝加附子汤主之。"患者汗多恶风，同时有心烦表现，结合舌苔薄黄而腻，考虑为表邪不解、表虚合并里热，故予桂枝加附子汤合大黄黄连泻心汤。《伤寒论》第 154 条曰："心下痞，按之濡，其脉关上浮者，大黄黄连泻心汤主之。"患者服药后汗出减少，但便溏仍明显，故在明确表邪存在的同时，当注意顾护中焦脾胃之正气，故在三诊时易生姜为干姜。

2. 病在太阳，还当辨在经在腑之别；理清寒热，还当分在脏在腑之异。

患者以汗出恶风的营卫不和表现为所急所苦，小便频但排尿通畅，无明显腹部不适，故属太阳中风经证，处方以桂枝汤为基础。治疗过程中患者伴随心烦、口干口苦等表现，辨明属有里热后，还应进一步分辨里热的部位，在心、在脾胃，还是在肾。患者心烦而便溏，热在心而兼脾胃虚弱，大黄黄连泻心汤为治疗邪热痞满之方，方证病位在心下，患者心烦而无心下胃脘不适，故病位在心，且兼大便溏泄，非此方所宜，故治疗当去大黄。患者自服六味地黄丸滋肾阴更无依据。换用栀子后，心烦旋减，栀子专清在心之无形邪热，本想合用栀子豉汤，由于药房无淡豆豉故以浮萍代之。浮萍辛、寒，具解肌透表、疏风散邪之功,同时以炒栀子清心除烦,使邪气与无形之热内清外透,待邪气消散,后期再加黄芪、白术益气燥湿固表,患者最终向愈。

本案例病情并不复杂,关键在于辨清病位,各证型之间临床表现往往非常类似,汗出、心烦燥热、夜尿频极似肾阴不足之虚阳外越。但患者受凉感冒后起病,病程方1个月,更有恶风、脉浮等表现,而非肾虚之细数脉,更无肾阳不足之畏寒、蜷卧、小便清长等症,细微之差,表里之别立现。患者舌苔薄黄,心烦,是里热表现,脉大有力亦是佐证。

辨证如理乱丝,轻拢慢捻,渐得丝头;用药如解死结,徐引缓导,方中癥结。伤寒六经辨证,实际蕴含八纲辨证之精髓,精细辨证、准确施治,使一方一药之投,看似平淡,而渐入佳境,从容和缓之中,即愈顽症,是我辈毕生之追求。

附:治疗期间患者舌象变化详见图32~图34。

柴胡加龙骨牡蛎汤治疗焦虑状态患者案例

【基本资料】

魏某某,女,73岁,于2020年4月27日20:32平车入院。

主诉:紧张、焦虑2月余,加重伴抽动、乏力、言语不清1周。

现病史:2月前患者与他人聚餐后出现紧张、焦虑,怀疑感染新型冠状病毒,检查后排除新型冠状病毒感染,但症状未见缓解,多次于外院诊断为焦虑状态,并予抗焦虑药物治疗。1周前患者开始逐渐出现紧张、焦虑加剧,进食减少,四肢抽动,言语不清,四肢乏力,曾大小便失禁1次,完善相关检查未见明显急性器质性病变,今为进一步治疗来我院急诊就诊。急诊完善血常规,肾功能,心肌标志物,头颅、胸部、下腹部CT等检查未见明显急性器质性病变,收入中医经典科进一步治疗。

既往史:有高血压病史6年,血压最高为150/90mmHg,长期服卡维地洛2片、每日1次,氯沙坦钾氢氯噻嗪1片、每日1次控制血压,监测血压基本正常。

中医四诊:望之少神,表情痛苦,四肢抽动,面色少华,体形消瘦,精神不振,言语不清,呼吸如常,潮热,纳、眠差,口干、饮不多,便秘,留置导尿。舌红,苔黄腻,脉滑。

体格检查:双肺呼吸音清,未闻及干、湿啰音,心率72次/min,律齐,各瓣膜听诊区未闻及杂音。腹平坦,无压痛、反跳痛。

辅助检查:2020年4月27日我院查急诊心肌标志物、尿液、肾功能、血糖、电解质、胰腺炎标志物检查未见明显异常。血常规示白细胞 $10.79 \times 10^9/L$，中性粒细胞 83.9%；C 反应蛋白 99.44mg/L；血清淀粉样蛋白＞320.00mg/L。头部、胸部 CT 平扫：肺上叶后段小结节，考虑炎性改变可能；局部胸腔胃，考虑食管裂孔疝；颅内未见明显异常；双侧筛窦炎症。下腹部 CT 平扫：右侧附件区占位，性质待定；膀胱导尿管术后改变；子宫前壁钙化灶可能。

中医诊断：郁病（阳明实证）

西医诊断：焦虑状态；高血压 1 级（中危组）；食管裂孔疝；右侧附件区占位

【诊治过程】

一诊：2020 年 4 月 28 日

中医四诊：患者神志清楚，精神欠佳，感紧张、焦虑，时有肢体抽动，四肢乏力，言语不清，头昏，潮热，纳、眠差，口干不欲饮，便秘，留置尿管通畅。舌红，苔黄腻，脉滑。

治法：和少阳，降阳明。

处方用药：柴胡加龙骨牡蛎汤加减。

柴胡 60g	龙骨先煎 25g	黄芩 25g	生晒参 25g
桂枝 25g	茯苓 25g	生半夏先煎 30g	大黄后下 15g
牡蛎先煎 25g	大枣 25g	煅磁石先煎 25g	生姜 20g

1 剂，每日 3 次，水煎服。

服药后，患者肢体抽动减轻，紧张、焦虑情绪减轻，食欲稍好转。

中医特色疗法予皮内针（双侧神门）、穴位敷贴（双侧内关、心俞，膻中）、普通电针（双侧三阴交，四神聪）、隔物灸治疗（双侧足三里、犊鼻、涌泉）疏利气机，敛降阳明。

二诊：2020 年 4 月 29 日

中医四诊：患者神志清楚，精神欠佳，言语不清，稍感紧张、焦虑，无明显肢体抽动，四肢乏力，头昏，潮热，纳稍好转，眠差，口干，便秘，留置尿管通畅。舌红，苔黄腻，脉滑。

病机分析：服上方后气机得以枢利，中土健运，纳食好转，土气渐盛，木气亦得疏泄，紧张、焦虑减轻，风痰渐消，故抽搐已无，头昏好转，然夜寐差，便秘仍未改善，可见热邪不降，扰及心神，故加用石菖蒲、郁金、蜜远志敛降安神，芳香开窍，豁痰通便。

治法：和少阳，降阳明，宁心安神，豁痰开窍。

调整处方：予前方中加石菖蒲 15g、郁金 15g、蜜远志 15g 芳香开窍，宁心安神，共 3 剂，每日 1 剂，每日 3 次，水煎服。

服药后，患者大便较前通畅，头昏减轻，拔除导尿管后可自行解小便。

三诊：2020 年 5 月 2 日

中医四诊：患者精神好转，焦虑、紧张情绪逐渐缓解，神志清楚，言语不清稍有好转，无明显肢体抽动，仍感乏力，头昏减轻，潮热减轻，纳、眠好转，口干减轻，二便正常。舌红，苔黄腻，脉滑。

病机分析：患者大便已解，阳明热邪通降，阴阳相合，诸症向愈，然乏力仍未改善，正气耗伤。

治法：和少阳，补中气，活血养血和营。

调整处方：二诊方加牡丹皮 20g、桃仁 15g 化瘀行气，取桂枝茯苓丸化瘀行气、缓消癥块之意，改大黄为白芍敛阴和营。

北柴胡 60g	龙骨[先煎] 25g	黄芩 25g	生晒参 25g
桂枝 25g	茯苓 25g	生半夏[先煎] 30g	白芍 15g
牡蛎[先煎] 25g	大枣 25g	煅磁石[先煎] 25g	生姜 20g
石菖蒲 15g	郁金 15g	蜜远志 15g	牡丹皮 20g
桃仁 15g			

3 剂，每日 1 剂，每日 3 次，水煎服。

服药后，患者乏力减轻，言语不清逐渐好转，夜寐好转。

四诊：2020 年 5 月 5 日

中医四诊：患者稍感乏力，焦虑紧张情绪明显缓解，神志清楚，言语不清逐渐好转，无明显肢体抽动，头昏减轻，潮热减轻，纳、眠好转，口干减轻，二便正常。舌红，苔黄，脉细滑。

病机分析：患者症状已逐渐好转，邪气渐祛，正气来复，乏力较前减轻，苔腻已无，故三诊方中柴胡、龙骨、牡蛎、磁石减量，恐其耗气伤津之弊，加用附片扶助正气。

治法：和少阳，降逆安神，温阳益气。

调整处方：予原方中柴胡减量至 30g，龙骨、牡蛎、磁石减量至 20g，加制附片 15g 温少阴扶阳。

服药后，患者乏力逐渐减轻，无明显焦虑紧张情绪，言语较前流利，纳、眠正常，二便正常。

【预后转归】

患者焦虑、紧张情绪明显缓解，言语较前流利，无肢体抽动，纳、眠正常，二便正常。患者家属要求回家继续调养，于 2020 年 5 月 6 日带药出院。1 周后微信随访家属，患者精神状态稳定，生活可自理。

【按语】

1．本案病机：两本亏虚，少阳郁热，阳明不降，太阳不开，太阴不运。

患者为老年女性，年过七旬，根在少阴亏虚，太阴不运。本气虚弱，加之新型冠状病毒疫情期间，长期居于家中，终日思虑过度，暗耗阴血，平素性格内敛，心虚胆怯，不耐思虑暗耗，终致枢机失常，气机逆乱。《伤寒论》第97条曰："血弱气尽，腠理开，邪气因入，与正气相抟，结于胁下。正邪分争，往来寒热，休作有时，嘿嘿不欲饮食。"本虚之人，感受外邪，一方面容易导致寒热逆乱，一方面亦可导致精神异常，即"嘿嘿不欲饮食"。此时的邪气，既包含四时虚邪贼风，亦包含情志内伤，使阴血亏耗，少阳郁热传入阳明，热邪充斥阳明经脉，故自觉潮热；热甚动风，夹痰上扰，痰气互结，蒙蔽神机，故见肢体抽搐，甚则言语不清；阳明热结腑实，故见便秘；思虑过度，土虚木郁，少阳枢机不利，可见紧张、焦虑、纳差；少阳邪火不敛，煎灼津液成痰浊，上袭清窍，故见头昏，口干不欲饮。阳盛于上，阴不敛降，阳不入阴，故眠差；太阴本虚兼病久耗伐正气，故精神欠佳。阳明为多气多血之经，热迫其经，气血沸腾，故舌红，苔黄腻，脉滑。脉滑亦属表气不通，太阳不开之兆。

患者虽合并阳明病，但考虑其年事已高，营血虚弱，病久正气更亏，不符合单纯阳明病之证，故暂不予承气类过度攻伐，伤其津液，当以和解之法兼敛降阳明，因此处方柴胡加龙骨牡蛎汤加减。

2. 柴胡加龙骨牡蛎汤攻补兼施，是治疗三阳合病之经典方。

《伤寒论》第107条："伤寒八九日，下之，胸满烦惊，小便不利，谵语，一身尽重，不可转侧者，柴胡加龙骨牡蛎汤主之。"该方由小柴胡汤去甘草加龙骨、牡蛎、桂枝、茯苓、铅丹、大黄而成。本案例患者因邪犯少阳，枢机不利，表里为病，邪郁化热，病及阳明，故用小柴胡汤为底，和解少阳，宣畅气机，扶正祛邪；加桂枝开太阳，通阳解郁；大黄泄阳明热而和中；龙骨、牡蛎、磁石重镇安神；去甘草免其甘缓留邪。因辨治得当，该患者服上方后，气机得疏，中轴健运，纳食好转，二便通利。后期因邪祛正复，故减轻原方用量，处方小量附片扶正，以调补本虚为主，体现了中医学急则治标，缓则治本之意。

久居家中，影响情志的疏泄，因此和解少阳，枢利气机，通降阳明为本病治法，可予柴胡加龙骨牡蛎汤。《徐氏医书六种·伤寒类方》云"此方能下肝胆之惊痰，以之治癫痫必效"，经典经方，精准辨证，用之必效。

附：患者治疗前后舌象变化详见图35、图36。

和解少阳法治疗亚急性甲状腺炎案例

【基本资料】

张某，男，44岁，于2019年6月9日入院。

主诉：咽痛伴发热 15 天。

现病史：患者入院前 15 天受凉及劳累后出现咽痛，当时未作特殊处理，不久后出现发热，畏寒，自服感冒药、消炎药后体温略有降低，但咽痛及发热反复发作，无打喷嚏、流涕，无腹痛腹泻。为求系统诊治，来我院急诊，急诊以“发热待查：急性扁桃体炎？”收入中医经典科。患者入院时发热、恶寒，伴全身肌肉酸痛，左侧颈部疼痛，伴头晕头痛，偶有心慌心烦，口干口苦较甚，伴汗出，动则尤甚，偶有咳嗽，以干咳为主，精神状态较差，食欲不振，夜寐尚可，小便偏黄，大便正常。

既往史：既往糖尿病史 6 年，长期规律服用盐酸二甲双胍缓释片 0.5g、每日 1 片，格列齐特片 80mg、每日 1 片，平素未监测血糖水平。否认其他疾病史。

中医四诊：望之少神，面色少华，精神疲倦，偶有心慌心烦，语声低沉，发热恶寒，全身肌肉酸痛，自汗出，口干口苦，颈部疼痛，少许咳嗽，基本无痰，纳差，睡眠可，小便不利、色黄，每次量少，无尿痛及尿灼热感，大便正常。舌淡红，苔白腻，脉弦滑数。

体格检查：体温 38.0℃，脉搏 99 次 /min，呼吸 23 次 /min，血压 126/81mmHg。神志清楚，精神状态较差。咽部黏膜充血红肿，扁桃体 I 度肿大。左侧甲状腺触痛。双肺呼吸音稍粗，未闻及干湿啰音。心率 99 次 /min，律齐，各瓣膜听诊区未闻及病理性杂音。腹部柔软，无压痛、反跳痛。双下肢无浮肿。

辅助检查：2019 年 6 月 9 日查血糖(空腹)：16.68mmol/L。2019 年 6 月 9 日查尿液分析示比重 1.035，尿蛋白 1+，葡萄糖 4+，酮体 1+。2019 年 6 月 9 日查血常规示白细胞 11.94×10^9/L，中性粒细胞 86.6%，C 反应蛋白 208.66mg/L。胸部正侧位 X 片：双肺纹理增多，弥散分布斑点状影，不除外间质性改变可能。

中医诊断：发热(少阳证)

西医诊断：急性扁桃体炎；2 型糖尿病

【诊治过程】

一诊：2019 年 6 月 9 日

中医四诊：患者发热，体温 38.0℃，畏寒，头晕头痛，无寒战，伴精神疲倦，咽喉疼痛，左侧颈部胀痛，偶有干咳，食欲差，口干口苦、欲饮水，口气重浊，小便色黄，大便未解。舌淡红，苔白腻，脉弦滑数。

病机分析：发热与畏寒反复，伴口苦，咽痛，为邪犯少阳之典型，口干欲饮，大便不通，为阳明里热。口气重浊，结合舌苔白腻考虑少阳阳明夹湿。纳差为太阴不运之象。

治法：和少阳，降阳明，兼运太阴，利咽喉。

处方用药：小柴胡汤合半夏厚朴汤加味。

北柴胡 40g	生半夏先煎 30g	生晒参 15g	炙甘草 15g
黄芩 15g	大枣 15g	姜厚朴 20g	茯苓 30g
紫苏叶 30g	桂枝 20g	炒僵蚕 15g	蝉蜕 15g
大黄后下 10g	生姜 15g		

1 剂,水煎 300ml,分温三服。

服药后,患者发热有所减轻,夜间睡眠可,仍感咽痛,口干口苦。

二诊: 2019 年 6 月 10 日

中医四诊: 患者夜间发热,体温最高 39.5℃,恶寒改善,继续服用中药后体温较前下降,咽痛较前有减轻,今晨体温正常,未再恶寒,全身肌肉酸痛稍有好转,头晕、头痛减轻,偶有心慌不适,偶有干咳,口干、口苦、口臭仍存在,纳、眠一般,大小便无明显异常。舌淡红,苔白腻,脉弦滑。

辅助检查: 复查 C 反应蛋白 176.80mg/L。甲状腺功能检查示总三碘甲状腺原氨酸(T_3)3.82nmol/L,游离 T_3 11.18pmol/L,总甲状腺素 212.00nmol/L,游离甲状腺素 36.24pmol/L,促甲状腺素 0.01mIU/L。甲状腺球蛋白 293.13ng/ml。血沉 74mm/h。甲状腺彩超示甲状腺增大,实质回声不均质,血供较丰富。

修正诊断: 亚急性甲状腺炎。

病机分析: 昨夜发热明显,继续服药后发热消退、咽痛减轻,乃药物促进正邪相争,驱邪外出,正胜邪退之兆。仍口干、口苦口臭,苔白腻,考虑此时正值芒种与夏至之间,暑湿弥漫,湿热熏蒸,故中药在前方基础上加苦杏仁、薏苡仁、豆蔻以健脾燥湿,加石膏以清热泻火,增加黄芩用量以助清热燥湿之效,改生大黄为酒大黄以清上焦郁热。邪已出表,适当减桂枝用量以防宣发太过。

治法: 和少阳,降阳明,运太阴,化湿浊。

处方用药: 小柴胡汤合半夏厚朴汤、三仁汤加减。

北柴胡 40g	生半夏先煎 30g	生晒参 15g	炙甘草 15g
黄芩 45g	大枣 15g	姜厚朴 20g	茯苓 30g
紫苏叶 30g	桂枝 5g	炒僵蚕 15g	蝉蜕 15g
酒大黄后下 15g	焯苦杏仁 30g	薏苡仁 30g	豆蔻后下 30g
石膏先煎 90g			

3 剂,每日 1 剂,水煎 300ml,分温三服。

服药后,患者发热缓解,无恶寒,咽痛及口干口苦减轻,纳增,二便调。

三诊: 2019 年 6 月 14 日

中医四诊: 患者咽痛明显好转,颈部无明显疼痛,无发热、恶寒、头晕、头痛,无肌肉酸痛,无咳嗽,口干、口苦、口臭较前明显改善。纳、眠可,大小便无明显异常。舌淡红,苔薄白根微腻,脉弦滑。

病机分析: 少阳郁热得清,阳明得降,太阴得运,湿浊得化,效不更方,拟出院带药5剂：前方石膏减量至30g。

【预后及转归】

2019年6月20日微信随访，患者无咽痛、发热等不适，饮食睡眠良好，病情稳定。

【按语】

1．本案病机：太阴本虚，少阳郁热，阳明不降，湿浊内蕴。

外感热病是指感受六淫之邪或温热疫毒之气，导致营卫失和，脏腑阴阳失调，出现病理性体温升高，伴有恶寒、面赤、烦躁、脉数等为主要临床表现的一类外感病证，亚急性甲状腺炎是常见的外感热病类型。《素问·阴阳应象大论》《素问·热论》《素问·至真要大论》等篇中，对外感发热的病因病机和治疗法则，都作了扼要的论述，为热病的理论奠定了基础。张仲景《伤寒论》为我国第一部研究外感热病的专著，系统地论述了外感热病的病因病机和证治规律，以阴阳为纲，创造性地提出了六经辨证理论，成为后世对外感热病辨证论治的纲领。

患者中年男性，发病前有受凉史，风寒邪气侵犯肌肤腠理，寒邪闭阻卫阳，卫阳被遏，故见畏寒；邪入少阳，正邪交争剧烈，故见发热；太阴本虚，卫外不固，故见汗出；驱邪不尽，肺气为邪气闭郁，宣发肃降失调故见咳嗽，寒邪化热循少阳经犯咽喉则咽痛；寒邪客于肌表，阳气被遏于内，郁热内生，阳明里热攻冲，热扰心神，故见心烦、疲乏。

寒邪未能及时祛除，波及太阴，脾失健运，水谷运化无力，故见纳差，水谷精微不能上承，清窍失养，故见头晕、头痛；患者脾失健运，痰湿内生，故见苔白腻；病久未愈，邪气渐传少阳，故见口干口苦，脉弦滑数。邪犯少阳，少阳枢机不利，治疗上当以和解少阳为治疗法则。

该患者以发热、咽痛为主要表现，以小柴胡汤为主方，清解泻热，合用半夏厚朴汤降逆化痰，配合僵蚕、蝉蜕祛风清热解郁，辅以苦寒之大黄，泻热通腑、推陈致新。服用1剂之后，发热、咽痛好转，口干、口苦仍存在，舌苔厚腻，考虑患者素体湿盛，加之正值夏日，湿热之气较盛，故加三仁以祛湿，同时加用石膏，以清热泻火。3剂服完后，患者已无发热，咽喉部疼痛明显缓解，效不更方。守方继用，适当减石膏用量，以防影响胃气。5剂尽服，则邪去病瘥。半夏厚朴汤源自《金匮要略·妇人杂病脉证并治》："妇人咽中如有炙脔，半夏厚朴汤主之。"由半夏、厚朴、茯苓、生姜、紫苏叶组成，水煎后服用，具有行气散结、降逆化痰的作用。该方在化痰基础上，兼有运太阴之功，重用半夏化痰降逆，厚朴燥湿理气，茯苓利湿化痰，兼生姜、紫苏叶之辛通温运，实乃运太阴，化中上焦痰浊之良方。

2. 气机升降、寒热平调、扶正祛邪与小柴胡汤。

《灵枢·经脉》论少阳经循行曰:“其支者,从膻中上出缺盆,上项,系耳后直上。”说明少阳经从胸中经颈部及咽喉上至头项。该篇论少阳病曰“是动则病耳聋浑浑焞焞,嗌肿喉痹”,指出了病在少阳可见咽喉肿痛的临床表现。

小柴胡汤出自《伤寒论》第96条:“伤寒五六日,中风,往来寒热,胸胁苦满,嘿嘿不欲饮食,心烦喜呕,或胸中烦而不呕,或渴,或腹中痛,或胁下痞硬,或心下悸,小便不利,或不渴,身有微热,或咳者,小柴胡汤主之。”小柴胡汤是张仲景《伤寒论》中的少阳病主方,功专和解少阳经,以解半表半里之邪。

急性扁桃体炎、急性咽喉炎、急性(亚急性)甲状腺炎均可见咽喉症状,或肿或痛,遵《黄帝内经》《伤寒论》之思路,可迅速定位病在少阳,所谓抓“少阳独症”也。小柴胡汤为少阳病之专用基础方,其功用在以下三方面:

(1)升降气机:人体的气化运动处于升与降、出与入的矛盾统一体中。升降出入是生理功能与生命活动的概括,升降出入失调则必然会导致脏腑气血功能的紊乱而产生疾病。小柴胡汤方中柴胡轻清升散,善于疏肝,解少阳气郁,同时柴胡能“主心腹肠胃结气”,黄芩苦寒清降,与柴胡配伍,一升一降,使胆气得以条达疏畅。半夏宣畅中焦,升降气机,以合于胆,使胆气借中气以行,与柴胡相合以宣散升发,与黄芩相合以降泄止逆。生姜助柴胡以宣郁散邪,与半夏相合以降逆和胃。人参、甘草、大枣甘补调中,益气健脾,脾土健旺,枢机通利,则有助于肝气条达,气机疏畅,诸药相合,升中寓降,降中寓升,使气机升降协调。

(2)调整寒热:小柴胡汤是针对寒热错杂而设,法当寒热并用。方中柴胡苦、微寒,具有疏邪透热之功,使热自外散。黄芩苦寒,善清少阳之胆热,使胆热从内而消;与柴胡配伍以消散肝胆之热。半夏、生姜辛温祛脾之寒,人参、甘草、大枣甘温以补气和中。诸药相合,寒热并用,使寒热协调。

(3)扶正祛邪:在疾病的发展过程中,小柴胡汤证的发病是由于正气内虚,邪气入侵所致。方中柴胡与黄芩配伍以消散肝胆之热,生姜、半夏配伍以祛脾胃之寒,四药相合以祛邪。人参、甘草、大枣益气和中以扶正。诸药相合,祛邪以扶正,扶正以祛邪,两者体现了辩证统一。服小柴胡汤后,机体发生如下变化:第一,正气增强,抗邪有力。第二,津液布生,化汗有源。第三,胃气调和,气津通下。而胃气和,升降调,枢纽通,津液布达内外,邪随汗散,实质上是阴阳的自和。正如仲景所云“阴阳自和必自愈”,从而将小柴胡汤的组方机制提高到了阴阳这一对立统一学说上,故《素问·生气通天论》谓“夫自古通天者,生之本,本于阴阳”。

附:住院期间患者体温、心率变记见表5,甲状腺彩超详见图37,舌象变化详见图38~图40。

表5 住院期间患者体温、心率变化

时间	T/℃	HR/(次/min)
2019年6月9日	38.0	100
2019年6月10日	39.5	84
2019年6月11日	37.2	83
2019年6月12日	37.0	80
2019年6月13日	36.7	80
2019年6月14日	36.4	70

大柴胡汤治疗呕吐腹胀案例

【基本资料】

周某某,女,83岁,于2019年11月17日入住中医经典科。

主诉:呕吐3天。

现病史:患者3天前因受凉后出现呕吐,进食后加重,呕吐物为胃内容物,伴上腹胀、反酸、呃逆,便秘,偶有咳嗽、咳白色泡沫痰,头晕、心悸、肢体乏力,多汗,左上肢麻木,未予系统正规治疗,患者休息及减少饮食后不能缓解,为进一步诊治,来我院就诊,门诊以"呕吐"收入中医经典科。发病以来,患者精神不振,口干多饮,喜热饮,无恶寒发热,怕热,多汗,饮食少,失眠多梦,大便秘结(每三天一次),小便灼热,色黄,夜尿多。

既往史:有高血压、2型糖尿病、冠心病病史,胆囊切除术后,左腕曾摔伤骨折(具体不详),自诉对阿司匹林过敏。

入院查体:双肺呼吸音稍粗,未闻及干、湿啰音。心率76次/min,律齐。腹平坦,剑突下轻度压痛,稍拒按,无反跳痛、肌紧张。余无特殊。

中医四诊:望之少神,表情痛苦,面色少华,体形消瘦,精神不振,语声低微,言语清晰,呼吸如常,偶咳嗽咳痰,口干多饮,喜热饮,无太息、呻吟、腹鸣之声,下腹部拒按,轻压痛,怕热,多汗,饮食正常,失眠多梦,大便秘结,小便灼热,色黄,夜尿多。舌红,苔干白腻,舌有裂纹,脉细滑。

辅助检查:2019年11月17日肝功能检查示丙氨酸氨基转移酶(ALT)195U/L,天门冬氨酸氨基转移酶(AST)329U/L,γ-谷氨酰基转移酶(GGT)440U/L。N末端B型钠尿肽前体(NT-proBNP)2 482.4pg/ml。心电图:频发室性期前收缩；一度房室传导阻滞。上腹部 CT：胆总管下段结石伴胆总管扩张；右肾稍萎缩，双肾可疑细小结石。泌尿系彩超：右肾窦极低回声区，考虑局限性积液可能。

中医诊断：呕吐（少阳、阳明合病）

西医诊断：胆总管结石；高血压 3 级（极高危）；冠心病，心律失常，一度房室传导阻滞；2 型糖尿病；腔隙性脑梗死；肝功能不全；右肾局限性积液

根据上腹部 CT 结果考虑此次腹胀、呕吐与胆石症关系大，因高龄且基础病多，家属坚持以保守治疗为主。

【诊治过程】

一诊：2019 年 11 月 17 日

中医四诊：呕吐，进食后加重，呕吐物胃内容物，伴上腹胀、反酸、呃逆，便秘，偶有咳嗽、咳白色泡沫痰，头晕、心悸、肢体乏力，多汗，左上肢麻木，精神不振，口干多饮，喜热饮，饮后恶心，无恶寒发热，自觉怕热，多汗，失眠多梦，大便秘结，小便灼热，色黄，夜尿多。舌红，苔干白腻，舌有裂纹，脉细滑。

病机分析：患者初诊时已感受寒邪 3 天，但无恶寒反恶热，脉不浮而呈滑象，可知表证已入里。邪犯少阳，故胃脘苦满不欲食，引动里饮则欲呕；内传阳明，阳明热结，邪热上泛，腑气不通，故大便秘结、腹胀，阳明邪热攻冲，故怕热、多汗，热扰心神故失眠多梦。结合舌脉，均考虑太阳表邪入少阳，同时形成阳明里实。然患者八旬高龄，虽合并阳明里实热，但形体消瘦，脉细，知其本底素虚，故不予承气类方剂过度攻伐耗伤正气，伤其津液，当祛其半表半里之邪，因其腹胀且按之疼痛，考《金匮要略·腹满寒疝宿食病脉证治》："按之心下满痛者，此为实也，当下之，宜大柴胡汤。"同时应下其阳明里实，故予大柴胡汤通降阳明之实。

治法：和少阳，降阳明。

处方用药：大柴胡汤。

北柴胡 45g　　生黄芩 20g　　白芍 20g　　生半夏[先煎] 45g
麸炒枳实 25g　　大枣 25g　　大黄[后下] 20g　　生姜 25g

1 剂，每日 3 次，水煎服。

中医特色疗法予超声药物透入、皮内针治疗、穴位敷贴、中药封包治疗加强泻热通腑作用。

服药后患者可解出少量干结大便，呕吐稍减。

二诊：2019 年 11 月 18 日

中医四诊：精神一般，呕吐较昨日明显好转，感寒热往来，胸胁苦满，伴上腹胀、拒按，反酸、呃逆，解少量大便（便质干结），小便灼热较前改善，色黄，夜尿多（6~7 次）。舌暗红，苔尖、中部散在瘀斑，舌有裂纹，苔白腻（舌根尤为明

显),脉弦滑结。余较前变化不大。

病机分析:患者排出少量干结大便,呕吐好转,单纯怕热已减,腑气有通降之势,然寒热往来,胸胁苦满,脉弦,提示正邪交争,仍当以柴胡剂祛半表半里之邪;脉滑、腹胀、拒按提示仍有阳明里实。小便色黄,夜尿多,内热仍在,且与饮邪互结。舌瘀斑,脉象弦结,亦提示水饮,考虑病久必瘀,邪热下行,邪有出路,通降瘀热除水饮之力需逐步加强。

调整处方:予前方加用桃仁 15g、金钱草 30g、海金沙 30g、茵陈 30g 泻瘀浊,通瘀热。1 剂,每日 3 次,水煎服。

服药后患者有矢气,大便较前通畅,矢气后上腹胀减轻。

三诊:2019 年 11 月 19 日

中医四诊:患者诉今日无呕吐、反酸,伴上腹胀、呃逆,矢气后上腹胀减轻,诉昨日解大便 3 次(第 1 次解大便费力,便干,第 2~3 次大便易解,便质稀),今日大便已解,便软,无咳嗽,头晕、心悸、肢体乏力较前稍减轻,感时寒时热,多汗,左上肢麻木,纳可,失眠多梦较前改善,小便灼热较前改善,色黄,夜尿 3 次。舌暗红,苔白腻(舌根尤为明显),脉弦缓结。

病机分析:患者入院时症状已明显好转,但仍有腹胀呃逆,矢气后减轻,小便灼热,但夜尿次数减少,舌苔仍白腻,可见余热未清,续守原方,因势利导,巩固疗效。

调整处方:结合患者症状,效不更方,续前方 2 剂,煎服法同前。

服药后,患者无呕吐、反酸,大便每日必解。

【预后及转归】

患者无呕吐、反酸,上腹胀、呃逆好转,矢气后觉舒,大便已解(先干后稀),便软,无咳嗽,头晕、心悸、肢体乏力好转,感时寒时热及多汗好转,左上肢麻木明显减轻,纳、眠可,多梦较前改善,小便无灼热,色稍黄,夜尿 3 次,舌红,苔白腻(舌根尤为明显),脉弦缓结。因患者高龄,家属见症状好转,复查肝功能转氨酶在正常范围,便要求出院继续家中调养为主。于 2019 年 11 月 21 日带药出院。1 周后微信随访家属,患者病情稳定,能正常进食,未呕吐。

【按语】

1. 本案病机:太阳表邪化热入里,客于少阳、阳明,水热夹瘀。

《灵枢·天年》曰:“七十岁,脾气虚,皮肤枯;八十岁,肺气衰,魄离。”患者高龄女性,体质本弱,外感寒邪失治,正不胜邪,太阳表邪不解,内传少阳、阳明,邪在半表半里,邪热影响心神则心烦,波及胃脘则不欲饮食,进食则呕;邪犯阳明,化热入里,里热炽盛,蒸腾于外,故见口干多饮、身热;邪热迫津外泄,则多汗;表邪入里化热,阳明邪热独盛,故不恶寒,反恶热;邪热内盛于里,邪热与肠中糟粕相搏,腑气不通,热浊上泛,故见呕吐、腹胀、便秘,邪热亢盛,上扰于心则见心悸、失眠多梦。

患者高龄,基础病多,本气虚馁,热伤津液,脉已无力故呈细滑象,亦不可用承气类攻伐伤正。服大柴胡汤后邪正相争,正胜欲拒邪出于表,邪胜欲入里并于阴,邪近于表则恶寒,近于里则发热,故复见少阳证之寒热往来,胸胁苦满。服药后呕吐已有明显改善、大便亦有通畅之势,可见邪热已见下行,邪有出路,但小便仍感灼热,舌脉呈现瘀滞之象,考虑病久必瘀,结合患者上腹部CT结果提示腹胀与胆石症相关,故予大柴胡剂中加用桃仁15g、金钱草30g、海金沙30g、茵陈30g通泻瘀热。瘀热水饮要么从大便而去,要么从小便而出,本案在大柴胡汤基础上加利湿通淋之药,从二便着手,分消瘀热水饮。

三诊时患者呕吐已无,矢气后上腹胀减轻,大便已较前通畅,但仍偏干,阳明热邪已去十之六七,续守前方,方中虽有大黄20g,但并未大泻而泻下伤正,《神农本草经》曰大黄:"主下瘀血,血闭,寒热,破癥瘕积聚,留饮,宿食,荡涤肠胃,推陈致新,通利水谷,调中化食,安和五脏。"说明其活血利水之功甚强,而非单纯通便。至四诊时患者小便已无灼热感,大便通畅,复查肝功能转氨酶在已正常,取得明显效果。

本病虽以"呕吐"为主诉就诊,但辨证之关键在于"按之心下满痛",同时患者不恶寒反恶热,考虑邪入阳明,不予见呕止呕,而予通降阳明之法治疗"呕吐"。《伤寒论·辨太阳病脉证并治》:"呕不止,心下急,郁郁微烦者,为未解也,与大柴胡汤下之则愈。""伤寒十余日,热结在里,复往来寒热者,与大柴胡汤。"且患者初起病因为外感表证,此类呕吐是由外邪内陷,客于半表半里,内犯阳明,化热所致,结合腹部症状不难辨为少阳阳明合病。在明确病机后,酌加活血利湿之品,更增疗效,全解病机。因此,望闻问切,整体辨治,万变不离经方思维,收效颇显。

2. 阳明主降与中气运转。

《难经·第八难》曰:"气者,人之根本也。"人生在世,原动力在于先天肾气与后天胃气,即乾坤两卦化合之混元一气。火生土即是说先天一点真阳乃原动力,此火一动,四维升降各循其道,生命欣欣向荣。此火一熄,阳根被拔,生命终结。土伏火即后天胃气(中气)乃先天肾气之根,生命之延续全赖中气之滋养、灌溉,土能生万物,无土不成世界。所以人身之中土即脾胃中气,中气左升右降,斡旋运转不停,五脏得养,生生不息。

《素问·天元纪大论》曰:"丑未之岁,上见太阴;寅申之岁,上见少阳;卯酉之岁,上见阳明……太阴之上,湿气主之;阳明之上,燥气主之。"综合来讲,实则阳明,虚则太阴。脾胃实证,胃证以燥证偏多,脾证以湿证偏多。不降多责之阳明胃,不升多责之太阴脾。患者以呕吐入院,伴大便秘结,畏热,结合外感病史,当知邪已入少阳(呕吐),阳明(热、汗、便秘),导致气机出入不畅,升降亦随之逆乱，尤其以阳明通降功能失常，四维轮转受制，轴运亦滞，故治疗中使用和少阳、降阳明的轮轴并运之法，以大柴胡汤疏通阳明之降路，运轮以复轴，二者协调同步，轮轴并转，气机流畅，神机不灭，生命不息，邪气得逐，正气得安。

附：入院后患者舌象及舌下脉络详见图 41~ 图 45（舌质：颜色较前变浅，舌苔：瘀斑范围略缩小、变淡）。

降阳明法治疗呕吐案例

【基本资料】

张某某，女，81 岁，于 2021 年 1 月 13 日入院。

主诉：反复呕吐 3 天。

现病史：患者于入院 3 天前无明显诱因出现呕吐，进食即吐，呕吐物为胃内容物，呈非喷射性，未见鲜血及咖啡色样物质，伴口干、反酸、嗳气，解稀糊状大便 2 次，量不多，伴肛门坠胀，无腹胀、腹痛，无头晕、头痛，无发热寒战，无尿急尿痛，无腰痛，未行诊治，患者休息后无缓解，急诊以“呕吐待查”收入中医经典科。

既往史：2 型糖尿病 30 余年，规律使用盐酸二甲双胍片、门冬胰岛素、甘精胰岛素降糖，监测空腹血糖 7~9mmol/L。甲状腺功能减退症 30 余年，口服左甲状腺素钠片 62.5μg、每天一次治疗。高血压病史 20 余年，最高血压 180/100mmHg，现规律口服药物降压（具体不详），血压控制在 140~150/60~80mmHg。2 年前，患者因尿频、尿急于我院就诊，诊断为神经源性膀胱，予留置导尿管治疗，规律于门诊更换尿管。便秘多年，大便少则 2~3 天一次，多则 1 周一次。1 年余前患者因反复腹痛、腹胀，解黑大便，伴恶心、呕吐，于我院普外科住院，诊断为结肠梗阻、消化道出血、肛门狭窄，予扩肛、止血、抗感染等保守治疗后好转出院。

中医四诊：患者精神状态较差，倦怠乏力，恶心、呕吐，语声低微，进食即吐，伴口干、反酸、嗳气，饮食欠佳，夜寐欠安，体重无明显变化，大便稀糊状，量少，尿管固定在位，尿液浑浊。舌红，苔黄厚，左脉沉，右脉浮滑。

体格检查：生命体征平稳，双肺呼吸音清晰，未闻及干、湿啰音。心率 84 次 /min，律齐，各瓣膜听诊区未闻及病理性杂音，无心包摩擦音。腹膨隆，下腹部轻度按压痛，无反跳痛，无肌紧张，肝脾肋下未触及，肝区、肾区无叩击痛，无移动性浊音。肠鸣音 3 次 /min。

辅助检查：我院急诊血常规示白细胞 12.11×10^9/L，中性粒细胞 91.2%，血红蛋白 111g/L。电解质检查示钠 129mmol/L，氯 90mmol/L。超敏肌钙蛋白 I 0.079ng/ml。普通心电图：窦性心律；一度房室传导阻滞；左前分支阻滞。腹部 CT：胆囊结石；直肠及乙状结肠扩张、其内见大量肠内容物。

中医诊断：呕吐（阳明实证）

西医诊断：急性胃肠炎；2 型糖尿病；高血压 3 级（极高危）；甲状腺功能减退症；腔隙性脑梗死；神经源性膀胱；一度房室传导阻滞；左前分支阻滞；胆囊结石

【诊治过程】

一诊：2021 年 1 月 13 日

中医四诊：患者精神状态较差，恶心、呕吐，进食即吐，伴口干、反酸、嗳气，饮食欠佳，夜寐欠安，大便稀糊，量少。腹膨隆，腹部柔软，下腹部按压痛。舌红，苔黄厚，左脉沉，右脉浮滑。

病机分析：患者平素阳明内热与糟粕相结，本次或因饮食不节，或起居不慎，导致阳明腑实加重，阳明不降，故见恶心、呕吐、纳差、反酸、嗳气；胃热内炽，消耗津液，故口干；下腹部按之则痛为里实；舌红，苔黄厚为阳明热与糟粕内结之象；人体气机，左升右降，其右脉浮滑者，为阳明右路不降，不降则不升，太阴左路不升，故见左脉沉，其根本原因在于阳明腑实。

治法：通降阳明。

处方用药：大承气汤。

酒大黄（后下） 20g　厚朴 40g　枳实 25g　芒硝（冲服） 20g

2 剂，每日 1 剂，每日 3 次，水煎服。

配合中医特色疗法：皮内针治疗（每周 2 次，双侧大肠俞、天枢、归来）调理肠道气机，耳穴压丸治疗（每周 2 次，双侧心、肝、脾、肺、肾）调和五脏气血，穴位贴敷治疗（每日 1 次，安胃方上脘、中脘、下脘、双侧脾俞）健脾理气，普通电针治疗（每日 1 次，双侧足三里、内关、上巨虚，气海、关元、中脘、下脘）+TDP 治疗（每日 1 次，腹部、双下肢）理气通腑。

服药后，患者呕吐缓解，排少许不成形大便，食欲欠佳，进食则腹胀欲呕。

二诊：2021 年 1 月 15 日

中医四诊：患者神清，精神欠佳，进食未再呕吐，稍感恶心，伴口干、嗳气，无反酸，夜寐欠安。腹膨隆，按之胀满，左下腹压痛。舌红，苔根黄厚腻，左脉沉，右脉浮滑。

病机分析：服大承气汤 2 剂后，解少量稀大便，但患者长期大便不通，糟粕内积较重，舌红，苔黄厚，左脉沉，右脉浮滑，为阳明积滞尚未解除。

治法：通降阳明腑实。

处方用药：予以禁食，在前方基础上剂量加量，予《伤寒论》原方原量，同时灌肠以通降阳明，具体用药如下。

酒大黄后下 60g　　枳实 75g　　厚朴 120g　　芒硝冲服 40g

2 剂，每日 1 剂，每日 3 次，每次 150ml，灌肠与口服各取一半。

服药期间患者可见稀便与干硬大便混合，腹胀减轻，无呕吐。

三诊：2021 年 1 月 17 日

中医四诊：患者神清，精神改善，每次灌肠后均解黄色稀便，偶见干硬粪球，排便后腹部胀满较前有所减轻，无恶心、呕吐，时有嗳气，口干。腹膨隆，按之胀满，左下腹压痛。舌红，苔黄厚，左脉稍浮起，右脉仍浮滑。复查全腹 CT 平扫：直肠、结肠扩张，其内较多肠内容物、积气，气液平，较 2021 年 1 月 13 日直肠及乙状结肠肠腔扩张程度减轻。

病机分析：前方治疗有效，但患者结直肠内仍有较多肠内容物，需继续通腑泻浊，因患者长久卧床，肠道气机阻滞较甚。

治法：通降阳明，行气除满。

处方用药：大承气汤原量基础上，合用四磨汤。

酒大黄后下 60g　　枳实 75g　　厚朴 120g　　芒硝冲服 40g

沉香后下 5g　　槟榔 20g　　乌药 20g

2 剂，水煎，每日 1 剂，每日 3 次，灌肠与口服各取一半。

服药后，患者继续规律排稀便，腹胀进一步减轻，无恶心、呕吐。

四诊：2021 年 1 月 19 日

中医四诊：患者神清，精神尚可，每日解稀便 2~3 次，腹部胀满较前明显缓解，时有嗳气，口干，无恶心、呕吐，夜寐欠安。腹膨隆减轻，按之胀满，无压痛、反跳痛。舌红，舌苔黄稍腻，左脉略有浮象，右脉偏浮。

病机分析：患者腹胀明显缓解，考虑阳明腑实得以通降，邪已去六七，当同时兼顾正气。

治法：降阳明，运太阴。

处方用药：调整中药处方为小承气汤合四磨汤以减轻攻下之力，并合理中汤建运中土，嘱进少量流质饮食。

酒大黄 15g　　厚朴 10g　　枳实 15g　　生晒参 15g

白术 15g　　炮姜 10g　　炙甘草 10g　　沉香后下 5g

槟榔 30g　　乌药 15g

2 剂，每日 1 剂，每日 3 次，水煎服。

患者服药后进食后未呕吐，稍感腹胀，治疗期间每日解不成形大便 1~2 次，后腹胀自减。此后守此方共 4 剂，患者食欲逐渐增强，精神改善。

【预后及转归】

患者神清，精神可，无明显腹部胀满感，饮食可，夜寐安，自解稀糊状大便，解便通畅。腹按之稍胀满，无压痛、反跳痛。舌红，苔薄黄，脉浮。评估病情好转，守方带药出院。

【按语】

1. 六经论治呕吐

患者以呕吐为主症，呕吐虽然直接表现为胃肠道症状，但六经病皆可致呕吐，见呕吐应当先辨清何经之病，非止呕吐，百病皆然。

(1)太阳病呕吐：《伤寒论》第12条曰："太阳中风，阳浮而阴弱。阳浮者，热自发；阴弱者，汗自出。啬啬恶寒，淅淅恶风，翕翕发热，鼻鸣干呕者，桂枝汤主之。"太阳主表，若外邪侵袭人体，内干于胃则胃气上逆，失于和降而呕，其性质为呕吐伴畏寒、脉浮等表邪不解。治疗当以桂枝、麻黄解表，表解里自和也。太阳表证不解，循经入于太阳之腑，导致三焦气化失常，水饮内停则当以五苓散通阳化气行水，兼能外散太阳之邪。

(2)阳明病呕吐：阳明属胃、大肠，邪热内炽于阳明胃肠，致气机不利，胃气上逆而为呕吐，其性质为典型之热性呕吐。若热与肠道糟粕内结成实，则使用三承气汤通泄阳明。三承气汤证中虽无呕吐表现，然从圆运动理解，右路不降则中焦壅滞，若胃热尚未结实，胃气失降之呕，伴见心烦、胸闷等症，如《伤寒论》第76条曰："发汗吐下后，虚烦不得眠，若剧者，必反复颠倒，心中懊侬，栀子豉汤主之。""若少气者，栀子甘草豉汤主之；若呕者，栀子生姜豉汤主之。"治疗应清宣郁热、和胃止呕，方选栀子生姜豉汤。如阳明亦见虚寒，《伤寒论》第243条曰："食谷欲呕，属阳明也，吴茱萸汤主之。"以吴茱萸汤温胃止呕。厥阴之寒、少阴之寒横犯于胃，也可以选用吴茱萸汤。

(3)少阳病呕吐：少阳属胆，位于半表半里，邪客于胆，致胆热犯胃而呕，其性质亦属热呕。《伤寒论》第96条曰："伤寒五六日，中风，往来寒热，胸胁苦满，嘿嘿不欲饮食，心烦喜呕，或胸中烦而不呕，或渴，或腹中痛，或胁下痞硬，或心下悸，小便不利，或不渴，身有微热，或咳者，小柴胡汤主之。"少阳呕吐可伴见发热、不欲食、口苦、头痛、胸闷等症，治疗应清胆和胃以止呕，以小柴胡汤为代表方。

(4)太阴病呕吐：太阴属脾，主司运化，脾胃相表里，若脾阳虚衰，寒湿不运，困于中焦，致脾胃升降失职，则为吐利。《伤寒论》第273条曰："太阴之为病，腹满而吐，食不下，自利益甚，时腹自痛。若下之，必胸下结硬。"太阴虚寒不运化，当以理中辈温中健运。若为寒饮内停，则选用小半夏汤。

(5)少阴病呕吐：《伤寒论》第377条曰："呕而脉弱，小便复利，身有微热，见厥者，难治，四逆汤主之。"少阴属肾，中寄命火，火衰阴盛不能暖土，致脾胃纳运水谷失职，而成呕吐。其性质主要为虚寒呕吐。呕而下利，四肢厥逆者，四逆散以温之。少阳阳虚饮停者，真武汤以温阳利水。

(6) 厥阴病呕吐:《伤寒论》第326条曰:“厥阴之为病,消渴,气上撞心,心中疼热,饥而不欲食,食则吐蛔,下之利不止。”厥阴为阴尽阳生,亦位于半表半里,厥阴的呕吐多系寒热错杂引起。以乌梅丸、干姜黄芩黄连人参汤等清上温下,和胃止呕。

该患者平素便秘,阳明内热与糟粕相结。四诊合参,病机为阳明腑实,糟粕内停。病位在阳明,病性属实。患者因阳明腑实,失于和降,故见恶心、呕吐、纳差、反酸、嗳气;胃热内炽,消耗津液,故口干;下腹部按之则痛为里实也;舌红,苔黄腻为阳明热与糟粕内结之象。病机即明,治以通降阳明,方以承气汤类主之。

2. 三承气汤的鉴别运用

三承气汤皆为苦寒攻下之剂,治疗阳明腑实证,但随着病情轻重缓急不同,用药也有差别。

(1) 大承气汤硝、黄并用,大黄后下,且加枳实、厚朴,故攻下之力颇峻,为“峻下剂”,主治痞、满、燥、实四症俱全之阳明热结重证。临床有潮热、谵语,手足汗出,大便秘结,腹胀满痛或绕脐痛,甚至热结旁流,喘冒不得卧,目中不了了,睛不和,循衣摸床,舌红,苔老黄起刺,脉沉实有力。大承气汤中,大黄属寒下药物,芒硝属软坚药物,而枳实、厚朴可以下气;以大黄清热泻下,芒硝软坚泻下,枳实、厚朴降气泻下,诸药配伍,起到泻热、软坚、通腑的作用。

(2) 小承气汤不用芒硝,且三味同煎,枳实、厚朴用量亦减,故攻下之力较轻,称为“轻下剂”,主治痞、满、实而燥不明显之阳明热结轻证。临床有潮热,汗出,甚至谵语,腹大满,大便硬或热结旁流,舌红,苔黄厚而干,脉滑疾数等。小承气汤的使用特色如下:一是以小承气汤“微和胃气”;二是以小承气汤测试转矢气与否;三是一服谵语止者,更莫复服。这三点特色提示三个问题:一是小承气汤证不一定是燥屎内结,很可能是大承气汤证的前奏;二是小承气汤的攻下力量比大承气汤要弱得多;三是小承气汤不在于泻实,而是偏重行气。

(3) 调胃承气汤不用枳实、厚朴,虽后纳芒硝,但大黄与甘草同煎,故泻下之力较前二方缓和,称为“缓下剂”,主治阳明燥热内结,有燥、实而无痞、满之证。临床有蒸蒸发热,心烦,汗出,甚至谵语,不大便,舌红,苔黄燥,脉滑数或沉实。调胃承气汤证在《伤寒论》各篇中,共出现过5次,分析这5条原文,多是误治后出现的一些变证,属于实热在胃,并非有燥屎结滞在大肠。

阳明病的三个承气汤证,是胃家邪热亢盛到大肠燥屎内结的一个系统过程。邪热在胃,汗出、蒸蒸发热,烦躁、腹胀满,若不及时清除热邪,便会使邪热进一步加重而耗伤津液,并传至大肠,此时,宜尽快用调胃承气汤清泻胃热,截断病情发展;如燥热在大肠,则见潮热、谵语、腹痛,甚则喘冒直视、循衣摸床，说明燥屎已成，可用大承气汤攻下燥屎；而热邪从胃到大肠，虽然出现了潮热、谵语、腹满，但尚不能确定腑实燥屎确已形成，则可用小承气汤进行试探性治疗。

调胃承气汤清泻胃热，大承气汤攻下大肠燥屎，小承气汤介于两者之间，在未确定燥屎形成的诊断时，用于试探性治疗，这就是临床上如何区别使用三承气汤的关键。

本病例患者糟粕久滞，阳明腑实已甚，痞、满、燥、实俱备，非用大承气汤峻下而不能除。患者服用大承气汤后，大便得通，稀便中偶见粪球，即仲景所言“燥屎”。凡用大承气汤，只要辨证准确，药中病邪，尽可放胆用之，故患者虽八旬高龄，使用大承气汤 10 余剂，未见副作用。然而大承气汤为峻猛之药，过用必伤正气，待邪气大部分解除之后，改用小承气或调胃承气汤，适当佐以顾护中土之品以善后。

附：治疗前后患者舌象变化详见图 46、图 47。

运太阴、化水饮法治疗呕吐案例

【基本资料】

顾某某，女，75 岁，于 2021 年 1 月 7 日入院。

主诉：呕吐 2 周，加重 2 天。

现病史：患者于 2 周前无明显诱因出现进食后呕吐，呕吐物为胃内容物，呈非喷射状，未见咖啡色样物，伴腹胀、呃逆，无反酸、嗳气，无腹泻、腹痛。患者于当地诊所就诊，予以护胃药物治疗（具体药物不详），上述症状稍有缓解。2 天前患者上述症状加重，少量进食即吐，伴呃逆、头部闷胀，无反酸、腹泻、腹痛，无胸痛、心悸，无头痛、头昏等，经休息后症状无明显改善。入院见患者精神状态欠佳，进食则吐，饮水不吐，伴呃逆、头部闷胀，左侧肢体偏瘫，活动受限，无恶寒发热，纳差，夜寐不安，体重无明显变化，平素大便稀溏，小便正常。

既往史：高血压病史 10 余年，最高血压 180/？（舒张压不详）mmHg，服用苯磺酸氨氯地平片 5mg、每日 1 次控制血压，血压控制在 130~150/80~90mmHg。2 型糖尿病病史 8 年，服用阿卡波糖 50mg、每日 3 次（三餐时），那格列奈片 0.12g、每日 3 次，二甲双胍缓释片 0.85g、每日 1 次（早餐时），监测空腹血糖波动在 6~7mmol/L，餐后血糖波动在 8~9mmol/L；脂肪肝病史 10 年。平素无腹痛不适，未口服药物治疗。9 年前患急性脑梗死，遗留左侧肢体活动受限，偶有进食呛咳，近期服用银杏叶片 1 片、每日 3 次，消栓通络胶囊 2 片、每天3次，阿伐他汀钙片20mg、每晚1次降脂稳斑。

中医四诊：神清，望之少神，表情正常，面色荣润，体形适中；行动自如、精神欠佳、发育正常、营养良好；言语无力、言语清晰、呼吸如常、无咳嗽咳痰，无太息、呻吟、腹鸣之声；无异常气味。舌红，苔少，脉细。

体格检查：生命体征平稳，神志清楚，对答切题，双肺呼吸音清晰，双侧肺未闻及干、湿啰音。心率79次/min，律齐，各瓣膜听诊区未闻及病理性杂音，无心包摩擦音。腹稍膨隆，全腹无压痛，无反跳痛，无肌紧张，肝脾肋下未触及，肝区、肾区无叩击痛，移动性浊音（–）。肠鸣音5次/min。

辅助检查：2021年1月6日心肌标志物示超敏肌钙蛋白I 0.042ng/ml，肌红蛋白179.5ng/ml；血常规示白细胞6.8×10^9/L，中性粒细胞80.7%，淋巴细胞比率12.5%；肾功能示β微球蛋白4.4mg/L，尿素氮（BUN）8.81mmol/L，肌酐（CREA）114μmol/L，尿酸（UA）542μmol/L。胰腺炎血清标志物示正常。心脏彩超：主动脉瓣钙化；左室舒张功能减退。颈部动脉血管彩超：双侧颈动脉内中膜增厚、不光滑伴斑块。头颅+全腹CT平扫：颅内多发缺血、梗死灶，部分病灶软化，较前（2020年9月8日）头部CT平扫变化不大，必要时结合磁共振弥散加权成像（MRI-DWI）检查；胃窦壁稍增厚，较前（2020年9月8日）上腹部CT平扫变化不大，必要时结合胃镜；左肾结节影，考虑错构瘤可能，较前相仿；轻度脂肪肝；升结肠壁局限性稍增厚，结肠内较多气粪影；腹主动脉及脾动脉壁钙化。心电图示：窦性心律；正常心电图。

中医诊断：呕吐（太阴证）

西医诊断：急性胃炎；2型糖尿病；高血压3级（极高危）；脑梗死后遗症；脂肪肝；高甘油三酯血症；外周动脉粥样硬化伴斑块形成

【诊治过程】

一诊：2021年1月7日

中医四诊：患者精神状态欠佳，进食则吐，饮水不吐，伴呃逆、头部闷胀，左侧肢体偏瘫，活动受限，无恶寒发热，纳差，夜寐不安，体重无明显变化，平素大便稀溏，小便正常。舌红，苔少，脉细。

病机分析：患者年老体虚，两本亏虚，太阴虚寒，中阳不运。

治法：运太阴，温中降逆止呕。

处方用药：砂半理中汤。

人参15g　炮姜15g　炙甘草15g　炒白术15g
砂仁后下10g　生半夏先煎20g

1剂，每日3次，水煎服。

中医特色疗法：穴位贴敷治疗（每日1次，上脘、中脘、下脘、双侧脾俞）以安胃止呕，普通电针治疗（每日1次，双侧足三里、内关、上巨虚，气海、关元、中脘、下脘）以健脾和胃，隔物灸治疗（每日一次，隔姜灸：双侧足三里，气海、关元、中脘、下脘）以温中健脾。

服药后，患者进食后呕吐略减轻。

二诊：2021 年 1 月 8 日

中医四诊：患者神志清楚，精神状态改善，患者进食稀粥时稍感恶心，进食呛咳，进食后呕吐，时有呃逆，乏力，头部闷胀感，左侧肢体活动受限，饮食增加，夜寐不安，大便稀溏，小便正常。舌红，苔少，脉细。

病机分析：太阴虚寒，中阳不运，阳损及阴，阴阳两虚。

治法：以温阳建中为主，兼以滋阴护胃。

处方用药：在前方基础上加麦冬、大枣以合麦门冬汤之意以运太阴，养津液。

人参 15g　炮姜 15g　炙甘草 15g　炒白术 15g
砂仁后下 10g　生半夏先煎 20g　麦冬 50g　大枣 15g

3 剂，每日 1 剂，每日 3 次，水煎服。

服药后患者进食后仍呕吐。

三诊：2021 年 1 月 11 日

中医四诊：患者神清，精神一般，进食呛咳，进食后不久则呕吐，时有呃逆，乏力较前好转，头部闷胀感，左侧肢体活动受限同前，纳欠佳，夜寐尚可，大便未解，小便正常。舌红，苔薄白，脉沉细软。

病机分析：患者肠道糟粕久滞，阳明不降，在下大便不通，在上则饮食难入，六腑以通为用。

治法：降阳明。

处方用药：调胃承气汤。

大黄 15g　炙甘草 8g　芒硝冲服 15g

1 剂，每日 3 次，水煎服。

服药后，患者排稀便一次，恶心、呕吐无变化。

四诊：2021 年 1 月 12 日

中医四诊：患者神清，精神欠佳，进食饮水均呛咳，仍进食及饮水后恶心、呕吐，时有呃逆，稍感口干，不欲多饮，仍觉乏力，头部闷胀感，左侧肢体活动受限同前，纳欠佳，夜寐尚可，大便已解，质较稀溏，小便频数。舌淡红，苔薄白，脉细滑。

病机分析：患者进食水则吐，口干，不欲多饮，考虑三焦气化不利、水饮内停于中。

治法：开太阳，通阳化气。

处方用药：五苓散。

猪苓 12g　　泽泻 20g　　白术 12g　　茯苓 12g
桂枝 8g

1 剂,每日 3 次,水煎服。

服药后,患者呕吐无明显改变。

五诊:2021 年 1 月 13 日

中医四诊:患者进食饮水则吐,时有呃逆,稍感口干,不欲多饮,舌淡红,苔薄白,脉细滑。

病机分析:三焦气化不利、寒饮内停于胃,厥阴寒化。

治法:运太阴,阖厥阴。

处方用药:以小半夏汤加吴茱萸保留灌肠。

生半夏先煎 60g　　吴茱萸 10g　　生姜 60g

3 剂,每日 1 剂,煎汤后灌肠,每日 3 次。

用药后,患者呕吐略减轻。

六诊:2021 年 1 月 15 日

中医四诊:患者神清,精神欠佳,进少量饮食后暂未再呕吐,呃逆好转,口干,喜冷饮,胸中有灼热感,食欲差,仍觉乏力,头部闷胀感明显改善,左侧肢体活动受限同前,夜寐尚可,大便不成形,小便频数。舌淡红,苔薄白,脉细滑。

病机分析:患者经小半夏汤加味灌肠治疗后,呕吐好转,但患者目前感胸中灼热,喜冷饮,考虑吴茱萸辛温太过,阳明经热化。

治法:运太阴,降阳明。

处方用药:前方中减少吴茱萸用量,并加用大黄、黄芩、黄连清泻热邪。

生半夏先煎 60g　　吴茱萸 5g　　大黄后下 15g　　黄芩 15g
黄连 5g　　生姜 60g

1 剂,煎汤后灌肠,每日 3 次。

用药后,患者少量进食和饮水后未呕吐,余同前。

七诊:2021 年 1 月 16 日

中医四诊:患者神清,精神较前好转,进食饮水后暂未再呕吐,口干,欲饮冷水,自觉胸中灼热感明显,饮食稍增,乏力好转,大便不成形,小便频数。舌红,苔薄白,脉细。

病机分析:患者未再呕吐,饮食稍增,小半夏汤加味灌肠治疗有效,但患者胸中灼热感,喜冷饮,考虑仍有热化之势。

治法:同前。

处方用药:前方去吴茱萸,半夏、生姜用量减半,增加黄连用量,加炒栀子清心泻火。

生半夏先煎 30g　　炒栀子 15g　　大黄后下 15g　　黄芩 15g

黄连 10g　　　　生姜 30g

2 剂，每日 1 剂，煎汤灌肠，每日 3 次。

用药后，患者纳增，未呕吐。胸中灼热减。

八诊：2021 年 1 月 18 日

中医四诊：患者神清，精神可，稍感恶心，未再呕吐，口干，欲饮冷水，胸中有灼热感较前缓解，饮食增加，稍感乏力，大便不成形，小便频数。舌红，边有齿痕，苔薄白，脉细。

病机分析：患者稍感恶心，无呕吐，小便频数，结合刻下舌脉，考虑里邪出表，太阳气化不利。

治法：开太阳，运太阴，助气化。

处方用药：五苓散。

猪苓 15g　　　　盐泽泻 25g　　白术 15g　　　茯苓 15g

桂枝 6g

1 剂，每日 3 次，水煎服。

服药后，患者食欲可，未呕吐，小便较前通畅，尿频减。

【预后及转归】

患者神清，精神可，无恶心、呕吐，饮食尚可，基本恢复正常食量，小便可，通畅，舌红，边有齿痕，苔薄白，脉细。守方五苓散带药 3 剂出院。

【按语】

1．本案病机：本虚标实，水饮内停，标实为主；上盛下虚，病在上焦为主。

首诊及二诊考虑患者年老久病，太阴亏虚，火不暖土，中焦失于运化，湿浊内停，故予砂半理中汤为主方运太阴，然疗效甚微。三诊考虑其太阴戊土不升，阳明己土不降，肠道糟粕久滞，阳明不降，在下大便不通，在上则饮食难入，六腑以通为用，故予调胃承气汤以缓缓下之，通腑泻浊，患者服药后排稀大便，阳明得降，但仍进食后呕吐。四诊结合其小便不利，口干不欲饮，考虑其主要病机在于气化不利，水饮内停。《伤寒论》第 74 条曰："中风发热，六七日不解而烦，有表里证，渴欲饮水，水入则吐者，名曰水逆，五苓散主之。"故调整为五苓散以化水饮，但患者饮水难入，呕吐连连。五诊考虑根在水饮内盛，故转换给药思路，予小半夏汤加吴茱萸灌肠，3 剂后，患者恶心、呕吐改善，又出现胸中灼热、喜冷饮等热化之势，故减少吴茱萸用量，并合用三黄泻心汤以清心火，患者诸症明显改善，能少量进食，水饮渐化，土气渐厚，后回归于太阴虚寒，水饮内停病机，予五苓散后症状好转出院。

本病治疗过程中疗效的转折点在于小半夏汤的使用，《金匮要略·痰饮咳嗽病脉证并治》曰："呕家本渴，渴者为欲解，今反不渴，心下有支饮故也，小半夏汤主之。"《金匮要略·呕吐哕下利病脉证治》曰："诸呕吐，谷不得下者，小半夏汤主之。”此方为呕家圣剂，治疗痰饮停于心下，胃气失于和降之呕吐。呕多必津伤致渴，渴者为饮随呕去，故为欲解；若呕反不渴，是支饮仍在心下（病位仍属上焦）之故。治宜温胃化痰散饮，和胃降逆。该患者虽呕而饮仍在，故以小半夏汤治之。方中半夏味辛性温燥，有降逆散结饮之能；生姜辛温，为呕家圣药，有发散水饮而止呕之功。患者饮水即吐，口服中药存在困难，反复思量后打破中药传统给药方式，予中药灌肠同样能达到治疗目的，疗效显著。清代程国彭《医学心悟·呕吐哕》创上病下取的灌肠通腑及温补肾阳法治疗呕吐，其曰："至于食入反出，固为有寒，若大便秘结，须加血药以润之，润之不去，宜蜜煎导而通之，盖下窍开，上窍即入也。"频繁呕吐患者，经口服药难以吸收，而中药灌肠利用肠壁半透膜的渗透性，迅速吸收药物，能够起到全身治疗的作用。本病在治疗过程中体现了中医的特殊给药途径（给药途径除口服外，尚包括吹鼻、坐盆、足浴、佩戴香囊、灌肠等），符合了六腑以通为用，上病下治的方法。

2. 呕吐辨治趋议。

呕吐病名可追溯至《黄帝内经》。《素问·至真要大论》曰："厥阴司天，风淫所胜，则太虚埃昏，云物以扰，寒生春气，流水不冰。民病胃脘当心而痛，上肢两胁，膈咽不通，饮食不下，舌本强，食则呕，冷泄，腹胀，溏泄瘕，水闭。"指出了寒邪和水饮是导致呕吐的重要病机。汉代张仲景创立了许多治疗呕吐卓有成效的方剂，如《伤寒论》中，治疗太阳中风之"干呕"，以桂枝汤调和营卫以散风邪而止呕；治疗少阳病以小柴胡汤和解枢机而止呕；治"伤寒本自寒下，医复吐下之，寒格，更逆吐下，若食入口即吐"，用干姜黄芩黄连人参汤以苦辛通降，益胃止呕。在杂病的呕吐方面，《金匮要略·呕吐哕下利病脉证治》中治"干呕吐逆，吐涎沫"，用半夏干姜散温中止呕；治"干呕，吐涎沫，头痛者"用吴茱萸汤温胃降冲；治"食已即吐者"，用大黄甘草汤泻火降逆；治"呕而肠鸣，心下痞者"，用半夏泻心汤苦降辛开以调中和胃；治"诸呕吐，谷不得下者"，用小半夏汤降逆安胃；治"胃反，吐而渴欲饮水者"，用茯苓泽泻汤化饮止呕等。唐代孙思邈在《备急千金要方》中指出"凡呕者多食生姜，此是呕家圣药"，这一宝贵经验被后世推崇。

本证尚需与五苓散证、半夏泻心汤证、吴茱萸汤证相比较。五苓散证根在气化不利，水饮内停于中下焦，表现为口渴欲饮，饮水则呕，小便不利比较突出；半夏泻心汤证病机为寒热错杂，表现为心烦、口苦、肠鸣、便溏，心下痞必见；吴茱萸汤证属太阴虚寒，阴寒上逆，表现为呕吐与头痛、吐涎沫并现，兼见烦躁、脉沉细迟，阴寒之象明显，患者面色潮红，故非单纯阴寒之征。本案中使用小半夏汤加吴茱萸，化饮降逆，温胃止呕，兼顾太阴不运，实为洞悉病机，咸中肯綮。

回顾整个治疗过程，患者呕吐一症贯穿整个治疗过程中，我们多角度、多方位思考，紧扣病因病机，上病下取，合理运用理法方药并调整给药途径解决了难题。

附：患者舌象详见图48。

降阳明、运太阴通腑泄浊治疗头晕腹胀案例

【基本资料】

罗某某，女，80岁，于2021年8月20日入院。

主诉：反复头晕10余年，加重1周。

现病史：患者于10余年前无明显诱因感头晕，曾到当地医院住院，多次测血压高于140/90mmHg，最高血压170/100mmHg，予口服降压药物治疗后好转出院。此后患者头晕反复发作，其间多次因头晕到医院调整降压方案，目前口服乐卡地平10mg、每日1次降压治疗。1周前患者无明显诱因感头晕较前加重，自觉头重，门诊以高血压收入中医经典科。

既往史：既往有2型糖尿病病史10余年，目前口服阿卡波糖片50mg每日3次，格列美脲片2mg、每日1次降糖治疗，血糖控制不详。3天前曾于其他医院查腹部CT诊断为肝硬化、胆囊结石、左肾萎缩，未特殊处理。

中医四诊：精神状态较差，头晕，头重，腹胀，大便未解，伴有腰痛、膝关节酸痛，进食少，小便通畅，睡眠一般。舌红，苔白腻，脉细涩。

体格检查：生命体征平稳，双肺呼吸音清晰，未闻及干、湿啰音。心率74次/min，律齐，各瓣膜听诊区未闻及病理性杂音，无心包摩擦音。腹膨隆，下腹部轻度按压痛，无反跳痛，无肌紧张，肝脾肋下未触及，肝区、肾区无叩击痛，无移动性浊音。肠鸣音5次/min。

中医诊断：眩晕（太阴证）

西医诊断：高血压2级（极高危）；肠功能紊乱；2型糖尿病；肝硬化；胆囊结石；左肾萎缩

【诊治过程】

一诊：2021年8月20日

中医四诊：患者精神状态较差，头晕，头重，腹胀，大便未解，伴有腰痛、膝关节酸痛，进食少，小便通畅，睡眠一般。查体：腹部膨隆，下腹部轻度按压痛，无反跳痛及肌紧张。舌红，苔白腻，脉细涩。

病机分析：太阴不运，故食少纳呆，气血生化乏源故头晕头重，阳明不降故

大便难解，阳明腑证成实故下腹部压痛。

治法：运太阴，降阳明。

处方用药：大柴胡汤合半夏泻心汤加减，同时予以灌肠通便。

柴胡 20g	黄芩 15g	干姜 15g	法半夏 15g
炙甘草 15g	大枣 15g	赤芍 15g	大黄后下 10g
麸炒枳实 15g	白芍 15g	全蝎 10g	槟榔 15g

1 剂，1 日 3 次，水煎服。

中医特色疗法：普通电针治疗（双侧：关元俞、小肠俞、阿是穴、白环俞；下髎、中髎、腰俞、次髎）、TDP 治疗（腰部）通痹止痛，中药封包治疗（通络止痛膏，腰部）通络止痛，隔物灸治疗（隔姜灸，双侧：秩边、会阳、关元俞）温阳通络，使用 HYJ 智能化炎症治疗机（每日 1 次，腰部）消炎止痛改善腰痛，穴位贴敷治疗（通便贴，双侧水道、归来，神阙）通便。

患者服药后夜间即出现腹胀腹痛明显，但仍不能排大便，伴口干口苦，头晕头重同前。立即行腹部 CT，提示结肠内多量气粪影。

二诊：2021 年 8 月 21 日

中医四诊：患者剧烈腹胀、腹痛，口干口苦明显，纳差，少尿，大便难解，床旁查看患者生命体征尚平稳，右侧腹及右下腹压痛阳性，无反跳痛。舌红，苔中部白腻，脉沉滑数。

病机分析：患者近期大便不通，糟粕内积肠道，阳明不降，中土运化失职，瘀热内阻，左路不升，但右路不降为主要矛盾。

治法：以降阳明、和少阳为主，酌运太阴。

处方用药：大柴胡汤合桃核承气汤，同时给予大承气汤灌肠。

柴胡 40g	焯桃仁 20g	桂枝 15g	麸炒枳实 20g
大黄后下 10g	酒黄芩 15g	赤芍 15g	生半夏先煎 20g
大枣 15	炙甘草 15g	生姜 15g	芒硝冲服 5g

4 剂，每日 1 剂，每日 3 次，水煎服。

灌肠处方：

大黄后下 60g	麸炒枳实 20g	姜厚朴 60g	芒硝 15g

4 剂，水煎，1 日 1 剂，每日 3 次，每次 100ml，灌肠。

患者每次口服中药及灌肠后均解黄色大便，初干后溏，每次量少。

三诊：2021 年 8 月 25 日

中医四诊：患者神清，精神可，未再腹痛，但仍觉腹部胀满，不思饮食，口干、口苦稍减，头晕及头重感减轻，腰部及膝关节疼痛经中医特色疗法治疗后有所改善。查体：腹膨隆，按之胀满，右侧腹及右下腹压痛。舌暗红，苔薄白偏少，脉沉细涩。

病机分析：前方治疗见效，但患者排便仍不通畅，每次量少，考虑阳明热结仍盛，腑实仍重，需增强通降阳明之力。

治法：降阳明。

处方用药：大承气汤。

大黄后下 60g　麸炒枳实 20g　姜厚朴 60g　芒硝冲服 15g

5 剂，每日 1 剂，每日 3 次，水煎服。

服药期间患者每 2 日解大便 1 次，质偏干，每次量较少，腹部胀满逐渐减轻。

四诊：2021 年 8 月 30 日

中医四诊：患者腹部胀满较前明显缓解，仍觉口干，口微苦，头重感不显，偶有头晕，纳差，无恶心、呕吐，无腹痛，夜寐一般。查体：腹膨隆，按之胀满，压痛基本消失，无反跳痛及肌紧张。舌脉同前。

病机分析：阳明得降，热结稍散，腑实微通，邪渐除，患者高龄，太阴本亏，需兼顾正气。

治法：通降阳明。

处方用药：小剂调胃承气汤。

大黄后下 10g　芒硝冲服 10g　炙甘草 15g

3 剂，每日 1 剂，每日 3 次，水煎服。

患者服药后可规律排便，每日 1 次，腹胀继续减轻。

五诊：2021 年 9 月 2 日

中医四诊：患者神清，精神一般，大便每日 1 解，初干后软，腹胀感已减，晨起稍感头晕，口干、口苦，饮食较前有所改善，夜寐安。查体：腹软，无压痛、反跳痛。舌红，苔薄白，有少许裂纹，脉弦滑。

病机分析：考虑患者仍存在少阳郁热，左路升发不利，右路阳明下降不畅，中土亏虚运转失职。

治法：和少阳，降阳明，运太阴。

处方用药：大柴胡汤。

柴胡 80g　酒黄芩 30g　酒黄连 15g　生半夏先煎 40g

麸炒枳实 30g　大枣 20g　大黄后下 20g

3 剂，每日 1 剂，每日 3 次，水煎服。

服药后，患者头晕减，大便较前便稀溏，每日 1~2 次，口干口苦进一步减轻。

六诊：2021 年 9 月 5 日

中医四诊：患者头晕未再发作，进食量较前稍增加，进食后稍感腹胀，微口干，无口苦，无恶心、呕吐，无呃逆、反酸，晨起解稀便 2 次，小便可，夜寐安和。

查体：腹部按压柔软，无压痛、反跳痛及肌紧张。舌红，苔薄白，有少许裂纹，脉细滑。复查腹部增强 CT 提示结肠已无气粪影。

病机分析：患者少阳、阳明经证已除，需顾护中土。

治法：健运太阴，稍降阳明经热。

处方用药：厚朴生姜半夏甘草人参汤加味。

姜厚朴 45g	生半夏[先煎] 45g	炙甘草 20g	人参 10g
麦芽 30g	炒稻芽 30g	山楂 30g	山药 20g
太子参 30g	炒鸡内金 20g	酒黄连 3g	生姜 15g

3 剂，每日 1 剂，每日 3 次，水煎服。

服药后，患者食欲进一步改善，进食后无明显腹胀，无口干口苦，大便通畅，1~2 次 / 日，未成形，予处方 3 剂至出院。

【按语】

1. 本案病机：太阴亏虚为本，阳明腑实为标，急则治其标。

本案患者高龄，虽以头晕为主诉，然腹胀、大便难解为入院当下之所急所苦。病机为太阴本亏，运化失司，加之既往喜食肥甘厚味，更伤中土，土虚湿盛，左路升发失常，相火夹湿上扰清窍故而头晕，相火灼伤津液，故口干口苦，左路不升，右路不降，故入院时便有大便不通之症。住院期间更是出现大便不解、腹痛剧烈的情况，结合圆运动的思想理论，中气者兼顾四维，为阴阳升降之枢纽，太阴脾土斡旋失职，阳明右路下降失权，阳明燥热与糟粕相结，则发病。

首诊以大柴胡汤合半夏泻心汤为主方，《伤寒论》第 149 条："伤寒五六日，呕而发热者，柴胡汤证具，而以他药下之，柴胡证仍在者，复与柴胡汤。此虽已下之，不为逆，必蒸蒸而振，却发热汗出而解。若心下满而硬痛者，此为结胸也，大陷胸汤主之；但满而不痛者，此为痞，柴胡不中与之，宜半夏泻心汤。"痞之形成，皆为误治所致，尤其误下，易损伤脾胃。由此致脾胃呆滞，运化失职，湿浊内生，阻滞气机，故心下痞硬；升降失常，气机逆乱，则肠鸣；清气不升，则下利；浊阴不降，则呕吐；湿浊中阻，则舌苔常腻。半夏泻心汤证之病机，应为脾胃呆滞，湿浊中阻，升降失常。患者虽有太阴亏虚，亦合并阳明腑实，虽有大黄、枳实、槟榔之通腑，然亦有干姜、甘草之佐制，总体而言，半夏泻心汤为平调寒热，补益除湿止泻之方，患者虽有太阴不运，补益太阴则阳明腑实加重，故用后腹胀加重，腹痛明显。

《素问·标本病传论》曰："小大不利治其标，小大利治其本。"如果大小便不正常，当先处理大小便的问题。随后根据其口干口苦明显，腹胀痛剧烈的表现，结合舌脉，明确其大便秘结是亟待解决之所急所苦，及时调整治疗以通降阳明为主，以大柴胡汤、桃核承气汤、大承气汤联用，使患者在较短时间内瘀热得下而腹胀显著减轻。

2. 从病位与病情的轻重缓急探讨下法的运用。

大便难是阳明病重要的标志性症状。《伤寒论》承气汤类方主要有三承气汤(大承气汤、小承气汤、调胃承气汤),还有桃核承气汤、麻子仁丸,另外如大陷胸汤、大陷胸丸,也属于广义的下法类方。

《伤寒论》承气汤证用药有着细微的区别,旨在病情轻重缓急的不同,大承气汤为“峻下剂”,治以阳明热结之重证,小承气汤为“轻下剂”,治以阳明热结之轻证,调胃承气汤为“缓下剂”,治以阳明燥热内结之证,桃核承气汤则主治瘀热互结之证。

对三个承气汤的方药进行归纳对比后发现,大黄是主药,用量都是四两。小承气汤、大承气汤中并无甘草,甘草具有调和药性、顾护太阴、和里缓急的作用,如白虎汤用到了甘草。但阳明腑实证,邪热里实,应集中力量攻逐邪气,此时甘草之甘缓并不适合。所以在小承气汤、大承气汤中,并不用甘草。调胃承气汤的组成是大黄、芒硝、炙甘草。“调胃”即调和胃气,紧扣了阳明病的提纲“胃家实”。《伤寒论》第 70 条曰:“发汗后,恶寒者,虚故也。不恶寒,但热者,实也,当和胃气,与调胃承气汤。”可见实热在里,治疗当攻逐邪热。调胃承气汤临床不必有便秘的表现,主要是以泻代清,后世凉膈散中也包含调胃承气汤,也是起到以泻代清的作用。

大黄黄连泻心汤用大黄也是清热除邪,但大便干、便秘不是主要指征,其更多的是祛除上焦邪热,与小承气汤、大承气汤以攻逐邪气为主不同。患者虽中土亏虚,但病情变化之时,为阳明热盛,故以承气汤类药物通降阳明。初期使用桃核承气汤效果甚微,因患者糟粕内积,久而成实,阳明腑实之痞、满、燥、实四大症俱备,非用大承气汤不能除。但长期使用大黄、芒硝等峻下药物,必伤正气,加之患者高龄,太阴本亏,故待邪气去除后,选取顾护中气、健运太阴之品,如厚朴生姜半夏甘草人参汤。患者太阴不运,脾土素虚,通腑泻热后当顾护脾气,否则运化功能失调,湿浊阻滞,气机壅滞不通,则腹胀满又作,此虚胀不食又当合用健脾消导之品。抓住虚实之变,及时调节处方,乃“观其脉证,知犯何逆,随证治之”之精神体现。

附:治疗前后患者舌象变化详见图 49、图 50。

和少阳、调营卫治疗腹痛案例

【基本资料】

吴某某,女,52 岁,于 2021 年 10 月 9 日入院。

主诉：腹痛1年，加重1周。

现病史：患者于1年前无明显诱因出现腹部胀痛，以中上腹为甚，常波及前胸、两胁、后背，疼痛部位不固定，受凉及生气时加重，食欲减退，伴反酸、嗳气，头昏沉感，至重庆市某医院就诊，完善检查后诊断为慢性胃炎，予抑酸护胃、止痛等口服药物治疗后无明显改善。此后患者上述症状时轻时重，于当地医院多次就诊，经口服药物治疗后，整体病情无明显好转。入院前1周患者无明显诱因出现腹部胀痛加重，以中上腹为甚，疼痛波及胸胁部、后背，伴反酸、嗳气，饥饿时明显，进食后不能缓解，大便不规律，每日解大便7~8次，大便稍干结，解便前腹痛加重，解便后部分缓解，伴四肢多处疼痛，头昏沉感，动则多汗，夜间潮热盗汗。发病以来患者精神状态较差，腹部胀痛，伴四肢多处疼痛，夜间潮热盗汗，多食易饥，进食后仍觉饥饿，口干不欲饮水，失眠，体重无明显变化，大便7~8次/日，大便稍干结，小便正常。

既往史：3年前于某医院行胆囊保胆取石术（具体不详）。

中医四诊：望之少神、表情正常，面色少华，形体适中；活动自如、精神较差、发育正常、营养良好；声音洪亮、言语清晰、呼吸如常、无咳嗽咳痰，无呕吐，无太息、呻吟、腹鸣之声；无异常气味。舌红，苔中后部黄厚腻，脉弦涩。

体格检查：体温36.2℃，脉搏72次/min，呼吸20次/min，血压145/89mmHg。腹部柔软，腹部无压痛，无反跳痛，腹部无包块。肝脾脏肋下未触及，墨菲征阴性，麦氏点无压痛、反跳痛，肝肾区无叩击痛，无移动性浊音。肠鸣音未见异常，4次/min。

辅助检查：胸部+全腹部CT平扫：双肺多发钙化灶；双肺间质性改变可能；胆囊结石，胆囊底憩室可能；右肾结石；左侧附件囊肿可能。腹部彩超：胆囊结石；肝、胰、脾、双肾未见确切异常。肠镜：结直肠无特殊发现。胃镜：慢性非萎缩性胃炎；胃多发息肉圈套切除术+内镜下氩离子束凝固术。

中医诊断：腹痛（少阳证）

西医诊断：慢性非萎缩性胃炎；失眠；胆囊结石；右肾结石；胃息肉

【诊治过程】

一诊：2021年10月9日

中医四诊：患者精神较差，腹部胀痛，以中上腹为甚，疼痛波及前胸、两胁、后背，伴反酸、嗳气，伴四肢多处疼痛，头昏沉感，动则多汗，夜间潮热盗汗，多食易饥，进食后仍觉饥饿，口干不欲饮水，失眠，大便7~8次/日，大便稍干结，小便正常。舌红，苔中后部黄厚腻，脉弦涩。

病机分析：少阳枢机不利，胆木横克中土，故见腹痛；气机不畅，故见胀痛，波及胸胁、后背；胃气不和，逆而上冲，故见反酸、嗳气；少阳相火移于胃，胃中客热，则见消谷善饥，但脾土亏虚不能运化水谷，食入而大便次数多；脾土虚损，运化不及，水湿内盛，与少阳相火相合，遂成湿热互结，湿浊蒙蔽清窍，则见头昏沉；湿热扰心，则夜不能寐；湿热熏蒸，夜间潮热盗汗；营卫不和，动则出汗。舌红、苔中后部黄厚腻、脉弦涩为少阳郁结、湿热内结之象。

治法：开太阳，和少阳。

处方用药：柴胡桂枝汤加味。

桂枝 15g	酒黄芩 15g	生晒参 15g	炙甘草 10g
生半夏[先煎] 20g	白芍 15g	大枣 15g	北柴胡 30g
竹茹 15g	麸炒枳实 15g	陈皮 10g	茯苓 20g
生姜 15g			

3剂，每日1剂，每日3次，水煎服。

服药后，患者腹胀痛及胸胁痛减轻，大便次数较前减少。仍肢体酸痛。

二诊：2021年10月12日

中医四诊：患者精神好转，腹部胀痛、胸胁部疼痛明显减轻，头痛而沉重，颈肩部僵痛，四肢疼痛，喉间有痰，夜间潮热盗汗减轻，纳可，睡眠改善，大便通畅，小便正常。舌红，苔白腻，脉弦涩。

病机分析：少阳枢机渐通，仍有湿邪困阻在表里，气机壅滞，在表则肩颈及肢体酸痛，在里则腹胀腹痛。

治法：继守前法，于前方基础上加强理气化湿、轻宣气机之力。

处方用药：柴胡桂枝汤加味。

桂枝 15g	酒黄芩 15g	生晒参 10g	炙甘草 10g
生半夏[先煎] 20g	白芍 15g	大枣 15g	柴胡 30g
姜厚朴 15g	麸炒枳实 15g	陈皮 10g	茯苓 20g
紫苏梗 10g	焯苦杏仁 10g	豆蔻 10g	薏苡仁 30g
葛根 40g	麻黄 10g		

3剂，每日1剂，每日3次，水煎服。

【预后及转归】

患者精神可，无明显腹胀满、胸痛，头痛缓解，颈肩部僵痛及四肢疼痛明显改善，饮食可，夜寐安，二便调。舌红，苔薄白，脉弦涩。病情好转，守方带药出院。

【按语】

1. 从运气学说之太阴湿土，土陷郁木致腹痛的思考。

《素问·气交变大论》："岁土太过，雨湿流行，肾水受邪，民病腹痛……"2021年为壬寅年，为太阴湿土司天，太阳寒水在泉之年，符合上述年运导致腹痛的机理。《四圣心源》曰："腹痛者，土湿而木贼之也。"生理情况下，乙木升于己土，甲木降于戊土，肝脾左旋，胆胃右转，土气回运而木气条达，故不痛也。水寒土湿,脾气陷而胃气逆,肝胆郁遏,是以痛作。盖乙木上升,是为枝叶,甲木下降,是为根本。脾陷则乙木之枝叶不能上发,横塞地下而克己土,故痛在腹。

患者以腹痛、大便不畅为主要表现,看似病位在脘腹肠胃的里证。然其疼痛呈游走样,伴心烦、口干、多关节疼痛,结合舌脉,乃为情志不调,少阳枢机不利,胆木横克中土之兆。情志不调,少阳枢机不利,胆木横克中土,气机不畅,故见腹痛、反酸、嗳气;少阳太阳经脉循行于颈项肩背部,经脉不疏,故颈肩部僵痛;营卫不和,动则出汗。《伤寒论》第 146 条:"伤寒六七日,发热,微恶寒,支节烦疼,微呕,心下支结,外证未去者,柴胡桂枝汤主之。"柴胡桂枝汤以小柴胡汤、桂枝汤各半量,合方而成。小柴胡汤在《伤寒论》中是治疗少阳病的主方,而少阳多郁,郁则气机升降出入之机失于枢转,必将影响中土运化。

2. 太阴不运,少阳枢机失和而致太阳不开,和解枢机是调和营卫的基础。

《伤寒论》第 96 条曰:"伤寒五六日,中风,往来寒热,胸胁苦满,嘿嘿不欲饮食,心烦喜呕,或胸中烦而不呕,或渴,或腹中痛,或胁下痞硬,或心下悸,小便不利,或不渴,身有微热,或咳者,小柴胡汤主之。"小柴胡汤的或然证中即提到了"或腹中痛"。《伤寒论》第 230 条曰:"上焦得通,津液得下,胃气因和,身濈然而汗出解也。"三焦通利,中土斡旋复常,同时桂枝汤又有调和营卫、调和阴阳、调和脾胃之效。该患者病机为太阳少阳合病,方证相合,故选柴胡桂枝汤以开太阳、和少阳。

少阳统管足少阳胆腑与手少阳三焦经,是人体的枢纽,有疏利三焦的作用。少阳胆腑清利,则肝气条达,枢机运转,三焦通畅,脾胃方可升降有序。《素问·阴阳离合论》曰:"是故三阳之离合也,太阳为开,阳明为阖,少阳为枢。""是故三阴之离合也,太阴为开,厥阴为阖,少阴为枢。"少阳外邻二阳,内贴三阴,位居表里之间主半表半里,是水火气机运行之道路,阳气的内外出入自与之密切相关。"少阳"为祛除邪气之通道,少阳胆为六经之枢,无论外感内伤,皆可取其使病邪向外转输的作用。

该患者虽腹痛而无腹胀,大便次数多而不畅,但按压腹部并无痛感,即知内无燥结,其脉浮而略弦涩,问答不乱,声音正常,确非里证。腹痛波及两胁,兼口干,实为少阳经不利之征,脉涩为营血亏虚之兆。小柴胡汤和解少阳,调畅枢机,桂枝汤调和营卫,解肌疏风,补津液而养血。一主调气,一主和营,两方合用气血双调而疗效甚佳。柴胡桂枝汤中桂枝辛温,能活血、祛风湿、温通经脉、利关节;芍药入血分,能和血脉、缓急止痛;芍药配甘草,即芍药甘草汤,可缓挛急、止疼痛;柴胡、黄芩和解少阳、疏利三焦;半夏、生姜和胃降逆,人参、炙甘草、大枣健脾益气;此方调和营卫、利枢机、通经脉、和气血,取攻补兼施之效,故患者服用后疗效甚佳。

柴胡桂枝汤多用于表证未尽,邪入少阳而见表里同病,临床应用甚广,用于外感病、肝胆疾病、痹证、神经症，只要病机贴切，灵活加减运用，则效如桴鼓。

通降阳明法治疗过敏性紫癜案例

【基本资料】

苏某某，女，68 岁，于 2020 年 9 月 1 日入院。

主诉：反复双侧踝部瘀斑瘀点 5 年，加重 1 天。

现病史：患者于 5 年前无明显诱因出现双侧踝部皮肤散在大小不一瘀斑、瘀点，伴瘙痒不适，搔抓后可见风团，无发热、畏寒，无踝关节红肿、疼痛等不适，无腹痛、便血、血尿等，无尿频、尿急、尿痛等不适，曾多次于当地医院就诊，予以中成药（具体药物不详）治疗，皮肤瘀斑、瘀点可逐渐缓解，后上述症状反复发作，自行休息 3~4 天可缓解，自诉曾有尿隐血阳性史，治疗后复查正常。1 天前，患者因久坐后再次出现双侧踝部瘀斑、瘀点，伴轻度瘙痒不适，无发热、咳嗽、咳痰，无胸闷、心悸，无腹痛、腹泻，无踝部红肿、疼痛等不适，休息后未见减轻，今为进一步治疗来我院就诊，门诊以“紫癜”收入中医经典科。发病以来患者双侧踝部皮肤可见散在瘀斑、瘀点，精神状态一般，平素怕冷，饮食正常、夜寐不安，每天睡眠时间约 4 小时，体重无明显变化，大便偏干，1 天 1 次，小便欠畅，尿线细。

既往史：有高血压病史 6 年余，诉服药控制血压良好，否认慢性肝病、肾病、血液系统疾病史。

中医四诊：面色正常，望之有神，声音洪亮。双侧踝部皮肤可见散在瘀斑、瘀点，平素怕冷，饮食正常、夜寐不安，睡眠时间每天 4 小时，大便偏干，1 天 1 次，小便正常。舌红，苔少，脉弦滑。

体格检查：生命体征正常。心、肺、腹未见异常。双侧踝部皮肤可见散在大小不一的瘀斑、瘀点，局部皮温正常。右侧踝部浮肿。

辅助检查：查血常规、凝血四项未见明显异常。

中医诊断：紫癜（阳明实证）

西医诊断：过敏性紫癜

【诊治过程】

一诊：2020 年 9 月 1 日

中医四诊：患者精神状态一般，言语清晰流利，双侧踝部及胫前皮肤可见散在瘀斑、瘀点，稍畏寒，饮食正常、夜寐不安，体重无明显变化，大便偏干，排便不畅，小便欠畅，夜尿1次。舌红，苔少，脉弦滑。

病机分析：患者老年女性，失于摄养，邪热内生，灼伤津液，肠燥津亏，则见大便干，热入血络，血溢脉外，则见皮下瘀斑、瘀点，热扰心神，阳不入阴，则见睡眠不安。舌红、苔少，脉弦滑，均符合阳明实证表现。

治法：通降阳明，泻热祛瘀。

处方用药：桃核承气汤。

桃仁 20g　桂枝 12g　大黄后下 15g　芒硝冲服 12g

炙甘草 12g

1剂，每日3次，水煎服。

中医特色疗法：耳穴压丸治疗、穴位贴敷治疗、中药热奄包治疗（腹部），以调和五脏、舒经通络、健运中土。

服药后，患者解黄软大便1次，睡眠有改善。

二诊：2020年9月2日

中医四诊：患者双侧踝部瘀斑瘀点较前减退，精神可，纳可，睡眠安，大便已解，为黄色软便，小便较前通畅，尿线细稍好转。舌红，苔少，脉弦滑。

病机分析：阳明得降则大便通畅，血得热则行，里热减则瘀斑瘀点减轻。

治法：同前。

处方用药：守前方治疗1剂。

服药后，患者皮下瘀斑瘀点进一步消退，解黄软便1次。

三诊：2020年9月3日

中医四诊：患者双侧踝部瘀斑瘀点明显减退，右侧踝部浮肿较前好转，精神可，纳眠可，大便为黄色软便，小便较前通畅。舌红，苔少，脉弦滑。

病机、治疗及用药：同前，中药继续守前方治疗1剂。

四诊：2020年9月4日

中医四诊：患者双侧踝部瘀斑瘀点明显减退，仅留少量瘀点，纳、眠可，大便泄泻1次伴轻度腹痛，小便正常。舌淡红，苔少，脉弦细。

病机分析：患者热邪已去，考虑太阴虚寒，中土不运。

治法：温运中土，鼓舞肾气。

处方用药：附子理中汤加肾四味。

白附片先煎 12g　干姜 15g　生晒参 15g　白术 15g

炙甘草 15g　菟丝子 10g　枸杞子 10g　补骨脂 10g

淫羊藿 10g

3剂，每日1剂，每日3次，水煎服。

【预后转归】

患者双侧踝部瘀斑瘀点完全消退，纳、眠可，无畏寒怕热，未再腹泻，大小便无异常。舌淡红，苔薄白，脉细滑。守9月4日方7剂带药出院。

【按语】

1. 本案病机：阳明里热攻冲，血溢肌表。

本患者为一例老年过敏性紫癜患者，既往反复发作，此次入院后未予以激素及免疫抑制剂治疗。根据六经辨证，先后采用经方桃核承气汤、附子理中汤治疗，同时结合中医特色疗法，患者皮下瘀斑、瘀点完全消退，治疗效果满意。

过敏性紫癜病程较长，容易复发，目前尚无特效治疗方法，病情重者多采用激素、免疫抑制剂，副作用较多且疗效尚不确定。紫癜亦称紫斑，以血液溢于皮肤、黏膜之下，出现瘀点瘀斑，压之不褪色为其临床特征。中医虽无过敏性紫癜的病名，但根据其临床表现则归属于“发斑”“肌衄”“尿血”“肠风”“水肿”等范畴。

对紫癜的病机，《素问·刺四时逆从论》中即有论述：“少阴有余，病皮痹隐疹。”指出邪热客于少阴，则出现皮疹血溢。《素问·六元正纪大论》又说：“炎火行，大暑至，山泽燔燎……故民病少气，疮疡痈肿，胁腹胸背，面首四支，䐜愤胪胀，疡痱呕逆，瘛疭骨痛，节乃有动，注下温疟，腹中暴痛，血溢流注……”进一步指出紫癜在自然界炎热气候的影响下，血随热胀，更易发作。且所描述的“注下温疟”“血溢流注”与该患者症状极为类似，过敏性紫癜患者如表现为腹型者，常伴腹痛，也与经文中描述相符。后世医家朱丹溪亦认为发斑主要由热盛所致，《丹溪手镜》说：“发斑，热炽也。”明代张景岳在《景岳全书》中针对发斑也指出：“血有虚而微热者，宜凉补之。”清代郑寿全《医法圆通》云：“按：发斑一证，有由外入而致者，有由内出而致者。外入而致者，由外感一切不正之气，伏于阳明。阳明主肌肉，邪气遏郁，热毒愈旺，忽然发泄，轻则疹痒，重则斑点，或如桃花瓣，或如紫云色，大小块片不等。”病因不离“热、毒、瘀、虚”四方面，病机则分为血热血瘀属实、脾肾两虚属虚两方面。治疗方面，针对实证，有清热解毒、凉血止血、凉血化斑等方法。

2. 阳明血证与咸寒法。

阳明病有阳明在经之“大热、大渴、大汗、脉洪大”证，当以石膏为代表的辛寒法治疗；有阳明在腑之“痞、满、燥、实”证，当以承气汤类之苦寒法；有“心烦不得眠”之阳明热扰心神证，当以栀子豉汤类之酸寒法；有衄血、尿血、皮下出血为表现的阳明血证，当用桃核承气汤为代表的咸寒法。

本例患者皮下出血的同时望之有神、声音洪亮、舌红，苔少，脉弦滑的表现。四诊合参，考虑为阳明实证，兼有血瘀，故予以桃核承气汤，既降阳明里热，又破瘀散结，效果显著。桃核承气汤首载于仲景《伤寒论》：“太阳病不解，热结膀胱，其人如狂，血自下，下者愈。其外不解者，尚未可攻，当先解其外。外解已，但少腹急结者，乃可攻之，宜桃核承气汤方。”用于治疗太阳表邪不解，外邪化热入里与血结于膀胱之证。《伤寒论》中膀胱，乃指下焦，相对于上中焦而言，是脐以下部位，广义可延伸至双下肢。患者“蓄血”之证，不仅可表现为下腹满、胀痛、发狂，亦可在热毒迫血妄行的情况下表现为血溢脉外，热扰心神而表现为失眠心烦，热灼营血、脉络受损而出现小便不利（尿线细）。

桃核承气汤由桃仁五十个、大黄四两、桂枝二两、炙甘草二两、芒硝二两组成。其中桃仁辛润以活血祛瘀；大黄苦寒以泻热逐瘀；芒硝咸寒以清热润燥、软坚散结；桂枝辛温以通阳行气、活血散结，并可监制硝黄寒凉之药性，防其凝滞气机、反助血结；炙甘草甘平以补中缓急；全方具有泻热逐瘀、调形治神之功。患者服药后，瘀热得除，瘀血得消而瘀斑自退。治疗后期患者出现腹泻，后经及时调整经方治疗思路，以温阳益气除湿而解，乃遵《素问·五常政大论》之旨“常毒治病，十去其七”，攻邪大半后不忘扶正。故唐容川在《血证论》中提出治血四大步骤：“惟以止血为第一要法……故以消瘀为第二法。止吐、消瘀以后，又恐血再来潮动，则需用药安之，故以宁血为第三法。邪之所凑，其正必虚。去血既多，阴无有不虚者矣……故又以补虚为收功之法。”不忘经典，谨遵古训，遣方治病，方能疗效显著。

附：治疗前后患者双下肢对比详见图 51、图 52。

泻心汤类方辨治泄泻案例

【基本资料】

周某某，女，62 岁，于 2020 年 6 月 6 日步行入院。

主诉：腹泻 1 天。

现病史：1 天前患者无明显诱因出现腹泻，共解大便 5~6 次，质稀，呕吐 2 次，呕吐物为胃内容物，伴有呃逆，反酸，偶有咳嗽，无腹痛腹胀，咳少量白色泡沫痰，伴鼻塞。未予特殊处理。今为进一步治疗来我院就诊，门诊以“腹泻”收入中医经典科。发病以来一般情况：患者精神不振，怕热，口干口苦，喜冷饮，易汗出，纳差，夜寐安，近 1 个月体重减轻 5kg，大便次数多，质稀，小便正常。

既往史：10 余日前于当地某中医院诊断为血小板减少症，未予进一步明确病因，无明显皮下出血，目前口服利可君片治疗。

中医四诊：望之少神，表情正常，面色少华，体形消瘦，精神不振，语声有力，言语不清，呼吸如常，无咳嗽咳痰，呻吟，无太息、腹鸣之声。舌暗红，苔黄厚腻，脉弦细。

体格检查：双肺呼吸音清晰，双侧肺未闻及干、湿啰音，心率 120 次 /min，律齐，各瓣膜听诊区未闻及病理性杂音。腹部柔软，无压痛、反跳痛，腹部无包块。肝脏肋下未触及，脾脏肋下未触及，墨菲征阴性，麦氏点无压痛、反跳痛，肝区无叩击痛，肾区无叩击痛，无移动性浊音。肠鸣音未见异常，4 次 /min。

辅助检查：2020 年 5 月 23 日查血常规示血小板 19×10^{9}/L。2020 年 6 月 6 日入院查血常规示白细胞 7.54×10^{9}/L，中性粒细胞 85.7%，淋巴细胞 0.69×10^{9}/L，红细胞 4.20×10^{12}/L，血红蛋白 126g/L，血小板 29×10^{9}/L；肝功能检查示 ALT41U/L，AST54U/L，GGT170U/L。肾功能检查示尿素 15.50mmol/L，肌酐 212μmol/L，血尿酸 532μmol/L。C 反应蛋白 63.98mg/L，降钙素原 4.15ng/ml。HIV 抗体筛查可疑阳性。胸部 CT 提示粟粒状结节影。该患者不排外 HIV 感染可能，外送复查其 HIV 抗体标本。

中医诊断：泄泻（少阳、太阴合病，寒热错杂）

西医诊断：急性胃肠炎；血小板减少

【诊治过程】

一诊：2020 年 6 月 6 日

中医四诊：患者精神不振，偶有咳嗽，咳少量白色泡沫痰，伴鼻塞，怕热，口干口苦，喜冷饮，易汗出，纳差，夜寐安，近 1 个月体重减轻 5kg，大便次数多，质稀，小便正常。舌暗红，苔黄厚腻，脉弦细。

病机分析："脾主四肢肌肉"，患者就诊时体形消瘦，可知其太阴脾土素虚，土虚木郁，少阳枢机不利，水湿运化无权，湿浊内蕴，下注肠道，水谷精微而反成水湿，发为泄泻。三焦水道不利，津液输布失常，不能上承，故出现口干口苦，喜冷饮。少阳相火不降，在上可见咳嗽咳痰，鼻塞，口干口苦、呕吐、呃逆等热象，在下可见大便次数多，质稀等寒象，结合舌脉，可知其寒热错杂，病位在少阳，与太阴脾相关。当以和解之法，平调寒热。

治法：和解少阳，寒热平调。

处方用药：半夏泻心汤。

生半夏(先煎) 20g	黄芩 15g	干姜 15g	生晒参 15g
酒黄连 10g	大枣 15g	炙甘草 15g	

2 剂，每日 1 剂，每日 3 次，水煎服。

中医特色疗法予穴位敷贴双侧天枢、中脘、神阙，耳穴压丸脾、胃、皮质下、内分泌以补益中土，疏利气机。

服药后，患者大便次数减少。

二诊：2020 年 6 月 8 日

中医四诊：腹泻缓解，昨日解不成形便 1 次，未诉腹痛、腹胀等不适，有反酸、呃逆症状，口干口苦，仍有咳嗽咳痰，精神不振，纳、眠可，小便正常。舌暗红，苔黄厚腻，脉弦细。

病机分析：服上方后气机得以枢利，中土渐运，土气渐盛，木气亦得疏泄，故大便次数减少，方证相符，但大便仍未成形，续守原方，并兼顾肺气以化痰。

治法：和少阴，运太阴，化痰浊。

处方用药：前方中加用金荞麦 20g、冬瓜子 20g，2 剂。

服药后，患者大便较前成形，口干口苦有减轻。

三诊：2020 年 6 月 10 日

中医四诊：仍有咳嗽，咳白色黏痰，大便已成形，余症状同前。舌暗红，苔黄厚腻，脉弦细。

病机分析：患者本底太阴虚寒，故见腹泻，纳差，消瘦；少阳为标，故见口干口苦，怕热，苔黄腻，脉弦细。太阴虚寒，少阳枢机不利，里虚痰饮上冲。

治法：温运中土，和解少阳，疏利气机。

处方用药：黄芩加半夏生姜汤。

黄芩 18g　白芍 12g　炙甘草 12g　大枣 24g

生姜 9g　生半夏先煎 24g

1 剂，每日 3 次，水煎服。

服药后，患者咳嗽咳痰明显减轻，大便基本成形，口干口苦减轻。

四诊：2020 年 6 月 11 日

中医四诊：咳嗽咳痰缓解，大便正常，精神较前好转，口干口苦减轻。舌暗红，苔黄厚腻，脉弦细。

辅助检查：血小板 71×10^9/L，肝功能检查示 γ- 谷氨酰基转移 204U/L，碱性磷酸酶 226U/L，胆碱酯酶 3 771U/L，腺苷脱氨酶 32.68U/L。肾功能检查示尿素 9.78mmol/L，肌酐 138μmol/L，血尿酸 454μmol/L。C 反应蛋白 46.78mg/L。降钙素原 0.61ng/ml。

病机分析：上方中半夏、生姜入上焦而止呕，甘草、大枣入中焦而和胃，黄芩、白芍入下焦而止利，故服上方后正气安而邪气去，三焦和而呕利止，症状较前明显好转。

处方用药：守前方 1 剂。

服药后，患者无明显咳嗽咳痰，大便正常，口干口苦继续缓解。

【预后及转归】

因患者症状明显缓解，患者及家属要求回家继续调养，于 2020 年 6 月 12 日带药出院，建议其至西医院进一步明确血小板减少原因。1 周后电话随访患者生活如常，无出血倾向。3 周后接我院预防保健科电话告知其外送艾滋病抗体阳性。

【按语】

1. 本案病机:太阴本虚,少阳郁热攻冲,寒热错杂。

患者中老年女性,有血小板减少病史。《灵枢·决气》云:"中焦受气取汁,变化而赤是谓血"。唐容川在《血证论》中提到"食气入胃,脾经化汁,上奉于心,心火得之,变化而赤,是之谓血"及"治血者,必以脾为主,乃为有要"。结合其初次就诊时面色少华、体形消瘦、精神不振、纳差、腹泻、呕吐、反酸等症状,该病证根本病位在太阴脾胃,太阴虚损,土虚木郁,少阳枢机不利,水湿运化无权,分走肠间而成泄泻。

《素问·经脉别论》:"饮入于胃,游溢精气,上输于脾,脾气散精,上归于肺,通调水道,下输膀胱,水精四布,五经并行,合于四时,五脏阴阳,揆度以为常也。"中焦太阴的气机运化关系着全身水液的输布,因此患者在上出现了咳嗽咳痰、呕吐、反酸等症状,在下出现泄泻,同时患者兼有怕热、口干口苦等化热之象,此乃太阴虚耗,生化无源之征,故患者血小板减少。初次处方予半夏泻心汤和解少阳,寒热平调,兼顾太阴,《金匮要略·呕吐哕下利病脉证治》中提到"呕而肠鸣,心下痞者,半夏泻心汤主之"。方中生半夏味辛、温,能消痰饮满结,上能和胃降逆止呕,下能治肠鸣泄泻,合干姜之辛热,散中焦之寒气且化痰,既有温运太阴之功,又可消内蕴之痰结;黄连、黄芩苦寒降泄,除湿浊蕴热,则口干口苦得解,佐以人参、甘草、大枣甘温调补,补中焦之虚以复其升降之职。因方证对路,患者服药后大便虽仍不成形,但次数明显减少。

2. 从少阳、太阴论黄芩加半夏生姜汤。

后患者仍反复咳嗽,咳白色黏痰,考虑患者其本为太阴虚寒,其标为少阳之热。太阴、少阳,标本同气,此二经病则从本:太阴无热证,从其本(太阴湿土),故病寒湿;少阳无寒证,少阳从其本(少阳相火),故病郁热攻冲。调整处方为黄芩加半夏生姜汤。《伤寒论·辨太阳病脉证并治》曰:"太阳与少阳合病,自下利者,与黄芩汤;若呕者,黄芩加半夏生姜汤主之。"黄芩加半夏生姜汤由黄芩汤加生姜、半夏而来,黄芩汤为治里热下利之祖方,其治疗重心偏于因胃肠功能失职导致的少阳经证,如下利、腹痛、口苦、脉弦数等,而出现"若呕",加用生姜、半夏,则兼顾太阴虚损之证,因此运用该方黄芩、白芍清少阳相火之邪热,生姜、半夏开太阳之闭,化太阴之湿,大枣、生姜补太阴之气,两经同治,使正气安而邪气去,三焦和而呕利止,诸证自愈。回顾整个治疗过程,不见咳止咳、见泻止泻,六经辨治的整体观念在该案治疗中体现得淋漓尽致,恪守经方,疗效尽显。

附:患者入院前后舌苔变化详见图53、图54。

宣畅气机,化湿解郁法治疗颈椎病案例

【基本资料】

郑某某,男,47岁,于2019年11月22日入院。

主诉:肩颈痛伴头晕恶心半年,加重1周。

现病史:患者于半年前受凉后感肩颈部僵硬疼痛,伴双上肢麻木,头晕,天旋地转感,双脚踩棉花感,严重时呕吐,呕吐物为胃内容物,未予特殊处理。上述症状多于劳累及受凉后加重,休息后可缓解。入院前1周患者饮酒过量后出现肩颈痛加重,伴呕吐黄色胃内容物数次,在社区输液治疗后,呕吐减轻,但仍肩颈僵硬疼痛,头晕,恶心,伴胃脘部隐痛,口苦,双上肢麻木,为求进一步诊治入中医经典科。

既往史:专职科研人员,近期有过度劳累史,有高原短期生活工作史。既往病史无特殊。

中医四诊:望之少神,精神状态一般,营养良好,形体适中。舌偏红,苔黄腻。言语清晰,声音洪亮,无咳嗽、腹鸣、呻吟之声。未闻及异常气味。肩颈部僵硬疼痛,伴双上肢麻木,头晕,胃脘部隐痛,长期双脚发凉(夏天穿袜),怕冷,有冷痛感,手足发麻,手心出汗,腰膝酸软,颈肩酸痛,耳鸣,时头昏,脱发,乏力疲倦,纳一般,夜寐不安,多梦易醒。小便有泡沫,大便黏腻。舌暗红,苔黄腻,脉弦。

体格检查:生命体征正常。心肺及腹部查体未见异常,颈椎生理曲度变直,颈软无抵抗,颈4/5、5/6椎体棘突旁压痛(+),双侧斜方肌局部压痛(+),压颈试验(+),双侧臂丛牵拉试验(+),双上肢活动正常,双手触觉轻度减退。

辅助检查:三大常规、肝肾功能、电解质、血脂未见明显异常。双侧颈动脉、椎动脉未见异常。心脏彩超:左室舒张功能减退。头颅、颈椎MRI:颅内深部白质区散在少许缺血灶。颈4/5、5/6椎间盘轻度突出。颈椎退行性变性。

中医诊断:痹证(太阴证);虚劳(太阴证)

西医诊断:颈椎病;颈椎退行性变性

【诊治过程】

一诊:2019年11月23日

中医四诊:患者肩颈部僵硬疼痛,恶心欲呕,胃脘隐痛,口苦,头晕,天旋地转感,双脚踩棉花感,双手麻木,每日上午十点到下午三点间头晕甚,腰膝酸软,手心多汗,双脚冰凉,脱发,纳一般,夜间多梦,小便多泡沫,大便黏腻。舌暗红,苔黄腻,脉弦。

病机分析:太阴本虚,湿浊内蕴,加之酒后伤脾,则脾虚湿更盛,太阴不能运化水湿,中气不足兼湿浊上犯清窍,则见头晕、视物旋转;湿浊留滞肌肉关节,则肩颈部僵硬疼痛;湿热蕴结大肠,则见大便黏腻。

治法:运太阴,化湿浊。

处方用药:香砂六君子汤合三仁汤加味。

木香 15g	砂仁后下 15g	生晒参 30g	白术 30g
茯苓 30g	炙甘草 30g	苦杏仁 15g	薏苡仁 30g
豆蔻后下 15g	滑石 20g	法半夏 15g	姜厚朴 15g
通草 15g	淡竹叶 15g	葛根 30g	桑枝 20g

2 剂,每日 1 剂,每日 3 次,水煎服。

服药后,患者胃脘部不适明显好转,未再发生恶心、呕吐等不适。余同前。

二诊:2019 年 11 月 26 日

中医四诊:患者肩颈部僵硬疼痛,头晕,双上肢麻木,天旋地转感,双脚踩棉花感,每日上午十点到下午三点间头晕明显,腰膝酸软,手心多汗,双脚冰凉,脱发,口苦,纳一般,夜间多梦,小便多泡沫,大便黏腻。舌暗红,苔黄腻,脉弦。

病机分析:中土得运,湿浊减轻故胃脘隐痛、恶心改善,目前以肩颈部僵硬疼痛为主,伴多汗,手心汗出明显,符合《金匮要略》中对柔痉的描述,考虑为太阴本虚,太阳经疏不利。

治法:运太阴,开太阳,利湿浊,疏筋缓急。

处方用药:桂枝加葛根汤合苓桂术甘汤。

桂枝 30g	白芍 30g	炙甘草 20g	大枣 30g
葛根 60g	茯苓 40g	白术 20g	

3 剂,每日 1 剂,每日 3 次,水煎服。

服药后,患者小便量较前增多,颈肩酸痛、双手麻木及头晕减轻。

三诊:2019 年 11 月 29 日

中医四诊:患者肩颈僵硬疼痛较前缓解,诉乏力疲倦,中午阵发性头晕,持续数分钟,耳鸣,脱发,腰膝酸软,双脚仍发凉,怕冷,手足发麻,手心出汗,夜寐不安,多梦易醒,口苦明显,纳可,二便可。舌暗红,苔黄腻,脉弦缓。

病机分析:患者为专职科研人员,长期思虑过度,耗伤精血,耗伤心脾,近期劳累过度,加之年近六八,阳气始衰,结合其长期怕冷,耳鸣,脱发,腰膝酸软等症,考虑两本不足,脾肾阳虚,阴阳失调,“阳浮阴弱”。

治法:运太阴,温少阴,培元固本,潜镇摄纳。

处方用药:桂枝加龙骨牡蛎汤。

桂枝 15g	白芍 15g	炙甘草 10g	大枣 15g
龙骨[先煎] 15g	牡蛎[先煎] 15g		

3 剂，每日 1 剂，每日 3 次，水煎服。

配服金匮肾气丸(蜜丸)，1 粒，每日 2 次。

服药后，患者头晕基本缓解，腰膝酸软稍缓解。余同前。

四诊：2019 年 12 月 4 日

中医四诊：仍觉双脚发凉，耳鸣及口苦仍明显，怕冷，手心出汗，腰膝酸软，乏力疲倦，夜寐不安，多梦易醒，纳可，二便可。舌偏红，苔黄腻，脉弦。

病机分析：患者服用金匮肾气丸及桂枝加龙骨牡蛎汤数天后，怕冷症状不能缓解，双脚仍觉发凉，耳鸣及口苦明显，结合舌脉，考虑患者四肢冷为阳郁，不能温煦外达四末；同时，患者经温运之方治疗后，耳鸣及口苦明显，苔黄腻症状一直不能改善，考虑少阳湿热内蕴。

治法：运太阴，和少阳，透邪解郁，宣畅气机，清利湿热。

处方用药：四逆散合三仁汤。

柴胡 20g	白芍 20g	麸炒枳实 20g	炙甘草 20g
焯苦杏仁 15g	砂仁 15g	豆蔻[后下] 15g	薏苡仁 15g
生半夏[先煎] 15g	姜厚朴 15g	通草 15g	滑石 15g

3 剂，每日 1 剂，每日 3 次，水煎服。

服药后，患者双脚冰凉及口苦较前缓解，时有耳鸣，仍夜寐欠安，多梦易醒。

【预后及转归】

患者肩颈僵硬疼痛缓解，双脚冰凉及口苦较前缓解，偶有双手麻木，稍头晕，眠可，纳可，二便调，带前方 7 剂出院。

【按语】

1. 本案病机：太阴不运，少阴亏虚，阳气郁滞，湿热内蕴，阴阳失调。

《素问·上古天真论》云男子“六八，阳气衰竭于上，面焦，发鬓颁白”。该患者 47 岁男性，年近六八，阳气渐虚；《素问·阴阳应象大论》曰“思伤脾”，《素问·举痛论》曰“思则气结”，该患者为专职科研人员，长期思虑过度，损伤心脾，久之而成两本亏虚之象。

患者因过量饮酒导致呕吐住院，仍存在胃脘部隐痛，治疗以运太阴、健脾益气祛湿为主，予香砂六君子汤合三仁汤加味。香砂六君子汤是治疗脾胃气虚，痰阻气滞的有效方剂，其处方来源于四君子汤。然四君子汤运脾之力强而除湿之功稍显不足。《医宗金鉴》记载：“经曰：壮者气行则愈，怯者着而为病。盖人在气交之中，因气而生，而生气总以胃气为本。若脾胃一有不和，则气便着滞，或痞闷哕呕，或生痰留饮，因而不思饮食，肌肉消瘦，诸证风起，而形消气息矣。四君子,气分之总方也,人参致冲和之气,白术培中宫,茯苓清治节,甘草调五脏,胃气既治,病安从来。然拨乱反正,又不能无为而治,必举大量行气之品以辅之,则补者不至泥而不行。故加陈皮以利肺金之逆气,半夏以疏脾土之湿气,而痰饮可除也;加木香以行三焦之滞气,缩砂以通脾肾之元气,而膹郁可开也。君得四辅,则功力倍宣,四辅奉君,则元气大振,相得而益彰矣。"香砂六君子汤实为补中有运,补而不滞之良方也。

脾虚生湿,本患者同时存在湿热症状,单纯温运,又恐热化,故在香砂六君子基础上合三仁汤,用薏苡仁健脾燥湿,通草、淡竹叶、滑石利水渗湿,豆蔻、厚朴、半夏温运中气,苦杏仁降肺金,开郁结以化痰浊,湿病最忌伤津液,薏苡仁、苦杏仁皆温润养中,不伤津液之品,中气运则相火降,相火降则中气运,肺金降相火更降。浮散于外使人发热的相火既已降入中土以下的水中,木气得根,能行疏泄,湿气自消。

2. 两本亏虚而致太阴外证的辨治。

二诊时患者以肩颈部僵硬疼痛、头晕等为主要表现,考虑患者在两本不足、脾虚湿盛的基础上复感外邪,邪气留滞太阳经络,治疗以发汗解肌、生津舒筋兼温阳、化气、祛湿。太阴主皮毛,脾主肌肉,人身之筋络在肌肉之中,患者酒后,酒毒化热,为其热在肌肉,筋被热烁则拘挛,有似短羽之鸟,伸颈难于飞举之状。葛根性善醒酒(葛花尤良,古有葛花醒酲汤),其凉而能散可知。且其能鼓胃中津液上潮以止消渴,若用以治阳明之病,是借阳明府中之气化,以逐阳明在经之邪也,是以其奏效自易也。并加茯苓、白术健脾祛湿以治本。经过治疗,患者头晕及肩背强硬疼痛均有所缓解。

三诊时患者以乏力疲倦,头晕,耳鸣,脱发,腰膝酸软,怕冷,手足发凉发麻,手心出汗,夜寐不安,多梦易醒,口苦明显等为主要表现。《金匮要略·血痹虚劳病脉证并治》:"夫失精家,少腹弦急,阴头寒,目眩,发落,脉极虚芤迟,为清谷,亡血,失精。脉得诸芤动微紧,男子失精,女子梦交,桂枝加龙骨牡蛎汤主之。"结合患者既往史,此患者符合该篇中关于脾肾不足,阴阳失调导致虚劳的描述,予金匮肾气丸配合桂枝加龙骨牡蛎汤口服。

本患者肾阳外散,中气无源。肾阳外散,则心神失根,中气无源,则脉息不振。肾气丸中附子以回肾阳,桂枝以回肝阳,以定木气之根,地黄滋津液养风木,山茱萸敛浮阳补木气平疏泄,山药补肺金助收敛,牡丹皮去木滞清瘀热,茯苓、泽泻祛湿而扶土气。肝肾阳复,心神有根,中气有源,土气健运于中,荣卫升降于外,故病皆愈。同时予桂枝加龙骨牡蛎汤调和阴阳,潜镇摄纳。桂枝汤主治表虚,有调和营卫之功,佐以龙骨、牡蛎,镇静安神,收敛心气。

3. 阳虚与阳郁的鉴别。

经过补肾健脾化湿上述治疗,患者仍觉双脚发凉,耳鸣及口苦仍较重,怕冷，手心出汗，腰膝酸软，乏力疲倦，夜寐不安，多梦易醒。考虑患者怕冷，双脚发凉等主要不在阳虚，而在阳郁，结合舌脉，此四逆由于热郁而厥也。《素问·厥论》云："阴气虚则阳气入，阳气入则胃不和，胃不和则精气竭，精气竭则不营其四肢也。"《伤寒论·辨厥阴病脉证并治》曰："前热者，后必厥，厥深者热亦深，厥微者热亦微"。故虽有少阴厥逆，而属阳郁内陷者亦可表现为厥逆畏寒，但后者不用温药温阳解郁。

阳郁和阳虚有共同的临床表现，那就是四肢冰冷，怕冷，穿多少衣服都觉得冷。少阴是阳气的根本，四肢为诸阳之本，通于天气，是反映阳气最灵敏的、最直接的部位。少阴的阳气须达于四肢，这是它的生理特点，其病理反应也是在四肢。本患者四肢厥逆，但既没有下利清谷、脉微欲绝等寒厥的特点，也没有烦渴、大便秘结、腹满疼痛等热厥的特点，既无可温之寒，又无可下之热。阳虚之厥，当"脉微细，但欲寐"，且恶寒多为全身性恶寒，绝少有口苦的表现。患者以下肢恶寒为主，且伴口苦，结合脉弦，舌暗红苔黄腻的表现，确不符合阳虚阴寒之厥逆，而更似阳气郁闭。阳郁化热之厥逆，热邪伤阴，以四逆散之芍药、甘草和其阴；热邪结阴，以枳实泄其阴；阳邪伤阴，阴不接阳，以柴胡和其枢纽之阳。此四味而为和法者，以苦胜辛、辛胜酸、酸胜甘，共奏疏阳达郁之功。经过四逆散合三仁汤透邪解郁，宣畅气机，清利湿热，患者诸症均较前明显改善。

少阴的阳气，在某种情况下，不能达于四肢，为气血壅遏，因此出现四肢厥逆。此既非寒厥，也非热厥。此种四肢厥逆，既不能用四逆汤之温药，也不能用白虎汤、承气汤之凉药清泻。只能疏达阳气，使阳气能够达于四肢，四逆散主之。

附：治疗前后患者舌象变化详见图 55、图 56。

运太阴法治疗皮肤瘙痒案例

【基本资料】

陈某某，女，58 岁，于 2019 年 10 月 18 日入院。

主诉：全身皮肤瘙痒 8 天，加重 1 天。

现病史：入院前 8 天患者因汗出吹风后感双手灼热瘙痒不适，于当地医院就诊，诊断为荨麻疹，予输液治疗（用药不详）后，出现全身瘙痒不适加重，伴散在红色风团，眼睑水肿。遂到我院急诊就诊，诊断为急性荨麻疹、胃溃疡、糜烂性胃炎，予以抗过敏等对症处理后，症状缓解回家。但患者返家后全身反复出现片状红色风团，瘙痒、肤温高，触之灼热，自服氯雷他定等药物后可缓解。入院前 1 天患者无明显诱因再次出现全身瘙痒，并自觉左侧肩部疼痛，活动明显受限，为系统治疗来我院门诊就诊，收入中医经典科住院治疗。

既往史：胃溃疡、糜烂性胃炎病史半月余，入院时口服枸橼酸铋钾替硝唑克拉霉素片 4 片、每日 2 次，聚普瑞锌颗粒 75mg、每日 2 次，艾司奥美拉唑肠溶片 20mg、每日 2 次，服药半个月，现食欲欠佳。2004 年因子宫肌瘤于外院行子宫肌瘤切除术。

中医四诊：望之少神，表情痛苦，间断头晕，四肢及胸腹等多处瘙痒，部分皮肤发红，破溃，面色少华而萎黄，体形中等，精神欠佳，言语清晰，间断潮热，胃脘隐痛，纳、眠差，口干口苦、饮不多，大便稀溏，小便频数。舌淡红，苔薄白，脉弦缓。

体格检查：生命体征平稳，口唇部有破溃，全身皮肤瘙痒部位出现大小不等的红色风团，呈圆形、椭圆形或不规则形，部分融合成片。双肺呼吸音清，未闻及干、湿啰音，心率 87 次 /min，律齐，各瓣膜听诊区未闻及杂音。腹平坦，全腹无压痛、反跳痛。神经系统查体未见异常。

辅助检查：查血常规、C 反应蛋白、降钙素原未见明显异常，呼吸道病毒九项（-）。血气分析示氧分压、乳酸、阴离子间隙在正常范围。

中医诊断：瘾疹（太阴证）

西医诊断：急性荨麻疹；胃溃疡；肩扭伤？

【诊治过程】

一诊：2019 年 10 月 18 日

中医四诊：患者全身瘙痒不适，散在风团，以双下肢为主，左侧肩部疼痛，活动明显受限，口干口苦，胃脘隐痛，纳欠佳，入睡困难，大便稀，2~3 次 / 日，小便频数，夜尿 2~3 次。舌淡红，苔薄白，脉弦缓。

病机分析：患者年过七七，肾气渐衰，中土失运，纳运失司，气血生化乏源，肌肤失于濡养，故出现全身皮肤瘙痒。营血生成不足，致血涩不行，继而血瘀化热，故患者全身反复出现片状红色风团，瘙痒、肤温高，触之灼热。

治法：养血润燥，活血祛瘀，滋养肝肾，凉血解毒。

处方用药：乌蛇荣皮汤加减。

生地黄 30g	当归 30g	桂枝 10g	赤芍 15g
酒川芎 10g	红花 10g	桃仁 10g	紫草 15g
牡丹皮 15g	蒺藜 30g	茜草 20g	白鲜皮 30g
炙甘草 10g	大枣 10 枚	木瓜 15g	土鳖虫 20g
制何首乌 30g	酒乌梢蛇 30g		

3 剂，每日 1 剂，每日 3 次，水煎服。

服药后，患者全身瘙痒明显改善，散在风团消退。患者半月前因胃脘部隐痛在外院完善胃镜后明确诊断为胃溃疡，西医对症治疗后胃脘痛症状仍存在，口干口苦，饮食欠佳，大便稀，同时患者长期睡眠欠佳。

二诊：2019 年 10 月 21 日

中医四诊：患者全身瘙痒已明显缓解，左肩部疼痛较前减轻。双下肢红色皮疹已消退。感口苦，怕热，纳欠佳，胃脘部隐痛，胀满，偶有反酸，入睡困难，大便稀，2~3 次 / 日，小便频数，夜尿改善 1~2 次。舌红，苔黄，脉弦缓。

病机分析：脾胃居中焦，为气机升降之枢纽，该患者平素脾胃虚弱，中土斡旋无力，故目前既有口苦、怕热、反酸，舌红，苔黄，脉弦缓乃少阳郁热，饮逆攻冲；亦存在胃脘部隐痛、胀满、大便稀之脾虚有寒。中气虚弱，寒热错杂，故为痞证。

治法：运太阴，和少阳，平调寒热，散结消痞，养血安神。

处方用药：半夏泻心汤加酸枣仁。

法半夏 65g　　酒黄芩 45g　　干姜 45g　　人参片 45g

炙甘草 45g　　酒黄连 15g　　大枣 45g　　酸枣仁 30g

3 剂，每日 1 剂，每日 3 次，水煎服。

服药后，患者胃脘部隐痛较前好转，口苦较前缓解，纳欠佳，睡眠稍差。大便正常，小便频数较前明显改善。患者目前病情平稳，故中药守方。患者仍睡眠稍差，中医特色疗法予隔物灸治疗（双侧肝俞、脾俞、心俞）以养心安神助眠。

【预后及转归】

患者神志清，精神可，全身瘙痒未再复发，左肩部疼痛明显缓解。口苦较前减轻，胃脘部偶有隐痛，纳欠佳，睡眠稍有缓解，二便调。舌淡红，苔白，脉弦滑。带二诊方药 7 剂出院。

【按语】

1. 本案病机：两本不足，脾胃虚弱，胃肠积热，气血不足，肌肤失养，致风邪搏结于肌肤而发病。

瘾疹总因禀赋不耐，人体对某些物质过敏所致。可因卫外不固，风寒、风热之邪客于肌表；或因肠胃湿热郁于肌肤；或因气血不足，虚风内生；或因情志内伤，冲任不调，肝肾不足，而致风邪搏结于肌肤而发病。本患者年近六旬，两本渐虚，加之患者既往胃溃疡、糜烂性胃炎病史，饮食欠佳。脾胃主肌肉，主气血运化及输布，考虑本患者为脾胃不足，胃肠积热，气血不足，肌肤失于濡养而发病。治疗当以乌蛇荣皮汤养血润燥，活血祛瘀，滋养肝肾，凉血解毒。乌蛇荣皮汤为李可老中医自创，方中桃红四物汤合桂枝汤，养血润燥，活血祛瘀，通调营卫。定风丹中何首乌、蒺藜滋养肝肾，乌须发，定眩晕，养血祛风止痒；

牡丹皮、紫草凉血解毒；白鲜皮苦咸寒，入肺、大肠、脾、胃四经，功能清湿热而疗死肌，为风热疮毒、皮肤痒疹特效药。服白鲜皮可使溃烂、坏死、角化之皮肤，迅速层层脱落而愈，脾胃虚寒者酌加反佐药，对湿热黄疸，兼见全身瘙痒者，对症方加入白鲜皮30g，一剂即解。乌蛇肉，味甘咸，入肺脾二经，功能祛风、通络、止痉。治皮毛肌肉诸疾，主诸风顽癣、皮肤不仁、瘾疹、疥癣麻风、白癜风、瘰疬恶疮、风湿顽痹、口眼歪斜、半身不遂，实是一切皮肤顽症特效药。诸药相合，可增强体质，旺盛血行，使病变局部气血充盈，肌肤四末得养，则病愈。

皮肤瘙痒缓解之后，中土斡旋无力，故患者出现胃脘部隐痛胀满，不欲饮食，口苦，反酸等症状。中焦是人体的升降枢纽，气机壅滞于中焦则必然会导致升降紊乱，上热下寒。《金匮要略·呕吐哕下利病脉证治》曰："呕而肠鸣，心下痞者，半夏泻心汤主之。"胃热气逆则呕，脾寒气陷则肠鸣，以致便溏不利，故此时再以半夏泻心汤辛开苦降，平调寒热。

2. 脾胃与皮肤病的关系。

皮肤病虽发于外，但其绝大多数是由体内阴阳气血的偏盛与偏衰和脏腑之间功能活动失调所致。所以中医学经典著作中有"邪之所凑，其气必虚""正气存内，邪不可干"的记载。脾主肌肉、四肢，主饮食水谷运化输布，主气血化生，为人身气机升降之枢纽。《素问·灵兰秘典论》云："脾胃者，仓廪之官，五味出焉。"高度概括了脾胃的生理功能。脾胃同属土而居中央，生理相依，病理相及，共主运化，故而《黄帝内经》中不乏脾胃同论者。《素问·经脉别论》云："食气入胃，散精于肝，淫气于筋。食气入胃，浊气归心，淫精于脉……饮入于胃，游溢精气，上输于脾，脾气散精，上归于肺，通调水道，下输膀胱，水精四布，五经并行。"是对脾胃运化水谷较为全面的论述，胃所受水谷化生精微，经脾输于各脏，脾主运，胃主化，二者相辅相成，以化生气血津液而奉养周身。

《诸病源候论》载："肺主气，候于皮毛；脾主肌肉。气虚则肤腠开，为风湿所乘；内热则脾气温，脾气温则肌肉生热也。湿热相抟，故头面身体皆生疮。"说明皮肤病与内脏尤其是脾胃息息相关，皮肤病虽在皮肤之表，却内连脏腑，并与情志变动、气血失和息息相关。一切皮肤病的根本原因，首先是整体气血失调，"邪之所凑，其气必虚"，然后风、寒、暑、湿、燥、火六淫之邪，或长期接触有害物质，诸多外因乘虚袭人而致病。因此治皮之道，首当着眼整体，从调燮五脏气血入手。其中，调理脾胃为其重要部分。

附：治疗前后患者舌象变化详见图57~图59；治疗前后双下肢瘾疹对比，详见图60、图61。

大柴胡汤加减治疗眩晕案例

【基本资料】

刘某某，男，55岁，于2019年11月12日入院。

主诉：反复头晕8年余，再发2天。

现病史：患者于8年前无明显诱因感头晕，测最高血压为220/110mmHg，此后非同日多次测量血压均高于140/80mmHg，无头痛、视物旋转等不适，当地医院诊断为高血压，予以降压药（具体不详）治疗后缓解。此后间断服用利血平、北京降压0号治疗，未规律监测血压，头晕反复发作未予重视。2天前，患者无明显诱因头晕再次发作，偶感头痛，左眼胀痛明显，口干、口苦，至我院急诊查血压222/121mmHg，急诊以“高血压”收住入中医经典科。入院症见：头晕明显，偶感头痛，左眼持续性胀痛，口干口苦，精神状态差，无恶寒发热，纳差，夜眠可，大便两日未解，小便正常。

既往史：左眼因外伤导致眼球坏死，已失明10年余，8年前因心律失常行射频消融术。余无特殊。

中医四诊：望之少神，面色赤，精神疲倦，语声低微，口干口苦，少许咳嗽，有黄白色黏痰难咳，纳差，睡眠尚可，小便正常，大便秘结。舌红，苔黄腻，脉弦滑。

体格检查：体温36.7℃，呼吸21次/min，脉搏89次/min，血压170/105mmHg。神清，双肺呼吸音清，未闻及干、湿啰音。心率89次/min，律齐，未闻及病理性杂音。腹部未查及阳性体征。左眼失明，神经系统查体（-）。

辅助检查：血常规、肝肾功能、血脂未见异常。胸部CT：双肺上叶少许陈旧性病变；主动脉、冠状动脉钙化。心脏彩超：三尖瓣轻度反流。

中医诊断：眩晕（少阳证）

西医诊断：高血压3级（极高危）；左眼失明

【诊治过程】

一诊：2019年11月12日

中医四诊：患者神清，精神差，面赤，头晕明显，偶感头痛，左眼持续性胀痛，口干口苦，无恶寒发热，纳差，夜眠可，大便两日未解，小便正常。舌红，苔黄腻，脉弦滑。

病机分析：中年男性，平素性情急躁，肝火旺盛，加之其饮食起居失于调摄，致使中土运化失职，痰饮之邪内生，肝风夹痰上扰清窍，则头晕；肝木乘脾，少阳枢机不利，相火不降，循经上扰头目，故见头痛、左眼胀痛；肝火灼伤津液，故见口干口苦；中土斡旋失司，则纳差，阳明不降，则大便不解。舌红，苔黄腻，脉弦滑为少阳枢机不利，相火不降，痰饮内蕴之象。四诊合参，此病病位在少阳，涉及太阴、阳明。

治法：和解少阳、降阳明，同时注意固护太阴中土。

处方用药：大柴胡汤加桃仁。

柴胡 60g	黄芩 25g	赤芍 25g	生半夏先煎 30g
大黄后下 15g	枳实 15g	大枣 15g	生姜 30g
桃仁 15g			

3 剂，水煎，每日 1 剂，分 3 次温服。

服用 3 剂后患者精神好转，头晕、左眼胀痛较前有所缓解，头痛基本消失，面色由红赤转为红润，大便已通，每日一行，但仍稍干，偶咳，咳少量黄痰，无其他不适。血压 140~155/90~98mmHg。舌红，苔黄腻，脉弦滑。

二诊：2019 年 11 月 15 日

中医四诊：头晕，偶感左眼胀痛，微口干口苦，偶咳黄色痰，较易咳出，无头痛，血压明显得到控制，不思饮食，余无特殊。舌红，黄腻苔较前减，脉弦滑。

病机分析：痰湿之邪内阻，郁久化热，与相火相合，相火侮金，金气失敛，则见咳黄痰。金气不收，风木动甚，进而更克脾土，则仍不思饮食。痰、湿、热邪气未尽，经络壅滞，圆运动失衡。

治法：和少阳、降阳明，运太阴，化湿浊。

处方用药：大柴胡汤合三仁汤加减。

柴胡 60g	黄芩 25g	赤芍 25g	生半夏先煎 30g
大黄后下 15g	枳实 15g	大枣 15g	生姜 30g
桃仁 15g	薏苡仁 30g	豆蔻后下 30g	苦杏仁 30g
厚朴 10g	滑石 30g		

2 剂，水煎，每日 1 剂，分 3 次温服。

服药后，患者咳痰消失，头晕基本缓解，无头痛，偶有左眼胀痛，饮食有所好转，余同前。血压 125~135/80~85mmHg。舌红，苔薄腻，根部稍黄腻，脉滑。

【预后及转归】

继守方至出院，诸症皆除，仅左眼仍有不适，但较入院胀痛明显缓解，眼科会诊左眼仍有不适为眼球坏死所致，需手术治疗。患者于 11 月 20 日出院，随访病情稳定，血压控制稳定，未再有明显波动。

【按语】

1. 本病病机：中土失运，痰湿内蕴，肝气疏泄不畅，相火不降，夹痰上扰。

患者因反复头晕为主诉，无明显诱因，但细问患者起居生活方式，长期起居无常，饮食不洁，烟酒无度，导致脾土失于运化，加之患者平素性格急躁易怒，肝木之气疏泄不畅，郁而化火，夹痰上扰清窍故发为本病。少阳经病，不可汗，不可温，只可和解也，柴胡类方也。因患者有阳明腑热之象，小柴胡汤无法奏效，故首诊时方选大柴胡汤加桃仁，和少阳兼以降阳明。方中合生姜、大枣，同时具有运太阴之功能。

服药后患者头晕之症减，考虑病机把握准确，方证相应。但患者出现咳黄痰，食欲未恢复，为太阴亏虚，运化失常，痰饮之邪内蕴已久，郁而化热，且相火未归位，两者相合，损伤阳明燥金，肺金一伤，则相火更难归位，故二诊时于原方中增加薏苡仁、豆蔻、苦杏仁等健脾化湿祛痰之品，以求中土运而相火降，使浮散于外的相火降入中土以下的水中，木气得根，则疏泄之功得以恢复，痰湿自消，痰化湿除，则头晕自愈，咳痰自止。

2. “诸风掉眩，皆属于肝”与圆运动。

《素问·至真要大论》曰：“诸风掉眩，皆属于肝。”肝属木，木生风，肝为风脏，风气通于肝，肝病可以生风，发生以动为特征的证候。有关“眩”的问题，皆从“肝”找原因。但具体如何去找，后面给出了答案：“谨守病机，各司其属，有者求之，无者求之，盛者责之，虚者责之，必先五胜，疏其血气，令其调达，而致和平，此之谓也。”本案可轻松地找到患者临床症状与“肝”的关系，但是临床中亦可碰到眩晕患者临床症状与“肝”毫无关系。此时需遵循“有者求之，无者求之，盛者责之，虚者责之，必先五胜”这一原则。本案可找到“肝”之色脉，则为“有”，“有者求之”较为直接。但是，如果没有“肝”相关色脉则为“无”，“无者求之”，无者也要求之，如何求？答曰“必先五胜”，即根据五行相生相克去寻求其病机。

五行物质，各有其能力：木气有疏泄能力，火气有宣通能力，金气有收敛能力，水气有封藏能力，土气有运化能力。五行之相生相克，相生者，大气圆运动次序的先后，相克者，大气圆运动对峙的平衡。相生者，补其不足；相克者，制其太过。相生相克，皆圆运动自身维持自身运动之圆而已。运动圆，则五行融合，只见中和，不见五行。五行一见，便失中和，便生病变。

人秉大气五行而生脏腑，脏腑遵循十二经之循行。其中足少阳胆经甲木，足厥阴肝经乙木，同秉大气中木气而生。木气有疏泄作用，胆经木气由上而下，肝经木气由下而上，以成圆运动。少阳、厥阴者，少阳相火，厥阴风木。火气煊通于上，水气封藏于下，木气疏泄于左，金气收敛于右，中气斡旋于中而构成运动之一气。木动生风责之于四：一是甲木不升、乙木不降；二是水浅不养龙、水寒不藏龙，水不涵木；三是中土亏虚、运化失职，肝木克脾土；四是金气不敛，无以克木。故曰：“谨守病机，各司其属，有者求之，无者求之。”

在临床思维上可将病机十九条中每条所指之病机设定为中心，根据五行相生相克以及圆运动理论寻求其病机变化。万变不离其宗，只有掌握了真正的“宗”，临床处方才能有的放矢，药到病除。

附：治疗期间患者舌象变化详见图 62~ 图 64。

吴茱萸汤联合铜砭刮痧治疗神经性头痛案例

【基本资料】

陈某，女，37 岁，于 2021 年 7 月 8 日入院。

主诉：反复头痛 10 余年，加重半年。

现病史：患者 10 余年前因学习压力大出现头痛，呈闷胀跳痛，疼痛位置不固定，发作时疼痛剧烈，需口服布洛芬才可缓解。曾在外院诊断为神经性头痛，予以止痛、营养神经等治疗，但症状仍反复发作。半年前患者头痛症状加重，甚则伴恶心、呕吐，偶可呕吐出黄色胃内容物，时有怕冷，恶风，遂来我院就诊，门诊以“神经性头痛”收入中医经典科。

既往史：既往有受风寒史，平素月经量偏少，痛经，余无特殊。

中医四诊：望之有神、表情正常，面色少华，体形适中，行动自如，精神不振，语声低微，言语清晰，呼吸如常，无咳嗽，无呕吐、太息、呻吟、腹鸣之声，无异常气味。舌淡红，苔薄白微腻，脉沉细。

体格检查：体温 36.5℃，脉搏 71 次 /min，呼吸 20 次 /min，血压 117/71mmHg。心肺腹查体未见异常。

辅助检查：2021 年 7 月 9 日行头颅颈椎 MRI 未见明显异常。

中医诊断：头痛（厥阴证）

西医诊断：神经性头痛

【诊治过程】

一诊：2021 年 7 月 8 日

中医四诊：患者有阵发性头痛，呈闷胀跳痛，疼痛位置不固定，发作时疼痛剧烈，甚则伴恶心、呕吐，偶可呕吐出胃内容物，怕冷，恶风。舌淡红，苔薄白腻，脉沉细。

病机分析：《素问·上古天真论》曰：“女子……五七，阳明脉衰，面始焦，发始堕。”患者为青年女性，体质渐弱，平素情绪紧张，气郁不舒，壅滞于内，既往有受风寒史，寒邪内伏，平素怕冷，浊阴寒气循厥阴经脉上冲，气逆于上，故而头痛、呕吐。

治法：阖厥阴，散风寒。

处方用药：吴茱萸汤合川芎茶调散加减。

吴茱萸 20g	人参 15g	大枣 15g	生姜 20g
酒川芎 15g	荆芥 15g	羌活 15g	白芷 15g
细辛 10g	防风 15g		

1 剂，水煎服。

配合艾灸、针灸、超声药物透入、穴位贴敷、耳穴等中医特色疗法。

服药后，患者症状无明显改善。

二诊：2021 年 7 月 9 日

中医四诊：患者头痛间断发作，疼痛性质同前，疼痛发作时伴恶心，呕吐少量黄色胃内容物，需服止痛药控制，怕冷，恶风，舌淡红，苔薄白腻，脉沉细。

病机分析：患者病情无明显改善，结合患者痛经病史，长期月经量少，脉沉细，考虑厥寒深伏，吴茱萸、生姜加量，加强阖厥阴、散寒邪之功，同时改用当归芍药散调肝健脾养血，缓急止痛。

治法：阖厥阴，养肝脾。

处方用药：吴茱萸汤合当归芍药散。

吴茱萸 30g	人参 15g	大枣 15g	生姜 60g
当归 15g	白芍 15g	酒川芎 15g	白术 15g
茯苓 15g	泽泻 15g		

1 剂，水煎服。

加用中医外治疗法头颈部铜砭刮痧治疗。

服药后，患者头痛程度减轻，仍有发作时呕吐，服用止痛药量有所减少。

三诊：2021 年 7 月 10 日

中医四诊：患者诉头痛症状减轻，恶心欲呕次数减少，怕冷，恶风稍好转。舌淡红，苔薄白腻，脉沉细。

病机分析：寒邪有出路，气机得调，故头痛等症状缓解，当下治疗有效，守方续服。

治法：阖厥阴，养肝脾。

处方用药：守前方 5 剂。继续配合头颈部铜砭刮痧等中医外治疗法治疗。

服药后，患者头痛发作时程度减轻，且不需要服止痛药可忍受。

【预后及转归】

患者继续服药 5 剂后头痛症状基本已无，恶心欲吐症状消失，怕冷、恶风明显改善。于 2021 年 7 月 15 日守方带药出院。

【按语】

1. 寒性收引，痛则不通，通则不痛。

当下社会，生活节奏加快，工作压力较大，神经性头痛为中医经典科门诊年轻患者常见就诊疾病。神经性头痛又称紧张性头痛，是由精神紧张或者情绪紧张引起头皮筋膜或者肌肉收缩导致的头痛。《素问·举痛论》曰："经脉流行不止，环周不休，寒气入经而稽迟。泣而不行，客于脉外则血少，客于脉中则气不通，故卒然而痛。"提出了感受寒邪是导致疼痛的重要原因。该案患者为年轻女性，除精神压力紧张，且有受风寒病史，内外因相合，气血瘀滞，寒邪内阻，浊阴上逆，故不仅头痛，且发作时伴呕吐。

《灵枢·经脉》曰："肝足厥阴之脉，起于大指丛毛之际，上循足跗上廉，去内踝一寸，上踝八寸，交出太阴之后，上腘内廉，循股阴，入毛中，过阴器，抵小腹，挟胃，属肝，络胆，上贯膈，布胁肋，循喉咙之后，上入颃颡，连目系，上出额与督脉会于巅……"巅即头顶，厥阴经从足大趾向上循行直达头顶，故头痛可从厥阴论治。《灵枢·阴阳系日月》曰："两阴交尽，谓之厥阴。"厥阴的生理在于太阴、少阴两阴相交，阴尽阳生。厥阴病则为两经相交过程中出现的阳生不足或生发太过。正如《伤寒论》第337条曰："凡厥者，阴阳气不相顺接，便为厥。"足厥阴经脉连接胃、肝胆和膈，布胁肋，上行出于额部与督脉交会于颠顶，交通阴阳，厥阴里寒，浊阴寒气循经上冲，亦可出现阵发性头痛发作，舌脉亦为厥阴证之佐证。

2. 头痛当辨太阳厥阴，从厥阴论治当分寒化热化。

经首诊治疗，患者症状无明显缓解，其病机为里寒盛，厥阴升发无权，而川芎茶调散偏于疏风散表邪，适用于感冒头痛初期之轻浅证。该患者病程已超10年，结合其脉沉细无力，与感冒初起之浮脉迥异，首诊乏效实属病重药轻，温化之力不足之故。二诊遂遵经方吴茱萸汤剂量，吴茱萸、生姜加量，加强阖厥阴，散寒行滞之力。

厥阴病有寒化热化两端，如机体阳衰，阴寒内盛，以手足厥冷，恶寒蜷卧为主要表现者，因此治疗当以阖厥阴，助温化，散寒邪为主。《伤寒论》第378条曰："干呕，吐涎沫，头痛者，吴茱萸汤主之。"患者头痛伴呕吐，符合条文之方证，故投吴茱萸汤，并配合祛风止痛、引药归经之品，加用川芎茶调散。患者虽为青年女性，但《素问·上古天真论》："女子……五七，阳明脉衰，面始焦，发始堕。"叶天士在《临证指南医案》中提到"女子以肝为先天也"，"肝藏血，主疏泄"，结合月经量少，痛经史，患者本底肝血不足，需加用调养肝血之方，故二诊时调整为吴茱萸汤合当归芍药散而取效。

砭、针、灸、药、按跷、导引为中医治疗六法，中医经典科除内服经典方药，中医外治疗法也是治疗疑难杂症的重要手段。铜砭刮痧是中医经典科特色中医疗法之一。刮痧属于砭法的一种，以调气为首，调动人体的气血运动，所刮之处能引邪出表，加速人体内浊邪排出，调动人体的自愈力，即以通为治、以通为补、以通为泻、以通为健。加用铜砭刮痧患者的头部及大椎穴后，通达一身之阳气，促邪外出，内外同治，患者头痛症状明显改善，收获奇效。从西医学角度来看，刮痧可以扩张毛细血管，增加汗腺分泌，促进血液循环，对于风寒湿痹导致的慢性疲劳综合征、肌肉酸疼等都有立竿见影之效。经常刮痧，可起到调整经气，解除疲劳，增强免疫功能的作用。除了头痛，感冒、发烧、中暑、肠胃病、落枕、肩周炎、腰肌劳损、肌肉痉挛、风湿性关节炎等病症，都可以用中医刮痧治疗。

附：铜砭刮痧操作详见图 65；治疗前后患者舌象变化详见图 66、图 67。

开太阳、温少阴养血通阳治疗反复发作性头痛案例

【基本资料】

熊某，女，29 岁，于 2020 年 11 月 24 日入住中医经典科。

主诉：头颈部疼痛 1 年余，加重半月。

现病史：患者于 1 年前劳累后感肩颈部及头部疼痛，伴头晕乏力，劳累、睡眠差、受凉、情绪不佳时加重，服甲磺酸倍他司汀、阿咖酚散可稍缓解。患者经常在院外行拔罐、推拿等治疗，经过治疗可稍缓解一段时间，不久后再次发作。半月前患者劳累后再次发作肩颈部及头颈部刺痛，痛到无法入睡，服阿咖酚散不能缓解，为进一步治疗来我院治疗，门诊以“颈椎病”收入中医经典科。发病以来一般情况：患者神清，精神疲倦，头颈部刺痛，无恶寒发热，不欲饮食，夜寐差，半月体重减轻 2kg，二便正常。

既往史：否认肝炎、结核等传染病病史，否认高血压、冠心病、糖尿病等慢性疾病病史。2014 年患者生产后有产后抑郁史，剖宫产 2 次，否认其他手术、外伤史。否认输血史，预防接种史不详。无食物、药物过敏史。

婚育史：已婚，22 岁结婚，育 2 女。

中医四诊：神清，望之少神，表情痛苦，面色少华，体形适中，行动自如，精神疲倦，发育正常，营养良好，声音低弱，言语清晰，呼吸如常，无咳嗽，无呕吐、太息、呻吟、腹鸣之声。舌淡，苔薄白，脉沉细。

体格检查：生命体征正常，神志清楚，颈椎生理曲度变直，颈部无压痛，转颈试验（-）。余未见异常体征。

辅助检查：2020 年 11 月 25 日行头颅及颈椎 MRI：头颅 MRI 平扫未见异

常；颈椎间盘变性，颈4/5、5/6椎间盘轻度膨出。余无异常。

中医诊断：头痛(少阴证)

西医诊断：颈椎病

【诊疗过程】

一诊：2020年11月25日

中医四诊：患者精神极度疲倦，自诉近5天无法入睡，头刺痛，以头枕部为甚，伴颈项强硬，头晕乏力，不欲进食，无发热恶寒，无口干口苦，无鼻塞流涕，二便正常。舌淡，苔薄白，脉沉细。

病机分析：少阴寒化，太阳不开，寒凝经脉。

治法：温少阴，开太阳，扶阳解表。

处方用药：麻黄附子细辛汤加味。

麻黄 10g　炮附子（先煎）10g　细辛 10g　葛根 30g
白芷 15g　川芎 15g

2剂，每日1剂，每日3次，水煎服。

中医特色疗法：辅以普通电针(四神聪，双侧风池、风府、肩井、肩贞、曲垣、附分)以祛风通络止痛。

服药后，患者微微汗出，头痛减轻，眠可，无口干口苦。

二诊：2020年11月27日

中医四诊：患者精神好转，服药1剂头痛明显减轻，安睡一宿，服完第2剂，自觉头痛已减轻80%，夜间睡眠安稳，精神及食欲好转。舌淡，苔薄白，脉沉细。

病机分析：太阳得开，寒随汗解，少阴得温，经脉得阳气而循行恢复。

治法：继续温少阴，开太阳。

处方用药：桂枝加附子汤。

桂枝 15g　白芍 15g　炙甘草 10g　生姜 15g
大枣 15g　炮附子（先煎）10g

2剂，每日1剂，每日3次，水煎服。

【预后转归】

服上方1剂后，患者自诉全身轻松，无明显潮热汗出，头痛完全解除，带药7剂出院，半月后门诊随访近期未再发头痛。

【按语】

1. 头身疼痛脉沉细，当辨太阳少阴。

患者为29岁青年女性，剖宫产2次，大女儿6岁，小女儿不到2岁，白天工作辛苦，夜间带小孩，睡眠不足。平素怕冷，入院时精神疲倦，头痛，以头枕部刺痛为主，伴头晕乏力，肩颈部疼痛，睡眠差，不欲饮食，舌淡，苔薄白，脉沉细。患者无热象，考虑为三阴病，符合《伤寒论》“少阴之为病，脉微细，但欲寐”的描述，考虑属于少阴病范畴。本患者头痛劳累及受凉后加重，伴头晕乏力，伴肩颈部强痛，舌淡红，苔薄白，脉沉细，头痛部位以后枕部为主，并伴有肩颈部强痛，后枕肩颈部为太阳经循行部位，考虑合有太阳表证不解，内有少阴亏虚，为太少两感，方选麻黄附子细辛汤，发汗解表温里去饮；加葛根解肌，白芷通窍，川芎行气。患者服用 2 剂后，全身微微汗出，汗出则阳气速流而达于表，正邪交争，气旺则驱邪外出，故而自觉头痛明显减轻。

《伤寒论》开篇即指出“太阳之为病，脉浮，头项强痛而恶寒”，太阳主一身之表，表位即包括头项、肢体、背部等部位。如辨证为太阳病，除了“脉浮”这一重要依据，还包括邪气在表，邪正交争于肌表的病机。身体疼痛不仅仅见于太阳病，少阴病亦可出现，如《伤寒论》第 305 条曰：“少阴病，身体痛，手足寒，骨节痛，脉沉者，附子汤主之。”患者有身体疼痛症状，但却脉沉细无力，伴精神疲倦，声音低弱等阴证表现，故辨证为太少两感证。患者虽无明显恶寒，但头痛剧烈，明显是寒邪收引所致，故处方以麻黄附子细辛汤。《伤寒论》第 301 条曰：“少阴病，始得之，反发热，脉沉者，麻黄附子细辛汤主之。”本方由麻黄、附子、细辛三味药组成，以麻黄为君，取其辛温，发汗散寒解表；以炮附子为臣，取其大辛大热，温补阳气，助麻黄鼓邪外出。然麻黄发汗之力较峻，阳虚之人用之恐易损耗阳气，与附子同用则无伤阳之弊，二药相伍，相辅相成，为助阳解表的常用配伍。细辛归肾、肺二经，芳香气浓，性善走窜，通彻表里，既能祛风散寒以助麻黄解表，又可鼓动肾中真阳之气以助附子温里散寒，为佐助之用。三药并用，通过温少阴之阳而祛散在表之寒邪，为治少阴表证之剂。急则治其标，故服药两剂患者头痛明显减轻。

2. 祛邪不忘扶正，虚证注意兼顾气血。

患者有劳倦的诱因，面色虚浮，发汗散寒后难免有津血不足，故二诊选用桂枝加附子汤，该方以桂枝汤为基础，解肌发表，调和营卫，内补津血之不足，外散太阳之邪，更加附子立足于少阴之本虚，使患者少阴得温，正气鼓动而祛邪，太阳表寒得散，津血得以补充，故病情进一步向愈。两个处方承前启后，虽然味少量小，但直达病所，效专力宏，解决了患者之苦恼，彰显了经方之魅力。

附：治疗前后患者舌象变化详见图 68、图 69。

中医药治疗不明原因双下肢发冷案例

【基本资料】

李某某，男，61 岁，于 2019 年 9 月 16 日入院。

主诉：双下肢发冷 1 年，伴双下肢紧绷感 3 月。

现病史：患者于入院前 1 年无明显诱因自觉脚心发冷，后逐渐加重，双下肢发冷部位上冲过膝，触摸皮温无明显异常，自诉泡热水后稍缓解，未予重视及治疗。入院前 3 个月患者上述症状加重，伴双下肢紧绷感，活动无明显受限，于重庆市某医院住院治疗，完善相关检查，诊断为铊接触、周围神经病，予以驱铊、解毒、营养神经等治疗，铊完全排出后出院。入院前 1 个月于相关科室再次住院治疗，行下肢动脉彩超提示：下肢动脉可见少许斑块，未见明显狭窄，诊断为周围神经病、双下肢动脉粥样硬化伴斑块形成、高血压 3 级（极高危），予甲钴胺营养神经、血栓通活血通络、中药口服等治疗，病情无明显好转遂出院。出院后患者仍感双下肢发冷，伴有紧绷感，自觉寒气从脚底上冲过双膝，双足寒冷明显，活动无受限，双下肢无明显凹陷性水肿，夜间易被冷醒，为求进一步诊疗至我院就诊，门诊以“周围神经病”收入中医经典科治疗。

既往史：高血压病史 10 年，既往最高血压达 180/100mmHg，目前口服马来酸依那普利 5mg/d 控制血压，血压控制情况一般。白癜风病史 10 年。

中医四诊：望之少神，面色少华，精神一般，上半身活动后汗出明显，口干欲饮，双下肢发冷，有紧绷感，无咳嗽，无呕吐、太息、呻吟、腹鸣之声，无异常气味，二便正常。舌淡红，苔白腻，根部微黄，中有裂痕，脉沉细。

体格检查：生命体征平稳，心、肺、腹均未见明显异常。四肢活动自如，无畸形及下肢静脉曲张，双下肢无明显凹陷性水肿，双侧脚踝皮温偏低，无明显感觉异常；双下肢关节无肿大变形。双侧股动脉，腘动脉，胫前、胫后及足背动脉扪及搏动。四肢肌力、肌张力正常，生理反射正常，病理反射未引出。

辅助检查：血常规、肝肾功能、血糖、血脂、心电图、胸片、双下肢动静脉彩超、肌电图等均未见明显异常。

中医诊断：痹证（少阴证）

西医诊断：周围神经病；双下肢动脉粥样硬化伴斑块形成；高血压 3 级（极高危）；白癜风

【诊治过程】

一诊：2019 年 9 月 16 日

中医四诊：患者神清，精神可，双下肢发冷，伴有紧绷感，自觉寒气从脚底上冲过膝、双足明显，上半身活动后汗出明显，口干欲饮，纳可，夜间易被冷醒，二便正常。舌淡红，苔白腻，根部微黄，中有裂痕，脉沉细。

病机分析：患者年过六旬，先后天两本亏虚，寒湿内生，寒凝经脉则肢冷，湿浊内蕴则苔白腻。

治法：温少阴，运太阴。

处方用药：破格救心汤合温氏奔豚汤。

山药 30g　牛膝 20g　茯苓 20g　盐泽泻 15g
炙甘草 20g　沉香[后下] 10g　肉桂 10g　砂仁[后下] 10g
红参 10g　炮姜 20g　熟附片[先煎] 60g　山茱萸 60g
龙骨[先煎] 20g　牡蛎[先煎] 20g　煅磁石[先煎] 15g

1剂,每日3次,水煎服。

同时辅以足灸、耳穴压丸、超声药物透入、普通电针、TDP以及电脑中频等中医特色疗法调节脏腑功能,温肾通经活络。

服药后,患者双下肢冷无明显缓解。

二诊:2019年9月17日

中医四诊:患者诉仍有双下肢发冷、双足明显,自觉寒气从脚底向上蔓延,活动后双下肢紧绷感明显,行走久后偶有双下肢麻木感,微恶寒,活动后上半身易汗出,双下肢无水肿、无活动受限,肤温及感觉无异常,纳可,夜寐尚安,但仍有冷醒,大便通畅,小便正常。舌淡红,苔白微腻,根部微黄,中有裂痕,脉沉软。

病机分析:患者高龄,少阴亏虚,命门火衰,无以祛除寒邪,厥阴寒化。

治法:温少阴,阖厥阴。

处方用药:温氏奔豚汤合当归四逆汤。

山药 30g　牛膝 20g　茯苓 20g　盐泽泻 15g
炙甘草 20g　沉香[后下] 10g　肉桂 10g　砂仁[后下] 10g
红参 10g　炮姜 20g　熟附片[先煎] 60g　当归 45g
桂枝 30g　白芍 30g　大枣 20g　细辛 30g
通草 15g

1剂,每日3次,水煎服。

服药后,患者双下肢冷略减轻,略有热感。

三诊:2019年9月18日

中医四诊:患者虽仍有双下肢发冷,但双侧大腿有微微发热感,服药后紧绷感及麻木感有所加重,并有沉重感,上半身活动后汗出有所减轻,余症同前。舌淡红,苔白,根部微黄,中有裂痕,脉沉软无力。追问患者,诉既往居住及工作环境均阴冷潮湿。

病机分析:陈寒痼冷流于双下肢,需大力温阳散寒方可除疾。且患者目前服用中药后双侧大腿有微微发热感,紧绷感、麻木、沉重感为寒邪外透之表现,考虑机体对药物产生了反应,治疗方向正确。

治法:同前。

处方用药:原方中山药、牛膝、茯苓、炙甘草、炮姜、熟附片加量以增强温阳之效,以人参30g易红参10g以增强补中之力。

山药 60g　牛膝 45g　茯苓 45g　盐泽泻 30g
炙甘草 45g　沉香[后下] 10g　肉桂 10g　砂仁[后下] 10g
人参片 30g　炮姜 45g　熟附片[先煎] 90g　当归 45g
桂枝 30g　白芍 30g　大枣 20g　细辛 30g
通草 15g

3 剂，每日 1 剂，每日 3 次，水煎服。

服药后，患者双大腿热感增强，双膝以下仍冷。

四诊：2019 年 9 月 21 日

中医四诊：患者仍感双下肢发冷，但发热感自大腿向下至膝关节，以膝关节以下发冷、麻木紧绷感、沉重感为主，上半身活动后汗出有所减轻，大便稍干结。舌红，苔微黄腻，后侧根部厚腻，中有裂痕，尺脉沉，寸关脉浮紧。

病机分析：患者经过前期温氏奔豚汤合当归四逆汤口服以及足灸、耳穴压丸、超声药物透入、普通电针、TDP 以及电脑中频等中医特色疗法调节脏腑功能、温肾通经活络等治疗后，双侧大腿至膝关节热感增强，考虑太阴得运，少阴渐温，治疗有效，但患者存在上半身汗出、大便稍干结、舌苔黄腻等阳明不降之象，目前脉象寸关脉浮紧，有寒邪之气逐渐达表之征。

治法：温少阴，运太阴，阖厥阴，降阳明。

处方用药：当归四逆汤合四逆加人参汤，加大黄、桃仁。

生附片[先煎] 45g　当归 45g　黄芪 75g　茯苓 45g
炙甘草 45g　白术 30g　肉桂 10g　炮姜 45g
白芍 45g　大枣 75g　通草 30g　盐泽泻 30g
桂枝 45g　细辛 45g　人参片 30g　焯桃仁 15g
酒大黄[后下] 30g

2 剂，每日 1 剂，每日 3 次，水煎服。

服药后，患者大便通畅、质软，余同前。

五诊：2019 年 9 月 23 日

中医四诊：患者肤温正常，双足底仍有发冷感，服药后大腿至膝关节有微微发热感，但热感未再继续向下延伸，纳、眠可，小便正常，大便昨日通畅、质软、量多。舌淡红，苔白厚腻，中有裂痕，尺脉沉，寸关脉浮紧。

病机分析：寒邪仍未完全透发，患者体内寒邪内蕴已久，治疗非一时即可奏效，舌苔黄苔已去，留有白苔，脉象较前无明显改变，基本病机不变。

治法：同前。

处方用药：前方去盐泽泻，黄芪加量至 120g。

生附片[先煎] 45g　当归 45g　黄芪 120g　茯苓 45g
炙甘草 45g　白术 30g　肉桂 10g　炮姜 45g

白芍 45g	大枣 75g	通草 30g	酒大黄后下 30g
桂枝 45g	细辛 45g	人参片 30g	焯桃仁 15g

2剂，每日1剂，每日3次，水煎服。

服药后，患者双下肢温热感向下到达膝关节以下，余同前。

六诊：2019年9月25日

中医四诊：患者双足底仍有微微发冷感，诉服药后发热感向下延伸至膝关节以下，仍有沉重感及麻木感，口干口苦，上半身潮热出汗较前加重，大便两日未解，小便正常，纳、眠可。舌淡红，苔白腻中部微黄，尺脉沉，寸关脉浮紧。

病机分析：患者虽寒邪仍未完全透发，但目前大便未解，口干口苦，上半身潮热出汗较前加重，结合舌象变化，考虑使用辛温药物治疗后，趋于热化，目前考虑少阳阳明有热。

治法：和少阳，降阳明。

处方用药：大柴胡汤合桃核承气汤去生姜、芒硝。

柴胡 40g	黄芩 15g	生半夏先煎 20g	大枣 15g
枳实 20g	赤芍 15g	生大黄后下 10g	焯桃仁 15g
桂枝 15g			

2剂，每日1剂，每日3次，水煎服。

服药后，患者解黄色稀便2次，口苦缓解，仍觉口干，双下肢冷感有反复。

七诊：2019年9月27日

中医四诊：患者大便已解，仍觉双下肢发冷，双下肢热感仅位于大腿，紧绷感、沉重感及麻木感较前有所缓解，上半身动则汗出，口干欲饮水，余无特殊不适。舌脉无明显变化。

病机分析：患者久病，上热下寒，脏寒腑热，上方单予通降阳明药物后，热感反退，又显两本不足寒化之象。

治法：和少阳，降阳明，温少阴，阖厥阴。

处方用药：前方加附子、细辛、干姜。

柴胡 40g	黄芩 15g	生半夏先煎 20g	大枣 15g
枳实 20g	赤芍 15g	生大黄后下 10g	焯桃仁 15g
桂枝 15g	细辛 15g	干姜 15g	生附子先煎 15g

1剂，每日3次，水煎服。

服药后，患者口干及麻木感减轻，大腿温暖感无明显变化。

八诊：2019年9月28日

中医四诊：患者服药后双下肢发冷有所减轻，热感局限于大腿根部，但麻木紧绷感、沉重感较前有所缓解，上半身活动后微微汗出，口干欲饮有所改善，纳可，寐安，小便通畅，大便通畅，不干结。舌淡红，苔白微腻，中有裂痕，尺脉沉，寸关脉浮紧。

病机分析：患者陈寒湿浊痼冷之邪久居体内，仍需“温少阴”以祛除寒邪，同时兼以降阳明之热。

治法：温少阴，运太阴，阖厥阴，降阳明。

处方用药：当归四逆汤合四逆加人参汤，加大黄、桃仁。

生附片先煎 45g	当归 45g	黄芪 120g	茯苓 45g
炙甘草 45g	白术 30g	肉桂 10g	炮姜 45g
白芍 45g	大枣 75g	通草 30g	酒大黄后下 30g
桂枝 45g	细辛 45g	人参片 30g	焯桃仁 15g

2 剂，每日 1 剂，每日 3 次，水煎服。

服药后，患者下肢冷减轻，双膝有热感。

【预后及转归】

患者再服上方 3 剂后，双下肢发冷持续改善，双侧热感已传至小腿，沉重、麻木及紧绷感明显缓解，于 2019 年 10 月 3 日守方 7 剂出院。

【按语】

1. 本案病机：太阴不运，少阴不温，厥阴寒化，三阴同病，兼及阳明。

男性患者年过六旬，久居阴寒潮湿之处，故脏腑功能渐衰，又由于寒湿之邪反复伤其阳气，体内阳气日渐衰少，少阴虚寒，陈寒痼冷流注于双下肢，故而发为本病。人体四肢末节为少气少血、肌肉浅薄之部位。《素问·评热病论》曰：“邪之所凑，其气必虚。”最虚之处，便是客邪之地，若脉道阻滞不通，则手足厥逆。其成因在于人体正气先虚，阳气不足，腠理不密，易受风寒外邪所袭，风寒毒邪壅塞脉道，留恋阻滞，以致气血运行不畅而发病。

一诊治疗之初选取了李可老中医之小剂量破格救心汤合温氏奔豚汤治疗，破格救心汤挽垂绝之阳，救暴脱之阴，温氏奔豚汤为主治三阴沉寒痼冷诸疾之纯阳益火之剂，两方合用以冀振奋一身之阳气，驱散体内陈寒痼冷。

二诊时，患者症状无明显改善，考虑患者未达阳亡阴脱之势，而有动则上身汗出的表现，非单纯少阴寒化、阳气暴脱之证，故去破格救心汤。《伤寒论·辨厥阴病脉证并治》第 351 条曰：“手足厥寒，脉细欲绝者，当归四逆汤主之。”故以温氏奔豚汤合当归四逆汤以温经散寒、养血通脉。

三诊时，患者双下肢紧绷感及麻木感有所加重，并有沉重感，并且出现了双下肢大腿有热感，同时发冷感有所减轻。

此为寒邪外透之表现，考虑理法方药对症，已初见微效，原方山药、牛膝、茯苓、炙甘草、炮姜、熟附片加量以增强温阳之效，红参易人参以增强补中之力，并增强温阳之效。

四诊时，患者发热感自大腿下至膝关节，大便稍干结，考虑寒邪未除，兼阳明不降之热象，故去温氏奔豚汤，继续给予当归四逆汤合四逆加人参汤，同时加大黄、桃仁等药物清降阳明。

五诊时，患者阳明热象渐退，考虑寒邪仍未完全透发，患者体内寒邪内蕴已久，治疗非一时即可奏效，中医治则不变，仍以温少阴为主，予四诊方中黄芪加量至 120g 峻补中气，去盐泽泻，因泽泻性味咸寒，药势偏里偏下，故去之以防影响整体药势向外托透之效。

六诊时，患者寒邪仍未完全透发，但阳明热象卷土重来，考虑使用辛温药物治疗后，已趋于热化状态，故治则暂以降阳明、和少阳为主，方选大柴胡汤合桃核承气汤加减治疗。

七诊时，考虑患者下肢热感有所减退，症属上热下寒，脏寒腑热，予以大柴胡汤加附子细辛干姜汤以助驱散寒邪之力。

八诊时，患者阳明之热有所减轻，同时考虑患者久居湿寒之地，日久侵袭人体，损伤阳气，且患者六旬，少阴亏虚，命门火衰，无以祛除寒邪，故寒邪郁结于内发病，陈寒痼冷之邪久居体内，非救命门火衰之药物无以成效。考虑五诊处方既治疗少阴虚寒，又兼顾了阳明热化，故再次使用五诊处方。患者再服 3 剂后，沉寒痼冷渐除，衰微的阳气逐渐恢复，血脉得通，下肢得温而向愈。

2. 温运三阴虽可致热化而见阳明里热，治疗仍不离三阴。

《素问·脉要精微论》云："脉者，血之府也。"阴血充足，阳气冲和，则脉充肢温。《伤寒论》曰："手足厥寒，脉细欲绝者，当归四逆汤主之。"吴崑《医方考》云："手足厥寒，责阳气外虚，不温四肢；脉细欲绝，责阴血内弱，脉行不利。"当归四逆汤具有温经散寒，养血通脉的功效。主治血虚寒厥证。手足厥寒，或腰、股、腿、足、肩臂疼痛，口不渴，舌淡，苔白，脉沉细或细而欲绝。

本方证多由营血虚弱，寒凝经脉，血行不利所致，治疗以温经散寒，养血通脉为主。素体血虚而又经脉受寒，寒邪凝滞，血行不利，阳气不能达于四肢末端，营血不能充盈血脉，遂呈手足厥寒、脉细欲绝，在血虚基础上呈现此方证者，可酌加熟地黄、川芎、阿胶（仿温经汤意）等。此手足厥寒只在指掌至腕、踝以下不温，与四肢厥逆有别。当归四逆汤以桂枝汤去生姜，倍大枣，加当归、通草、细辛组成。方中当归甘温，养血和血；桂枝辛温，温经散寒，温通血脉；细辛温经散寒，助桂枝温通血脉；白芍养血和营，助当归补益营血；通草通经脉，以畅血行；大枣、甘草，益气健脾养血。重用大枣，既合归、芍以补营血，又防桂枝、细辛燥烈太过，伤及阴血。甘草兼调药性。本方配伍特点为温阳与散寒并用，养血与通脉兼施，温而不燥，补而不滞。当归四逆汤之手足厥寒是血虚受寒，寒凝经脉，血行不畅所致，因其寒邪在经不在脏，故肢厥程度较四逆汤证为轻。

本案患者有沉寒痼冷，单用当归四逆汤尚不足以驱除体内寒气，故需合四逆加人参汤益气温通，回阳救逆。《注解伤寒论》曰："恶寒脉微而利者，阳虚阴胜也……与四逆汤温经助阳，加人参生津液益血。"四逆加人参汤主治少阴病，症见四肢厥逆，恶寒蜷卧，脉沉微弱。两方合用沉寒痼冷渐除，阳气渐复，血脉得通，下肢转温。经典经方的思路具有严密的法度和很高的可重复性，辨证论治需要综合所有四诊临床信息，如此便能找到正确的法门，救治疑难病于顷刻。

附：治疗期间患者舌象变化详见图 70~ 图 74。

发越水湿法治疗疑难水肿案例

【基本资料】

杨某某，男，73 岁，于 2021 年 3 月 28 日入院。

主诉：确诊肺恶性肿瘤 9 个月，双下肢水肿 4 个月。

现病史：患者 9 个月前于重庆某医院明确诊断为小细胞肺癌（T2N3M0）Ⅲ期、双肺肺气肿，予化疗（具体药物不详）、免疫治疗（特瑞普利单抗）后病情相对稳定，无咳嗽、咳痰、喘累等。4 个月前，患者行第 5 个周期免疫治疗后出现双下肢水肿，伴全身酸胀不适，未予特殊处理，之后双下肢水肿进行性加重，时有上肢水肿，全身肌肉酸胀，乏力不适。遂于广安市某医院就诊，完善检查考虑淋巴管阻塞，予静滴白蛋白及利尿等治疗后水肿稍缓解，但水肿及全身酸胀仍反复发作。发病以来，患者精神状态一般，双下肢伴双上肢水肿，全身肌肉酸胀、乏力，口干喜温饮，无恶寒发热，纳可，寐差，汗少，二便调。

既往史：3 年前因下肢乏力诊断为吉兰 - 巴雷综合征，经治疗症状好转。2021 年 2 月检查甲状腺功能提示甲状腺功能减退，考虑与免疫治疗副作用相关，予以左甲状腺素钠片 75μg、口服、每日 1 次，近 1 个月复查甲状腺功能基本在正常范围。50 年前工作时不慎导致左手示指断裂缺损。

体格检查：双肺呼吸音稍低，未闻及干、湿啰音，心脏未见明显异常。四肢凹陷性水肿，以下肢为甚，局部无发红及疼痛，皮肤温度正常。

中医四诊：望之少神、表情显淡漠，面色虚浮少华，体形适中，行动欠灵活，精神一般、发育正常、营养中等，四肢可见凹陷性水肿，语声低微，言语清晰，呼吸如常，无咳嗽，无呕吐、太息、呻吟、腹鸣，无异常气味。舌淡红，少津，苔薄黄，脉细滑。

辅助检查：查甲状腺功能、脑钠肽（BNP）、肝功能、肾功能均正常，双下肢静脉彩超正常。心脏彩超：左室舒张功能不全Ⅰ级。

中医诊断：水肿病（太阴证）

西医诊断：水肿待查：淋巴管阻塞？低蛋白血症？肺恶性肿瘤（$T_2N_3M_0$ Ⅲ期小细胞肺癌）；恶性肿瘤免疫治疗；双肺肺气肿；甲状腺功能减退症

【诊治过程】

一诊：2021年3月28日

中医四诊：患者精神一般，四肢浮肿，沉重，全身肌肉酸胀，乏力，口干喜温饮，不多饮，饮食正常，夜寐差，汗少，二便调。舌淡红，少津，苔薄黄，脉细滑。

病机分析：患者年老，有肺恶性肿瘤病史，行长期化疗及免疫治疗耗伤正气，中气亏耗，故见乏力，脾主四肢肌肉，脾津不能四布，无法濡养肌表，气虚水停，水湿泛溢肌表，故见四肢浮肿，沉重，全身肌肉酸胀。津不上承则口干喜温饮，气虚无力透表，则汗少。脉象细滑，乃为浮象，结合舌脉，考虑病机乃为太阴虚衰，正气亏乏，水湿泛溢。考《金匮要略·痉湿暍病脉证并治》："风湿，脉浮身重，汗出恶风者，防己黄芪汤主之。"

治法：运太阴，扶正利水。

处方用药：防己黄芪汤加人参。

防己 30g	炙甘草 15g	白术 20g	黄芪 35g
干姜 15g	生晒参 15g		

1剂，每日3次，水煎服。

服药后患者水肿未减，四肢关节处仍酸胀明显，苔变白腻，脉弦滑。

二诊：2021年3月30日

中医四诊：四肢水肿同前，仍肌肉酸胀、乏力、紧绷感，关节处酸胀明显，口干喜温饮，饮食正常，夜寐可，二便调。舌淡红，苔白腻，脉弦滑。

病机分析：患者予扶正法后症状加重，且舌苔转为白腻，以关节酸胀明显，考虑非单纯虚证导致水肿，或兼夹有风湿热邪，使用《金匮要略·中风历节病脉证并治》中提到治疗风湿热证之方"桂枝芍药知母汤"，兼予四妙散加强除湿热。

治法：运太阴，温阳扶正，利湿除热。

处方用药：桂枝芍药知母汤合四妙散。

桂枝 20g	白芍 15g	知母 10g	炙甘草 10g
麻黄 10g	麸炒苍术 30g	防风 20g	生附片先煎 10g
薏苡仁 30g	黄柏 20g	牛膝 20g	生姜 5g

1剂，每日3次，水煎服。

服药后，患者晨起水肿减轻，全身肌肉酸胀、乏力稍缓解。予针刺足三里、照海穴治疗后，双下肢流出少量黏液。

三诊：2021年3月31日

中医四诊：晨起水肿减轻，但下午水肿及酸胀紧绷感恢复如前，全身肌肉酸胀、乏力减轻，余症同前。

病机分析：患者晨起水肿减轻，晨起乃阳气始生之时，人之阳气渐起，正气来复，泛溢之水湿得阳气则化，故晨起后水肿渐消。因患者病久，且症状顽固反复，前方得效，续守前方 6 剂。

服药后患者水肿反复发作，晨起减轻，下午加重，针刺后有少量黏液从双下肢皮肤流出。全身肌肉酸胀、乏力未进一步减轻。

四诊：2021 年 4 月 6 日

中医四诊：四肢水肿同前，感肌肉酸胀、乏力，口稍干，喜温饮，饮食正常，夜寐可，二便调。舌淡红，苔白腻加重，脉弦滑。

病机分析：患者水肿无根本改善，病情反复，结合患者腻苔进行性加重，脉弦滑实为主，且患者精神可，无畏寒、汗出等虚证表现，扶正温阳利水无效，据《金匮要略·水气病脉证并治》："诸有水者，腰以下肿，当利小便，腰以上肿，当发汗乃愈。"调整方案以发汗透邪，解表利水为主，故以《金匮要略》续命汤处方。数日静脉推注呋塞米，水肿无明显改变，予停用。

治法：以开太阳发汗透邪，解表利水为主，麻黄增量，运太阴益气扶正为辅。

处方用药：续命汤。

麻黄 30g　桂枝 30g　当归 30g　生晒参 30g
石膏先煎 30g　干姜 30g　炙甘草 30g　生川芎 10g
烊苦杏仁 16g

2 剂，每日 1 剂，每日 3 次，水煎服。

服药后，患者四肢酸胀乏力减轻，仍反复发作四肢水肿，双下肢甚。

五诊：2021 年 4 月 8 日

中医四诊：四肢酸胀乏力有所减轻，无明显汗出、心慌不适，口稍干，喜温饮，夜寐可，余无明显变化。白腻苔逐渐剥脱，脱处有少量新苔，脉同前。

病机分析：运用 30g 麻黄后患者未诉明显汗出、心悸、夜寐不安等不耐受症状，但四肢酸胀乏力有缓解，新苔重生，或为药物推陈致新之功，继续加强发汗解表除水之功。

治法：开太阳，运太阴。

处方用药：越婢加术汤。

麻黄 45g　石膏先煎 60g　炙甘草 15g　麸炒苍术 30g
大枣 12g　生姜 20g

2 剂，每日 1 剂，每日 3 次，水煎服。

服药后，患者无明显汗出，四肢酸胀乏力继续改善，仍反复发作四肢水肿，双下肢甚。

六诊：2021 年 4 月 10 日

中医四诊：四肢酸胀乏力继续改善，四肢浮肿同前，服药后自觉症状继续改善，仍无明显汗出，余症同前。舌苔逐渐剥脱，脱处有新苔，脉同前。

病机分析：患者症状续减，当下治则有效，结合患者肢体水肿，关节酸软、乏力，仍考虑水湿流注关节，充滞肌表，为溢饮。

治法：开太阳，发越水气。

处方用药：大青龙汤。

麻黄 45g	桂枝 15g	炙甘草 15g	焯苦杏仁 8g
大枣 12g	石膏先煎 20g	生姜 20g	

2 剂，每日 1 剂，每日 3 次，水煎服。

服药后，患者无明显汗出，小便明显增多，四肢水肿较前有减轻。

七诊：2021 年 4 月 12 日

中医四诊：四肢酸胀乏力明显改善，双上肢浮肿减轻，双下肢浮肿同前，无明显口干，不多饮水，余症同前。舌苔长出新的薄白苔，脉同前。

病机分析：使用麻黄 45g 后患者仍未见明显汗出，小便增多考虑为湿浊渐去之排病反应，结合患者浮肿开始逐渐缓解，肢体酸胀改善，腻苔消失，新苔长成，治疗有效，但恐药力不够，麻黄、石膏继续加量。

处方用药：遵经方原方配伍比例，麻黄调整为 60g、石膏 45g，煎服法同前。

服药后，患者夜间小便持续增多，尿液稍浑浊，微微汗出，夜寐可，无胸闷、心慌、心悸，肢体水肿继续消退。

【预后及转归】

患者续服上方后小便继续增多，家属诉夜间需放置尿壶在床边随时备用，四肢浮肿较入院时明显缓解，四肢酸胀乏力改善，稍口干，喜温饮，不多饮水，纳、眠可，大便调。舌淡红，苔薄白，脉弦滑。因症状改善，患者带上方 7 剂出院续服。半月后微信随访，双上肢浮肿基本消失，双下肢浮肿明显缓解，病情稳定。

【按语】

1. 本案病机：太阳不开，水湿内聚，泛溢于四肢肌肉。

该案患者为七旬老人，《素问·上古天真论》曰："男子八八，天癸竭，精少，肾脏衰。" 阳气本弱，且因肺部恶性肿瘤行长时间化疗及免疫治疗，本底虚衰，因此初诊时考虑虚证为主，《素问·经脉别论》曰："饮入于胃，游溢精气，上输于脾，脾气散精，上归于肺，通调水道，下输膀胱……" 太阴亏虚，脾精不布，肺气不固，肺不得通调水道，水湿泛溢四肢肌表，故见四肢浮肿，沉重，全身肌肉酸胀。津液凝聚，不得上承则口干喜温饮，气虚无力透表，则汗少。因而处方防己黄芪汤扶正利水。然行扶正法后症状加重，且舌苔转为白腻，以关节酸胀明显，以方测证，该病可或兼夹有风湿热邪，故以桂枝芍药知母汤温阳扶正，利湿除热，效仍不显，而苔白腻反进行性加重，中医叠用益气除湿之方，联合西药利尿剂静脉推注，水肿依旧，说明思路需重新调整。

回顾《金匮要略》中对于水肿的治疗，明确有“利小便”和“发汗”两大原则，前提是水肿当辨明为何类性质。《金匮要略·水气病脉证并治》曰：“病有风水、有皮水、有正水、有石水、有黄汗。”明确将气水同病的水液代谢异常进行了分类。《金匮要略·痰饮咳嗽病脉证并治》也谈到水饮为病，并提到：“饮水流行，归于四肢，当汗出而不汗出，身体疼重，谓之溢饮。”结合患者症状，考虑“溢饮”，“病溢饮者，当发其汗，大青龙汤主之，小青龙汤亦主之”。《伤寒论·辨太阳病脉证并治》：“伤寒脉浮缓，身不疼但重，乍有轻时，无少阴证者，大青龙汤发之。”然水气病的特点是“风气相搏，风强则为瘾疹，身体为痒，痒为泄风，久为痂癞，气强则为水，难以俯仰”。该患者并无感受风邪的诱因，其水肿伴身体酸重疼痛，符合“身不疼但重”的表现，因此当从痰饮病之“溢饮”论治，处方大青龙汤后病情出现转机，麻黄用到60g后小便量明显增多，水肿等症状改善，并且未出现心悸、夜寐不安等不良反应，切中病机，收效明显。

2. 从代表方大青龙汤探讨麻黄之功用。

大青龙汤由麻黄汤变通而来，方中麻黄量大，为六两，突出了发越水气的作用。《神农本草经》中记载麻黄的作用为“发表，出汗，去邪热气，止咳逆上气，除寒热，破癥坚积聚”，该案中顽固性水肿亦可为癥坚积聚的一种临床类型，需要大量的麻黄才可奏效。该案患者在使用大剂量麻黄后，先出现明显的小便增多，服用多剂后才有微微汗出，因麻黄归肺、膀胱经，临床使用麻黄后出现小便通利，对腠理致密者也可看作是汗法的另一种形式，并且配伍性味辛甘寒的石膏，既能助麻黄发表除湿，又能透达郁热，还可防麻黄发越太过、辛温化热，因此患者服用10余剂一直未出现明显口干、心悸、胸闷、夜寐不安等不适，随着小便的大量排出，水肿明显好转，直至最终几乎完全消退。

总结《伤寒杂病论》中麻黄用法如下：六两，用于水肿及无汗，但多配石膏，方如大青龙汤、越婢类方；三至四两，用于咳喘、身痛，方如麻黄杏仁甘草石膏汤、小青龙汤、射干麻黄汤、厚朴麻黄汤、麻黄汤、葛根汤、乌头汤等；二两，或与附子细辛配伍，治疗脉沉的无汗、水肿、发热、咳嗽等，方如麻黄细辛附子汤、麻黄附子汤等；或与连翘、苦杏仁等同用，治疗郁热在表之发黄、湿疹等，方如麻黄连翘赤小豆汤等；对于表邪未尽、汗出不畅的肤痒或身体痛等，则麻黄用量更少，只有半两或一两，如桂枝麻黄各半汤、桂枝二麻黄一汤。

疑难杂症，病机繁杂，常常需要反复摸索与观察、反思，才能切中病机，正确的答案往往出乎意料，这就需要医者勇于反思，跳出常规思维的禁锢。遇高龄久病患者，虽言虚证居多，大青龙汤亦常谓“不可久服”，但根据舌淡胖苔厚腻，脉弦滑之兆，亦可用宣发之法，连用10余剂而愈病。只要切中病机，经典经方，配伍得当，用之必效。《灵枢·九针十二原》曰：“言不可治者，未得其术也。”在对水饮病有全面的认识，对经典经方心中有定数后，就能遵原方原量之旨，取得令人满意的疗效。

附：患者治疗前后舌象及水肿变化详见图75~图82。

大柴胡汤治疗慢性阻塞性肺疾病急性加重案例

【基本资料】

陈某某，男，66岁，于2022年7月3日入院。

主诉：反复咳嗽咳痰20年，喘累10年，加重7天。

现病史：患者于20年前无明显诱因出现咳嗽咳痰，咳白色泡沫黏痰，以秋冬季节为甚，每年持续时间超过3个月，无咯血，无咽痛，无端坐呼吸，无潮热，无双下肢水肿等症状，未规范诊治。10年前患者逐渐出现活动后喘累气促，盗汗，曾在其他诊断为慢性阻塞性肺疾病，曾吸入布地奈德、沙美特罗粉吸入剂控制症状，近来未再使用；入院前7天，患者受凉后上述症状加重并伴咳嗽咳痰，牵扯胸部疼痛，呈闷痛、刺痛，咳嗽、咳痰呈白色泡沫黏痰，活动后喘累明显，休息后可缓解，伴畏寒，寒战，夜间睡着后冷汗出，无发热、咯血，无端坐呼吸，无呕吐、腹痛、腹泻，无尿频、尿急、尿痛，门诊以“慢性阻塞性肺疾病急性加重”收入中医经典科。

既往史：40余年前因车祸伤导致右侧颈部皮外行清创缝合术治疗。既往有采煤工作史5年，有采石工作史3年，有大量粉尘接触史。有吸烟史、嗜酒史，吸烟史10余年，约20~40支/天，已戒烟30余年；饮酒史50余年，约500ml白酒/天，已戒酒3年。

中医四诊：患者精神状态一般，咳嗽、咳痰、喘累逐渐加重，咳嗽时牵扯胸部疼痛，畏寒，无发热，口干口苦，饮食正常，夜寐不安易醒，大便正常，小便正常。舌红，苔薄白根腻，脉滑。

体格检查：体温36.5℃，脉搏67次/min，呼吸19次/min，血压156/88mmHg，神志清楚，精神状态一般，桶状胸，呼吸运动左右侧减弱，肋间隙增宽，语颤未见异常。叩诊过清音，呼吸规整，双肺呼吸音弱，双侧肺可闻及少量湿啰音，无胸膜摩擦音。心率67次/min，律齐，各瓣膜听诊区未闻及病理性杂音，无心包摩擦音。腹部查体未见明显异常。双下肢无浮肿。舌红，苔薄白根腻，脉滑。

辅助检查：胸部CT平扫：双肺轻度气肿；双肺散在钙化灶。心电图示窦性心律不齐，偶发短阵房性心动过速，逆钟向转位。

中医诊断：肺胀（少阳证）

西医诊断：慢性阻塞性肺疾病急性加重

【诊治过程】

一诊：2022年7月4日

中医四诊：患者咳嗽咳痰，牵扯胸部疼痛，呈闷痛、刺痛，活动后喘累，夜间胸部汗出明显，湿透睡衣，口干口苦，饮食正常，夜寐不安，大小便正常。舌红，苔薄白根腻，脉滑。

病机分析：患者年事渐长，有吸烟史，肺失所养，水液不运，痰饮内生，复感风寒，入里化热，发为此病。寒邪外袭，入里化热，邪犯少阳，夜间盗汗；脾肾亏虚，兼肺脏失养，水液不运，痰饮内生，复感风寒，引动伏饮，肺失宣降，故见气促、咳嗽咳痰。

治法：和解少阳，通腑泻热，宣肺泻热。

处方用药：大柴胡汤合麻杏石甘汤加减。

北柴胡 30g　法半夏 15g　酒黄芩 15g　麸炒枳实 15g
白芍 15g　酒大黄(后下) 5g　蜜麻黄 10g　焯苦杏仁 15g
生石膏(先煎) 30g　炙甘草 10g　大枣 15g

3剂，每日1剂，每日3次，水煎服。

服药后，患者咳嗽、咳痰及胸痛症状均较前改善。

二诊：2022年7月6日

中医四诊：咳嗽、咳痰量均较前缓解，胸部牵扯痛较前减轻，夜间觉胸口冷汗出，睡着后汗出明显，湿透衣服，口干口苦，无胸闷，无发热。食欲正常，睡眠仍欠佳，大小便正常。舌红，苔薄白根微腻，脉滑。

病机分析：患者仍诉夜间胸部冷汗明显，结合患者喘累不适，舌脉情况，考虑患者为少阳枢机不利，痰湿内阻。

治法：和少阳，运太阴，降阳明。

处方用药：柴胡加龙骨牡蛎汤合大柴胡汤加味。

北柴胡 15g　龙骨 30g　牡蛎 30g　干姜 6g
人参 15g　桂枝 15g　茯苓 15g　法半夏 15g
酒黄芩 15g　酒大黄 6g　大枣 15g　赤芍 15g
焯桃仁 15g　牡丹皮 15g　天花粉 20g　乌梅 30g

2剂，每日1剂，每日3次，水煎服。

患者服药后胸部出汗情况减少，咳喘减轻。

三诊：2022 年 7 月 8 日

中医四诊：咳嗽时伴随的胸部牵扯痛已较前减轻，夜间胸口冷汗出伴畏寒症状较前缓解，出汗量较前减少，活动后喘累、咳嗽、咳痰较前好转，诉口干、口苦明显，无发热、无胸闷紧。舌红，苔薄白，脉滑。

病机分析：患者胸部牵扯痛、盗汗伴畏寒、活动性喘累诸症均较前好转，诉口干口苦，仍以胸口冷汗出为主，结合舌脉情况，仍考虑患者为少阳枢机不利，阳明里热，津液内伤，兼太阴不运。

治法：同前。

处方用药：大柴胡汤加味。

北柴胡 15g　大黄后下 5g　麸炒枳实 15g　法半夏 15g
白芍 30g　大枣 15g　干姜 10g　酒黄芩 15g
天花粉 20g　瓜蒌皮 15g

3 剂，每日 1 剂，每日 3 次，水煎服。

服药后，患者咳嗽、咳痰较前好转，胸部牵扯痛明显减轻，夜间胸口冷汗出伴畏寒症状较前缓解，出汗量较前明显减少。

四诊：2022 年 7 月 13 日

中医四诊：患者咳嗽、咳痰基本缓解，胸部无牵扯痛，胸部汗出缓解，活动后喘累减轻，仍有口干口苦，咽稍痛，纳眠可，大便偏稀，小便可。舌红，苔薄白，脉滑。查看患者咽部红肿。

病机分析：少阳郁热，阳明里热未尽，太阴不运。

治法：和解少阳，通降阳明，运太阴。

处方用药：大柴胡汤加味。

北柴胡 15g　大黄后下 5g　麸炒枳实 30g　法半夏 15g
白芍 30g　大枣 15g　干姜 7g　黄芩 15g
天花粉 20g　瓜蒌皮 15g　焯苦杏仁 10g　大青叶 10g
郁金 10g　牡丹皮 10g　蒲公英 15g

7 剂，每日 1 剂，每日 3 次，水煎服，带药出院。

【预后转归】

患者出院后继续服药治疗，半月后门诊随访，活动后稍显喘累，略有汗出，休息可缓解，平时无咳嗽咳痰，间断口干口苦，大便不畅，服药后诸症可减轻，纳可，二便调，病情稳定。

【按语】

1. 本案病机：少阳阳明合病，兼太阴不运。

患者咳嗽咳痰、活动后气促，伴口干口苦、夜间汗出、畏寒，六经辨证属少阳阳明兼太阴合病。少阳主枢，司开阖，联络表里气血阴阳，患者受凉感冒后，邪犯少阳，留滞经络，正气不得出表而卫外，卫外失固则反复外感而发作或加重，邪气入里化热则发热心烦，外出肌表则恶寒，正邪交争则汗出。

《伤寒论》第97条曰："血弱气尽，腠理开，邪气因入，与正气相抟，结于胁下。正邪分争，往来寒热，休作有时。"邪气与正气搏结，经络气血运行不畅，气不下行，肺气上逆则见憋闷如塞，咳喘气急，短气等症；邪结胁下，则见胸胁胀满。少阳三焦气机不利，则肠腑之气亦不得通降，腑气不通，气郁化热，渐成阳明郁热、实热，热邪迫肺，肺金荡激则喘咳气急。邪郁少阳三焦，阳郁化热，上蒸清窍则口苦、口干、咽干；气郁则水郁，津液停聚为痰饮水湿，痰随气涌，故咳嗽痰多。

本案患者先予大柴胡汤和麻杏石甘汤和解少阳、清阳明之郁热，待热象减、咳喘及汗出减轻后，予柴胡加龙骨牡蛎汤联用，取其人参、桂枝之力加强运太阴之功。四诊患者出现咽喉疼痛等热化表现，又予大青叶、蒲公英等清热除烦，使少阳阳明郁热渐伏而病情向愈。

2. 大柴胡汤证治解析。

大柴胡汤是《伤寒论》及《金匮要略》中的经方。《伤寒论》第103条："呕不止，心下急，郁郁微烦者，为未解也，与大柴胡汤下之则愈。"第136条："伤寒十余日，热结在里，复往来寒热者，与大柴胡汤。"第165条："伤寒发热，汗出不解，心中痞硬，呕吐而下利者，大柴胡汤主之。"《金匮要略·腹满寒疝宿食病脉证治》："按之心下满痛者，此为实也，当下之，宜大柴胡汤。"大柴胡汤由柴胡、黄芩、半夏、枳实、芍药、生姜、大枣、大黄组成。柴胡善于疏散少阳半表半里之邪；配伍黄芩，可清泄肝胆之热，和解少阳。大黄苦寒泄下，通腑泻热，祛瘀利胆；枳实破气消积，二药合用，既内泻阳明热结，又开畅结气，使胆腑气分通畅。芍药配枳实，有行气活血之效；半夏伍生姜，具化痰降逆之能，用于治疗少阳阳明合病。

大柴胡汤本证为邪在少阳阳明，或为肝胆郁热，胃肠燥结。临证如按之心下痞满疼痛，为内有实邪结滞。大柴胡汤既能疏利肝胆，又能荡涤胃肠结滞，治疗少阳阳明合病，或内伤肝胆胃肠俱病。

本方临证常用加减有：若胁腹痛甚者，重用白芍，加川楝子、延胡索、郁金等；心下痞满甚者，重用枳实，加木香；若大便不通者，重用大黄，加芒硝；若湿热甚者，加茵陈、栀子、虎杖等；若血脉瘀阻者，加丹参、桃仁、牡丹皮；若有胆道结石者，加金钱草、海金沙、鸡内金等。本方临床用于治疗胆囊炎、胆石症、急性胰腺炎、肝炎、胆汁反流性胃炎、腹膜炎、肠梗阻、疟疾、肠伤寒、流行性感冒、肺炎、肠系膜动脉栓塞等疾病。

附：治疗前后患者舌象变化详见图83、图84。

开太阳、温少阴治疗痹证案例

【基本资料】

龙某某，女，51岁，于2022年2月23日入院。

主诉：双肩部胀痛不适5月余，加重伴背痛8天。

现病史：5月余前患者无明显诱因出现双肩部胀痛不适，以右侧为主，受寒后加重，得热痛减，无头晕、头痛，无恶心、呕吐，自行于外院行针灸、中频等中医特色疗法治疗后症状稍有缓解，但仍反复。8天前无明显诱因出现上述症状再次加重，性质同前，伴全背部游走性疼痛，呈阵发性，夜间为重，遂于我院门诊就诊，门诊以"腰背肌筋膜炎"收入中医经典科。

既往史：8年前因腰椎间盘突出于外院行微创手术（具体不详），现未诉特殊不适。有萎缩性胃炎病史2年，平素食欲欠佳。否认其他疾病史。

中医四诊：患者神清，精神状态一般，双肩部胀痛不适，以右侧为主，伴全背部游走性疼痛，呈阵发性，夜间为重，纳、眠差，无汗，大便溏。舌淡暗，苔薄白，脉沉细。

体格检查：体温36.2℃，脉搏96次/min，呼吸20次/min，血压129/84mmHg，右侧肩胛骨上缘可触及一质硬包块，边界清楚，约4cm×4cm，触之压痛。双肺呼吸音清晰，双侧肺未闻及干、湿啰音，无胸膜摩擦音。心率96次/min，律齐，各瓣膜听诊区未闻及病理性杂音，无心包摩擦音。

辅助检查：体表包块彩超：颈后部及右侧肩部皮下脂肪层较对侧增厚、回声较杂乱。颈、胸椎磁共振成像：颈3/4、4/5、5/6椎间盘轻度突出（中央型）；胸1/2及胸11/12右侧黄韧带稍增厚；颈、胸椎退行性变性。

中医诊断：痹证（太阳少阴合病）

西医诊断：筋膜炎；慢性萎缩性胃炎；颈椎间盘突出；颈、胸椎退行性变性

【诊治过程】

一诊：2022年2月23日

中医四诊：患者神清，精神状态一般，双肩部胀痛不适，以右侧为主，伴全背部游走性疼痛，呈阵发性，夜间为重，纳、眠差，无汗，大便溏。舌淡暗，苔薄白，脉沉细。

病机分析：卫外不固，寒湿入侵，由外而内，痹阻经络，不通则痛，发为本病。肢体疼痛为太阳枢机不利，寒湿痹阻经络所致，病位在四肢经络。

治法：开太阳，温少阴。

处方用药：乌头汤。

麻黄 25g　白芍 25g　炙甘草 20g　黄芪 25g

制川乌先煎 12g　白蜜 100ml

1 剂。先将制川乌与白蜜和水 400ml 同煎 1 小时，去川乌，将药液与另外四味药物煎出的药液混合服用。每日 3 次，每次 100ml。（以上操作由病房工作人员完成）

配合中医特色疗法：中药封包治疗（肿意膏：颈肩部）通痹止痛，穴位贴敷治疗（活血止痛贴）行气止痛，中医定向透药治疗（透药 1 号方）活血行气，TDP 治疗散寒通络，使用 HYJ 智能化炎症治疗机消炎止痛，普通电针治疗舒筋通络，隔物灸治疗温阳散寒止痛。

服药后，患者肩颈部少量汗出，双肩胀痛不适好转，全身背部游走性疼痛减轻，大便仍稀溏，小便正常。

二诊：2022 年 2 月 24 日

中医四诊：患者双肩部胀痛不适好转，全身背部游走性疼痛减轻，活动后稍汗出，无头晕头痛，无口舌麻木，无心慌心悸，大便仍稀溏，小便正常，纳增，眠欠佳，易醒。舌淡红略暗，苔薄白，脉沉细。

病机分析：太阳得开故汗出，寒湿之邪随汗解故疼痛减轻，太阴得运故纳增。

治法：同前。

处方用药：守方 3 剂。煎煮及服用方法同前。

三诊：2022 年 2 月 27 日

中医四诊：患者精神状态一般，双肩部胀痛不适进一步好转，间断汗出，背部阵发性游走性疼痛减轻，觉口干，大便较前成形，小便正常，纳可，眠较前改善。舌淡红，苔薄白，脉沉细弦。

病机分析：经开太阳、解表散寒治疗后，寒湿之邪进一步减轻，口干乃略显热化之兆。

治法：同前。

处方用药：在前方基础上减麻黄、川乌用量，加白芍用量，加葛根。

麻黄 15g　白芍 45g　炙甘草 20g　黄芪 25g

制川乌先煎 10g　葛根 30g　白蜜 100ml

2 剂，每日 1 剂，煎煮制川乌方法同前，其余药物另煎，混合后服用，日 3 服，每次 200ml。

服药后，患者诉偶有双肩部胀痛不适，未再诉全背部游走性疼痛，未再诉夜间疼痛，纳、眠可，未再口干，二便调。

【预后转归】

患者精神状态较前明显好转，未诉双肩部胀痛不适，无全背部游走性疼痛，未再诉夜间疼痛，纳、眠可，二便调。舌淡红，苔薄白，脉细滑。守方带药7剂出院。

【按语】

1. 本案病机：太阳不开，少阴寒化，寒湿痹阻。

《灵枢·天年》曰："五脏皆不坚，使道不长，空外以张，喘息暴疾；又卑基墙薄，脉少血，其肉不石，数中风寒，血气虚，脉不通，真邪相攻，乱而相引，故中寿而尽也。"指出了少阴、太阴本虚之人，一方面气血虚弱，在外表现为肌肉松散，气血衰少而循行不畅；另一方面五脏不足，常致病邪入里，肺气外泄，呼吸气粗而急促。该患者年过五旬，两本亏虚，在内少阴寒化，火不暖土，寒性收引，故双肩及背部疼痛，遇寒加重；在外则卫外不固，寒湿入侵，由外而内，痹阻经络，不通则痛，故发为周身关节疼痛不适。寒湿之邪痹阻关节，气血运行阻滞，故关节疼痛剧烈，屈伸活动不利，治当温经散寒，除湿通痹。

乌头汤方始载于《金匮要略·中风历节病脉证并治》："病历节不可屈伸，疼痛，乌头汤主之。"方中乌头味辛苦，性热，内达外散，能升能降，通经络，利关节，温经散寒，除湿止痛，凡凝寒痼冷皆能开之通之，其性与附子类似，其功更善止痛，直温少阴散里寒；麻黄辛微苦而温，开太阳，入肺、膀胱经，善开肺郁、散风寒、疏腠理、透毛窍、发表湿，其疏散透表之性，正对寒湿在表之证；二者配伍，同气相求，药力专宏，外能宣表通阳达邪，内可透发凝结之寒邪。芍药通痹行血，并配甘草以缓急止痛，二药取芍药甘草汤之意，助乌头散寒止痛，同时可以兼制大剂量乌头的燥烈之性。黄芪益气固卫，助麻黄、乌头温经止痛，同时兼运太阴以健脾除湿。白蜜甘缓，以解乌头之毒。诸药相伍，使寒湿去而阳气宣通，关节疼痛解除而屈伸自如，同时太阴得运则食欲开，寒湿得化则便溏缓解，津血生化增加则精神焕发，舌象亦由淡暗转红润。

2. 配伍精当和特殊的煎煮方法是经方的魅力，如使用得当，确能起沉疴，疗顽疾。

乌头汤中川乌与芍药、炙甘草、白蜜同用，蜂蜜为百花之精华，善解百毒，更加大剂量炙甘草，其毒性可得到很好的佐制。另外，《金匮要略》中提出的煎药的方法是：先以蜜二升（约合400ml）煎川乌，煎至一升时去川乌，留蜜待用。再将另外四味药物以水煎煮后，将药汁与先前之蜜合煎，如此可中和毒性，使乌头之毒性降到最低点，而治疗效果不变且持久。

原方川乌5枚，按常规大小川乌1枚3~5g计算，川乌用量可达15~25g，本案制川乌用量为12g，患者连续数日服用，且白蜜与制川乌等药合煎，亦未见不良反应，实际运用中川乌还可适当加量，如能严格按照经典原文煎煮用药，其安全性还是较高的。

附：治疗前后患者舌象变化详见图85~图87。

温少阴治疗慢性阻塞性肺疾病急性加重案例

【基本资料】

张某某，男，73 岁，于 2022 年 2 月 11 日入院。

主诉：反复咳嗽咳痰 30 余年，喘累 14 余年，再发 10 天。

现病史：患者于 30 余年前受凉后出现咳嗽、咳痰，咳白色黏痰，量稍多，伴流清涕、咽痛，无鼻塞、胸痛、气促、发热等，冬、春季节易反复发作，患者多次就诊于当地医院，予抗炎、止咳、化痰等治疗后症状好转，但时有反复。14 余年前患者受凉后再次出现咳嗽、咳痰，症状较前加重，痰液呈白色泡沫样，并逐渐出现活动后喘累、气促，呈进行性加重，发展为动则喘累，就诊于重庆市某医院完善相关检查，诊断为慢性阻塞性肺疾病，经治疗后好转出院，后未规律服药及诊疗。后患者咳嗽、咳痰、喘累、气促反复发作，每次病情加重时于当地医院多次住院治疗，6 余年前开始长期家庭氧疗及雾化治疗。入院前 10 天患者再次受凉后出现咳嗽、咳痰，症状较前更重，咳白色泡沫样痰，痰多，易咳出，伴静息状态下喘累、气促，稍活动即症状明显，伴流清涕、咽痛、咽痒、心慌，偶有心前区隐痛不适，时有恶心、欲吐，无恶寒、发热，于当地卫生院予抗炎、止咳、化痰等处理后症状稍缓解，但仍有咳嗽、咳痰、动则喘累、气促等不适，遂于我院急诊科就诊，以盐酸莫西沙星片、布地奈德、异丙托溴铵治疗，喘累稍减轻，为求进一步诊疗，急诊以“慢性阻塞性肺疾病急性加重期”收入中医经典科。

既往史：有咽炎病史 50 余年，反复咽痒、咽痛；双眼干涩、异物感、视力下降 3 年，自行使用滴眼液（具体药物不详）后可改善。有吸烟史 40 余年，平均 20 支 / 日，已戒烟 10 余年。有饮酒史 40 余年，以饮用白酒为主，平时 4~5 两 / 日，已戒酒。性情温和。

中医四诊：患者精神状态差，咳嗽、咳痰、喘累、气促，动则喘累甚，咳白色泡沫痰，伴流清涕、咽痛、心慌，偶有心前区隐痛不适，时恶心、欲吐，平素怕冷，无发热，无口干、口苦，饮食正常，夜寐安，体重无明显变化，大便正常，小便不畅，夜尿 3~4 次 / 晚。舌暗淡，苔白腻，寸脉浮，尺脉沉弦细。

体格检查：体温 36.5℃，脉搏 82 次 /min，呼吸 20 次 /min，血压 128/74mmHg，咽部黏膜稍充血，扁桃体无肿大。桶状胸，肋间隙增宽，语颤左右侧减弱。胸部叩诊过清音，呼吸规整，双肺呼吸音粗，双侧肺可闻及散在湿啰音，左下肺可闻及哮鸣音，无胸膜摩擦音。心率 82 次 /min，律齐，腹平坦、柔软，无压痛、反跳痛，双下肢无浮肿。舌暗淡，苔白腻，寸脉浮，尺脉沉弦细。

辅助检查：血常规示白细胞 $12.53 \times 10^9/L$，中性粒细胞 82.6%。胸部 CT：双肺气肿；双肺散在炎性病变；右侧胸膜增厚、粘连、钙化。

中医诊断：肺胀（少阴证）

西医诊断：慢性阻塞性肺疾病伴急性下呼吸道感染；慢性咽炎

【诊治过程】

一诊：2022 年 2 月 11 日

中医四诊：患者精神疲惫，面色少华，恶寒，流涕，喘息，时有咳嗽、咳声重浊，咳痰量多色白，稍活动即气促明显，伴心慌及心前区隐痛不适、恶心，无呕吐。舌暗淡，苔白腻，寸脉浮，尺脉沉弦细。

病机分析：两本亏虚，外邪直中少阴，肾阳不足，火不暖土，土失健运，痰浊水饮内生，痰浊犯肺，肺失清肃宣降，故见咳嗽、咳痰、喘累、气促；阴邪盘踞胸中阳位，则见心慌；表寒不解，则见流涕、咽痛，舌暗淡，苔白腻，寸脉浮；尺脉沉弦，为少阴命门火亏，湿浊瘀阻，表邪不解之象。

治法：温少阴，开太阳，宣肺平喘。

处方用药：破格救心汤合三子养亲汤加味。

炮附片（先煎）20g	干姜 10g	炙甘草 15g	人参 15g
山茱萸 20g	龙骨（先煎）30g	牡蛎（先煎）30g	炒紫苏子 15g
炒莱菔子 15g	炒芥子 15g	燀苦杏仁 15g	沉香（后下）10g
南沙参 30g	白果 10g	蜜紫菀 15g	蜜款冬花 15g
生半夏（先煎）20g	竹茹 15g		

3 剂，每日 1 剂，每日 3 次，水煎服。

服药后，患者咳嗽、咳痰、喘累、气促均减轻。

二诊：2022 年 2 月 15 日

中医四诊：患者咳嗽、咳痰较前好转，喘累、气促减轻，咳白色泡沫痰减少，流清涕好转，感轻度鼻塞，咽痛好转，眼干涩、视物模糊，暂无心慌、心前区隐痛不适。食欲改善，夜寐安，大便正常，小便较前稍通畅，夜尿 3 次 / 晚。舌暗淡，苔薄白微腻，脉沉弦滑。

病机分析：少阴亏虚得以温补，表邪得以外托，患者眼干、视物模糊，考虑肾水不足，木气升发不利，肝血亏虚。

治法：温少阴，宣肺平喘，滋肾养肝明目。

处方用药：前方基础上加决明子、枸杞子。

炮附片（先煎）20g	干姜 10g	炙甘草 15g	人参 15g
山茱萸 20g	龙骨（先煎）30g	牡蛎（先煎）30g	炒紫苏子 15g
炒莱菔子 15g	炒芥子 15g	燀苦杏仁 15g	沉香（后下）10g
南沙参 30g	白果仁 10g	蜜紫菀 15g	蜜款冬花 15g

生半夏先煎 20g 竹茹 15g 炒决明子 20g 枸杞子 15g

2 剂，每日 1 剂，每日 3 次，水煎服。

服药后，患者咳嗽、咳痰、喘累、气促均进一步减轻，眼干涩减。

三诊：2022 年 2 月 17 日

中医四诊：患者咳嗽、咳痰明显好转，偶咳白色泡沫痰，无明显喘累、气促不适，未再流清涕，轻度鼻塞，无明显咽痛，眼干、视物模糊减轻，无心慌、心前区隐痛不适。食欲可，夜寐安，大小便正常。舌暗淡，苔薄白，脉沉弦。

病机分析：痰饮得以温化，肾水得以温煦，肝血得以滋养，诸症均减轻。

处方用药：守方 7 剂，带药出院。

【预后转归】

患者出院 10 日后电话随访，诉偶有咳嗽，咳少量白色泡沫痰液，日常活动无明显喘累、气促，无畏寒、流涕，纳、眠可，二便调，夜尿 2 次 / 晚，精神状态良好，病情稳定。

【按语】

1. 本案病机：少阴亏虚，阳损及阴，气不化津，肝脾不和。

本案老年慢性阻塞性肺疾病患者，入院时喘累、气促，合并外感症状，入院后辨证属少阴亏虚证，治疗以温少阴，虽未用解表药物，但正气来复，咳喘多痰迅速减轻，起效迅速。

肺胀，是中医学中肺系疾病的一种，其为多种慢性肺系疾病反复迁延发作，经久不愈，最终导致肺气胀满，不能敛降，继而为病。在临床上多表现胸部胀满、憋闷如塞、气促喘息、咳嗽痰多，甚者可见烦躁、惊厥、神昏、喘脱等危重证候。《伤寒论》第 281 条："少阴之为病，脉微细，但欲寐也。"少阴病对慢性阻塞性肺疾病的发病有极大影响。少阴病之但欲寐与西医肾上腺素水平低下相关，心脏收缩功能减弱，故脉微，阳损及阴，脉管充盈不足，故脉细。但欲寐，既指阳虚困顿，精神疲乏，也指阴虚烦躁，欲眠而不得之阴阳两虚。《丹溪心法》云："肺胀而咳，或左或右，不得眠，此痰夹瘀血碍气而病。"心主血脉，心阳衰败，气滞则血不行，血瘀则气不顺，则出现胸闷气憋，喘咳，痰清稀，心悸，舌紫暗，有瘀点，脉细涩等；肾为气之根，肺为气之主，肾主纳肺吸入之气，肾阳衰微，气不化水，阳虚水泛，水饮凌肺，故出现喘咳不能平卧，咳痰清稀、量多，颜面浮肿，下肢肿，尿少，舌苔白滑，脉沉细等。舌上亦有醛固酮受体，肾虚者醛固酮水平低，唾液重吸收减少，使舌苔上丝状乳头生长过长，故苔厚腻，此舌苔腻白滑为少阴病之指征，此解可供参考。

《素问·六微旨大论》曰："少阴之上，热气治之，中见太阳。"该患者为老年男性，平素怕冷，入院时精神疲惫，面色少华，恶寒蜷卧，考虑少阴亏虚，真阳不足，咳嗽、咳痰、喘累明显，伴有鼻塞、流涕，为寒邪闭表，太阳表闭不开之象。

然正气虚损，无力抵邪外出，直中少阴，引动伏痰，且少阴君火不足，心阳不振，水饮凌心，则见心慌、胸痛，故治疗以温少阴、化水饮、祛痰止咳。

破格救心汤中重用附子、山茱萸，暗合五行相生，左升右降，中土斡旋，一气周流之圆运动之理；附子大辛大热，益火之源，以消阴翳，火性迅发，起效迅猛，通行十二经脉，破阴回阳；干姜辛温，补火助阳以暖土，此火生土也；干姜之火，必得炙甘草、人参甘温补中土而伏于土下以生中气，中气旋转以溉四旁，此土生金也；龙骨、牡蛎吸纳上下，皆具金之敛降肃杀之性，而导阳热入寒水中；山茱萸补肝木，制木动生风，以防元气暴散，从而使木气有序生发，促木生火。诸药合力，中气升降斡旋，四维升降浮沉，破“出入废则神机化灭，升降息则气立孤危”之局，而现一气周流，阴阳交泰之象，故常令危命再现生机。

2. 基于圆运动思想，调和肝脾治疗咳喘探析。

《四圣心源》曰：“己土之湿为本气，戊土之燥为子气，故胃家之燥不敌脾家之湿，病则土燥者少而土湿者多也。”强调脾湿胃逆、清浊不分、升降失常是圆运动不圆、诸病产生的重要基础。太阴、阳明，即脾胃是人体气机升降枢纽，中气不运，则气机失畅，阴阳失调。“土湿则脾陷而胃逆。脾陷则乙木不升而郁冲于下，胃逆则甲木不降而相火上炎。”肝郁不升，肺气不降；胆火上炎，津血被伤。如遇外邪袭表，肌表闭塞，火郁而发，肺失宣降，咳喘更易发作。

咳喘失治，久病人体圆运动不圆，他脏亦损，则变证丛生，导致临床症状复杂难辨。如上热下寒为肺气不降，敛降之性减弱，则胆火上炎，肾水寒凉，而现上热下寒之象。上焦热甚，心肺被灼；下焦寒凉，脾肾阳虚，痰饮日盛；另外，阴阳两虚为木郁不升，日久化热，愈郁则愈疏泄，郁陷下焦，则肝血被耗，肾精日亏，终成阴阳两虚之象。故患者长期咽痒咽痛，舌上裂纹，皆为木郁化热，上热下寒，津血耗伤之兆也。故该案调整在人参、炙甘草基础上加入枸杞子、决明子，健脾养肝也。另外，治疗少阴咳喘兼肝脾不和之纳差津亏，可在破格救心汤基础上加补骨脂、菟丝子、淫羊藿、枸杞子这些补肾的药，未必用巴戟天、地黄等滋腻之品，酌加丹参、生山楂，既能活血，味酸又能化阴，合山茱萸对土虚木郁、胃阴不足有很好的效果，且能开胃消食。

据以上思路，疗咳喘常用燥脾暖肝之品，却甚少单用理肺止咳之药，其燥土喜用干姜，疏木常用桂枝，立姜苓五味细辛汤为治咳嗽主方。理脾胃亦可选用(附子)理中丸、泻心汤之类，调肝胆常选小柴胡汤、柴胡桂枝汤、柴朴汤等方。外感诱发者，常加紫苏叶、荆芥；咳嗽明显者，加前胡、苦杏仁；痰湿甚者，加陈皮、白术；胆火伤阴者，加白芍、黄芩；下元虚寒者，加附子、细辛；气虚懒言者，加黄芪、人参；肝郁化热者，加连翘、青蒿；病久上热下寒者，多用厥阴病主方乌梅丸加减；阴阳两虚者，多用金匮肾气丸化裁。乌梅丸、肾气丸均无止咳平喘药，但临证用之咳喘疗效显著，从圆运动角度可明其义也。

附：治疗期间患者舌象变化详见图 88~ 图 90。

燮理阴阳治疗自汗案例

【基本资料】

雷某某，男，64 岁，于 2021 年 6 月 30 日入院。

主诉：反复上半身多汗 2 月。

现病史：患者于 2 月前受凉后出现上半身汗出，量多，甚则汗液完全浸湿衣物，以冷汗为主，汗出不黄，易感冒，偶有晨起头晕，无头痛，无恶寒发热，无咳嗽咳痰，无视物旋转，无耳鸣耳胀，无恶心、呕吐，无胸闷、心悸，无腹痛、腹泻，无潮热、盗汗等不适，于当地诊所予口服药物及输液等治疗后未见明显改善，仍反复上半身多汗。今为进一步检查及中西医结合治疗来我院就诊，门诊以“多汗症”收入中医经典科。

既往史：有痛风病史 20 余年。

中医四诊：患者精神状态一般，上半身汗出，颈项及腰部时有僵硬疼痛，恶风，腹部冷，口干，饮水不多，饮食正常，夜寐不安，大便时干时稀，小便偏黄，夜尿 2 次。舌暗红，苔白腻、有裂纹，脉弦。

体格检查：体温 36.3℃，脉搏 92 次 /min，呼吸 20 次 /min，血压 121/94mmHg。双肺呼吸音清，双侧肺未闻及干、湿啰音，无胸膜摩擦音。心率 92 次 /min，律齐，各瓣膜听诊区未闻及病理性杂音，无心包摩擦音。舌暗红，苔白腻、有裂纹，脉弦。

辅助检查：入院查血尿酸 440μmol/L，余血液检查未见明显异常。心电图示窦性心律。胸部 CT 平扫未见明显异常。

中医诊断：自汗（太阳太阴少阳合病）

西医诊断：多汗症；高尿酸血症

【诊治过程】

一诊：2021 年 6 月 30 日

中医四诊：患者多汗上半身汗出，颈项及腰部僵硬疼痛，恶风，腹冷，口干不欲饮，饮食正常，夜寐不安，大便干稀不调，小便偏黄，夜尿 2 次。舌暗红，苔白腻、有裂纹，脉弦。

病机分析：太阳经枢不利故见颈项、腰部疼痛；太阴不运，太阴湿土表现故见大便时溏，太阴本气不足故见恶风、腹部冷，少阳枢机不利，故口干。

治法：运太阴，开太阳，和少阳，敛汗固涩。

处方用药：理中丸合柴胡加龙骨牡蛎汤加减。

人参 45g　干姜 45g　白术 45g　炙甘草 45g
柴胡 15g　黄芩 15g　龙骨（先煎）20g　牡蛎（先煎）20g
桂枝 15g　山茱萸 30g　五味子 15g

2 剂，每日 1 剂，每日 3 次，水煎服。

服药后患者汗出较前减少，腹部怕凉，恶风减轻，余同前。

二诊：2021 年 7 月 2 日

中医四诊：患者精神状态好转，诉上半身仍汗出，量较前减少，受凉及受热均加重，晨起头晕，颈项及腰部僵硬疼痛减轻，腹部怕凉，恶风减轻，口干欲饮水，无恶寒发热，饮食正常，夜寐不安，大便时干时稀，小便偏黄，夜尿次数多。舌暗红，苔黄腻、有裂纹，脉弦。

病机分析：开太阳散寒邪故颈项及腰部疼痛减轻，太阴运则腹部凉、恶风改善，口干明显有热化倾向。

治法：同前，加强敛汗和营之力。

处方用药：在前方基础上易干姜为炮姜减缓燥热之性，黄芩加量至 30g 以制约炮姜之温性并解少阳郁热，加大龙骨、牡蛎用量至 45g 以潜阳敛汗，加白芍 45g 调和营卫。

人参 45g　炮姜 45g　白术 45g　炙甘草 45g
柴胡 15g　黄芩 30g　龙骨（先煎）45g　牡蛎（先煎）45g
桂枝 15g　山茱萸 30g　五味子 15g　白芍 45g

3 剂，每日 1 剂，每日 3 次，水煎服。

服药后，患者上身汗出进一步减少，恶风腹冷进一步改善，大便较前成形。

三诊：2021 年 7 月 7 日

中医四诊：前方服 3 剂后患者精神明显好转，上半身汗出减少，无汗液浸湿衣物，晨起头晕减轻，颈项及腰部僵硬疼痛好转，腹部怕凉较前改善，恶风、口干好转，因痛风发作诉右手背及右腕关节疼痛，活动可，无恶寒发热，纳可，寐安，大便成形，小便偏黄，夜尿次数多。舌暗红，苔黄腻、有裂纹，脉弦。

病机分析：里寒透表之象，伴化热后湿热趋表之征。

治法：同前。

处方用药：在前方中加玄参、当归增液养血生津，合用四妙丸清热利湿，加木瓜舒筋活络。

人参 45g　炮姜 45g　白术 45g　炙甘草 45g
柴胡 15g　黄芩 30g　龙骨（先煎）45g　牡蛎（先煎）45g
桂枝 15g　山茱萸 30g　五味子 15g　白芍 45g

玄参 30g	当归 20g	黄柏 10g	牛膝 15g
苍术 15g	薏苡仁 30g	木瓜 30g	

3 剂，每日 1 剂，每日 3 次，水煎服。

服药后，患者诸症进一步缓解，守方 7 剂带药出院。

【预后及转归】

出院后 10 天随访，患者精神可，活动后上身正常汗出，日间不用更换衣物，稍畏寒，无头晕头痛，纳可，二便调，病情稳定。

【按语】

1. 本案病机：太阴本虚，表邪不解，少阳郁热。

《素问·阴阳别论》："阳加于阴谓之汗。"汗由阳气蒸化津液，发泄于腠理而形成，能润泽肌肤，调和营卫，清除废秽。若阴阳平衡，气血调和，腠理固密，则津液内敛，活动时气血运行加速，体温升高，汗出以调节之，是为常态。反之，阴阳偏胜，气血失调或营卫不和，腠理疏泄，则可引起汗液外泄。

加于阴之阳，可以是阳热邪气，热迫津液外泄而汗出，也可是风寒外袭，风为阳邪，其性开泄，风阳加于阴，腠理亦开而汗出。另外，阳气亏虚，卫阳不固，腠理疏松，营阴不能内守，则见自汗。甚者阳气暴脱，阴津随阳气外泄而亡脱，则见淋漓汗出，又称脱汗、大汗亡阳，属绝汗，阴阳离决之危候。

患者怕风、腹部冷、大便时溏，伴汗出，为太阴本虚，表气不固之象。此类体质复感外邪，一方面易致正邪交争，营卫不和而汗出，另一方面也可导致邪气客于半表半里之少阳证。故患者太阴表虚不运之便溏、腹冷、畏风，营卫不和之汗出，少阳郁热之口干、失眠并现。

《圆运动的古中医学》云："火在上则生湿，火在下则生气。"太阴阳明，本当燥湿相济，寒热协调。如火失其位，失去气化作用，则常导致人体胸膈上部潮热汗出、咽痛口干，腹部及以下则畏寒便溏，食少纳呆等。治疗上，一方面以理中汤温运太阴，干姜之火，必得炙甘草、人参甘而微寒，补中土而伏火于土下以生中气，中气旋转以溉四旁。另一方面，合柴胡加龙骨牡蛎汤之意以解其少阳郁热，散太阳之表邪，敛营阴之外泄。患者药后中气升降旋转，四维升降浮沉得安，表寒得散，郁热得除，阴平阳秘，病情向愈。

2.《伤寒论》治疗汗证浅析。

太阴太阳同病，调和营卫。《伤寒论》第 53 条："病常自汗出者，此为荣气和。荣气和者，外不谐，以卫气不共荣气和谐故尔。以荣行脉中，卫行脉外，复发其汗，荣卫和则愈，宜桂枝汤。"外邪犯表，卫阳受伤，肌表不固，营阴不能内守，营卫失去平衡协调，症见汗出遍身，淅淅恶风，时有低热，烦劳则张，神疲肢倦，食欲不振。第 12 条："太阳中风，阳浮而阴弱。阳浮者，热自发；阴弱者，汗自出。啬啬恶寒，淅淅恶风，翕翕发热，鼻鸣干呕者，桂枝汤主之。”第 54 条:“病人藏无他病,时发热,自汗出而不愈者,此卫气不和也,先其时发汗则愈,宜桂枝汤。”应用桂枝汤解肌发表,调和营卫,使邪去正安,营卫调和,则汗自止。

少阴病,温阳散寒。《伤寒论》第 20 条:“太阳病,发汗,遂漏不止,其人恶风,小便难,四肢微急,难以屈伸者,桂枝加附子汤主之。”太阳病发汗过多,而致表阳虚汗漏不止。汗出过多,阳从汗泄,阳虚则不能固摄于外,肌腠失密,故汗出不止,遂则诸症蜂起。如汗多耗阴,津液亏乏,故小便难;阴虚津亏,筋脉失养,故四肢微急,难以屈伸。其病机是邪气外犯,卫阳不固,营卫不和,阴阳俱虚,而以阳虚为主。方用桂枝加附子汤温表阳、散表寒以止虚汗。

少阴病,回阳救逆。《伤寒论》第 390 条:“吐已下断,汗出而厥,四肢拘急不解,脉微欲绝者,通脉四逆加猪胆汁汤主之。”阴阳双方相互依存,任何一方的亡失,都将影响另一方,最终导致阴阳离决的危重证候。阳气暴脱,可见汗出如油、黏腻不易流动,口渴,烦躁不安,四肢不温,手足逆冷,畏寒,面色苍白,口唇青紫,舌质淡,脉微欲绝等,治宜回阳救逆,选用大辛大热之四逆类方。

少阳病,和解清热,宣畅郁阳。《伤寒论》第 165 条:“伤寒发热,汗出不解,心中痞硬,呕吐而下利者,大柴胡汤主之。”第 147 条:“伤寒五六日,已发汗而复下之,胸胁满,微结,小便不利,渴而不呕,但头汗出,往来寒热,心烦者,此为未解也,柴胡桂枝干姜汤主之。”少阳枢机不利,肝胆疏泄失调,水道不畅,阳郁不能宣达于全身,而反蒸腾于上部。治疗以柴胡类方疏利气机,和解少阳,使阳郁得伸则汗证可除,上述两方只在偏阳明与太阴之别也。

阳明病,在经则清热生津,在腑则泻热通腑。《伤寒论》第 182 条:“身热,汗自出,不恶寒,反恶热也。”第 219 条:“若自汗出者,白虎汤主之。”第 26 条:“服桂枝汤,大汗出后,大烦渴不解,脉洪大者,白虎加人参汤主之。”此皆为阳明在经里热迫津外泄之例,病机为里热较盛,迫津外泄以致汗出。治疗以白虎类方使热除津复而汗止。第 208 条:“手足濈然汗出者,此大便已硬也,大承气汤主之。”第 220 条:“二阳并病,太阳证罢,但发潮热,手足漐漐汗出,大便难而谵语者,下之则愈,宜大承气汤。”手足心汗出过多,又兼口干咽燥,便秘尿黄,舌苔黄燥,脉沉实者,此为郁热熏蒸,热结不通所致,故投大承气汤泻下热结则愈。

《素问·阴阳应象大论》曰:“善诊者,察色按脉,先别阴阳。”治疗汗证,首先分清阴阳之别,再定六经之位,遣方用药,诸证自除。

附:治疗期间患者舌象变化详见图 91~图 93。

和少阳、降阳明联合针刺与中药塌渍治疗带状疱疹案例

【基本资料】

刘某某，女，73 岁，于 2022 年 5 月 4 日入院。

主诉：右侧头痛 10 天，右侧颈、胸部疱疹 6 天。

现病史：患者于 10 天前无明显诱因出现右侧头痛不适，为刺痛，于重庆市某医院就诊，完善头颅 CT 未见明显异常，予以止痛治疗，头痛无明显改善，6 天前开始出现右侧颈肩部、胸前部皮肤疱疹，疼痛明显，呈针刺样、烧灼样疼痛，于当地诊所输液治疗，予以抗病毒、止痛、营养神经等药物治疗，头痛仍存在，皮肤疱疹、疼痛无明显缓解，伴口干、口苦，门诊以“带状疱疹”收入中医经典科。

既往史：乙型肝炎病史 50 余年，未复查及药物治疗。高血压病史 10 余年，规律服用复方利血平片 1 片、2~3 次 / 日，血塞通片 1 片、每日 3 次治疗。慢性胃炎病史 10 余年，间断服用奥美拉唑治疗。2011 年行胆囊切除术。

中医四诊：患者精神状态较差，焦虑，右侧头痛，右侧颈部、胸前部皮肤疱疹，疼痛明显，感口干、口苦，无恶寒发热，食少，夜寐不安，体重无明显变化，大便干结，小便正常。舌红，苔白腻微黄，脉沉弦滑。

体格检查：体温 36.5℃，呼吸 20 次 /min，心率 83 次 /min，血压 135/86mmHg，右侧颈部、胸前部皮肤可见多发疱疹，部分呈串珠样、簇样，触痛。心、肺、腹查体未见明显阳性体征。

辅助检查：血常规、D- 二聚体、呼吸道病原体九项检查未见异常。腹部彩超：脂肪肝、胆囊切除术后。心脏彩超：二尖瓣后叶钙化，左室舒张功能不全Ⅰ级。

中医诊断：蛇串疮（少阳证类）

西医诊断：带状疱疹；高血压 3 级（高危）；慢性胃炎

【诊治过程】

一诊：2022 年 5 月 4 日

中医四诊：患者精神状态较差，右侧头痛，右侧颈部、胸前部皮肤疱疹，疼痛明显，感口干、口苦，无恶寒发热，食少，夜寐不安，大便干结，小便正常。舌红，苔白腻微黄，脉沉弦滑。

病机分析：老年女性，两本亏虚，气机升降失常，土虚木郁，少阳枢机不利，兼阳明戊土不降，发为本病。头痛为少阳枢机不利，气机瘀滞所致；少阳相火不降，加之外感邪气化热，热毒郁结，灼燔皮肤，发为疱疹、疼痛；口干口苦为少阳病之本象；眠差为阳明不降，郁热在上，扰动心神所致；食少、大便干结为阳明不降所致；舌红，苔白腻微黄，脉沉弦滑，为两本不足，合并土虚木郁，枢机不利，兼阳明戊土不降之象。

治法：和解少阳。

处方用药：柴胡桂枝汤加大黄。

北柴胡 15g	桂枝 15g	生半夏[先煎] 15g	人参 15g
酒黄芩 15g	炮姜 10g	大枣 15g	炙甘草 10g
赤芍 20g	酒大黄[后下] 10g		

1 剂，每日 3 次，水煎服。

中医特色疗法：疱疹处予针刺（天髎、肩井、风池、阳辅、风市、支沟、阳陵泉）、拔罐治疗，后予以中药塌渍治疗（肿意膏）。

服药后，患者疱疹部分结痂，自觉疼痛较前减轻。

二诊：2022 年 5 月 5 日

中医四诊：右侧头痛仍明显，昨日行拔罐治疗后，右侧颈部、胸前部皮肤疱疹已结痂，自觉疼痛较前减轻，感口干、口苦。食欲一般，睡眠较前改善，大便干结，小便正常。舌红，苔白腻微黄，脉沉弦滑。

病机分析：针刺攻邪后，皮肤肌肉热邪得以外散，但少阳郁热、阳明不降仍存在。

治法：和少阳，降阳明，运太阴。

处方用药：前方酒大黄改为生大黄以增加通降阳明、泻热之力。

北柴胡 15g	桂枝 15g	生半夏[先煎] 15g	人参 15g
酒黄芩 15g	炮姜 10g	大枣 15g	炙甘草 10g
赤芍 20g	生大黄[后下] 10g		

3 剂，每日 1 剂，每日 3 次，水煎服。

服药后，患者右侧胸前部皮肤疼痛明显改善，仍有头痛、右侧颈部皮肤疼痛。

三诊：2022 年 5 月 8 日

中医四诊：诉右侧头痛较明显，右侧颈部皮肤疼痛，呈烧灼、针刺样疼痛，右侧胸前部皮肤疼痛明显改善，右侧颈部及胸前部皮肤疱疹已结痂，无渗液、渗血，无新发疱疹，口干、口苦减轻。食欲较前进一步改善，夜寐一般，大便已解，无明显干结，小便正常。舌淡红，苔白腻微黄，脉沉细滑。

病机分析：少阳郁热得以清降，但患者疼痛仍明显，考虑兼有湿热瘀滞、脉络不通。

治法：同前。

处方用药：加茯苓、陈皮健脾利湿，顾护中土，加当归、川芎、细辛活血止痛，加竹茹、苦参清热燥湿。

北柴胡 15g	桂枝 15g	生半夏^先煎^ 15g	人参 15g
酒黄芩 15g	炮姜 10g	大枣 15g	炙甘草 10g
赤芍 20g	生大黄^后下^ 10g	茯苓 30g	陈皮 10g
竹茹 10g	细辛 6g	当归 15g	苦参 10g
川芎 15g			

3剂，每日1剂，每日3次，水煎服。

服药后，患者右侧头颈部疼痛好转，皮肤疱疹部分已结痂。

四诊：2022年5月11日

中医四诊：患者神清、精神明显改善，诉右侧头颈部疼痛好转，右侧颈部、胸前部皮肤疱疹已结痂，部分已愈合，无新发疱疹，口干、口苦好转，感轻度心烦。食欲可，睡眠一般，大便稍干，小便正常。舌淡红，苔黄微腻，脉沉细滑。

病机分析：诸症好转，少阳郁热、阳明不降均得以改善，但仍有余热未尽。

治法：同前。

处方用药：前方加芒硝、枳壳，苦参减量。

北柴胡 15g	桂枝 15g	生半夏^先煎^ 15g	人参 15g
酒黄芩 15g	炮姜 10g	大枣 15g	炙甘草 10g
赤芍 20g	生大黄^后下^ 10g	茯苓 30g	陈皮 10g
竹茹 10g	细辛 6g	当归 15g	苦参 6g
川芎 15g	芒硝^冲服^ 6g	麸炒枳壳 20g	

7剂，每日1剂，每日3次，水煎服。

【预后及转归】

患者疼痛进一步减轻，精神食欲良好，夜寐可，二便调，疱疹皮肤已结痂，痂皮脱落后皮肤愈合，皮疹明显好转，于2022年5月12日带药7剂出院。

【按语】

1. 本案病机：太阴本虚，少阳郁热，阳明不降，枢机不利。

带状疱疹是由水痘-带状疱疹病毒引起的急性感染性皮肤病。中医称之为“蛇串疮”“火带疮”等，多因气血亏虚，肝郁火旺，湿热毒蕴而发病。该患者为老年女性，既往长期大便干结，考虑阳明戊土不降，中土斡旋乏力，少阳枢机不利，少阳相火不降，郁热熏蒸，灼燔皮肤，则发为疱疹；土虚湿盛，湿热蕴结，气血瘀滞，则疼痛剧烈，热扰心神，疼痛转侧，故难以入眠；口干口苦亦为少阳证之象，故病位在少阳、阳明、太阴，治疗以和少阳，降阳明，运太阴。《素问·太阴阳明论》曰:“太阴阳明为表里,脾胃脉也。”足太阴脾经与足阳明胃经互为表里,可互相影响。《素问·六微旨大论》曰:“阳明之上,燥气治之,中见太阴……太阴之上,湿气治之,中见阳明。”患者素体亏虚,感受外邪,为太阴不足之象,太阴不运,则阳明不降,入院时口干口苦、大便秘结为其当下之所急所苦,但形体瘦弱之人,通降阳明的同时,当以运太阴而护中土,以防正气大损。

和少阳、运太阴而降阳明,本有大柴胡汤,方中柴胡、黄芩和少阳、除郁热,枳实、大黄降阳明,生姜、大枣运太阴。然该患者虽有大便秘之症,却未形成腑实之结聚,不符合大柴胡汤之“呕吐、心下急、郁郁而烦”之主症,尚未达到大柴胡汤“热结在里”的使用指征,且其皮损及疼痛提示其病位偏表,故以桂枝汤运太阴、畅表气、和营卫,酌加大黄,与柴胡配伍,仍具有推陈致新而除邪之功。

2. 柴胡桂枝汤在带状疱疹中的应用浅析。

柴胡桂枝汤见于《伤寒论》第146条:“伤寒六七日,发热,微恶寒,支节烦疼,微呕,心下支结,外证未去者,柴胡桂枝汤主之。”可见柴胡桂枝汤之治肢节烦痛、心腹、胸胁诸痛,主要在于其具和解少阳枢机之能。少阳枢机不利,肝气郁结,气血违和,故见情志不舒,胸胁背间疼痛,或胀,或走窜。本方疏肝、调气,兼和血脉,故用之效佳。

从六经辨证角度出发,大部分带状疱疹患者少阳枢机不利,正气津液不足,不能透邪达表,正气时强时弱,病邪在太阳、少阳之间来回往复,但透邪力量不够,使得疼痛反反复复,成为六经太阳少阳半表半里之证。带状疱疹前期热毒壅盛,导致机体发热、疼痛、出水疱,在太阳层面牵制并消耗了人体大量正气,转入中期之后,湿热毒邪渐退,临床可见疱疹消退,色素沉着,但疼痛未愈,气滞血瘀相对明显,少阳枢机功能更弱,无力透邪达表,出现太阳少阳合病。从体质分析,此类带状疱疹患者久病体虚、卫外不固,以致疼痛反复,缠绵不愈。因此治疗上需兼顾扶正以治体虚之本,解表祛邪以清疼痛之标。采用柴胡桂枝汤为主方加减治疗带状疱疹,经方药简力专,往往能在短期内解除患者痛苦,提高其生活质量。

3. 带状疱疹外治法探讨。

患者食少,中土亏虚,入院症见右侧颈肩部、胸前部灼热刺痛,痛处固定,心烦,情绪焦虑,口干口苦,舌红,苔白腻微黄,脉沉弦滑,可知是体虚染邪基础上,疱疹毒邪未净,余邪留于少阳,久郁化热,灼损脉络而痛。因其痛点固定,故选手足少阳经脉之天髎、肩井、风池为主穴,直刺毒邪之所留,并以阳辅、风市、支沟围刺之,用浅刺法泻之,可活血通络,祛瘀止痛,辅以胆经之合穴阳陵泉清泻肝胆火毒。

带状疱疹后遗神经痛之病位在肌肤浅层之浮络、孙络，故选穴多以阿是穴为主，多用浅刺、半刺法疏通络脉，透邪外出。该患者太阴本虚，虽施针刺透邪，但应注意呵护气血，配以桂枝类方口服，后期不宜再使用泻法或刺血法，而以中药塌渍，止痛效果同样显著。

附：患者舌象、中医外治法及皮损变化详见图 94~ 图 102。

第三章

危重疾病

和少阳、降阳明治疗重症肺炎合并包裹性胸腔积液案例

【基本资料】

李某，女，40 岁，于 2021 年 5 月 31 日入院。

主诉：喘累伴左胸痛 1 周。

现病史：患者 1 周前无明显诱因感活动后喘累，左侧胸痛，呈刺痛，呼吸时加重，伴胸闷、心悸。未重视及治疗，喘累、胸痛症状进行性加重，间断咳嗽咳痰，痰黏难咳，今为进一步治疗来我院呼吸科门诊就诊，以“肺炎”收入中医经典科。

既往史：10 年前患过敏性紫癜性肾炎，曾服激素治疗，未再复发。

中医四诊：望之少神、表情痛苦，面色少华，体形肥胖，精神倦怠，语声低微、言语清晰、呼吸急促，间断咳嗽、痰少，无呕吐、太息、呻吟、腹鸣之声，无异常气味。舌红，苔薄黄，脉浮数。

体格检查：体温 36.1℃，脉搏 131 次 /min，呼吸 25 次 /min，血压 114/77mmHg。神志清楚，急性病面容，呼吸急促。胸廓对称，肋间隙未见异常，左侧语颤减弱。左下肺叩诊浊音，双肺呼吸音粗，左肺呼吸音减弱，双侧肺下叶可闻及湿啰音，无胸膜摩擦音。心前区无隆起，心尖搏动未见异常，心浊音界未见异常，心率 131 次 /min，律齐，各瓣膜听诊区未闻及病理性杂音，无心包摩擦音。双下肢无浮肿。

辅助检查：胸部 CT：右肺中叶内侧段及双肺下叶炎症，左肺部分实变；左侧胸腔积液，部分包裹，心包少量积液；左侧胸膜稍增厚；轻度脂肪肝。血常规示白细胞 $19.46 \times 10^9/L$，中性粒细胞 $16.22 \times 10^9/L$（83.4%）。C 反应蛋白 238.60mg/L，降钙素原阴性。血气分析示 pH 7.46，氧分压 66mmHg（鼻导管吸

氧 5L/min)，二氧化碳分压 33mmHg。

中医诊断：悬饮(太阳证)

西医诊断：社区获得性肺炎，重症；左侧胸腔积液；心包积液；脂肪肝

【诊治过程】

一诊：2021 年 5 月 31 日

中医四诊：活动后喘累伴胸闷、心悸，左胸痛，咳嗽咳痰，痰黏难咳，动则汗出，无恶寒发热，纳差，夜寐欠佳，平素易感腹部发凉，大便偏稀，小便深黄。舌红，苔薄黄，脉浮数。

病机分析：患者面白，体形肥胖，平素易感腹部发凉，大便偏稀，本底为太阴虚寒。近期因起居不慎，感受外邪，邪犯太阳，肺金受邪，正虚水凝，与外邪交争于肺。水液停聚于肺，故而喘累，结合舌脉，本病病位在太阳、太阴，病性属本虚标实证。

治法：开太阳，运太阴，利水泄浊。

处方用药：桂枝人参汤合千金苇茎汤加减。

桂枝 20g	炙甘草 20g	白术 15g	人参 15g
干姜 15g	香附 10g	旋覆花 10g	炒芥子 10g
薏苡仁 45g	桃仁 10g	芦根 30g	冬瓜子 30g
葶苈子包煎 30g			

6 剂，每日 1 剂，每日 3 次，水煎服。

西医方面予抗感染，经鼻高流量吸氧改善缺氧，止咳化痰等治疗。在彩超室行超声引导下胸腔穿刺，仅得 50ml 胸腔积液。

服药后，患者咳嗽减轻，仍大便稀溏，次数多，仍感喘累、左胸痛。

二诊：2021 年 6 月 6 日

中医四诊：活动后仍感喘累伴胸闷、心悸，左胸痛，动则汗出，咳嗽咳痰减轻，纳差，夜寐欠佳，大便稀溏，次数多，小便深黄。舌红，苔薄黄，脉浮数。

病机分析：患者咳嗽咳痰减轻，当下治疗有效，但大便稀溏，因患者太阴本虚，恐苇茎汤中药物过于通利寒凉，伤及中土，故减去香附、旋覆花、炒芥子、冬瓜子、薏苡仁、桃仁，继续以桂枝人参汤为主。

治法：开太阳，温运中土，化水饮。

处方用药：桂枝人参汤加味。

桂枝 20g	炙甘草 20g	白术 15g	人参 15g
干姜 15g	芦根 30g	葶苈子包煎 20g	

4 剂，每日 1 剂，每日 3 次，水煎服。

服药后，患者咳嗽明显缓解，仍活动后喘累，胸痛减轻，大便稀溏，次数多，

解便时喘累,乏力。C 反应蛋白下降。CT 提示肺部炎症改善,但包裹性胸腔积液较前稍增多。请胸外科行胸腔穿刺,未穿刺到积液。

三诊:2021 年 6 月 10 日

中医四诊:活动后仍感喘累伴胸闷、心悸,左胸痛反复,咳嗽咳痰明显缓解,纳差,夜寐欠佳,大便稀溏,次数多,解便时感喘累,乏力,动则汗出,小便深黄。舌红,苔较前变厚腻,脉弦滑。

病机分析:患者复查胸腔积液未见明显消退,仍以喘累、左侧胸痛为主,舌红苔厚腻,考虑邪气入里化热,喘累及左胸痛符合少阳受邪之部位,考虑邪入少阳,邪热郁阻,阳明不降。

治法:和解少阳,通降阳明。

处方用药:大柴胡汤。

柴胡 30g	黄芩 15g	赤芍 15g	生半夏先煎 20g
枳实 20g	大黄后下 10g	大枣 15g	生姜 25g

10 剂,每日 1 剂,每日 3 次,水煎服。

患者服药初起 4 天每天解深色稀便 5 次左右,后次数逐渐减少,泻后清爽,喘累及胸痛明显缓解,汗出减轻。续用前方 6 剂,复查炎症指标基本正常。

【预后及转归】

患者 2021 年 6 月 21 日复查胸部 CT 提示积液明显消退,炎症较前明显减轻,患者带药出院调理。一周后门诊随访病情稳定。

【按语】

1. 本案病机:太阴本虚,少阳阳明合病。

该案患者就诊时喘累,咳嗽,结合影像学结果,考虑为悬饮作祟。患者素体形丰水多,大便稀溏,纳差,平时腹凉,初诊时考虑太阴本虚为本,脉浮数为太阳标热。阳虚不运,水液、气道不通,聚而为饮,故处方兼顾太阴;肺为华盖,受邪首当其冲,亦当宣散肺气,通调水道,故处方桂枝人参汤合苇茎汤。然服药后仅咳嗽稍缓解,大便稀溏明显,且泄后喘累、胸痛等症状加重,复查胸腔积液较前反增。患者反复喘累,胸痛,积液不消,“病痰饮者,当以温药和之”,投以干姜、桂枝之辈,效不显,故应考虑悬饮实证为当下所急所苦,太阴本虚为其次也。水液代谢除依赖阳气的推动,还需要三焦气机通畅。《素问·灵兰秘典论》曰:“三焦者,决渎之官,水道出焉。”三焦属少阳,三焦通利,津液疏布正常,悬饮才有出路。胸膜腔为内脏和肌表之间的腔隙,中医学认为其为半表半里少阳之位,亦是三焦的位置。患者苔厚腻,动则汗出,考虑少阳郁热夹湿内阻,故予大柴胡汤和解少阳枢机,通降阳明郁热。服该方后,患者“利下反快”,喘累、胸痛等症状缓解明显,且大便逐渐成形，行之有效。

《金匮要略·痰饮咳嗽病脉证并治》："饮后水流在胁下，咳唾引痛，谓之悬饮。"悬饮的典型症状即为咳嗽、呼吸时伴随胸胁疼痛，其基本病机为肺失宣通，饮停胸胁，络气不和，饮阻气郁，久则可以化火伤阴或耗损肺气。胸腔积液导致喘累气促，穿刺放胸腔积液是比较直接且迅速的办法，但患者为包裹性胸腔积液，且行胸腔穿刺仅引流出 50ml 积液，喘累无明显改善，说明对于包裹性积液，穿刺放胸腔积液治疗手段效果不显，而中医药治疗，用之对证则疗效显著。

2. 攻下逐饮是对治悬饮之法，选方尤当顾护太阴。

《伤寒论》第 152 条曰："其人漐漐汗出，发作有时，头痛，心下痞硬满，引胁下痛，干呕短气，汗出不恶寒者，此表解里未和也，十枣汤主之。"指出饮为有形之邪，停结于胸胁之间，以致胸阳被遏，气机壅滞，故心下痞硬而满，牵引胸胁疼痛。水饮内结，走窜上下，充斥内外，故以十枣汤峻逐水饮。服十枣汤后患者多大便泻下数次而量多，该患者有太阴不运基础，不耐十枣汤攻伐，而又需泻热除饮，大柴胡汤为较好选择。

《伤寒论》第 103 条："太阳病，过经十余日，……呕不止、心下急、郁郁微烦者，为未解也，与大柴胡汤，下之则愈。"第 165 条："伤寒发热，汗出不解，心中痞硬，呕吐而下利者，大柴胡汤主之。"均提到大柴胡汤证中"心下急""心中痞硬"为邪气入里，热郁少阳，气机不畅所致，即与患者反复提到咳嗽、呼吸时胸痛症状相符，虽大便偏稀，阳明燥热未成，但患者脉滑有力，舌红苔腻，邪热郁结，运用大柴胡汤取其泻热攻毒之效，使邪气从大便排出，邪有出路，故见"利下反快"，方证对路，直击病所。方中既有柴胡、黄芩之和解少阳，又有赤芍、枳实、大黄之清热除饮，更有生姜、大枣之顾护太阴，实为标本同治，祛邪而不伤正也。

附：治疗前后患者炎症指标变化见表 6；治疗前后相同平面胸部 CT 对比详见图 103、图 104；治疗前后舌象变化详见图 105、图 106。

表 6　患者住院期间炎症指标

指标	2021 年 5 月 31 日	2021 年 6 月 4 日	2021 年 6 月 7 日	2021 年 6 月 21 日
NEUT/（$\times 10^9$/L）	16.22	7.39	7.79	5.16
WBC/（$\times 10^9$/L）	19.46	10.33	10.42	7.93
NEUT/%	83.4	71.5	74.8	65.2
CRP/（mg/L）	238.60	127.11	71.60	9.75

破格救心汤治疗扩张型心肌病并发重症心力衰竭案例

【基本资料】

杨某某，男，57岁，于2021年7月12日入住中医经典科。

主诉：反复喘累2年，再发1月，加重9天。

现病史：患者于入院2年前劳累及受凉感冒后出现咳嗽、喘累气促，活动后明显加重，遂于北京某医院就诊，完善相关检查后诊断为扩张型心肌病、慢性心力衰竭，予以利尿、强心、控制心室率（具体不详）后症状好转出院。出院后患者间断服用利尿药及中药，喘累间断发作，1个月前患者因受凉后出现喘累气促加重，逐渐至夜间不能平卧，遂于重庆某医院急诊就诊，完善心脏彩超示左室舒张末期内径（LVEDD）62mm，左室收缩末期内径（LVESD）51mm，左室射血分数（EF）37%。未行规范治疗即出院。患者回家后喘累仍反复发作，夜间甚，不能平卧，觉胸中憋闷不适，伴腹胀，双下肢水肿。入院9天前患者胸部憋闷加重，夜间反复发作呼吸困难，不能平卧，无法入睡，端坐位呼吸后上述症状稍减轻，门诊以"慢性心力衰竭、急性加重"收入中医经典科。

既往史、个人史、婚育史、家族史：无特殊。

中医四诊：望之少神、表情痛苦，面色无华，腹部稍膨隆，双下肢浮肿，不能站立，精神较差，发育正常，营养良好，语声低微，言语清晰，喘息，无异常气味。舌淡紫，苔薄白腻，脉沉细数无力。

体格检查：体温36.3℃，脉搏147次/min，呼吸22次/min，血压91/74 mmHg，口唇发绀。呼吸急促，双肺呼吸音清晰，双侧肺可闻及散在湿啰音。心前区无隆起，心尖搏动未见异常，心浊音界扩大，心率158次/min，律不齐，S1强弱不等，各瓣膜听诊区未闻及病理性杂音，心音低钝，无心包摩擦音。双下肢浮肿。

辅助检查：入院指脉氧88%；NT-proBNP6 738.3pg/ml。心电图：快速型心房颤动（心室率157次/min），左前分支阻滞，T波异常。心脏彩超：左室舒张末期内径73mm，射血分数30%；全心增大；二尖瓣及三尖瓣少-中量反流，主动脉瓣少量反流；中度肺动脉收缩压升高（51mmHg）；左室收缩功能减退（重度），左室舒张功能减退。胸腹部CT：双肺下叶感染灶；心包少量积液；双侧胸腔少量积液；腹膜炎征象、腹腔少量积液；胸腹壁皮下少量积液，胸腹壁软组织肿胀。

中医诊断：心衰（少阴证）

西医诊断：慢性心力衰竭急性加重；心功能Ⅳ级；扩张型心肌病；心房颤动

【诊治过程】

一诊：2021 年 7 月 12 日

中医四诊：神清，精神差，喘累气促，胸部憋闷，呼吸困难（夜间阵发性呼吸困难，端坐呼吸），纳差，下肢浮肿，大便不成形量少，小便不利。舌淡紫，苔薄白腻，脉沉细数无力。

病机分析：患者中年男性，劳累久病致脏腑亏虚，少阴虚寒，阳气衰惫，鼓动血脉无力，发为本病。胸部憋闷、呼吸困难为心肺气虚推动无力，精神差为阳虚不能养神，升发无力之象。双下肢水肿为肾不化气，水湿下注之象。纳差为火不暖土之象。舌淡紫，苔薄白腻，脉沉细数无力为少阴虚寒表现。本病病因为久病伤正，病位在心，与肺、脾、肾相关，病机为少阴虚寒，病性属本虚标实。

治法：温运少阴，利水消肿。

处方用药：破格救心汤合五苓散。

黑顺片先煎 60g	炮姜 30g	炙甘草 30g	生晒参 30g
山茱萸 60g	龙骨先煎 30g	牡蛎先煎 30g	猪苓 30g
盐泽泻 30g	白术 30g	茯苓 30g	桂枝 15g

2 剂，每日 1 剂，每日 3 次，水煎服。

服药后，患者喘累减轻，胸部憋闷感稍好转，夜间仍感阵发性呼吸困难，端坐呼吸，饮食及睡眠改善，大便不成形、量少，小便通畅。

西医治疗：予以面罩吸氧改善缺氧及强心、抗凝、利尿等对症治疗。

二诊：2021 年 7 月 14 日

中医四诊：患者神清，精神欠佳，喘累较前减轻，胸部憋闷感较前好转，夜间仍感阵发性呼吸困难，端坐呼吸，口渴喜饮，饮食及睡眠改善，大便不成形、量少，小便通畅。舌象同前，脉象较前有力。

病机分析：患者久病失治，沉寒痼冷深重，继续温运少阴治疗，感口渴喜饮，警惕津亏热化。

治法：温运少阴，利水消肿兼养阴生津。

处方用药：破格救心汤合五苓散、生脉散。

黑顺片先煎 60g	炮姜 30g	炙甘草 30g	生晒参 30g
山茱萸 60g	龙骨先煎 30g	牡蛎先煎 30g	猪苓 30g
盐泽泻 30g	白术 30g	茯苓 30g	桂枝 15g
麦冬 30g	五味子 10g		

2 剂，每日 1 剂，每日 3 次，水煎服。

服药后，患者夜间未诉阵发性呼吸困难，夜间高枕卧位，双下肢水肿明显减退，睡眠尚可，大便未解，小便通畅。

三诊：2021 年 7 月 16 日

中医四诊：患者喘累较前好转，仍有胸部憋闷，未诉夜间阵发性呼吸困难，饮食一般，夜间高枕卧位，睡眠尚可，双下肢水肿明显减退，大便未解，小便通畅。舌暗红，苔薄白腻，脉细滑。

病机分析：患者水肿已退，原方基础上删除利水消肿之五苓散。胸部憋闷不适，考虑少阴虚寒，太阴不运，痰浊阻滞，故加入枳实薤白桂枝汤以通阳散结，祛痰下气。

治法：温运少阴，兼通阳散结，祛痰下气。

处方用药：破格救心汤合枳实薤白桂枝汤、生脉散。

黑顺片[先煎] 60g	炮姜 30g	炙甘草 30g	生晒参 30g
山茱萸 60g	龙骨[先煎] 30g	牡蛎[先煎] 30g	麸炒枳实 15g
姜厚朴 15g	瓜蒌皮 15g	薤白 15g	桂枝 15g
麦冬 30g	五味子 10g		

3 剂，每日 1 剂，每日 3 次，水煎服。

服药后，患者喘累进一步减轻，胸部憋闷感减轻，无夜间阵发性呼吸困难，夜间不能平卧，纳、眠可，大小便正常。

四诊：2021 年 7 月 19 日

中医四诊：患者喘累进一步减轻，胸部憋闷感减轻，感气短，汗出，无夜间阵发性呼吸困难，夜间不能平卧，纳、眠可，大小便正常。舌脉同前。

病机分析：患者胸部憋闷感减轻，于前方基础上去除通阳散结、祛痰下气之瓜蒌皮、薤白、桂枝、厚朴；气短，汗出，考虑久病胸中大气下陷，气短不足以息，加入升陷汤以补益肺气，举陷升提。

治法：温运少阴，兼补益肺气，举陷升提。

处方用药：破格救心汤合升陷汤加减。

黑顺片[先煎] 60g	炮姜 30g	炙甘草 30g	生晒参 30g
山茱萸 60g	龙骨[先煎] 30g	牡蛎[先煎] 30g	麸炒枳实 15g
炙黄芪 60g	升麻 15g	柴胡 30g	桔梗 15g
知母 5g			

3 剂，每日 1 剂，每日 3 次，水煎服。

患者服药后休息时无明显喘累，偶感胸部憋闷感，汗出减少，说话及活动仍感气短。

五诊：2021 年 7 月 22 日

中医四诊：患者无明显喘累，偶感胸部憋闷感，汗出减少，口干，仍感气短，无夜间阵发性呼吸困难，夜间仍高枕卧位休息，纳、眠可，大小便正常。舌象同前，脉沉细略滑，自觉说话费力减轻。

病机分析：患者经治疗后症状改善明显，考虑其久病，少阴虚寒，胸中大气下陷，需徐徐图之，故守方4剂以温运少阴，补益肺气，举陷升提。

服药后患者无明显喘累，可适当下床活动，夜间基本可平躺入睡，但仍感气短乏力。

六诊：2021年7月26日

中医四诊：患者无明显喘累，偶感胸部憋闷感，可适当下床活动，仍感气短乏力，无夜间阵发性呼吸困难，基本可平躺入睡，纳、眠可，大小便正常。舌脉同前。

病机分析：患者经治疗心力衰竭症状明显好转，仍感气短乏力，故于四诊方基础上附子减量；恐其量大辛散耗气，黄芪加半以加强益气扶正之功；加入青皮以行气导滞，加五加皮利水祛湿、补益肝肾。

治法：温少阴，补中气。

处方用药：破格救心汤合升陷汤加减。

黑顺片[先煎] 45g	炮姜 30g	炙甘草 30g	生晒参 30g
山茱萸 45g	麸炒枳实 15g	龙骨[先煎] 30g	牡蛎[先煎] 30g
炙黄芪 120g	升麻 15g	柴胡 30g	桔梗 15g
知母 5g	麸炒青皮 10g	五加皮 10g	

2剂，每日1剂，每日3次，水煎服。

患者服药后乏力较前改善，可较短距离自由行走、进餐等活动，活动后胸部憋闷感不明显。停心电监护、停氧气吸入。

七诊：2021年7月28日

中医四诊：患者神清，精神较前好转，气虚乏力较前改善，可自由活动（一次性行走400m以上，自行进餐、如厕及洗漱），活动后胸部憋闷感不明显，无夜间阵发性呼吸困难，可平躺入睡，纳、眠可，大小便正常。舌淡红，苔薄白，舌根白腻，脉细滑有力。复查NT-proBNP：532.6pg/ml。心脏彩超：左心及右房增大，左室舒张末内径63mm；室间隔运动幅度降低；二尖瓣、三尖瓣大量反流；肺动脉收缩压升高（49mmHg）；左心功能减退，舒张功能不全（Ⅱ级），左心房压升高，射血分数45%。

病机分析：效不更方，守方7剂。

【预后及转归】

患者于2021年8月9日带药出院，出院规律门诊以破格救心汤为主方治疗，病情稳定。

【按语】

1．本案病机：两本亏虚，少阴寒化，心阳暴脱。

扩张型心肌病（dilated cardiomyopathy，DCM）是一类以左心室或双心室扩大伴收缩功能障碍为特征的心肌病，是一种异质性心肌病，该疾病大部分患者不能找到明确的发病原因，属于特发性，少部分患者的发病与病毒感染、自身免疫、饮酒、中毒、家族遗传因素等有关。患者中年男性，首诊症见喘累气促，胸部憋闷，呼吸困难，神疲，纳差，下肢浮肿，大便不成形、量少，小便不利，舌淡紫，苔薄白腻，脉沉细数无力，考虑劳累久病致脏腑亏虚，少阴虚寒，阳气衰惫，鼓动血脉无力，发为本病。《伤寒论》第281条曰："少阴之为病，脉微细，但欲寐也。"患者脉象符合少阴之脉，临床表现之困倦、乏力等亦符合少阴病，故治疗必以温运少阴为大法，方选破格救心汤为主方，并贯穿治疗始终。经治疗患者NT-proBNP由接近7 000pg/ml降至532.6pg/ml，心脏彩超射血分数由30%提升至45%，左室舒张末内径由73mm缩小至63mm，各项症状明显好转，均系破格救心汤破阴回阳之功。

患者水肿，为因虚致实，当在温阳补虚基础上辅以利水祛湿之品，以标本同治，服用2剂患者喘累即有改善。二诊：患者诉口渴喜饮，考虑大剂量附、姜之温，有化热伤阴之虞，故于前方基础上加麦冬、五味子以养阴生津。三诊：患者下肢水肿明显消退，故去利水消肿之五苓散；胸部憋闷不适，考虑少阴虚寒，太阴不运，痰浊阻滞，故加入枳实薤白桂枝汤以通阳散结，祛痰下气。四诊：患者感气短，汗出，故于前方基础上去除通阳散结、祛痰下气之瓜蒌皮、薤白、桂枝、厚朴，气短，汗出，考虑久病胸中大气下陷，气短不足以息，加入升陷汤以补益肺气，举陷升提。此时处方几近成形，配伍达到最佳，故五诊守方治疗。六诊：患者经治疗心力衰竭症状明显好转，仍感气短乏力，故于原方基础上附子减量，恐其量大辛散耗气，加黄芪以加强益气扶正之功，加入青皮行气导滞，加五加皮利水祛湿、补益肝肾。

经此调整，治疗取得质的突破，七诊时患者气虚乏力明显改善，可自由活动，胸部憋闷感不明显，无夜间阵发性呼吸困难，基本可平躺入睡，纳、眠可，大小便正常。出院前患者精神较前明显好转，气短、乏力较前显著改善，可自由散步活动（自行从病床走到食堂进餐并返回，往返路程约300m），返回后胸部憋闷感不明显，无夜间阵发性呼吸困难，基本可平躺入睡，纳、眠可，大小便正常。舌淡红，苔薄白舌根白腻，脉沉细数有力。至此，证、方达到高度统一，故收效显著。

2．急则治标，阳亡当急温之，阴脱当急敛之是破格救心汤方义中的两大法则。

破格救心汤［附子（根据病情，剂量从低至高可用30g、100g、200g），干姜

60g，炙甘草60g，高丽参10~30g（另煎浓汁兑服），山萸净肉60~120g，生龙骨粉、生牡蛎粉、活磁石粉各30g，麝香0.5g（分次冲服）］出自李可《急危重症疑难病经验专辑》首篇，是回阳固脱、起死回生之剂，临床辨证准确，用之多有奇效。该方来源于《伤寒论》四逆汤类方、四逆汤衍生方参附龙牡救逆汤及张锡纯之来复汤，破格重用附子和山茱萸。方中四逆汤为强心主剂，临床应用1 700余年，救治心力衰竭，疗效卓著。心力衰竭患者，病情错综复杂，不但阳气衰微，而且阴液内竭，故加人参，成为四逆加人参汤，大补元气，滋阴和阳，益气生津，使本方更臻完善。心力衰竭垂危患者，全身功能衰竭，五脏六腑已被重重阴寒所困，生死存亡，系于一发之际，阳回则生，阳去则死，非破格重用附子纯阳之品的大辛大热之性，不以雷霆万钧之力，不能斩关夺门，破阴回阳，而挽垂绝之生命。

治疗后期患者气短、乏力、自汗明显，用破格救心汤合升陷汤加减，破阴回阳、升阳举陷、固表止汗。升陷汤出自张锡纯《医学衷中参西录》，方中重用黄芪配伍升麻、柴胡以升阳举陷；并以知母之凉润以制黄芪之温燥，桔梗载药上行，主治胸中大气下陷之证。升陷汤以黄芪为主，因黄芪既善补气，又善升气，与胸中大气有同气相求之妙用，唯其性稍热，故以知母之凉润者济之；柴胡为少阳之药，能引大气之陷者自左上升；升麻为阳明之药，能引大气之陷者自右上升；桔梗为药中之舟楫，能载诸药之力上达胸中，故用之为向导。

除了心力衰竭，破格救心汤尚可治疗内外妇儿各科危重急症，凡大吐大泻，吐衄便血，妇女血崩，或外感寒温，大汗不止，或久病气血耗伤殆尽……导致阴竭阳亡，元气暴脱，心力衰竭休克，生命垂危者，症见冷汗淋漓，四肢冰冷，面色㿠白或萎黄、灰败，唇、舌、指甲青紫，口鼻气冷，喘息抬肩，口开目闭，二便失禁，神识昏迷，气息奄奄，脉象沉微迟弱或沉细数，凡符合《伤寒论》之少阴病者，皆可用之。最近科室用该方为主方治疗一重症肺炎患者，已上双相气道正压通气呼吸机，神识昏蒙，四肢厥冷，痰液难以引流，危在旦夕之间，经中医药为主治疗，亦起死回生，神志恢复，能自行咳痰，明显好转出院。

附：治疗前后辅助检查指标变化详见表7；治疗前后舌象变化详见图107、图108；治疗前后心脏彩超详见图109、图110。

表7　治疗前后辅助检查指标变化

	NT-proBNP/（pg/ml）	HR（心房颤动）/（次/min）	EF/%	LVEDD/mm	UA/（μmmol/L）	CREA/（μmmol/L）	血氧饱和度（SO_2）（不吸氧）/%
治疗前	6 738.3	118~189	30	73	605	98	88
治疗后	532.6	62~107	45	63	323	76	96~100

温少阴、和少阳治疗外伤后脑出血案例

【基本资料】

王某某，女性，86 岁。于 2019 年 7 月 28 日平车推入院。

主诉：不慎摔倒致头痛 1 小时。

现病史：入院前 1 小时患者自觉头晕乏力，站立不稳，在家中跌倒，头部着地，跌倒后有短暂意识丧失，伴肢体抽搐，苏醒后随即出现头痛，头胀，呕吐黄色胃内容物 1 次。家属拨打 120 送入当地医院，行头颅 CT 提示颅内出血，因手术条件限制，患者又由家属送来我院，在急诊留观并排除急诊手术指征后，收入我院中医经典科。

既往史：既往有糖尿病病史 20 余年，长期使用胰岛素控制血糖。有高血压、冠心病病史 30 余年，不规律服用药物治疗，具体不详。

中医四诊：神清，精神差，头痛，以颠顶部位为主，伴头昏，四肢冷，心中烦热，活动后易汗出，无恶寒发热，稍恶心，纳可，夜寐差，便秘，小便正常。舌淡红，苔薄白，脉沉细。

体格检查：体温 36.5℃，脉搏 97 次 /min，呼吸 20 次 /min，血压 107/84mmHg。神清，右侧头顶部有一长 7cm 头皮裂伤伤口，双侧瞳孔等大等圆，对光反射灵敏，双肺呼吸音清，未闻及干、湿啰音，心率 97 次 /min，律齐，各瓣膜听诊区未闻及病理性杂音，四肢肌张力正常，肌力检查无法配合，双足踝部轻度凹陷性水肿。

辅助检查：2019 年 7 月 28 日外院行头颅 CT 示右侧额顶叶交界处脑出血不排外，脑萎缩改变；右侧顶部头皮软组织肿胀，伴积气。

中医诊断：头痛（少阴证）

西医诊断：脑出血待查；头皮挫裂伤；2 型糖尿病；高血压 3 级（极高危）；冠状动脉粥样硬化性心脏病

【诊治过程】

一诊：2019 年 7 月 28 日

中医四诊：患者精神萎靡，感头痛头晕，四肢怕冷，但心中烦热，活动后汗出，阵发性恶心，无呕吐，大便未解，稍感腹胀，纳可，夜寐不安。舌淡红，苔薄白，脉沉细。

病机分析：少阴寒化，少阳郁闭。

治法：温少阴，和少阳。

处方用药：四逆汤合四逆散。

附片先煎15g 干姜20g 炙甘草30g 柴胡30g
白芍30g 枳实30g

1剂，水煎，分3次温服。

西医治疗给予头部伤口处清创缝合，并予控制血压、降糖等治疗。

服药后，患者四肢冷减轻，余同前。

二诊：2019年7月29日

中医四诊：患者精神萎靡，仍感头痛头昏，四肢怕冷好转，心中烦热有所减轻，活动后稍有汗出，大便未解，稍感腹胀，纳可，夜寐不安。舌绛紫，苔薄白，脉沉细。复查颅脑CT示右侧额顶叶交界区少许出血灶。因出血范围较小，家属要求保守治疗。

病机分析：少阴本虚，少阳枢机不利，腑气不通。

治法：温少阴，和少阳，运太阴而降阳明。

处方用药：在前方基础上加用天麻止眩，厚朴、火麻仁行气除满，润肠通便。

附片先煎15g 干姜20g 炙甘草30g 柴胡30g
白芍30g 枳实30g 厚朴30g 火麻仁30g
天麻25g

2剂，每日1剂，每日3次，水煎服。

服药后，患者头晕减轻，仍头痛，四肢较前温暖，大便已解，较干结。继续守方2剂。

三诊：2019年8月3日

中医四诊：患者神清，精神好转，心中烦热明显改善，头昏好转，头痛稍好转，四肢回暖，但夜间精神亢奋，胡言乱语，腹胀缓解，纳可，小便正常，大便通畅、黄软。舌淡暗，苔薄白，脉沉滑。

病机分析：患者夜间精神亢奋，考虑阳不入阴，阴阳未能相得。

治法：温少阴，和少阳，燮理阴阳。

处方用药：前方去火麻仁，加龙骨、牡蛎镇惊安神。

附片先煎15g 干姜20g 炙甘草30g 柴胡30g
白芍30g 枳实30g 厚朴30g 天麻25g
龙骨先煎30g 牡蛎先煎30g

3剂，每日1剂，每日3次，水煎服。

服药后，患者头晕进一步改善，头痛减轻，仍眠差，夜间亢奋。

四诊：2019年8月5日

中医四诊：患者精神尚可，心中烦热进一步改善，稍感头昏，头痛有所减轻，夜间精神亢奋，四肢温暖，纳可，夜寐不安，二便调。舌淡暗，苔薄白，脉沉细。

病机分析：脑为元神之府，血行不畅，瘀血内停，清窍被扰，清阳不升，浊阴不降，故头痛、精神亢奋、夜寐不安。

治法：温少阴，和少阳，活血、潜阳。

处方用药：前方加用三七粉活血化瘀，加重龙骨、牡蛎用量以镇惊安神。

附片先煎 15g	干姜 20g	炙甘草 30g	柴胡 30g
白芍 30g	枳实 30g	厚朴 30g	天麻 25g
龙骨先煎 45g	牡蛎先煎 45g	三七粉冲服 3g	

3 剂，每日 1 剂，每日 3 次，水煎服

服药后，患者头痛减轻，心烦减轻，睡眠改善。

【预后及转归】

患者精神可，心中烦热缓解，四肢温暖，无头昏，头痛明显改善，夜间安睡，大便通畅。舌淡暗，苔薄白，脉沉细。效不更方，带前方 7 剂出院。

【按语】

1. 本案病机：少阴寒化，津亏血弱，少阳不利，郁热内扰。

《素问·生气通天论》曰："阳气者，精则养神，柔则养筋。" 阳气能养神，亦能养筋，人的精神意识、肢体关节的活动及张力，均需要阳气来充养和维护。头为精明之府，神明之主，又内藏脑髓，而为髓海。机体诸精，上聚于头，五脏精华之血、六腑清阳之气上注于脑，以滋养脑髓，活跃神机。患者年过八旬，阳气虚衰，脏腑功能渐弱，两本亏虚，火不暖土，中焦斡旋不利，神机失养，其立孤危，寒痰瘀内停，清阳不升，清窍瘀阻，发为头痛。精神萎靡为阳虚精神失养之象；四肢为诸阳之本，三阴三阳之脉相接于手足，阳衰阴盛，少阴枢转阴阳不利，阳气不达于四肢，故四末不温；舌淡红，苔薄白，脉沉细为少阴虚寒之征。综上所述，本病病因为年老体弱，病位在脑窍，与肾有关，病机为少阴虚寒。

寒为阴邪，易伤阳气，寒邪深入少阴，伤及肾阳，肾阳为一身阳气之根本，《素问·厥论》曰："阳气衰于下，则为寒厥。" 肾阳虚衰，全身及肢体失于温煦，故见四肢厥逆，恶寒蜷卧。《素问·举痛论》曰："寒气入经而稽迟。泣而不行，客于脉外则血少，客于脉中则气不通，故卒然而痛。" 阳气充实，精神才能旺盛，今阳气虚衰，神失所养，则见头痛、神衰欲寐。阳气虚衰，无力鼓动血行，则见脉沉细。《伤寒论》第 323 条："少阴病，脉沉者，急温之，宜四逆汤。" 四逆汤为温里剂，具有温中祛寒，回阳救逆之功效，适用于阳虚欲脱，四肢厥冷的患者。四逆汤由附子、干姜、炙甘草组成。附子色黑入肾，可引浮阳归原，且其性大辛大热，祛寒救逆。凡人一身，全赖一团真火，真火欲绝，故病见纯阴。附子能回阳救逆，补命门真火，用其为君。干姜亦辛热之品，可温中散寒，助阳通脉，干

姜与附子，两者一同使用，助阳散寒之力尤大，故有“附子无姜不热”之说。配伍炙甘草性温，补脾胃而调诸药，且可缓降附子燥烈辛散之性，使其破阴复阳，而无暴散之虞，药味虽少，配伍精当，功专效宏，能救人于顷刻之间，速达回阳之效，使复阳厥回，故名“四逆汤”。

《道德经》曰：“万物负阴而抱阳，冲气以为和。”真阴不足，津亏血少，阳无所依，少阳枢机不利，阳不入阴则郁热攻冲。热扰心神则心中烦热，夜寐差，热迫津泄则活动后汗出，热扰肠胃则恶心、便秘。

2. 津血亏虚之下温阳，当注意阴阳之平衡。

《素问·生气通天论》曰：“阴平阳秘，精神乃治，阴阳离决，精气乃绝。”《金匮要略·水气病脉证并治》曰：“阴阳相得，其气乃行，大气一转，其气乃散。”均强调了真正的温阳，是在阴阳协调的基础上温阳，是使阴阳达到更高水平的平衡，如此则气机通畅调达，无往不利，气化有常，生生不息。经四逆汤温少阴、四逆散通阳解郁治疗后，患者心中烦热减轻，为心中气结得疏，郁热渐解，阳气疏达于外之象。四逆者，乃手足不温也。其证缘于外邪传经入里，气机为之郁遏，不得疏泄，导致阳气内郁，不能达于四末，而见手足不温。若只用四逆汤尚不能完全舒达气机，还需合用四逆散以透邪解郁，调畅气机。《伤寒论》第318条：“少阴病，四逆，其人或咳，或悸，或小便不利，或腹中痛，或泄利下重者，四逆散主之。”四逆散具有调和肝脾，透邪解郁，疏肝理脾之功效，主治阳郁厥逆证。四逆散仅柴胡、芍药、枳实、炙甘草四味药，但是组方精妙，方中取柴胡入肝胆经，升发阳气，疏肝解郁，透邪外出，为君药。白芍敛阴养血柔肝为臣，与柴胡合用，以补养肝血，条达肝气，可使柴胡升散而无耗伤阴血之弊。佐以枳实理气解郁，泻热破结，与柴胡为伍，一升一降，加强舒畅气机之功，并奏升清降浊之效；与白芍相配，又能理气和血，使气血调和。使以甘草，调和诸药，益脾和中。综合四药，共奏透邪解郁，疏肝理脾之效，使邪去郁解，气血调畅，清阳得升，四逆自愈。《注解伤寒论》：“四逆者，四肢不温也。伤寒邪在三阳，则手足必热；传到太阴，手足自温；至少阴则邪热渐深，故四肢逆而不温也；及至厥阴，则手足厥冷，是又甚于逆。四逆散以散传阴之热也。”“《内经》曰：热淫于内，佐以甘苦，以酸收之，以苦发之。枳实、甘草之甘苦，以泄里热；芍药之酸，以收阴气；柴胡之苦，以发表热。”

故三诊后，患者四肢回暖，心中烦热明显改善，头昏、头痛好转，但头痛仍存，且夜间亢奋，加龙骨、牡蛎潜镇摄纳，使阳能固摄，阴能内守，而达阴平阳秘，精不外泄之功。患者虽因外伤后致脑出血，后复查颅脑CT均较前吸收，考虑瘀血内停，清窍被扰，加用小量三七粉活血化瘀，瘀血去，气血畅，元神之府自清。回顾患者整个诊疗过程，根据患者症状及病情变化，精准辨证，把握病机，运用经典经方思维，回阳救逆，透邪解郁，调畅气机，使阴阳之气调和，诸病自祛。

附：患者舌象详见图 111，头颅 CT 详见图 112~ 图 114。

运太阴、养血和营治愈横纹肌溶解急性肾衰竭案例

【基本资料】

张某某，男 56 岁，于 2018 年 12 月 25 日入院。

主诉：恶心、呕吐 2 天，头晕、全身肌肉强直疼痛 1 天。

现病史：入院前 2 天患者无明显诱因出现进食后剧烈呕吐，呕吐物为黄色胃内容物，伴嗳气乏力，患者未予重视。入院前 1 天凌晨患者突然出现身体强直，呈阵发性发作，每次发作数分钟，1 小时内发作数次，伴全身疼痛，以四肢和腰背部为主，发作间歇期肢软乏力，仍有间断呕吐。患者遂于外院就诊，查血常规示白细胞 17.3×10^9/L，中性粒细胞 86.4%。肾功能示肌酐（CREA）353μmol/L，血尿素氮（BUN）16.12mmol/L，尿酸（UA）708mmol/L，肌酐清除率 32.4ml/min。头颅 CT 平扫未见明显异常，给予地西泮镇静，并予对症处理。经过处理患者仍感肌肉反复发作强直，全身肌肉酸痛明显，为求进一步明确诊疗，遂到我院急诊，入急诊时呕吐酸水 1 次，急诊以“肌痛查因”收入中医经典科。入院见患者神清，精神疲倦，全身肌肉酸痛，乏力，暂无肌肉强直，少许头晕，口干口苦，平素多汗，纳、眠差，二便正常。

既往史：既往体健，平时喜饮酒。一年前因急性胃肠炎在我院急诊留观治疗，查 CREA 294μmol/L，BUN 11.34mmol/L，UA 844μmol/L，经治疗好转后离院。

中医四诊：望之少神，精神疲倦，形体消瘦，面色萎黄，语声低微，全身肌肉酸痛，乏力，少许头晕，口干口苦，平素多汗，纳、眠差，二便正常。舌红，苔薄黄腻，脉弦细数。

体格检查：体温 36.5℃，脉搏 115 次 /min，呼吸 20 次 /min，血压 101/66mmHg，双肺呼吸音清，未闻及干、湿啰音，心率 115 次 /min，律齐，各瓣膜听诊区未闻及病理性杂音。腹平软，无压痛、反跳痛，墨菲征阴性，麦氏点压痛阴性。四肢活动自如，关节未见异常，双下肢无浮肿。四肢肌力肌张力正常，生理反射存在，病理反射未引出。

辅助检查：血常规示白细胞 17.28×10^9/L，中性粒细胞 84.3%。尿常规示尿蛋白（+），隐血 2（++）；肌酸激酶（CK）549U/L，羟丁酸脱氢酶（HBDH）199U/L，超敏肌钙蛋白 0.088ng/ml，肌红蛋白（MYO）1 000ng/ml。肾功能示

BUN 17.68mmol/L，CREA 454μmol/L，UA 870μmol/L。红细胞沉降率（ESR）36mm/h，C 反应蛋白 19.20mg/L，降钙素原 0.94ng/ml。CT 示双肺小叶中央型肺气肿，肝内胆管多发积气。泌尿系彩超示前列腺钙化，双肾尿酸盐结晶。腹部彩超示肝实质回声增多，欠均质；胆囊内有形物沉淀。肌电图诱发电位所测肌肉未见异常。

中医诊断：肌痹（太阴证）

西医诊断：横纹肌溶解症待查；急性肾衰竭；急性胃肠炎；高尿酸血症

【诊治过程】

一诊：2018 年 12 月 26 日

中医四诊：患者神清，精神疲倦，消瘦，全身肌肉酸痛，乏力，暂无肌肉强直，少许头晕，口干口苦，平素多汗，无头痛，无心慌胸闷，纳差，睡眠欠佳，二便正常。舌红，苔薄黄腻，脉弦细数。请肾病科会诊，建议行肾穿刺活检，同时中药结肠透析以降低肌酐水平。患者拒绝上述会诊建议。

病机分析：患者嗜酒，湿浊内蕴，太阴不运则纳差；湿浊化热，里热攻冲则口干口苦，汗出；太阴里虚，津血化生乏源，经脉失养则头晕、肌肉酸痛。

治法：运太阴，降阳明。

处方用药：桂枝人参汤合黄芪桂枝五物汤加大黄。

桂枝 15g	甘草 10g	白术 15g	生晒参 20g
干姜 15g	黄芪 60g	白芍 15g	大枣 20g
生姜 15g	酒大黄后下 5g		

3 剂，每日 1 剂，水煎服。

同时配合艾灸双侧足三里、涌泉、三阴交、阳陵泉等穴位，中药贴敷天枢、足三里、上脘等穴位，耳穴压丸等中医特色疗法。

服药后，患者无呕吐，全身酸痛减轻，小便量较多，大便正常。

二诊：2018 年 12 月 29 日

中医四诊：患者精神改善，全身肌肉酸痛症状基本缓解，未再次发作全身肌肉强直，呕吐亦止。纳增，头晕减轻，两侧颞部稍隐痛，眠改善，二便调。舌红，苔薄黄腻，脉弦。复查肾功能示 CREA 99μmol/L，BUN 7.94mmol/L，UA 218μmol/L；CK 1 421U/L；血常规示白细胞 7.23×10^9/L，中性粒细胞 63.8%。

病机分析：太阴得运故呕止而纳增，阳明得降则湿浊减而肌肉酸痛改善。正气渐复而邪有出路，故诸证减轻。

治法：同上。

处方用药：守方 2 剂。

三诊：2018 年 12 月 31 日

中医四诊：患者精神可，偏瘦削，头痛及全身肌肉酸痛缓解，纳可，无恶心、呕吐，稍感头晕，眠可，二便调。舌淡红，苔薄黄微腻，脉弦细。复查肾功能示 CREA 91μmol/L，内生肌酐清除率 84.1ml/min，BUN 6.48mmol/L，UA 174μmol/L，CK 985U/L，肌红蛋白 170.9ng/ml。

病机分析：患者湿浊渐去，故苔腻渐退；酒毒内蕴，损伤太阴，故仍显消瘦。

治法：运太阴，化湿浊。

处方用药：前方去大黄，加茯苓 30g，带药 7 剂出院。

【预后及转归】

2019 年 1 月 21 日患者门诊随访，精神良好，食欲进一步改善，眠可，无恶心、呕吐，无肌肉酸痛，二便调。复查肾功能示 CREA 70μmol/L，BUN 5.8mmol/L，UA 387μmol/L。

【按语】

1．本案病机：太阴本虚，外寒里湿，郁而化热，表里同病。

患者因“恶心、呕吐 2 天，头晕、全身肌肉强直疼痛 1 天”入院，入院时以全身肌肉酸痛、乏力为主症。患者年七八，形消体瘦，《素问·阴阳应象大论》曰：“年四十，而阴气自半也，起居衰矣。”此“阴气”即指太阴运化减弱，津血衰少。患者平素不节饮食，长期饮酒，损伤太阴脾土，中土运化不利，寒湿内生，复感风寒，内外合邪，故发此病。如《素问·长刺节论》载：“病在肌肤，肌肤尽痛，名曰肌痹，伤于寒湿。”

《素问·太阴阳明论》曰：“太阴阳明……阴阳异位，更虚更实，更逆更从，或从内，或从外，所从不同，故病异名也。”指出了太阴病和阳明病往往互相兼夹，甚至互相转化。患者全身肌肉疼痛乃寒邪阻滞；头晕、精神疲倦乃太阴虚寒，清阳不升，不能濡养清窍；呕吐为阳明不降，胃气上逆；口干为太阴虚寒，不能布散津液；口苦为土虚木乘，阳明郁热，火热攻冲上扰；舌红，苔薄黄腻，脉弦细（阴脉，主脾阳不足）数（气虚，虚阳上浮则数，阳明不降亦数），四诊合参符合太阴证。患者合并全身肌肉酸痛，为兼太阴表证之兆。太阴表证是太阴病的一种类型，其特点为脉浮、恶风等表证。故在《伤寒论》太阴病篇中亦用到桂枝汤解表和中。太阴脾虚，中土不运，外受风寒，凝滞四肢经脉，不通则痛。脾主四肢肌肉，本案患者是太阴里虚寒兼太阴表证不解之表里同病，以太阴里虚寒为主。

《伤寒论》第 163 条：“太阳病，外证未除，而数下之，遂协热而利，利下不止，心下痞硬，表里不解者，桂枝人参汤主之。”故治疗予桂枝人参汤运太阴，开太阳。《灵枢·寿夭刚柔》曰：“病在阳者命曰风病，病在阴者命曰痹病，阴阳俱病，命曰风痹。”《金匮要略·血痹虚劳病脉证并治》曰：“血痹阴阳俱微，寸口关上微，尺中小紧，外证身体不仁，如风痹状，黄芪桂枝五物汤主之。”

桂枝人参汤合黄芪桂枝五物汤益气温经，和营通痹。桂枝人参汤由理中汤加桂枝组成，方中人参补脾益气，干姜温中散寒，白术健脾温中燥湿，甘草和中补虚，四味相合，共奏温中散寒之功；黄芪桂枝五物汤中桂枝、生姜既可解太阳之表邪而治阳病，并能助理中汤温中散寒，桂枝又可外散风寒而内温经通痹，芍药、大枣养血和营通痹而治阴病；黄芪甘温，《神农本草经》谓治“大风癞疾”“补虚”，亦治阳病。

2. 从太阴、阳明论“益火之源，以消阴翳”。

《素问·六微旨大论》曰：“太阴之上，湿气治之，中见阳明。”太阴、阳明两经常相互影响，两经同病。太阴不运之人除常见的纳差、便溏、呕吐外，亦可因虚致实，而出现口干口苦、咽痛、潮热汗出。该患者多饮酒而纳差，久致太阴脾困，酒毒湿浊蕴而化热，故见太阴、阳明同病。

患者消瘦，乃因虚致实之象，治疗当以运太阴为主，所谓中气得运、气化得复，呕止纳增而辅助检查指标自然好转，此即以气化的方式排出代谢产物，即“益火之源，以消阴翳”的具体运用。张锡纯认为黄芪能疏肝补肝，言“肝属木而应春令，其气温而性喜条达，黄芪之性温而上升，以之补肝原有同气相求之妙用”。山西李可老中医灵活应用黄芪，6g 黄芪挑萌发芽，助阳气升发，18g 黄芪转中轴，45g 黄芪通水道，60g 黄芪通气路，120g 黄芪定中轴、厚土气。一旦属于气机运行的障碍，黄芪用量至少应为 60g。

饮酒者易化生湿热，有阳明之标热，故加少量酒大黄，通降阳明，推陈致新，化瘀除湿，则呕自止。该方服用 5 剂，患者全身症状均明显改善，各项指标均迅速恢复正常，住院 6 天后出院。出院后继续服用上述中药，3 周后门诊随访复查肾功能，各项指标均正常。

附：治疗期间患者辅助检查指标变化详见表 8。

表 8 治疗期间患者辅助检查指标变化

指标	2018 年 12 月 25 日白天	2018 年 12 月 25 日夜间	2018 年 12 月 29 日	2018 年 12 月 30 日
CREA/（mmol/L）	353	454	99	91
UA/（μmol/L）	708	870	218	174
BUN/（mmol/L）	11.34	17.68	7.94	6.48
AST/（U/L）		32	59	55
HBDH/（U/L）		199	170	188
CK/（U/L）		549	1 421	985

和少阳、降阳明运太阴治疗布鲁氏菌致菌血症案

【基本资料】

张某，女，75岁，于2019年8月12日入院。

主诉：咽痛3天，发热1天。

现病史：患者入院前3天受凉后出现畏寒，继而出现咽痛，未作特殊处理。入院前1天患者出现发热，体温最高39.4℃，自服退热药对症处理，服药后热势虽能降低，但仍咽痛，发热仍有反复，遂由门诊以“发热待查：上呼吸道感染？”收入我院中医经典科。入院症见患者精神一般，发热，咽痛，汗多，口干、喜冷饮，全身酸痛，饮食一般，夜寐一般，二便正常。

既往史：2型糖尿病、高血压病史。3个月前因腰背痛于某医院住院完善检查后诊断为胸椎压缩性骨折、重度骨质疏松，经治疗后症状好转出院，出院后遗留腰背部疼痛症状。1个月前因发热于我科住院行头部CT提示腔隙性脑梗死，血常规检查提示三系减少。诊断为全血细胞减少、腔隙性脑梗死。曾行骨髓穿刺，未见明显异常。

体格检查：体温36.0℃，脉搏80次/min，呼吸18次/min，血压121/70mmHg，咽部黏膜稍红肿，腹部稍膨隆，无压痛及反跳痛，右侧臀部按压痛明显。余未见异常。

中医四诊：望之少神，表情正常，面色少华，体形适中，行动自如，精神一般，发育正常，营养良好，语声低微，言语清晰，呼吸如常，无咳嗽咳痰，无呕叶、太息、呻吟、腹鸣之声，无异常气味。舌红，苔薄微黄，脉浮数。

辅助检查：血常规示血红蛋白108g/L，血小板55×10^9/L。肝功能示ALT53U/L，AST 62U/L。C反应蛋白69.10mg/L。2019年8月12日行胸部CT平扫：双肺间质性改变可能；双肺散在炎症，与2018年12月28日相仿；主动脉及左冠状动脉钙化灶；双肺胸膜增厚；胸第7~9、第11椎体呈压缩性改变。

中医诊断：外感高热（太阳证）

西医诊断：急性上呼吸道感染待查；2型糖尿病；腔隙性脑梗死；高血压3级（极高危）；全血细胞减少；陈旧性胸椎压缩性骨折；重度骨质疏松

【诊治过程】

一诊：2019年8月12日

中医四诊：患者精神疲倦，发热，体温最高38.5℃，稍畏寒，咽痛，汗多，口

干、喜冷饮，全身酸痛，饮食一般，夜寐一般，二便正常。舌红，苔薄微黄，脉弦浮数。

病机分析：考虑患者外感寒凉邪气，卫表不固，邪犯太阳，故发热恶寒，全身酸痛，太阳表虚故自汗出，热入少阳则咽痛，传阳明则口干、喜冷饮。

治法：开太阳，和少阳，降阳明。

处方用药：桂枝汤合五根汤加减。

桂枝 30g	白芍 30g	炙甘草 20g	大枣 25g
山豆根 10g	葛根 20g	白茅根 20g	板蓝根 20g
芦根 20g	生姜 25g		

2 剂，每日 1 剂，每日 3 次，水煎服。

西医予头孢呋辛静滴抗感染，同时配合中医特色疗法：退热贴穴位贴敷（双侧肺俞、双侧肾俞、大椎）、中医定向透药、电脑中频治疗。

服药后，患者发热无明显改善。

二诊：2019 年 8 月 14 日

中医四诊：精神一般，发热，体温波动于 36.6~38.9℃，咽痛，汗多，口干口苦，全身酸痛，腰背部及右髋部疼痛，纳、眠差，恶心，二便正常。望之少神，语声低微、言语清晰。舌红，苔薄微黄，脉弦数。

病机分析：患者口干口苦伴发热，汗出明显，考虑太阳少阳合病。

治法：开太阳，和少阳。

处方用药：柴胡桂枝汤加减。

桂枝 25g	白芍 25g	炙甘草 15g	北柴胡 60g
生半夏先煎 30g	生晒参 25g	黄芩 25g	大枣 25g
桔梗 15g	麸炒枳壳 15g	陈皮 10g	葛根 45g

2 剂，每日 1 剂，每日 3 次，水煎服。

服药后，患者发热无明显改善，余症基本同前。

三诊：2019 年 8 月 16 日

中医四诊：患者仍发热，伴咽喉痛，口干口苦，全身酸痛等症状未见明显好转。纳、眠差，恶心，二便正常。望之少神，语声低微、言语清晰。舌红，苔薄微黄，脉弦数。

病机分析：分析患者体温曲线，发热时间以下午为主，考虑邪入阳明，太阳不开，少阳阳明合病。

治法：开太阳，和少阳，降阳明。

处方用药：小柴胡汤合麻杏石甘汤加减。

北柴胡 60g	黄芩 25g	生半夏先煎 30g	生晒参 25g
炙甘草 15g	大枣 25g	生姜 25g	白芍 30g

石膏先煎 90g	焯苦杏仁 10g	炙麻黄绒 5g	麸炒枳壳 15g
葛根 45g	桔梗 15g	麦冬 30g	麸炒白术 30g
砂仁后下 6g	陈皮 10g		

1 剂,每日 3 次,水煎服。

患者服药后汗出,热退,仍口干口苦,纳差。

四诊:2019 年 8 月 17 日

中医四诊:患者未发热,但感口干口苦明显,欲饮水,大便稀溏,每日 1~2 次,余症较前变化不大。

病机分析:少阳、阳明邪热未清。

治法:和少阳,降阳明。

处方用药:小柴胡汤合白虎汤加减。

北柴胡 30g	黄芩 15g	生晒参 15g	炙甘草 10g
大枣 10g	干姜 5g	石膏先煎 30g	知母 10g
薏苡仁 30g	酒黄连 5g	葛根 40g	桔梗 20g
炮姜 10g			

2 剂,每日 1 剂,每日 3 次,水煎服。

患者服药后口干口苦及食欲未见明显改善。

五诊:2019 年 8 月 19 日

中医四诊:患者再次发热,以下午为主,感间断畏寒,腹胀,按之稍有不适,口干口苦,大便偏稀,余症较前变化不大。舌红,苔薄微黄,脉弦,重按无力。

病机分析:患者再次发热,脉象重按无力,表证未解,少阳枢机亦不利,耗伤津液。

治法:开太阳,和少阳,降阳明。

处方用药:小柴胡汤合竹叶石膏汤加减。

北柴胡 60g	生半夏先煎 30g	生姜 20g	生晒参 30g
炙甘草 30g	黄芩 25g	大枣 25g	桔梗 15g
炙麻黄绒 5g	焯苦杏仁 10g	石膏先煎 100g	麸炒白术 30g
麦冬 30g	淡竹叶 15g	山药 30g	桂枝 10g

2 剂,每日 1 剂,每日 3 次,水煎服。

患者服药后发热及口干口苦无明显变化。

六诊:2019 年 8 月 21 日

中医四诊:患者发热,口干口苦,腹胀,上腹部轻压痛,腰背部及右髋部疼痛,纳、眠差,大便稀溏,次数 4~5 次 / 日,小便正常。舌红,苔薄微黄,脉沉弦。余症较前变化不大。

病机分析:患者仍发热,口干口苦明显,腹部胀满疼痛,请全院会诊,考虑少阳阳明合病，气机阻滞，腑气不通。

治法：和少阳，降阳明。

处方用药：大柴胡汤加减。

北柴胡 25g	姜半夏 15g	生姜 20g	生晒参 30g
黄芩 10g	枳实 15g	姜厚朴 30g	大黄后下 10g
赤芍 15g	络石藤 15g	虎杖 15g	忍冬藤 30g

1 剂，每日 3 次，水煎服。

服药后，患者仍发热，口苦，纳食有改善，便溏，大便量较前增多，腹胀减。

七诊：2019 年 8 月 22 日

中医四诊：患者仍有反复发热，诉昨日腹胀明显好转，纳、眠略好转，双足背及双下肢轻度凹陷性水肿，余症较前变化不大，口干口苦，间断腰背部及右髋部疼痛，大便稀溏，小便正常。舌红，苔薄微黄，脉沉弦。

病机分析：患者多次复查血常规仅提示血小板稍有下降，上腹部增强 CT 未提示明显异常。目前发热原因不明，抗感染治疗依据不充分，西药治疗效果欠佳，暂停输液抗感染。目前口干口苦、发热等仍提示少阳病，虽便溏，但腹胀仍提示阳明病。

治法：和少阳，降阳明，运太阴。

处方用药：大柴胡合三仁汤加减。

北柴胡 45g	黄芩 30g	生半夏先煎 15g	枳实 15g
白芍 15g	生晒参 10g	大枣 10g	大黄后下 15g
苦杏仁 15g	薏苡仁 15g	豆蔻后下 15g	淡竹叶 15g
姜厚朴 15g	葛根 60g	生姜 20g	

1 剂，每日 3 次，水煎服。嘱每次服药后吃白粥半碗，避风寒。

服药后，患者微汗出，未再发热，大便较多，稀溏，口干口苦、咽痛减轻。

八诊：2019 年 8 月 23 日

中医四诊：患者未发热，咽痛减轻，精神较昨日好转，汗出不多，口干口苦晨起明显，喜冷水漱口，腹胀加重，腰背部及右髋部疼痛减轻，双足背及双下肢轻度凹陷性水肿，纳、眠较昨日好转。大便稀溏，已解三次，前两次成形，第三次不成形。小便正常。舌暗红，边有齿痕，苔薄黄腻，脉弦数，沉取较前有力，

病机分析：少阳郁热减轻，阳明得降，发热、口干、口苦减轻，此时腹胀为太阴不运之征。

治法：同前，加强运太阴。

处方用药：前方中生姜加量至 30g 健运中土，1 剂。

患者服药后未发热，咽痛减，仍纳差，便溏。

九诊：2019 年 8 月 24 日

中医四诊：患者未发热，咽痛减轻，精神较昨日好转，汗多，口干口苦仍明显，稍感腹胀，腰背部及右髋部疼痛较前明显，纳差，夜寐较昨好转。昨日白天解黄色稀便 5 次，今日 2：00—6：00 解稀水样便 3 次。小便正常。舌暗红，边有齿痕，苔薄黄腻，脉滑数。

病机分析：少阳阳明郁热渐清，太阴中土不运仍存。

治法：同前，继续加强健运中土。

处方用药：前方加太子参 30g 益气扶正，川芎 45g、白术 45g 健脾行气，顾护中土，1 剂。

患者服药后发热有反复，对症处理后可退热，余同前。

十诊：2019 年 8 月 25 日

中医四诊：患者昨日 15：00 体温升至 38.1℃，予口服温开水及补液后体温逐渐降至正常，21：00 体温再次上升至 39.0℃，给予退热等对症处理后，体温降至正常，后未再发热，精神尚可，稍感咽痛，腹胀较前好转，夜寐差，余症较前变化不大。昨日至今晨解水样便 5 次。舌暗红，边有齿痕，苔薄黄腻，双脉滑数，沉取有力。

病机分析：患者再次发热，以下午至夜间为主，考虑阳明胃热，气机不舒。

治法：和少阳，降阳明，运太阴。

处方用药：前方去川芎、太子参、白术，加大生半夏剂量以降阳明，加用黄连清热燥湿、乌梅收敛固涩，通降阳明，生姜减量至 15g。

北柴胡 45g　黄芩 30g　生半夏（先煎）65g　枳实 15g
白芍 15g　生晒参 10g　大枣 10g　大黄（后下）15g
苦杏仁 15g　薏苡仁 15g　豆蔻（后下）15g　淡竹叶 15g
姜厚朴 15g　葛根 60g　生姜 15g　黄连 5g
乌梅 45g

1 剂，每日 3 次，水煎服。

服药后，患者未发热，少量汗出，大便稀溏有改善。

十一诊：2019 年 8 月 26 日

中医四诊：患者未发热，口干口苦缓解，汗出减少，夜寐较昨日好转。昨日至今晨解稀大便 6 次，前 3 次呈水样，后 3 次大便偏稀。舌暗红，边有齿痕，苔薄黄，双脉滑数，沉取有力。今日血培养提示布鲁氏菌阳性。请药剂科会诊行相关抗感染治疗。

病机分析：患者口干口苦缓解，少阳邪热渐去，大便仍偏稀，病久耗伤太阴。

治法：同前，加强温运太阴，顾护中土。

处方用药：黄芩加半夏生姜汤合理中丸加减。

炮姜 10g　炙甘草 45g　白术 60g　生晒参 10g

黄芩 15g	陈皮 10g	桂枝 5g	乌梅 45g
生半夏[先煎] 45g	苦杏仁 15g	姜厚朴 15g	川芎 30g
葛根 60g	炒麦芽 60g	太子参 15g	茯苓 30g

1 剂,每日 3 次,水煎服。

患者服药后未再发热,大便仍稀溏,纳差。

十二诊:2019 年 8 月 27 日

中医四诊:患者未发热,无咽痛,无咳嗽,腰背部及右髋部疼痛较前缓解,汗出减少,间断腹胀,纳、眠差,昨日至今晨解稀大便 6 次,大便偏稀,余较前变化不大,舌暗红,边有齿痕,苔薄黄,双脉滑数,沉取有力。

病机分析:太阴不运,气滞湿浊内停。

治法:运太阴,补中气。

处方用药:前方去苦杏仁,厚朴加量。

炮姜 10g	炙甘草 45g	白术 60g	生晒参 10g
黄芩 15g	陈皮 10g	桂枝 5g	乌梅 45g
生半夏[先煎] 45g	姜厚朴 30g	川芎 30g	葛根 60g
炒麦芽 60g	太子参 15g	茯苓 30g	

1 剂,每日 3 次,水煎服。

患者服药后无发热,稍感口苦,大便稀溏有改善,食欲同前。

十三诊:2019 年 8 月 28 日

中医四诊:患者未发热,仍感口干,口苦减轻,昨日至今晨解大便 4 次,两次成形,两次偏稀,小便偏多,余症较前变化不大。

病机分析:少阳余热,太阴不运。

治法:同前。

处方用药:前方中炮姜、生晒参、乌梅分别加量至 15g、15g、60g,以加强益气扶正、收敛固涩功效。1 剂。

患者服药后食欲略增,便溏改善。

十四诊:2019 年 8 月 29 日

中医四诊:患者昨日下午体温最高 37.6℃,补液后退至 36.9℃,之后未再发热。晨起感口干,口黏,无口苦,腹胀减轻,纳食较昨日好转,夜寐明显好转,双下肢水肿减轻。解大便两次,偏稀。舌苔薄白。余症同前。

病机分析:太阴不运有改善,阳明郁热夹饮。

治法:运太阴,降阳明。

处方用药:前方加酒大黄 5g 通降阳明,豆蔻 15g 加强化湿功效,共 4 剂。

患者服药后未再发热,纳可,大便稍溏。

十五诊:2019 年 9 月 3 日

中医四诊：近期未发热，感口黏，口干，无口苦，稍感腹胀，右髋部疼痛较前有反复，余症较前均好转。舌象由暗红转为红色，乏津，脉象同前。

病机分析：太阴渐运，有阳明热化伤津之象。

治法：运太阴，养津血。

处方用药：前方去炮姜、桂枝、豆蔻、酒大黄、陈皮；加用生地黄、麦冬养阴生津，枳实燥湿行气，全蝎通络止痛。

炙甘草 45g	白术 60g	生晒参 15g	黄芩 15g
乌梅 60g	生半夏先煎 45g	苦杏仁 15g	姜厚朴 30g
川芎 30g	葛根 60g	炒麦芽 60g	太子参 15g
茯苓 30g	生地黄 30g	麦冬 30g	枳实 15g
全蝎 10g			

3 剂，每日 1 剂，每日 3 次，水煎服。

【预后及转归】

患者超过 10 日未发热，余症好转，于 2019 年 9 月 6 日出院调养。出院后 1 周电话随访，未再发热，纳可，偶有便溏。

【按语】

1. 本案病机：太阴本虚，邪气传于三阳，辨证当兼顾太阴、阳明。

患者高龄女性，年过七旬，此次入院因养身不慎，感受寒凉之邪，起初病在太阳，营卫不和，交争于外出现反复高热。《素问·热论》曰："人之伤于寒也，则为病热，热虽甚不死。"外邪上攻，则出现咽痛，太阳肌表为邪所困，经气不利，故全身酸痛，结合舌脉，故初予桂枝汤类，以解表散寒、调和营卫为主。然外感之邪传变迅速，翌日发热未解，反出现口干口苦，纳差及腰背部及右髋部疼痛，脉象由弦浮数变为弦数，为合并少阳证之象。《伤寒论》第 146 条："伤寒六七日，发热，微恶寒，支节烦疼，微呕，心下支结，外证未去者，柴胡桂枝汤主之。"故二诊予柴胡桂枝汤加减。"本太阳，初得病时，发其汗，汗先出不彻，因转属阳明也。"因热势反复，且发热时间以下午为主，考虑邪入阳明，故三诊予小柴胡汤合麻杏石甘汤加减。服该方后虽未发热，但口干口苦加重，少阳邪热未清，木郁土虚，太阴湿化，故出现大便稀溏的症状，因此在和解少阳，通降阳明治法之中适当加入化湿药物。至六诊时，已发热多日，患者本气虚馁，热伤津液，脉已无力，表证未解，少阳枢机亦不利，和解少阳暂不变，益气养阴尚需兼顾。然发热未解，腹胀痛逐渐明显。"实则阳明，虚则太阴"。《伤寒论》第 165 条："伤寒发热，汗出不解，心中痞硬，呕吐而下利者，大柴胡汤主之。"《金匮要略·腹满寒疝宿食病脉证治》："按之心下满痛者，此为实也，当下之，宜大柴胡汤。"阳明居中主土，万物所归，无所复传，大柴胡汤少阳阳明并治，加络石藤、虎杖、忍冬藤改善腰部经络郁滞的症状。

患者服药后，未再发热，腹胀、食欲、睡眠明显好转。考虑患者恶寒不显，病位未在太阳，少阳相火不降，可见口干口苦，持续午后发热，阳明里热未解，湿热与水热互结，下焦水气不化，下肢水肿，腹胀拒按伴腹泻，实为热结旁流之象，病位在少阳、阳明无疑，大柴胡汤已切中病机，疗效初显，然大柴胡汤尚不可兼顾身痛、水肿等，七诊时加用葛根退热止痛，三仁汤化湿利浊。服该方后，大便次数增多，稀溏，考虑为排病反应，酌情加用生姜温运利水，顾护脾胃，太子参益气扶正，川芎、白术健脾行气，顾护中土。土气厚实，则化为湿土而长养万物，草木欣荣。

运太阴同时，当兼顾阳明胃热。气郁不舒，瘀热湿浊内郁，再次出现午后高热，故十诊时生半夏加量燥湿化痰，去川芎、太子参、白术防其补益敛邪，加用黄连清热燥湿、乌梅收敛固涩，通降阳明。至十一诊时，血培养提示布鲁氏菌阳性，方知疑难高热反复，病根难除之根本原因。外感之邪，郁久化热，更难速除，患者口干口苦缓解，少阳邪热渐去，大便仍偏稀，病久耗伤太阴，故予加强温运太阴，顾护中土。之后大便逐渐成形，中土渐厚，以燥湿行气为主，适当加量炮姜继续巩固温运中土。至十四诊，出现发热，热势不高，阳明邪热未清，湿热重浊黏滞，反复胶着，需加用酒大黄通降阳明，豆蔻加强化湿功效。之后未再发热，瘀血渐化，舌象由暗红转为红色，口苦已无，少阳邪热已去，太阴湿浊热化明显，口中黏滞，暂去温中厚土之药味，治予养阴生津，燥湿行气，以解当下之所急。

2. 上腹压痛伴发热是大柴胡汤证之辨证要点。

“按之心下满痛”，是本病辨证的关键。所谓心下，即胸腹部分，痛的范围满于胸腹，并多旁及两胁。心下痞满，且又按之作痛，可知内有实邪，实者当下，但由于邪在少阳、阳明，病虽在里，而连及少阳，故不宜大承气而宜大柴胡汤双解少阳、阳明。大柴胡汤是由小柴胡汤去参、草，增生姜之量，加芍药、大黄、枳实。方中以柴胡为主，配黄芩、半夏、生姜以和解少阳之邪，配芍药、大黄、枳实以泻阳明热结之实，用大枣以安中，如此内外兼顾，则少阳、阳明之实邪可解，“按之心下满痛”之证可除。然少阳、阳明邪气渐去，太阴虚寒渐显。人身无处不中气，中气如轴，四维如轮，其气为人身气机升降出入之枢纽。太阴为湿土，阳明为燥金，两者均为中气的重要组成部分。燥者，阳明金气之所化也。在天为燥，在地为金，在人为大肠。阳明以燥金主令，胃土从令而化燥；太阴以湿土主令，肺金从令而化湿。太阴性湿，阳明性燥，燥湿调停，在乎中气。中气旺，则辛金化气于湿土而肺不伤燥，戊土化气于燥金而胃不伤湿。中气衰，则阴阳不交而燥湿偏见。太阴湿土与阳明燥金互为表里，两者一升一降，一阴一阳，燥湿相济，两者和合互济则中气旺盛，此化生之中气与少阴所化生之元气形成人体本气，此气充养全身，则三焦元真通畅，人即安和。

回顾整个治疗过程，发热表证初起，传变迅速，变证繁多，然千般变化不离经典经方思维，把握刻下病机，随证处方，疗效尽显。

附：住院期间患者体温、心率变化详见表 9；炎症指标变化见表 10；全腹部 CT 详见图 115；舌象变化详见图 116~ 图 118。

表 9 住院期间患者体温、心率变化

时间	T/℃	HR/(次 /min)
2019 年 8 月 13 日	38.4	88
2019 年 8 月 15 日	38.9	104
2019 年 8 月 18 日	38.7	106
2019 年 8 月 19 日	37.3	90
2019 年 8 月 25 日	37.0	90

表 10 患者住院期间炎症指标、血培养记录表

指标	2019 年 8 月 13 日	2019 年 8 月 18 日	2019 年 8 月 20 日	2019 年 8 月 24 日	2019 年 9 月 3 日
布鲁氏菌			+		−
WBC/($\times 10^9$/L)	5.64	3.32	3.37	6.47	2.05
PCT/(ng/L)			0.39	0.19	
CRP/(mg/L)	54.49	35.21	88.49	72.49	24.59

破格救心汤治疗非 ST 段抬高型急性冠脉综合征案例

【基本资料】

万某某，男，56 岁，于 2019 年 7 月 4 日入院。

主诉：反复胸闷、胸痛 10 年，再发 3 天。

现病史：患者 10 年前无明显诱因出现劳力性胸闷、胸痛，以心前区为主，疼痛面积约手掌大小，呈针刺样疼痛，偶有对应背部放射痛，每次发作约几分钟，经休息后可缓解。患者 8 年前于某医院行冠状动脉 CT 血管成像（CTA）检查提示：双侧冠状动脉主干及左前降支多发斑块，血管明显狭窄，最严重处

狭窄达70%。3个月前患者于重庆某医院行冠状动脉CTA检查提示：三支病变，狭窄处最高达95%。未行支架植入术，平时不规律服用药物治疗，具体不详。入院前3天患者无明显诱因出现胸闷痛，胸前区有压榨感，疼痛放射至背部，活动后加重，每次持续时间10~20分钟，休息后及含服救心丸后可缓解，但仍反复发作，伴双下肢水肿，遂由急诊拟"冠状动脉粥样硬化性心脏病，不稳定型心绞痛"收入中医经典科。

既往史：糖尿病病史20余年。高血压病史10年，最高血压190/110mmHg。银屑病病史10年，慢性胃炎病史10余年。脑动脉狭窄，狭窄处最大达90%。高脂血症、慢性支气管炎。吸烟15年，平均40支/日，未戒烟。

中医四诊：患者精神状态较差，无恶寒发热，诉胸闷胸痛，疼痛放射至背部，口干口苦，双下肢水肿，饮食较差，睡眠差，体重无明显变化，口气较重，大便稀溏，小便正常。舌淡，苔黄腻，脉滑。

体格检查：体温36.4℃，脉搏78次/min，呼吸19次/min，血压139/75mmHg。

神志清楚，表情痛苦，呼吸运动未见异常，肋间隙未见异常，语颤未见异常。叩诊清音，呼吸规整，双肺呼吸音清晰，双侧肺未闻及干、湿啰音，无胸膜摩擦音。心前区无隆起，心尖搏动未见异常，心浊音界未见异常，心率78次/min，律齐，各瓣膜听诊区未闻及病理性杂音，无心包摩擦音。

辅助检查：超敏肌钙蛋白I 0.285ng/ml，NT-proBNP 2 198.6pg/ml。心电图：窦性心律；下壁异常Q波；ST-T段改变。心脏彩超：左室舒张功能减退。

中医诊断：胸痹心痛（少阴证）

西医诊断：冠状动脉粥样硬化性心脏病，急性冠脉综合征，不稳定型心绞痛；高血压3级（极高危）；2型糖尿病；大脑动脉粥样硬化；慢性胃炎；银屑病；高脂血症；慢性支气管炎

【诊治过程】

一诊：2019年7月4日

中医四诊：患者倦怠，诉胸闷胸痛，疼痛放射至背部，伴口干口苦，双下肢水肿，纳差，睡眠差，口中黏腻臭秽，大便稀溏，小便正常。舌淡胖大，苔黄腻，脉滑。

病机分析：痰瘀痹阻，胸阳不振，不通则痛，阳衰不运则纳差便溏。

治法：化痰祛瘀，通阳除痹。

处方用药：栝蒌薤白半夏汤合小柴胡汤、丹参饮加味。

炒瓜蒌子15g	瓜蒌皮15g	薤白30g	生晒参25g
生半夏（先煎）25g	炙甘草15g	大枣25g	柴胡60g
丹参15g	酒黄芩25g	檀香（后下）10g	砂仁（后下）15g
醋延胡索15g			

1剂，每日3次，水煎服

中医特色疗法：同时予大椎穴放血1次，超声药物透入及隔物灸治疗，中药封包治疗，穴位贴敷、耳穴压丸处理。

服药后，患者胸痛有所减轻，余症无特殊变化。

二诊：2019年7月5日

中医四诊：患者精神一般，胸闷胸痛较前减轻，稍运动时发作，伴口干口苦，双下肢水肿，纳、眠差，大便稀溏，小便正常。舌淡，苔黄腻，脉滑，沉取无力。

病机分析：痰瘀痹阻有所减轻，仍有太阴里虚，少阴寒化，胸阳不振之兆。

治法：温少阴，化痰逐瘀。

处方用药：破格救心汤合丹参饮、桃仁红花煎加减。

附片先煎 30g	生地黄 30g	麦冬 30g	红参 20g
龙骨先煎 30g	牡蛎先煎 30g	干姜 15g	炙甘草 30g
丹参 30	降香后下 10g	山茱萸 30g	砂仁后下 10g
檀香后下 10g	桂枝 20g	焯桃仁 20g	红花 20g
生半夏先煎 45g	胆南星 30g	瓜蒌皮 45g	薤白 30g

1剂，每日3次，水煎服。

继续予超声药物透入及隔物灸治疗，中药封包治疗，穴位贴敷、耳穴压丸处理。

服药后，患者胸闷痛进一步减轻，但汗出较多，仍便溏，伴肢体轻度麻木。

三诊：2019年7月6日

中医四诊：患者精神一般，诉昨晚出汗量多，无明显胸闷胸痛，口干口苦缓解，双下肢水肿有所减轻，食欲略改善，睡眠较差，大便稀溏，小便正常。复查超敏肌钙蛋白I 0.202ng/ml。舌淡，苔黄腻，脉滑。

病机分析：少阴得温，胸阳得振故胸闷进一步改善，气血得运，有冲虚之象，多汗为痰瘀化热之征。

治法：温少阴，运太阴，兼降阳明痰热。

处方用药：四逆汤合黄芪桂枝五物汤加减。

大黄后下 10g	焯桃仁 20g	土鳖虫 15g	制附片先煎 30g
干姜 30g	黄芪 30g	桂枝 30g	白芍 30g
大枣 25g	炙甘草 35g	焯苦杏仁 30g	豆蔻后下 30g
薏苡仁 30g	白术 40g	麸炒苍术 30g	羌活 30g

2剂，每日1剂，每日3次，水煎服。

服药后，患者胸闷痛基本缓解，口干口苦减轻，进食增加，大便较前成形。

四诊：2019年7月8日

中医四诊：患者精神较前好转，诉未明显汗出，无胸闷胸痛，无口干口苦，双下肢水肿消退，饮食改善，睡眠改善，大便较前成形，小便正常。舌淡，苔黄腻，脉滑软。复查超敏肌钙蛋白 I：0.069ng/ml。

病机分析：胸阳不振，气血不足，瘀血内阻。

治法：温少阴，养血，活血化瘀。

处方用药：破格救心汤合瓜蒌薤白半夏汤、丹参饮加减。

生附片先煎 10g	生地黄 30g	麦冬 30g	红参 20g
龙骨先煎 30g	牡蛎先煎 30g	醋五灵脂 15g	炙甘草 30g
丹参 30g	檀香后下 10g	降香后下 10g	沉香后下 10g
砂仁后下 10g	桂枝 20g	焯桃仁 20g	红花 20g
生半夏先煎 45g	山茱萸 30g	胆南星 30g	薤白 30g

3 剂，每日 1 剂，每日 3 次，水煎服。带药出院。

【预后转归】

出院半月后随访患者，胸闷胸痛未再发作，食欲可，无口干口苦，大便稍溏，病情稳定。

【按语】

1．本案病机：痰浊水湿淤堵为标，太阴不运、少阴寒化为本。

患者脾肾两本不足，脏腑功能渐衰，痰浊内生，久而成瘀，痰瘀痹阻心脉，胸阳不振则发为胸痹，病位在心，涉及脾肾，病性属本虚标实。入院后首诊予以栝蒌薤白半夏汤合小柴胡汤、丹参饮治疗。方中薤白通阳，瓜蒌、半夏化痰散结；丹参活血化瘀，檀香、砂仁行气化湿；佐以柴胡、黄芩和解少阳，人参、甘草、大枣健脾和中，延胡索行气止痛；甘草益气健脾。全方共奏通阳行痹，益气活血化瘀之效。

然肾阳虚为本，治病当求其本。《素问·天元纪大论》曰："君火以明，相火以位。"该患者心脉痹阻的病机实际上是阳气沉衰的结果。阳衰阴盛，脏腑、经络、三焦均可被阴寒痰湿所困，非破格重用辛热回阳之剂不可。故二诊以破格救心汤（本方是在四逆汤的基础上加山茱萸、红参、龙骨、牡蛎而成）为主方合用丹参饮、桃仁红花煎行气化瘀，通阳化痰治其标。患者口干口苦明显，考虑合并阳明里热，故去干姜。《素问·阴阳应象大论》曰："其剽悍者，按而收之。"山茱萸酸敛中具条畅之性，附子温动元气的基础上，得山茱萸补肝木、制肝木，木动生风以防元气暴散，使阳气生发有序、持续为功。"火在水上则生湿，火在水下则生气"，附子之火，得炙甘草、人参补中土而伏于土下以生中气，中气旋转以灌溉四旁（土旺四时而生万物，土生金）；龙骨、牡蛎助肺金敛降而生肾水（金生水）。该方使中气升降旋转，思维升降沉浮得安，心窍自开，胸痛自止。如有麝香、磁石，效当更强。

2. 口干不畏姜附，便溏不惧大黄，但以病机为据，何愁难证不愈？

二诊时，患者口干口苦，伴双下肢水肿，脉沉取无力，为少阴里虚，气化不利之象，非少阳阳明里热之口干口苦，故径予破格救心汤而胸闷痛改善。三诊患者夜间汗出，伴潮热，双下肢水肿减轻，饮食有改善，睡眠较差，大便稀溏。考虑为破格救心汤温动寒邪与湿浊外排之兆，此大便稀溏为湿浊化热未尽之象，与太阴寒湿有本质区别，故治疗以温阳行气、化湿、祛瘀止痛为法，在四逆汤基础上加黄芪益气，加大黄、桃仁、土鳖虫通腑化瘀，桂枝、白芍、大枣调和营卫，苦杏仁、豆蔻、薏苡仁、白术、苍术、羌活祛湿。

四诊时湿浊得除，故大汗止，阳气温动，化湿为气，故大便成形，继续与破格救心汤合栝蒌薤白半夏汤治疗，标本兼治，好转出院。

冠心病（急性冠脉综合征，不稳定型心绞痛）的患者，随时有发作“真心痛”，旦发夕死，夕发旦死的可能。患者基础疾病多，生活习惯不良，病机为元阳不足，阴寒凝结，虚热内扰，痰瘀内阻之虚实夹杂。首诊急则治标，活血化痰行瘀，大椎放血亦有解毒清热、化痰逐瘀之功。标证好转后以破格救心汤、四逆汤为主方扶正祛邪，更加超声药物透入及隔物灸治疗能温振元阳以散阴寒，中药封包治疗功在健脾除湿而治便溏，穴位贴敷、耳穴压丸清经泻火，宣透五脏之郁而安神助眠，终使患者迅速缓解出院。

急性冠脉综合征为危急重症，顷刻之间就可危及生命，采用中西医结合治疗疗效更佳，不可等闲视之。

附：患者舌象详见图 119。

破格救心汤为主方温阳利水治疗心力衰竭合并大量胸腔积液案例

【基本资料】

吴某某，男，66 岁，于 2021 年 11 月 1 日 06：54 平车入院。

主诉：反复胸闷、喘累 15 年，加重 10 天，晕厥 1 次。

现病史：患者于 15 年前无明显诱因感胸闷、喘累，伴咯血，时有胸痛，无肩背部及上肢放射痛，无发热、咳嗽、呼吸困难、发绀、恶心、呕吐、反酸、呃逆、腹痛、腹泻、头痛、双下肢水肿、肢体活动障碍等不适，就诊于重庆市某医院，诊断为扩张型心肌病，未予治疗，后胸闷、喘累反复发作。10 年前患者为进一步诊治就诊于广东省某医院，诊断为风湿性心脏病、心房颤动，同年行主动脉瓣机械瓣置换手术，术后规律服用华法林钠片 1 片、每日 1 次，地高辛片 1 片、每日 1 次，未规律监测凝血功能。10 天前患者因受凉后出现胸闷、喘累加重，就诊于当地卫生院经对症处理后稍好转。1 天前患者因情绪激动后出现一过性晕厥，无大小便失禁，无汗出等，约 3 分钟后自行恢复意识，遂就诊于奉节县某医院，完善相关检查，诊断为慢性心力衰竭、二尖瓣及三尖瓣关闭不全（重度）、肺动脉高压重度、心脏扩大、双侧胸腔积液、肺炎。予对症治疗后喘累未见明显缓解，遂就诊于我院急诊，以“风湿性心脏病，慢性心力衰竭”收入中医经典科。

既往史：否认肝炎、结核等传染病病史，否认高血压、冠心病、糖尿病等慢性疾病病史。1 年前因跌倒致头皮外伤行缝合术，未遗留明显瘢痕。2011 年因心脏瓣膜置换术行输血治疗，约 3 000ml，未见输血反应。否认外伤史及其他手术史。

中医四诊：望之少神、表情正常，面色少华，体形适中；行动不便、精神较差、头晕、乏力、发育正常、营养中等；声音尚有力、言语清晰、呼吸较促、时有咳嗽、咳白黏痰，痰中带血丝，腹胀，平卧位即感喘累气促，无恶寒发热，饮食尚可，夜寐不安，无呕吐、太息、呻吟、腹鸣之声；无异常气味。舌暗淡，苔白腻，脉沉细。

体格检查：体温 36.3 ℃，脉搏 87 次 /min，呼吸 20 次 /min，血压 122/88mmHg。颈静脉怒张，呼吸运动未见异常，肋间隙未见异常，语颤左右侧减弱。叩诊浊音，呼吸规整，双下肺呼吸音稍低，双侧肺下叶可闻及湿啰音，无胸膜摩擦音。心前区无隆起，心尖搏动未见异常，心浊音界扩大，心率 95 次 /min，律不齐，二、三尖瓣瓣膜听诊区可闻及 4/6 级收缩期吹风样杂音，无心包摩擦音。腹膨隆，无腹壁静脉曲张，腹部柔软，上腹部轻压痛，无反跳痛，腹部无包块。双下肢轻度浮肿。

辅助检查：2021 年 10 月 31 日查 NT-proBNP 6 682.40pg/ml。胸部 CT：心脏增大，心脏瓣膜术后改变，主动脉壁及冠状动脉钙化；双上肺散在纤维灶及慢性炎症灶；双侧胸腔积液。心脏彩超：左心及右房增大，肺动脉内径增宽；二、三尖瓣重度反流，肺动脉高压（重度），主动脉瓣轻度反流、肺动脉瓣少量反流；左室收缩功能降低，舒张功能减退。胸水彩超：双侧胸腔积液，较深处约 9.7cm。血气分析（吸氧浓度 33%）：pH 7.445，动脉氧分压 76.3mmHg，二氧化碳分压 43.7mmHg。心电图：普通型心房颤动（心室率 79 次 /min）；偶发室性期前收缩；完全性右束支阻滞；ST-T 段改变。

2021 年 11 月 1 日入院检查：糖化血红蛋白、甲状腺功能七项、红细胞沉降率无异常。血常规：血红蛋白 121g/L。NT-proBNP 5 759.6pg/ml。凝血四项：凝血酶原时间 14.1s，凝血酶原活动度 72.2%，国际标准化比值 1.22。心肌标志物：超敏肌钙蛋白 I 0.446ng/ml。总蛋白 58.00g/L，白蛋白（ALB）36.9g/L，血尿酸 461μmol/L，C 反应蛋白 8.28mg/L。腹部＋胸腔积液彩超及定位：肝实质回声密集、欠均质；胰、脾、双肾未见确切异常；双侧胸腔积液，右侧胸腔探及大量液性暗区，较深处间距 9.7cm，可见肺组织受压，左侧胸腔探及中量液性暗区，较深处 5.6cm，右侧已定位。

中医诊断：心衰（少阴证）

西医诊断：慢性心力衰竭急性加重，心功能Ⅳ级；风湿性心脏病，主动脉瓣机械瓣置换状态，二尖瓣及三尖瓣关闭不全（重度），肺动脉高压重度，心脏扩大；心房颤动；双侧胸腔积液；社区获得性肺炎，非重症；高尿酸血症

【诊治过程】

一诊：2021 年 11 月 1 日

中医四诊：患者精神状态较差，平卧位即感喘累气促，头晕、乏力，胸闷，时有咳嗽、咳白黏痰，痰中带血丝，腹胀，无恶寒发热，饮食正常，夜寐不安，大便干燥，小便正常。双下肢轻度浮肿。舌暗淡，苔白腻，脉沉细。

病机分析：少阴虚寒、太阴运化无力，“脾为生痰之源，肺为贮痰之器”，痰浊内生，痰浊阻塞气道，浊气上逆，则见喘累、咳痰。痰浊阻滞胸中则胸闷、胸痛；夜寐不安乃下元虚损，水不济心火，虚火妄动，心神失养之象；活动后气促为心气虚，劳则耗气之象；精神稍倦为阳虚不能养神，升发无力之象；咳嗽、咳痰、气促为少阴虚寒，浊阴上犯之象；双下肢水肿为肾不化气，水湿下注之象。

治法：温少阴，通阳利水。

处方用药：真武汤合五苓散。

茯苓 45g　赤芍 45g　白术 30g　炮附片[先煎] 20g
猪苓 15g　盐泽泻 20g　桂枝 10g

1 剂，每日 3 次，水煎服。

患者心力衰竭诊断明确，予地高辛片强心，螺内酯片＋呋塞米片利尿、减轻心脏负荷，华法林钠片抗凝等治疗。

服药后，患者喘累气促、胸闷症状未见明显缓解。

二诊：2021 年 11 月 2 日

中医四诊：患者精神较差，头晕、乏力，喘累气促，胸闷不适，咳嗽咳痰，痰白黏，痰中带血丝，时有腹胀不适，饮食正常，夜寐不安，大便干燥，小便正常。舌暗淡，苔白腻，脉沉细。

病机分析：患者病情未见明显改善，考虑为少阴寒化重证，病重药轻。

治法：继续以温少阴为主，药物剂量加大。

处方用药：破格救心汤合苓桂术甘汤、生脉散。

炮附片[先煎] 45g　干姜 45g　生晒参 30g　山茱萸 60g

白术 15g 龙骨先煎 30g 牡蛎先煎 30g 麦冬 45g
五味子 30g 茯苓 60g 桂枝 10g 炙甘草 15g

1 剂,每日 3 次,水煎服。

服药后,患者睡眠有改善,夜间憋闷稍减轻,精神倦怠较前稍缓解。

三诊:2021 年 11 月 3 日

中医四诊:患者精神状态稍好转,仍头晕、乏力,平卧位即感喘累气促,胸闷稍缓解,时有咳嗽、咳白黏痰,痰中带血丝,腹胀,饮食尚可,夜寐欠安,大便干燥,小便正常。舌暗淡,苔白腻,脉沉细。

病机分析:少阴得温,心阳有所恢复,故胸闷减。大便干燥警惕阳明热化。

治法:继续以温少阴为主,在前方基础上易干姜为炮姜缓解温燥之性,山茱萸加量增强敛阳益气之效。

处方用药:破格救心汤合苓桂术甘汤、生脉散。

炮附片先煎 45g 炮姜 30g 生晒参 30g 山茱萸 90g
白术 15g 龙骨先煎 30g 牡蛎先煎 30g 麦冬 45g
五味子 30g 茯苓 60g 桂枝 10g 炙甘草 15g

2 剂,每日 1 剂,每日 3 次,水煎服。

服药后,患者喘累气促、胸闷症状较前缓解,小便增多。夜间睡眠进一步改善。

四诊:2021 年 11 月 5 日

中医四诊:患者精神好转,喘累气促较前缓解,头晕、乏力略减,胸闷有减轻,时有咳嗽、咳白黏痰,痰中无血丝,腹胀减轻,无恶寒发热,饮食正常,夜寐较前好转,大便 2 日未解,小便正常。双下肢无浮肿。舌暗淡,苔白腻,脉沉细滑。

病机分析:少阴得温,太阴得运,水湿痰浊渐消。

治法:继续治以温少阴为主,患者咳嗽咳痰、大便不通,酌情加用厚土伏火、通降阳明之物。

处方用药:在前方基础上加用天冬以润肺止咳,火麻仁以润肠通便。

炮附片先煎 45g 炮姜 30g 生晒参 30g 山茱萸 45g
白术 15g 龙骨先煎 30g 牡蛎先煎 30g 麦冬 45g
五味子 30g 茯苓 60g 桂枝 10g 炙甘草 15g
天冬 30g 火麻仁 20g

2 剂,每日 1 剂,每日 3 次,水煎服。

服药后,患者神志较前改善,喘累气促、胸闷症状较前稍缓解,复查 NT-proBNP 较前明显下降,复查双侧胸腔未见明显积液。

五诊:2021 年 11 月 8 日

中医四诊：患者精神状态好转，喘累气促明显减轻，胸闷、头晕、乏力好转，咳嗽咳痰缓解，觉口中臭秽黏腻，无腹胀，无恶寒发热，饮食正常，夜寐较前进一步好转，大便已解，成形，小便正常。双下肢无浮肿。舌暗淡，苔黄厚腻，脉沉滑。

病机分析：患者苔黄厚腻，考虑在少阴亏虚的基础上，兼有湿热内蕴。

治法：温少阴，降阳明，祛湿浊。

处方用药：前方基础上去天冬，加用薏苡仁、砂仁、茵陈清热除湿利水。

炮附片先煎 45g	炮姜 30g	生晒参 30g	山茱萸 45g
白术 15g	龙骨先煎 30g	牡蛎先煎 30g	麦冬 45g
五味子 30g	茯苓 60g	桂枝 10g	薏苡仁 30g
炒火麻仁 20g	砂仁后下 10g	茵陈 30g	炙甘草 15g

2 剂，每日 1 剂，每日 3 次，水煎服。

服药后，患者眠可，夜间无喘累憋闷，口中臭秽减轻。

六诊：2021 年 11 月 10 日

中医四诊：患者精神状态明显好转，喘累气促进一步减轻，胸闷、头晕、乏力明显好转，无咳嗽咳痰，无腹胀，大便再次干结难解，小便正常。舌暗淡，苔黄厚腻，脉沉细滑。

病机分析：少阴得温，阳明内热，湿热瘀结。

治法：温少阴，降阳明。

处方用药：在前方基础上加用栀子 10g、生大黄后下 10g 清热利湿，活血通便。2 剂，每日 1 剂，每日 3 次，水煎服。

服药后，患者大便干结难解好转。余症同前。

七诊：2021 年 11 月 12 日

中医四诊：患者精神可，喘累气促已不明显，能下床活动，胸闷、头晕、乏力好转，咳嗽咳痰缓解，无腹胀，饮食正常，夜寐安，大便黄软，小便正常。舌暗红，苔黄厚腻，脉沉细。

病机分析：少阴本虚长期存在，温少阴又易热化，降阳明则里虚寒加重。

治法：温少阴，降阳明，清热除湿。

处方用药：在前方基础上薏苡仁、茵陈减量，附片、炮姜、生晒参、山茱萸、五味子减量以防服药过久后燥化，茯苓减量以防利水伤阴，麦冬减量以防清热滋阴太过，易生大黄为酒大黄同煎以减缓通下泻热之力以图长效。

炮附片先煎 30g	炮姜 20g	生晒参 20g	山茱萸 30g
白术 15g	龙骨先煎 30g	牡蛎先煎 30g	麦冬 30g
五味子 20g	茯苓 40g	桂枝 10g	薏苡仁 20g
炒火麻仁 20g	砂仁后下 10g	茵陈 15g	炒栀子 10g

酒大黄 10g

7剂，每日1剂，每日3次，水煎服。

【预后转归】

患者病情稳定，症状较入院时明显好转，2021年11月12日复查胸水彩超：双侧胸腔未见明显积液。患者未胸腔穿刺引流而胸腔积液消失，于2021年11月13日带药出院。出院1个月后随访患者胸闷及喘累气促无明显发作，夜间能平卧，能短距离行走，偶有咳嗽咳痰，纳、眠可，二便调。

【按语】

1. 心力衰竭多见少阴亏虚，治以破格救心汤为主方温少阴，通阳利水。

心力衰竭是由于心脏疾病引起的心室充盈和射血功能受损而产生的一种综合征，可反映心脏的泵血功能障碍。几乎所有的心血管疾病都可引起心力衰竭，慢性心力衰竭是大部分心血管疾病的终末阶段，也是心血管疾病死亡的主要原因。

心力衰竭属于中医学"心悸""喘证""脱证"等范畴。心力衰竭的发生主要是由于气阳虚乏，运血无力造成的。心气虚乏，心脏就会舒缩无力，从而不能很好地推动血脉中的血液畅通运行，津液或渗出脉络之外，成为水肿，或停留在脉络之内，成为瘀血，日久成积，水肿、瘀血等病理产物胶结，致使心脏变形，进一步影响阳气、血液运行，造成心力衰竭。治疗采用益气温阳药为治心强心之本，辅以活血通络、利水消肿药以治标。心主血脉，心气、心阳充足，则血液运行正常，若心阳亏虚，则鼓动乏力，血液运行不畅，血不利则为水。心阳不振，累及脾阳、肾阳。脾主运化水湿，肾为水脏，蒸腾水湿，脾肾阳虚，则气不化津，水气留蓄，上犯心肺，发为喘憋、心悸；阳不化水，失于输布，泛溢肌肤，发为水肿。因此，阳虚水泛是心力衰竭的根本原因和内在基础，治疗上应以温阳化水为法，常选用破格救心汤。

破格救心汤全方由附子、干姜、炙甘草、人参、生山茱萸肉、生龙骨、生牡蛎、磁石（现今之煅磁石服后常滞中土，中土不运者常去之）、麝香等组成（麝香昂贵且不易获得，实际运用时常去之）。该案重用附子上补心阳中温脾阳下暖肾阳，回阳救逆，不仅通行十二经，且使余药各得其所。附子起效虽快，却不能持久，于是又用守而不走的干姜维护阳气，与附子相配，相辅相成。二者相合，以雷霆万钧之势破阴回阳，又持久连续。山茱萸肉收敛元气，固涩滑脱，助附子固守已复之阳，挽五脏之脱失。人参能大补元气，龙骨、牡蛎固肾摄精、收敛元气。炙甘草和里缓急，既可解附子之毒，又调和诸药。全方共奏回阳救逆，益阳和阴，救急醒神之功。

2. **破格救心汤之"破格"浅析**。

该患者入院时使用了含有附子的真武汤，但附子用量仅20g，病重药轻，故疗效不显，当附子用量达45g后，结合苓桂术甘汤之利水之功，疗效尽显。《素问·至真要大论》谓"益火之源，以消阴翳"，患者心阳得旺，水饮得消，故喘累憋闷亦减，通过保守疗法亦能使大量胸腔积液消退殆尽。或有人畏附子之"毒"，认为不可多用，如《中国药典》规定附子(包括盐附子、黑顺片、白附片)用量为3~15g，先煎，久煎。面对心衰重症，在科学的配伍和严格的煎煮方法、严密的监护下，破格救心汤附子用量在15g以上，其小、中、大剂破格救心汤炮附子剂量分别为30g、100g、200g，临床上历经多次使用，并未出现中毒等不良反应。救急救危，熟附子用至90g~120g方可破阴散寒，回阳救逆。

《伤寒论》第370条："下利清谷，里寒外热，汗出而厥者，通脉四逆汤主之。"对少阴寒化重症，用通脉四逆汤，方中附子大者一枚，生用，即用生附子20g~30g，所谓"沉疴用猛药"，不用"破格"之剂，何以挽危亡于顷刻？生附子药性虽猛，然联合山茱萸、干姜、炙甘草等兼制之品，且用量随附子用量而变化，既能帮助附子固脱，亦能健脾厚土且减少附子的毒性。经方用药，效专力宏，辨证准确，配伍得当，煎煮方法正确，自能确保安全，用药有效。

附：治疗前后患者胸腔积液彩超详见图120、图121；治疗前后舌象变化详见图122、图123；治疗期间NT-proBNP及EF值详见表11。

表11 治疗期间NT-ProBNP及EF值

指标	2021年11月1日	2021年11月3日	2021年11月5日	2021年11月8日
NT-proBNP/(pg/ml)	6 735	5 842	2 837	2 754
EF/%	23			28

温运两本通降阳明治疗心力衰竭案例

【基本信息】

鞠某某，男，89岁，于2019年4月6日入院。

主诉：反复活动后喘累、气促1个月。

现病史：患者于入院前1个月无明显诱因出现活动后喘累、气促不适，稍活动后即可出现，休息后可逐渐缓解，时有咳嗽、少痰，无胸痛、胸闷、呼吸困难，无头昏、头痛、黑蒙、晕厥，无恶心、呕吐、腹胀、腹痛等，当时未予重视。后症状反复发作，上述症状未见明显减轻，病情迁延，遂于入院前20天在我院心内科住院治疗，予利尿、控制血压血糖、护胃、抗凝、改善心肌代谢等治疗后，症状好转出院。出院后患者病情仍有反复，常觉喘累气促，稍活动则喘甚，夜间不能平卧，今为进一步治疗来我院就诊，门诊以“心力衰竭”收入中医经典科。

既往史：有高血压、高血压心脏病病史20余年，有冠心病、缓慢性心律失常、阵发性房颤病史13年余，2012年行心脏起搏器置入术，有2型糖尿病、糖尿病肾病病史10年余，有腔隙性脑梗死、慢性胃炎、肺纤维化病史7年余。

中医四诊：望之少神、表情忧虑，面色少华，卧床时感喘累、气促不适，动则喘累加重，手足不温，口干，食欲不振，夜寐不安，大便不畅，小便不利。舌淡裂纹，苔少，脉沉迟。

体格检查：体温36.3℃，呼吸41次/min，脉搏65次/min，血压83/42mmHg，颈静脉怒张，肝颈静脉回流征阴性，双肺呼吸音粗，双侧肺可闻及少量湿啰音，无胸膜摩擦音。心前区无隆起，心尖搏动未见异常，心浊音界未见异常，心率82次/min，律不齐，各瓣膜听诊区未闻及病理性杂音，无心包摩擦音。双下肢未见浮肿。

辅助检查：床旁心脏彩超示主动脉增厚，二尖瓣、主动脉瓣少量反流，左室收缩、舒张功能降低，EF 45%。胸部CT：双肺间质性改变，伴散在炎症，与2019年3月15日相比双肺炎症较前增加。2019年3月14日查NT-proBNP 7 723pg/ml。2019年3月30日查NT-proBNP>15 000pg/ml。2019年4月5日查NT-proBNP>15 000pg/ml。

中医诊断：心衰（少阴证）

西医诊断：慢性心力衰竭急性加重，心功能Ⅳ级；冠状动脉粥样硬化性心脏病；肺纤维化；高血压3级（极高危），高血压心脏病；起搏器植入术后；完全性右束支传导阻滞；阵发性房颤；2型糖尿病，糖尿病肾病；慢性胃炎；腔隙性脑梗死。

【诊治经过】

一诊：2019年4月6日

中医四诊：患者精神疲倦，面色少华，喘累明显，不能平卧，卧床时感喘累、气促不适，动则喘累加重，间断冷汗出，手足不温，口干，食欲不振，夜寐不安，大便不畅、干硬，小便不利。舌淡裂纹，苔少，脉沉迟。

病机分析：少阴虚寒，太阴运化无力。

治法：温少阴，运太阴。

处方用药：破格救心汤合温氏奔豚汤。

熟附片[先煎] 40g	干姜 20g	炙甘草 20g	人参片 30g
山茱萸 40g	龙骨[先煎] 20g	牡蛎[先煎] 20g	山药 30g
牛膝 30g	茯苓 30g	泽泻 20g	沉香[后下] 10g
砂仁[后下] 10g	炮姜 30g		

1 剂，每日 3 次，水煎服。

服药后，患者仍感喘累，心慌胸闷，汗出，大便未解。

二诊：2019 年 4 月 7 日

中医四诊：患者神清、精神差，诉喘累、气促不适，食欲不振，夜寐不安，手脚欠温，大便干硬难解，舌淡，苔少，脉沉。

体格检查：双肺闻及湿啰音。当晚 21:30 大便后胸闷心慌，脉搏 92 次 /min，呼吸 30~40 次 /min，血压 71/45mmHg，血氧饱和度：100%，四肢湿冷，双肺少许细湿啰音。予无创呼吸机辅助通气，急予以参附注射液静滴，西地兰静推。经处理患者胸闷心慌缓解，脉搏 80 次 /min，呼吸 20 次 /min，血压 80~90/40~50mmHg。

病机分析：同前。

治法：同前。

处方用药：继续予前方 1 剂口服。

三诊：2019 年 4 月 8 日

患者于 4 月 8 日上午 10:30 大便后出现呼吸急促，喘累气促，双肺闻及大量湿啰音，四肢湿冷，脉搏 110 次 /min，呼吸 30 次 /min，血压 89/52mmHg，血氧饱和度 100%。继续予双相气道正压通气呼吸机辅助通气，予多巴胺微量泵入升压，呋塞米利尿。昨日 24h 总入量 1 330ml，总出量 1 600ml。

中医四诊：经处理后患者神清、精神较差，诉仍感喘累、气促不适，无恶寒发热，口干，食欲不振，夜寐不安，手脚不温，冷汗淋漓，大便干硬难解。舌淡，苔少，脉沉。

病机分析：病情仍危重，考虑少阴虚寒，阳明不降，阴阳失和，有离决之兆。

治法：温少阴，运太阴，破阴回阳，通腑除满。

处方用药：大剂破格救心汤，温氏奔豚汤合小承气汤加减。

熟附片[先煎] 120g	干姜 60g	炙甘草 60g	人参片 30g
山茱萸 120g	龙骨[先煎] 30g	牡蛎[先煎] 30g	生附片[先煎] 10g
山药 60g	牛膝 45g	茯苓 45g	泽泻 30g
沉香[后下] 10g	砂仁[后下] 10g	炮姜 45g	熟大黄[后下] 30g
厚朴 30g	枳实 30g		

1 剂，水煎频服，每 2 小时喂服 30ml。

服药后，患者仍感喘累气促，解黄软大便 1 次，手足略回暖。

四诊：2019 年 4 月 9 日

中医四诊：患者神清、精神稍好转，仍诉咳嗽，喘累、气促不适，手脚欠温，间断双相气道正压通气呼吸机辅助通气，口干，食欲不振，夜寐不安，大便干，但排便困难较前改善，仍多汗。舌淡，苔少，脉沉软无力。

体格检查：体温 36.7℃，脉搏 103 次 /min，呼吸 31 次 /min，血压 95/56mmHg（多巴胺泵入），血氧饱和度 98%（辅助通气），双肺闻大量湿啰音。

病机分析：阳气有所恢复，余症同前。

治法：同前。

处方用药：守方 1 剂，水煎频服。

服药后，患者喘累咳嗽有所减轻，大便不畅较前改善。

五诊：2019 年 4 月 10 日

中医四诊：患者神清、精神稍好转，诉咳嗽稍减轻，喘累、气促不适改善，手脚欠温，间断双相气道正压通气呼吸机辅助通气，口干，食欲不振，夜寐不安，大便干，较前改善。

体格检查：体温 36.5℃，脉搏 112 次 /min，呼吸 28 次 /min，血压 125/65mmHg，血氧饱和度 98%。

病机分析：喘累、气促改善，考虑少阴之阳气渐升，阳明有通降之势。

治法：同前，大便已解，稍减通腑之力。

处方用药：破格救心汤合小承气汤。

熟附片先煎 120g	干姜 60g	炙甘草 60g	人参片 30g
山茱萸 120g	龙骨先煎 30g	牡蛎先煎 30g	生附片先煎 10g
熟大黄后下 20g	厚朴 20g	枳实 20g	

1 剂，水煎频服。

服药后，患者喘累减轻，四肢进一步回暖。解稀便 2 次。血压趋稳定，停用多巴胺。

六诊：2019 年 4 月 11 日

中医四诊：患者神清、精神一般，咳嗽、喘累、气促改善，手脚皮温较前升高，口干，食欲不振，夜寐不安，大便稀。舌淡，苔少，脉沉细。

体格检查：体温 37.1 ℃，脉搏 86 次 /min，呼吸 25 次 /min，血压 102/55mmHg，血氧饱和度 97%（鼻导管吸氧 5L/min）。

病机分析：心阳得复，中气得运则喘累气促改善，四肢渐温。大便稀溏，阳明已降，警惕伤及太阴。

治法：温少阴，运太阴，酌加补心肾纳气之品。

处方用药：前方去小承气汤，加用二冬养阴，砂仁醒脾。

熟附片先煎 120g	干姜 60g	炙甘草 60g	人参片 30g

山茱萸 120g	龙骨先煎 30g	牡蛎先煎 30g	生附片先煎 10g
麦冬 30	天冬 30g	砂仁后下 15g	

2 剂，水煎频服。

患者服药后能停用双相气道正压通气呼吸机辅助通气。喘累气促进一步减轻，夜寐有改善，无明显汗出，大便未解。

七诊：2019 年 4 月 13 日

中医四诊：患者神清，精神一般，未诉明显喘累、气促，诉间断咳嗽，手脚皮温升高，口干，食欲不振，夜寐不安，大便未解。舌淡，苔少，脉沉细。

病机分析：少阴得温，太阴阳明同病，肺与大肠相表里，太阴不运，肺气虚衰，无力通行大肠，阳明不降。

治法：温少阴，运太阴，降阳明。

处方用药：前方基础上去附片，加用黄芪 120g、紫菀 30g、款冬花 30g 运太阴，益气降逆，润肺止咳。1 剂。

服药后，患者咳嗽减轻，无明显喘累，仍大便干结难解。

八诊：2019 年 4 月 14 日

中医四诊：患者神清，偶有喘累、气促，间断咳嗽，诉腹胀，口干，食欲不振，夜寐不安，大便干结难解，小便正常。舌淡，苔少，脉沉细。

病机分析：两本亏虚，太阴不运，腑气不通。

治法：温少阴，运太阴以降阳明。

处方用药：前方基础上加用山药 30g 运太阴，火麻仁 30g、肉苁蓉 30g 通腑。1 剂。

服药后，患者大便仍未解，腹胀，夜寐欠佳，肢暖。

九诊：2019 年 4 月 15 日

中医四诊：患者神清、精神较前好转，偶有喘累、气促，咳嗽、腹胀，手脚皮温较前升高，口干，食欲不振，夜寐不安，大便干结难解。舌淡，苔少，脉沉细滑。

病机分析：两本亏虚，阳明不降，太阴不运，有腑实加重之征。

治法：温少阴，运太阴，降阳明。

处方用药：破格救心汤合小承气汤加味。

熟附片先煎 120g	干姜 60g	炙甘草 60g	人参片 30g
山茱萸 120g	龙骨先煎 30g	牡蛎先煎 30g	生附片先煎 15g
山药 30g	紫菀 30g	款冬花 30g	麦冬 30g
天冬 30g	砂仁后下 10g	黄芪 120g	熟大黄后下 20g
厚朴 20g	枳实 20g		

1 剂，分 4 次服。

服药后，患者解黄软便 1 次，腹胀、眠差改善。咳嗽喘累进一步减轻。

十诊：2019 年 4 月 16 日

中医四诊：患者神清、精神较前好转，喘累气促明显缓解，无咳嗽，腹胀减轻，手脚皮温正常，口干，食欲、夜寐较前改善，大便已解，小便正常。舌淡，苔少，脉沉滑。

病机分析：少阴得温，元气得复，腑气得降。

治法：同前，不必急温少阴，仍需通降阳明，警惕再次便秘。

处方用药：去生附片；喘累减，去紫菀、款冬花。大便已解，但不稀，小承气汤减量。

熟附片先煎2小时 120g	干姜 60g	炙甘草 60g	人参片 30g
山茱萸 120g	龙骨先煎 30g	牡蛎先煎 30g	砂仁后下 15g
山药 30g	麦冬 30g	天冬 30g	黄芪 120g
熟大黄后下 5g	厚朴 5g	枳实 5g	

1 剂，分 4 次服。

服药后，患者无明显喘累气促，大便正常，排黄软便，纳增，寐可。

【预后及转归】

患者神清、精神较前明显好转，卧床休息未诉喘累气促，无咳嗽咳痰，无腹胀，手脚皮温正常，食欲、夜寐较前明显改善，大便通畅，小便正常。舌淡，苔少，脉沉略滑。查体：体温 36.8℃，脉搏 62 次 /min，呼吸 23 次 /min，血压 109/62mmHg。患者病情好转且稳定，2019 年 4 月 18 日予办理出院。

【按语】

1. 本案病机：少阴本虚，阴不敛阳，阴阳濒临离决，因虚致实。

患者为心力衰竭、肺纤维化、肺炎并存的重症患者。《灵枢·天年》曰："九十岁，肾气焦，四脏经脉空虚。"患者年近九十，脏腑亏虚，肾气渐竭，少阴虚寒，肾不纳气则见气促。望之少神为阳虚不能养神，升发无力之象；纳差为火不暖土之象；夜寐不安为阳虚，阴阳失调，阳不入阴。大便不畅为阳虚推动乏力，气化失施之兆。舌淡，苔少，脉沉均为少阴虚寒之象。

首诊辨证，依"肾虚经脉空"之理，结合《伤寒论·平脉法》中"少阴脉不至，肾气微，少精血，奔气促迫"之意，考虑病位在少阴，故以温少阴，振奋元阳之破格救心汤合温氏奔豚汤平剂。然首诊施药后，疗效未显，患者大便后出现喘累加重之危象，经呼吸机辅助、血管活性药物维持，同时加大用药剂量，予以破格救心汤重剂治疗后患者日趋稳定，最终好转出院。切身实践告诉我们，对危重患者，辨证准确，尚要求药物剂量的合理，方能取效。

破格救心汤之附子为强心主将，当心脏衰竭垂危，患者全身功能衰竭，五脏六腑表里三焦，已被重重阴寒所困，生死存亡，系于一发之际，阳回则生，阳去则死。非破格重用附子纯阳之品的大辛大热之性，不以雷霆万钧之力，不能斩关夺门，破阴回阳，而挽垂绝之生命。《伤寒论》四逆汤原方，附子生用，炙甘草是生附子的两倍，说明仲景当时充分认识到附子的毒性与解毒的措施，甘草既能解附子的剧毒，蜜炙之后，又具扶正作用。可见人体有阴阳合一之妙，仲景有立方垂法之美。

《素问·阴阳应象大论》曰："阳生阴长，阳杀阴藏。"本案心力衰竭阳虚的同时，不能忽略阴亏耗竭，故重用附子回阳救逆的同时，以山茱萸敛阴固脱亦必不可少。而龙骨、牡蛎二药，为固肾摄精、收敛元气要药。破格救心汤增强了仲景先师四逆汤类方回阳救逆的功效，破格重用附子、山茱萸后，使本方既回阳救逆，又扶正固脱，用于救治循环呼吸衰竭，效果显著。

2. 两本亏虚，有少阴、太阴之别，温少阴有平剂、中剂、大剂之异。

患者病情危重，在以平剂破格救心汤投石问路无不良反应后，大胆以大剂破格救心汤 120g 熟附片、120g 山茱萸急救心阳，涩精固脱，同时合用温氏奔豚汤以纯阳益火，温热灵动，彻上彻下，通行十二经表里内外，正对"四脏经脉空虚"之病机，故患者服药后，喘累气促减轻，生命体征渐稳。破格救心汤重用附子 100g 以上时，在先煎 2 小时的基础上，同时配炙甘草 60g 已足以监制附子的毒性，故在住院严密监测情况下，大剂量使用以争取疗效，确当放胆一试。

对长期重病患者，少阴虚寒是其基础病机，当患者喘累气促缓解，而腹胀、纳差明显时，曾调整处方，去附片而加黄芪、山药、火麻仁等益气润肠之品，然患者腹胀不减而喘累再发，重回破格救心汤之路后喘累便得减轻，提示我们治疗过程中当谨守基础病机，勿被患者纷繁复杂的症状迷惑，导致失去治疗主旨。在以破格针对基础病机的同时，合用小承气汤通腑或补肺汤扶正，方能去其兼症而无大碍。

临床应用破格救心汤，要严格遵循中医学辨证论治法则，胆大心细，谨守病机，准确判断病势。凡亡阳竭阴之端倪初露，隐性心力衰竭的典型症状出现（如动则喘急、胸闷，常于睡中憋醒，畏寒肢冷，时时思睡，胸憋自汗等）急投本方平剂；亡阳竭阴之格局已成，急投本方中剂；垂死状态，急投本方大剂。服药方法，急症急治，不分昼夜，按时连服，以保证血药浓度，有效挽救患者生命。

附：治疗期间患者舌象变化详见图 124~ 图 126，患者胸部 CT 见图 127；NT-proBNP 数值变化详见表 12。

表 12 住院期间 NT-proBNP 数值变化

指标	2019 年 4 月 6 日	2019 年 4 月 8 日	2019 年 4 月 11 日	2019 年 4 月 13 日
NT-proBNP/（pg/ml）	7 912	>15 000	>15 000	11 836

续命类方治疗中风案例

【基本信息】

陈某某，男，63 岁，于 2019 年 3 月 6 日入院。

主诉：诊断脑梗死 1 年余，头晕伴右侧肢体乏力 1 天。

现病史：患者 1 年余前因头晕、言语不清在我院住院治疗，诊断为脑梗死，经治疗好转后出院，出院后言语及活动能力无障碍。入院前 1 天患者打麻将后出现头晕，伴右侧肢体乏力，行走不稳，言语不流利，自觉右手持物欠灵活，上身多汗出，伴恶风，遂来我院门诊就诊，门诊以“脑卒中”收入中医经典科住院治疗。

既往史：高血压病史 10 余年，最高血压达 180/110mmHg，未规律服用降压药物，血压控制情况不佳；2 型糖尿病病史 10 余年，未规律服用降糖药物，血糖控制情况不佳；高脂血症病史 10 余年，平素均未规律治疗；2018 年因左侧胸壁脂肪瘤在我院行手术治疗。

中医四诊：望之少神，精神疲倦，面色暗黄，头晕伴行走不稳，营养良好，恶风，上半身汗出，声音低沉，言语不利，呼吸如常，无咳嗽，无呕吐，无太息呻吟、腹鸣之声，无异常气味，纳可，心烦，夜寐不安。舌淡，苔白腻，脉浮细。

体格检查：体温 36.5℃，脉搏 86 次 /min，呼吸 20 次 /min，血压 163/104mmHg。神志清楚，言语略含糊，反应稍慢，双侧瞳孔等大等圆，直径 3mm，对光反射灵敏，眼球活动到位，无眼球震颤，右侧鼻唇沟略浅，悬雍垂居中，咽反射迟钝，伸舌居中，四肢肌张力正常，右侧肢体肌力 V 级，痛觉对称，腱反射对称正常，双侧病理征阴性。指鼻试验及闭目难立征检查不合作。

辅助检查：尿常规示葡萄糖（+++），糖化血红蛋白 10.9%。血脂检测示甘油三酯 13.82mmol/L，总胆固醇 8.10mmol/L，乳糜指数（++++）。肾功能：血尿酸 441μmol/L。头部磁共振 DWI：左侧基底节区急性脑梗死；右侧小脑半球软化灶，脑干区、双侧脑室周围、半卵圆中心、额顶叶多发梗死灶。

中医诊断：中风，中经络（太阳少阴同病）

西医诊断：急性脑梗死；高血压3级（极高危）；2型糖尿病；高脂血症

【诊治经过】

一诊：2019年3月7日

中医四诊：患者精神倦怠，头晕，伴右侧肢体乏力，行走不稳，右手持物欠灵活，上身汗出，恶风，无发热，食欲可，心烦，夜寐不安，大便干燥，小便正常。舌淡，苔白腻，脉浮细。

病机分析：患者年过六旬，平素饮食不节，两本亏虚，太阴土虚不运，故乏力，内生痰湿瘀浊，阻塞清窍，太阳不开，营卫不和，故汗出；少阴亏虚故行走不稳，难以久立。

治法：温少阴，运太阴，开太阳，益气祛风，健脾除湿。

处方用药：续命煮散去茯苓、独活、升麻、石膏，合防己黄芪汤加减。

防己 12g	炙甘草 6g	白术 10g	黄芪 10g
肉桂 5g	酒黄芩 12g	焯苦杏仁 12g	白芍 12g
酒川芎 10g	麻黄 6g	党参 15g	熟附片先煎 10g
防风 10g	生姜 15g		

1剂，每日3次，水煎服。

西医予调脂稳斑、降压降糖治疗。

服药后，患者头晕有减轻，汗出减少，恶风减，无恶寒怕热等表现。夜寐欠佳。

二诊：2019年3月8日

中医四诊：患者诉汗出减轻，头晕较前缓解，但右侧肢体乏力加重，卧床不能行走，右手难以持物，言语含混加重，难以交流，稍烦躁，无恶寒发热，饮食尚可，夜寐欠安，大便干燥，小便正常。舌淡，苔白腻，脉浮滑。

体格检查：脉搏90次/min，血压160/95mmHg，右侧肢体肌力Ⅲ级，左侧肢体肌力正常，四肢肌张力正常，右足背浅感觉较左侧减弱，右侧病理征可疑阳性，左侧病理征未引出。

病机分析：少阴得温故头晕减轻，然太阴亏虚重，肌肉失养，故肢体乏力困重，开太阳有阳明热化之象故稍显烦躁。

治法：加强温少阴，运太阴，开太阳，兼清阳明。

处方用药：续命煮散加白芷。

麻黄 9g	川芎 20g	独活 20g	防己 12g
苦杏仁 20g	炙甘草 20g	肉桂 10g	茯苓 20g
升麻 20g	细辛 10g	生晒参 20g	防风 20g
石膏先煎 30g	白术 30g	白芷 20g	生附片先煎 10g

1剂，每日3次，水煎服。

服药后，患者身体多处汗出，头晕及右侧肢体乏力较前减轻，心烦有改善。

三诊：2019 年 3 月 9 日

中医四诊：患者精神较前好转，诉遍身汗出，量不多，但出汗持续时间较长，头晕较前减轻，右侧肢体乏力较前减轻，右手持物灵活度较前改善，仍不能行走，言语不清，无恶寒发热，饮食正常，心烦较前缓解，夜寐较前改善，小便正常，大便稍干结。舌淡，苔白腻，脉浮滑。

体格检查：右侧肢体活动不利，右侧肢体肌力Ⅲ+级，其余肢体肌力正常，四肢肌张力正常，右足背浅感觉较左侧减弱，其余双侧深浅感觉基本对称，双侧病理征未引出。

病机分析：太阴得运，肌肉得充，故肢体活动较前有力；肝主筋，少阴得温，厥阴升发得复，故右手持物改善；有石膏清降阳明，故温而不燥，夜寐转安。

处方用药：患者诸症较前改善，中药继续守方治疗，2 剂。

服药后，患者临床表现基本同前。

四诊：2019 年 3 月 11 日

中医四诊：患者神清，间断汗出，自觉汗出不畅，量不多，间断头晕，右膝关节疼痛，右侧肢体稍乏力，右手持物欠灵活，能尝试在床边站立，行走不稳，言语稍清晰，能简单交流，夜寐可，大小便正常。舌淡红，苔白腻，脉滑。

体格检查：血压 160/90mmHg，右侧肢体活动欠利，右侧肢体肌力Ⅳ级。

病机分析：在持续温少阴、开太阳作用下，经络淤堵逐渐减轻，痰瘀渐除，但仍有温化不及，开而不透之象。故始终有汗出不畅，头晕乏力，活动不利之象。

治法：同前，将温化之药加量，同时注意防止热化而心烦。

处方用药：前方麻黄加至 15g，生附片加至 15g，茯苓加至 30g，石膏加至 40g。

麻黄 15g	川芎 20g	独活 20g	防己 12g
焯苦杏仁 20g	炙甘草 20g	肉桂 10g	茯苓 30g
升麻 20g	细辛 10g	生晒参 20g	防风 20g
石膏先煎 40g	白术 30g	白芷 20g	生附片先煎 15g

3 剂，每日 1 剂，每日 3 次，水煎服。

右膝关节疼痛行 MRI 检查提示右膝骨性关节炎，予中医定向透药治疗，处方如下：

伸筋草 60g	制川乌先煎 15g	制草乌先煎 15g	威灵仙 30g
白附片先煎 15g	凤仙透骨草 30g	酒川芎 30g	当归 30g

3 剂，煎汤后局部定向透药用。

服药后，患者持续微汗出，头晕及右侧肢体乏力进一步改善，言语含混改善。

五诊：2019 年 3 月 13 日

中医四诊：患者神清，间断汗出，量不多，头晕缓解，右膝关节疼痛减轻，右侧肢体较前有力，右手能持物做简单动作，能下床步行，行走较前平稳，言语含混有改善，无发热畏寒，无口干口苦，夜寐可，大小便正常。舌淡红，苔白腻，脉弦滑。

体格检查：脉搏 76 次 /min，血压 150/90mmHg，右侧肢体活动较前灵便，双侧深浅感觉基本对称，双侧病理征未引出，右侧肢体肌力Ⅳ+ 级。

病机分析：太阴得运，少阴得温，太阳得开，脉象提示尚有瘀滞不通。

治法：同前，加强活血通络之力。

处方用药：续命煮散加味。

麻黄 15g	川芎 20g	独活 20g	防己 12g
焯苦杏仁 20g	炙甘草 20g	肉桂 10g	茯苓 30g
升麻 20g	细辛 10g	生晒参 20g	防风 20g
石膏先煎 40g	白术 30g	白芷 20g	生附片先煎 15g
三七粉冲服 5g	全蝎 20g	蜈蚣 2 条	水蛭粉冲服 20g

3 剂，每日 1 剂，每日 3 次，水煎服。

服药后，患者间断微汗出，右侧肢体乏力改善，纳、眠可。

【预后及转归】

患者精神好转，无头晕，右侧肢体乏力进一步好转，行走基本无碍，言语较前清晰，能表达和完成一般沟通，右手持物灵活，无恶寒发热，饮食正常，夜寐安，大便干结较前改善，小便正常。舌淡，苔薄白稍腻，脉滑。体格检查：血压 152/85mmHg，右侧肢体活动不受限，关节未见异常，双下肢无浮肿。右侧肢体肌力Ⅴ级，四肢肌张力正常，生理反射正常，痛觉对称，腱反射对称、正常。右足背浅感觉基本同左侧，其余部位双侧深浅感觉基本对称，双侧病理征未引出。患者症状明显好转，右侧肢体肌力基本恢复至正常，予带药出院。

【按语】

1. 本案病机：太阴不运，少阴不温，太阳不开，本虚为先，标实为外象。

患者入院时恶风、汗出、乏力，脉浮细，考虑在本气不足基础上，妄作劳倦后，不慎感受风寒邪气，一方面表虚不固，另一方面风寒湿之邪蒙蔽清窍，故乏力、汗出，结合浮脉之象，正合《金匮要略·痉湿暍病脉证并治》所述："风湿，脉浮身重，汗出恶风者，防己黄芪汤主之。"故以防己黄芪汤祛风行水、补脾益气，扶正与祛邪同施。防己黄芪汤由防己、黄芪、甘草、白术构成，防己祛风行水，黄芪益气固表，兼可利水，使祛风除湿而不伤正，白术补气健脾祛湿，甘草和中调营。但风寒湿之邪仍需汗解。

患者一方面外感风寒湿之邪，另一方面饮食不节，嗜食肥甘厚腻，内生痰湿瘀浊，致土虚填实；土不载木，木气升发失常，当下客气厥阴风木，反侮阳明燥金，金不制木，肝风夹中土痰湿内生，瘀阻上冲于清窍，“阳气者闭塞，地气者冒明”，发为“中风”；痰瘀闭阻心窍，言为心声，故语言不清；阳明居中属土，四肢禀水谷气于阳明，木盛侮金，加之痰湿浊堵塞经络，肢体失养，故右侧肢体麻木、乏力。本病病因病机为太阴、少阴两本亏虚，太阳寒湿困表，痰瘀内生，厥阴风木夹痰瘀上冲清窍，病位在脑，病性属本虚标实，以标实为急。治疗当予续命煮散开太阳，祛风散邪，益气化痰通络。

首诊已注意开太阳，运两本，益气祛湿，使用续命煮散去茯苓、独活、升麻、石膏合防己黄芪汤，然病情反有加重之势，回想施治思路虽无差池，然病重药轻，且无石膏之辛散，升麻之宣达，自然正气不能复而邪气不能却也。二诊后根据对病机的全面把握，做到心有定数，毅然投续命煮散原方，并加大剂量，患者病情方见起色，并逐渐好转直至出院。

2. 除了“活血化瘀”，温运与开达疏表亦是治疗脑梗死大法。

现代医学对脑梗死的认识早已深入人心：为脑血管堵塞所致。目前治疗脑梗死最常用的方法是活血化瘀，所选方剂亦多为补阳还五汤、通窍活血汤之类。然患者有恶风、脉浮之表证，从六经辨证分析属太阴里虚，中气不足、太阳不开之征，运用经方思维治疗脑梗死（中风）早有显效之先例，唐代孙思邈立足六经辨证，为我们治疗中风做出了成功的示范。续命煮散出自孙思邈《备急千金要方》，全方组成如下：麻黄、川芎、独活、防己、甘草、杏仁各三两，桂心、附子、茯苓、升麻、细辛、人参、防风各二两，石膏五两，白术四两。孙思邈自己也曾罹患中风，服用续命煮散后治愈，自述曰：“吾尝中风，言语蹇涩，四肢痑曳，处此方，日服四，服十日十夜服之不绝，得愈。”

本方以经典经方麻黄汤、麻杏石甘汤、麻黄附子细辛汤、四逆人参汤、四君子汤等合方而成，功效为解表除热、补气回阳、祛风去水、行气活血。解表除热用麻黄汤：麻黄、肉桂、杏仁、甘草，麻黄附子细辛汤：麻黄、附子、细辛，麻杏石甘汤：麻黄、杏仁、石膏、甘草；补气回阳用四君子汤：人参，白术，茯苓，甘草，人参四逆汤：附子，生姜，甘草，人参；祛风去水用防风、独活、防己；行气活血用川芎，川芎上行头目，以祛颠顶之风，且能活血化瘀，取“血行风自灭”之意。凡中风昏迷、半身不遂、口眼歪斜、语言蹇涩或伴恶风寒者等表里同病者均可选用本方。

续命煮散与补阳还五汤比较：补阳还五汤组成为黄芪、当归、芍药、川芎、桃仁、红花、地龙，续命煮散加强了解表之力（麻黄附子细辛汤、麻杏石甘汤），加强了回阳之力（人参四逆汤），加强了祛风去水之力（防风、防己）；续命煮散少了补血之力（无当归），补气之力稍弱（补阳还五汤重用黄芪），去瘀之力稍弱（补阳还五汤用桃仁、红花、地龙）。所以续命煮散重点在解表除热、补气回阳、祛风去水、行气活血，不足之处是养血去瘀之效较弱，故在诊治过程中我们在续命煮散方中加入三七粉、水蛭粉活血化瘀，全蝎、蜈蚣搜风通络、解毒散结。

续命煮散的作用除解表散寒外，还能深入经脉驱逐风、寒、湿、痰邪，疏畅经络，宣通表里，通腑开结，调畅气机，疏通血气，涤荡瘀滞，起到温阳、活血、化瘀、通脉作用，同时并不会引起明显的热象。因此，只要是素体阳气不足、脾肾阳虚，复受风、寒、湿邪，导致脏腑功能失调、邪正相搏、正虚邪恋、气机枢机不利、痰浊瘀阻等证候，均可在续命煮散基础上随证加减，不必拘于后世"内风""外风""真中""类中"之争，更不应被"麻黄、生附子升高血压，增加心肌耗氧"束缚住手脚(不同体质的人，不同的剂量下，上述中药对血压和心肌耗氧的影响不尽相同。在监护的条件下，该患者在服用中药过程中血压未出现明显波动，后逐渐下降至正常范围)，且方中有大量生石膏反佐，在本案例中显示对高血压无碍。患者在治疗过程中，也曾出现言语困难、肢体乏力加重，符合西医学"脑梗死急性期"的表现，后神经系统功能逐渐恢复。本案谨守患者"太阴少阴两本不足、太阳寒湿痰浊蒙蔽"的病机，运用经典经方思维，坚持扶正祛邪，在严密监测下大胆应用经方，患者最终向愈。

附：治疗期间患者舌象变化详见图 128~ 图 130，头颅磁共振 DWI 影像详见图 131。

温少阴回阳救逆成功抢救重症肺炎案例

【基本资料】

张某某，男，81 岁，于 2021 年 4 月 17 日入院。

主诉：反复咳嗽、咳痰 2 月，加重 2 天。

现病史：患者于 2 月前受凉后出现咳嗽咳痰，多为白色黏痰，量多难咳，间断喘累气促，意识变差，无恶寒发热，无恶心、呕吐等症状，遂就诊于我院，入院后完善血常规提示炎症指标高，胸部 CT 提示右肺、左肺上叶多发感染性病变，诊断为社区获得性肺炎，予抗感染、化痰止咳等治疗，症状好转后出院。出院后患者反复出现咳嗽、咳痰等表现，严重时伴气促，多次来我院各科室抗感染等治疗。入院前 2 天，患者再次发生咳嗽，痰液明显增加，量多质稠难咳，伴呼吸困难，喉间痰鸣，精神状态极差，家属不愿患者痛苦，要求保守治疗，门诊以"肺炎"收入我院中医经典科。患者发病以来一般情况：昏睡，失语，咳嗽咳痰，量多质稠难咳，不能自主进食，长期留置胃管及尿管，3 个月以内体重未见明显变化。大便较干，留置尿管，小便浑浊。

既往史：既往双耳失聪，逐渐不能交流，不言语；曾因前列腺增生行手术治疗。既往有2型糖尿病病史10年余，以甘精胰岛素睡前4IU+门冬胰岛素4IU餐前控制血糖；既往住院期间完善相关检查诊断为肝功能异常，硬膜下血肿，未作特殊处理。否认肝炎、结核等传染病病史，否认高血压史、冠心病史，否认外伤史，否认输血史，否认食物、药物过敏史。

中医四诊：望之失神、表情淡漠，面色晦暗，体形消瘦；卧床、精神倦怠、营养差；失音、失语、气促、间断咳嗽，喉间痰鸣，痰液难以咳出，时有不自主抽搐，翻身拍背均不能配合，四肢厥冷。舌淡红，干燥，苔白而剥落，脉沉细欲绝。

体格检查：体温36.2℃，脉搏125次/min，呼吸28次/min，血压95/74mmHg。发育正常，营养差，慢性病容，表情淡漠，被动体位，昏睡，呼吸浅促，不规整，双肺呼吸音降低，双侧肺可闻及满布干、湿啰音，无胸膜摩擦音。心前区无隆起，心尖搏动未见异常，心浊音界未见异常，心率125次/min，律齐，各瓣膜听诊区未闻及病理性杂音，无心包摩擦音。腹部呈舟状，肠鸣音弱，4次/min。肌力查体不配合，病理征未引出。左足大踇趾端坏疽呈1cm×1cm，伴1cm×0.5cm皮肤破溃结痂，左足第2趾端可见1cm×1.5cm坏疽，左足第5趾端可见1cm×0.6cm坏疽。

辅助检查：心电监护示血氧饱和度87%~92%(面罩吸氧8L/min)，血糖11.5~15.6mmol/L。头部、胸部CT：右侧额顶颞部及左侧额部颅板下慢性出血，并硬膜下血肿可能；双肺征象符合慢性支气管炎、肺气肿、多发肺大泡，伴双肺感染；新发右肺下叶实变影；新发右侧胸腔少量积液；新发右肺中、下叶支气管内斑片影，痰栓。床旁经胸心脏彩超：室间隔运动幅度降低；三尖瓣少量反流；左室舒张功能减退。

中医诊断：咳嗽(少阴证)

西医诊断：社区获得性肺炎，重症；慢性支气管；肺气肿；多发肺大泡；2型糖尿病；慢性硬膜下血肿；认知障碍

【诊治过程】

一诊：2021年4月17日

中医四诊：患者昏睡，失语，四肢厥冷，偶有咳嗽，自主咳痰力弱，痰液多黏稠，不能有效排出，不能自主进食，长期留置胃管及尿管，大便欠成形，留置尿管，尿液浑浊。舌淡红，干燥，苔白而剥落，脉沉细欲绝。

体格检查：体温36.4℃，脉搏124次/min，呼吸28次/min，血压102/60mmHg，血氧饱和度90%~93%(面罩吸氧10L/min)，患者氧和不能维持，痰液引流不畅，有窒息风险，病情危重，建议气管插管，家属拒绝，并做好最坏打算。遂予无创呼吸机(ST模式吸气压力支持10cmH$_2$O，呼气压力支持4cmH$_2$O，氧浓度60%)辅助呼吸，维持血氧饱和度95%左右，并反复经口吸痰。血糖波动在11.3~15.3mmol/L慢性病容，表情淡漠，被动体位，双肺呼吸音粗，双肺可及弥

漫性痰鸣音，四肢间断抽搐，肌力查体不配合，身体皮损同前。

告知患者家属病情危重，家属表示理解，但以不增加患者痛苦为由，签字拒绝转 ICU、拒绝气管插管机械通气、拒绝胸外心脏按压等有创抢救。

病机分析：少阴亏虚，火不暖土，阳气欲绝，痰浊内蕴。

治法：温少阴，回阳救逆。

处方用药：破格救心汤。

炮附子先煎 120g　干姜 30g　炙甘草 30g　生晒参 30g
山茱萸 60g　生龙骨先煎 30g　生牡蛎先煎 30g

2 剂，每日 1 剂，每日 3 次，水煎服。

辅助隔姜灸，取穴百会、关元、气海、神阙，每日 1 次。

服药后，患者精神略好转，四肢有所回暖。仍间断咳嗽，咳声无力，痰液多，较难咳出。

二诊：2021 年 4 月 19 日

中医四诊：患者四肢微温，痰量仍多，难以自行咳出，白天清醒时间较前增加，不能自主进食，大便未解，留置尿管。舌淡红，干燥，苔白而剥落，脉沉细软。

病机分析：两本亏虚，运化乏力，阳气略有恢复，痰浊仍壅盛。

治法：温少阴，运太阴。

处方用药：破格救心汤合涤痰汤去橘红、竹茹。

炮附子先煎 120g　干姜 30g　炙甘草 30g　生晒参 30g
山茱萸 60g　生龙骨先煎 30g　生牡蛎先煎 30g　天南星 30g
生半夏先煎 30g　枳实 15g　茯苓 30g　石菖蒲 15g

3 剂，每日 1 剂，每日 3 次，水煎服。

服药后，患者精神进一步好转，四肢活动较前增多，自主咳嗽增多，痰液较前容易吸出，可停用呼吸机，改鼻导管吸氧 4L/min。

继续守二诊方 4 剂。继续隔姜灸治疗。

三诊：2021 年 4 月 25 日

中医四诊：患者肢体尚温，间断咳嗽咳痰，痰液可自主咳出，精神状态尚可，鼻导管吸氧 3L/min，血氧饱和度 98%~100%，未再出现肢体抽搐，翻身拍背时有抵抗动作，留置胃管进食，无反流呛咳，大便 3 日未解。舌淡红乏津，苔白微腻，脉沉滑软。

体格检查：体温 36.5℃，脉搏 85 次 /min，呼吸 22 次 /min，血压 121/64mmHg。24h 血糖波动在 7.7~11.5mmol/L；神志清楚，表情淡漠，失语，查体不合作，不能对答。双肺呼吸音稍粗，可闻及少量痰鸣音，四肢可自行活动，肌力查体不配合，病理征未引出。

病机分析：两本得固，阳气得复，略有化热腑实之征。

治法：温运两本，兼降阳明。

处方用药：破格救心汤合小承气汤，附子、干姜减量。

炮附子先煎 60g	干姜 20g	炙甘草 30g	生晒参 30g
山茱萸 60g	生龙骨先煎 30g	生牡蛎先煎 30g	枳实 15g
厚朴 15g	酒大黄后下 5g		

2 剂，每日 1 剂，水煎服。

服药后，患者解黄软大便 2 次，余症同前。

四诊：2021 年 4 月 29 日

中医四诊：患者精神可，肢体温，偶有咳嗽咳痰，痰液可自主咳出，停吸氧，血氧饱和度 98%~100%，能在床稍坐，未再出现肢体抽搐，翻身拍背时有抵抗动作，留置胃管进食，无反流呛咳，大便自解。舌淡红，苔薄白微腻，脉沉细滑。

体格检查：神志清楚，表情淡漠，失语，查体不合作，不能对答。双肺呼吸音稍粗，可闻及少量痰鸣音，四肢可自行活动，肌力查体不配合，病理征未引出。

病机分析：阳气得复，痰浊得运，可驱邪外出，腑实得降。

治法：温运两本，燥湿化痰。

处方：涤痰汤、四逆汤合保和丸加减。

炒山楂 20g	六神曲 20g	莱菔子 20g	法半夏 15g
陈皮 15g	茯苓 20g	连翘 15g	炒麦芽 20g
枳实 15g	厚朴 15g	生晒参 15g	炮附子先煎 30g
干姜 10g	炙甘草 15g	竹茹 10g	

2 剂，每日 1 剂，每日 3 次，水煎服。

【预后及转归】

患者继续联用破格救心汤、涤痰汤、保和丸等方后，精神进一步改善，神清，肢体暖，痰量虽较多，但可自主咳出，翻身拍背时有较强抵抗动作。患者血糖较前平稳，增加鼻饲量后，曾发作低血糖，予减量胰岛素至甘精胰岛素 4IU+门冬胰岛素 2IU 三餐前注射，血糖波动于 4.3~9.6mmol/L，于 2021 年 5 月 11 日出院。

【按语】

1．重症感染中医着眼三要素：元气、中气、伏邪。

患者以咳嗽无力，痰液难咳，气道不畅，生命体征难以维持入院。长期卧床，体形消瘦，入院前多次且较长时间使用抗生素，总体疗效欠佳，入院不久即出现呼吸衰竭表现，甚至有窒息风险。家属理解病情，但不能配合气管插管等进一步抢救，只同意“无创伤”的常规治疗方法，为抢救患者带来了困难，但同时也为中医药救治危重症创造了机会。

《难经·三十六难》曰:“命门者,诸神精之所舍,原气之所系也;男子以藏精,女子以系胞。”元气位于丹田,由肾藏的先天之精所化生,通过三焦而流行于全身。元气一方面推动和调节人体的生长发育和生殖,另一方面通过温煦和凉润的方式,调控各脏腑、经络、形体、官窍的生理活动。患者高龄,随着衰老的进程,元气本亏,加之感受外邪,久治不愈,更伤元气,故出现咳痰无力,双目紧闭,昏睡不醒,肢体抽动,甚至厥冷的表现,此皆元气暴脱之兆。中气灌注于胸中,由肺吸入之清气和脾胃运化生成之水谷精微为其主要组成部分,通于心肺之脉,其功在走息道以行呼吸(凡语言、声音、呼吸的强弱,均与之有关)。另外,中气贯心脉以行气血(气血运行、肢体寒温、视听能力、心搏强弱等,均与之有关)。中气不足多见面色黄而少华、唇淡或暗、食欲不振、食后腹胀、眩晕、声低、气短、倦怠乏力、便溏等症。患者入院时精神极度疲乏,失音失语,短气不足以吸,亦为中气大亏之象。

重症感染患者如伴高热、黄脓痰液、肢体肿胀等,多为伏邪化热之兆,治疗当石膏、栀子、柴胡等清热透邪;如无发热而见咳痰清稀薄、四肢厥冷等症,则为伏邪内藏,元气、中气亏虚,正邪不能交争之象,治疗当以附子、干姜、人参、甘草等为重。

《伤寒论》第281条曰:“少阴之为病,脉微细,但欲寐也。”患者入院时昏睡,四肢厥冷,伴双手脉沉细欲绝,与少阴病之脉证完全吻合,辨证为少阴寒化、阳气极度亏虚状态。患者痰多、神倦,实为命门火衰,火不暖土之兆,所谓“沉疴用猛药”,治疗当以大剂破阴回阳之方。仲景在少阴病篇列出以四逆汤为基础的回阳救逆之方,后世根据其反复临床实践,对四逆汤进行了有益的拓展和升级,明显扩大了其适应证。

2. 破格救心汤温运两本,元气、中气同调。

患者入院时双肺痰鸣,神志昏蒙,似当化痰醒脑为治。然《金匮要略·痰饮咳嗽病脉证并治》曰:“病痰饮者,当以温药和之。”《素问·至真要大论》谓“益火之源,以消阴翳”,对重症痰浊患者,须补火温阳,恢复气化功能,方能使有形之痰化为无形之气,如此方能真正“化痰”。温药配化痰散结之品,乃“和”之真谛。破格救心汤既能回阳,又可敛阴,大剂使用则可挽垂绝之阳,救暴脱之阴。凡内外妇儿各科危急重症,元气暴脱,生命垂危者往往收获奇效,不仅限于心力衰竭者。本案以咳嗽咳痰为主症,然首要病机是阳气亏虚,命门火衰,治疗自当回阳救逆,诚如《景岳全书》言:“见痰休治痰,见血休治血,无汗不发汗,有热莫攻热,喘生休耗气,精遗不涩泄,明得个中趣,方是医中杰。”此又一例也。

竹叶石膏汤救治心力衰竭合并脓毒血症案例

【基本资料】

陈某某，男，85 岁，于 2019 年 7 月 10 日轮椅推入院。

主诉：反复双下肢水肿 10 年，加重伴右小腿红肿热痛 1 天。

现病史：患者 10 年前无明显诱因出现双下肢水肿，无胸闷胸痛，未引起重视，后双下肢水肿反复发作，日常活动无明显受限，但上楼梯后有喘累表现，无端坐呼吸，无夜间阵发性呼吸困难。入院前 1 天患者双下肢肿胀加重，右下肢小腿红肿热痛，伴发热，喘累气促，双侧眼睑肿胀，无法行走，门诊以“心力衰竭”收住入中医经典科。

既往史：既往有高血压病史 10 年，最高血压达 180/90mmHg，长期服用苯磺酸左氨氯地平降压，血压控制可；腔隙性脑梗死病史 30 年；前列腺增生、混合痔多年。否认食物、药物过敏史。

体格检查：体温 37.1℃，脉搏 118 次 /min，呼吸 32 次 /min，血压 114/59mmHg，双肺呼吸音较弱，双侧肺底可闻及湿啰音。心率 118 次 /min，律齐，各瓣膜区未闻及病理性杂音，腹膨隆，腹部柔软，无压痛、反跳痛。双下肢重度水肿，右小腿红肿明显，局部皮温高。

中医四诊：望之少神，表情淡漠，面色少华，形体肥胖，语音低微，双下眼睑红肿，双下肢重度水肿，右小腿红肿明显，伴局部皮温高，按之疼痛难忍。喘累气促明显，活动后加重，咳嗽，咳白痰，量多，不易咳出，口干，食欲不振，夜寐不安，大便正常，小便次数多，淋沥不尽。舌红，苔黄厚腻，如积粉，脉沉细数。

辅助检查：血常规示白细胞 20.09×10^9/L，中性粒细胞 94.3%；C 反应蛋白 65.50mg/L；降钙素原 39.55ng/ml。肝功能、肾功能、心肌酶检查示 ALT 53U/L，AST 176U/L，乳酸脱氢酶（LAC）436U/L，间接胆红素 17.8μmol/L，CK 10 232U/L，肌酸激酶同工酶（CK-MB）125U/L，BUN 7.16mmol/L，CREA 119μmol/L，UA 783μmol/L；D- 二聚体 3.62mg/L，凝血酶原活动度 79.6%，纤维蛋白原 4.080g/L；NT-proBNP 4 379.3pg/ml。血气分析：pH 7.44，PCO_2 31mmHg，PO_2 56mmHg，乳酸 3.2mmol/L。胸部 CT：双肺散在少许炎性病变。

中医诊断：丹毒（阳明证）

西医诊断：脓毒症；右下肢丹毒；Ⅰ型呼吸衰竭；心力衰竭，心功能Ⅳ级；高血压 3 级（极高危），高血压心脏病；高尿酸血症；肾功能异常；腔隙性脑梗死；前列腺增生；混合痔

【诊治经过】

一诊：2019 年 7 月 10 日

中医四诊：患者精神极度疲倦，发热、喘累，体温最高达 39.0℃，半卧位休息，感头晕，恶心欲呕，双下肢肿痛。间断咳嗽，咳白痰，不易咳出，口干，食欲不振，夜寐不安，大便未解，小便次数多，色黄，淋沥不尽。舌红，苔黄厚腻，如积粉，脉沉细数。

病机分析：阳明热盛则高热，伤津耗气则口干、疲乏，久病中气不足，更显倦怠。

治法：清降阳明，益气和胃生津。

处方用药：竹叶石膏汤。

淡竹叶 30g	石膏先煎 120g	生半夏先煎 35g	麦冬 120g
人参片 30g	炙甘草 15g	粳米 60g	

1 剂，每日 3 次，水煎服。

西医治疗予抗感染、补液、利尿、控制血压、解痉平喘、化痰止咳、无创呼吸机辅助通气等治疗。

服药后，患者热势减退，体温有所降低，下肢水肿略消。

二诊：2021 年 7 月 11 日

中医四诊：患者精神较前稍好转，间断发热，无恶寒，双下肢水肿较前稍减轻，局部皮温仍较高，色红，胀痛，右侧小腿明显，双下眼睑红肿稍减轻。仍显喘累气促，咳嗽，咳白痰，不易咳出，口干，食欲不振，大便已解，小便色黄，较前通畅。舌红，苔白厚腻，脉沉滑数。

体格检查：体温 38.5℃，脉搏 98 次 /min，呼吸 28 次 /min，血压 132/67mmHg，双肺呼吸音较弱，双侧肺底可闻及湿啰音。

辅助检查：血常规示白细胞 16.61×10^9/L，中性粒细胞 87.9%。C 反应蛋白 219.97mg/L，降钙素原 40.14ng/ml。肝、肾功能检查示 ALT 78U/L，AST 364U/L，LDH 457U/L，总蛋白 59.0g/L，BUN 6.89mmol/L，血肌酐（SCr）110μmol/L，UA 590μmol/L。

病机分析：阳明得降，火热得清，故发热减轻。下肢局部仍有热毒血瘀之兆。

治法：同前。配合中医定向透药疗法以解除局部红肿热痛。

处方用药：内服方药同前。四妙勇安汤合五味消毒饮外用。

金银花 30g	玄参 30g	当归 20g	甘草 10g
野菊花 15g	蒲公英 15g	紫花地丁 15g	天葵子 15g

1 剂，每日 3 次，外用。

用药后，患者发热缓解，下肢肿痛减轻，咳喘减轻。继续无创呼吸机辅助通气治疗。

三诊：2021 年 7 月 12 日

中医四诊：患者精神较前好转，双下肢水肿较前减轻，右下肢皮温较前降低，局部皮肤仍泛红、疼痛，双下眼睑红肿进一步减轻，喘累气促有缓解，咳嗽、咳白痰，痰量较前减少。自觉发热，腹胀，口干，食欲不振，大便未解，小便色黄，较通畅。舌红，苔白厚腻较前减轻，脉沉软。

体格检查：体温 36.9℃，脉搏 86 次 /min，呼吸 25 次 /min，血压 135/65mmHg。

辅助检查：血常规示白细胞 13.0×10^9/L，中性粒细胞 85.7%。C 反应蛋白 227.94mg/L。

病机分析：患者体温正常，双下肢及双眼睑肿痛减，为阳明火热得清，水热渐除之象。大便未解兼腹胀，有腑实之征。

治法：降阳明，清热活血，化瘀消肿，行气通腑。

处方用药：前方基础上合用小承气汤。

淡竹叶 30g　石膏^{先煎} 120g　生半夏^{先煎} 35g　麦冬 120g
人参片 30g　炙甘草 15g　山药 60g　酒大黄^{后下} 20g
姜厚朴 30g　炒枳实 30g

1 剂，每日 3 次，水煎服。

服药后，患者无发热，下肢肿痛进一步减轻，大便未解，有矢气排出，腹胀减轻。无创呼吸机辅助通气时间较前缩短。

四诊：2021 年 7 月 13 日

中医四诊：患者精神较前好转，双下肢水肿较前明显减轻，右侧皮温较前下降，红肿范围较前缩小，疼痛较前减轻，双下眼睑红肿明显消退，喘累气促进一步缓解，偶有咳嗽咳痰，无恶寒发热，仍口干，食欲不振，大便未解，小便色黄。舌红，苔白厚腻进一步减轻，脉沉。

体格检查：体温 36.5℃，脉搏 70 次 /min，呼吸 24 次 /min，血压 132/68mmHg。

辅助检查：血常规示白细胞 7.94×10^9/L，中性粒细胞 75.1%，淋巴细胞比率 17.7%。C 反应蛋白 139.84mg/L。降钙素原 12.61ng/ml。肾功能检查示尿素氮、肌酐、血尿酸降至正常。

病机分析：阳明得降，腑气未通，中气尚不足。

治法：同前。

处方用药：守昨日方 2 剂。

服药后，患者解黄色干硬大便 1 次，排大便费力，无发热，双下肢水肿进一步消退，喘累缓解。无创呼吸机辅助通气时间较前进一步缩短。

五诊：2021 年 7 月 15 日

中医四诊：患者精神较前进一步好转，双下肢水肿明显消退，右侧皮温较前进一步下降，红肿范围较前缩小，疼痛较前减轻，双下眼睑无肿胀，喘累气促明显缓解，咳嗽咳痰较前减少，无恶寒发热，口干较前缓解，食欲不振，大便已解，干燥质硬，偶有带血，便后自觉肛门处疼痛不适，小便色黄通畅。舌红，苔薄白，脉沉。患者体温降至正常，呼吸困难明显缓解，停无创呼吸机辅助通气。

体格检查：体温 36.6℃，脉搏 74 次 /min，呼吸 22 次 /min，血压 130/76mmHg。

病机分析：患者大便干燥，纳差，考虑太阴阳明合病，本虚之象渐显。

治法：降阳明，运太阴。

处方用药：前方基础上石膏减量至 60g，加芒硝 20g 通降阳明，加用白术 30g。2 剂，每日 1 剂，每日 3 次，水煎服。

服药后，患者大便 1 次，干燥，但费力程度有减轻，余症同前。

六诊：2021 年 7 月 17 日

中医四诊：患者精神明显好转，双下肢无明显凹陷性水肿，皮温较前明显下降，皮肤发红程度及范围较前明显缩小，疼痛明显减轻，无明显喘累气促，咳嗽咳痰明显减轻，无恶寒发热，口干较前缓解，食欲好转，大便干燥，已解，小便正常。舌红，苔少，脉沉软。

辅助检查：血常规正常，C 反应蛋白 19.94mg/L，降钙素原 2.26ng/ml。肾功能正常。

病机分析：热病后期，肺胃阴伤，中气不足，两本亏耗。

治法：运太阴为主，兼降阳明，养阴生津。

处方用药：沙参麦冬汤、附子理中汤合大承气汤。

炒枳实 30g	南沙参 30g	玉竹 20g	甘草片 12g
桑叶 20	麦冬 30g	炒白扁豆 20g	天花粉 20g
附片先煎 30g	人参片 20g	干姜 20g	白术 20g
酒大黄后下 30g	姜厚朴 30g	芒硝冲服 20g	

1 剂，水煎，分 3 次温服。

服药后，患者排黄软便 1 次，食欲好转。

【预后及转归】

患者精神可，无发热畏寒，双下肢无凹陷性水肿，右下肢皮温恢复正常，按之无明显疼痛，无喘累气促，偶有咳嗽咳痰，无明显口干，食欲好转，大便正常，黄软便，每 1~2 天行 1 次，小便色淡黄，通畅。治愈后出院。

【按语】

1．本案病机：两本亏虚，阳明里热攻冲，水热互结。

患者为慢性心功能不全合并重症感染。《灵枢·天年》曰："九十岁，肾气焦，四脏经脉空虚。"患者年近九旬，脏腑亏虚，肾气渐竭，少阴虚寒，感受邪气留连肌肤，郁而化热，故见肢体红肿，肾不纳气则见气促，肾阳不足、水热在表则下肢红肿；望之少神为阳虚不能养神，升发无力之象；纳差为火不暖土之象；夜寐不安为阳虚，阴阳失调，阳不入阴；大便不畅为中气不足，太阴不运，推动乏力，气化失施之兆。结合舌红，苔黄厚腻，如积粉，脉沉，考虑少阴里虚，津液亏虚合并阳明里热。

患者入院时即发热，伴口干，局部肢体红肿热痛尽现，阳明标实为入院当下之所急所苦，故首诊辨证，予以竹叶石膏汤。方中以竹叶、石膏清肺胃之热，然热则生痰，恐留恋于中，痰不去则热终不除，故以半夏辛温体滑之品，化痰逐湿，而通阳明，且其性善散逆气，故又为止呕之圣药。人参、甘草、粳米以养胃，麦冬以保肺，此方虽云清热，却不用苦寒，虽养阴又仍能益气，不伤中气。

2. 大小承气汤的使用特点及从太阴、阳明辨治腹胀、便秘。

首诊辨证施药后，患者体温虽降，但仍有反复，下肢红肿热痛，喘累气促，咳嗽咳痰，大便未解，查体患者腹部膨隆，在竹叶石膏汤基础上加用小承气汤(大黄、枳实、厚朴)，行气通便，配合四妙勇安汤合五味消毒饮双下肢中药定向透药治疗以消炎止痛、活血化瘀、消肿。小承气汤泻下之力度较大承气汤弱，对于年老虚弱或不确定能否使用泻法，而临床又有“大便不通”症状者甚为合适。《伤寒论》第208条曰：“若腹大满不通者，可与小承气汤微和胃气，勿令至大泄下。”第209条曰：“若不大便六七日，恐有燥屎，欲知之法，少与小承气汤，汤入腹中，转矢气者，此有燥屎也，乃可攻之。”一方面，小承气汤可以通过行气帮助肠道蠕动，行“和”之功而非“泻”之力；另一方面，也可以进行诊断性治疗以判断有无燥屎，从而确定是否需要用下法。

三诊后患者体温降至正常，未有反复。后患者大便仍未解，自觉发热，中医辨证考虑患者合并阳明腑实之证，改小承气汤为大承气汤(加芒硝)通降阳明，治疗后患者症状逐步好转。患者服药后的表现也证明了确有燥屎，故用大承气汤通腑泻热而发热感自消。服药后患者体温恢复正常，右下肢红肿热痛明显减轻，肾功能恢复正常。

温病后期，肺胃阴伤，治以温少阴为主，兼养阴生津，运太阴，予沙参麦冬汤合附子理中汤合大承气汤加减，患者症状明显好转出院。

《伤寒论·辨阴阳易差后劳复病脉证并治》提出：“伤寒解后，虚羸少气，气逆欲吐，竹叶石膏汤主之。”一般认为竹叶石膏汤只适合热病之后，余热未尽，阴伤羸弱，呕逆之证，殊不知杂病“诸虚烦热”因于肺胃阴虚，津伤燥热之证，仍可适用。方中石膏有清热之能，亦有解肌发汗、散结除烦之功，临床中痛风、皮肤的外结、发斑、红赤、瘙痒引发的烦躁，都可运用石膏。此次救治中通过石膏大剂量运用，同时配合局部清热解毒药物的定向透入，使患者下肢红肿热痛消退而不伤脾肾之阳，后复查CRP、血尿酸恢复正常，乃中阳运化之功，后期通腑而使阳气得运，患者食欲改善而愈，切身的体会告知我们，辨证准确，随证治之，且用药剂量合理，如抽丝剥茧，逐渐透解病机，患者最终向愈。

附：治疗前后患者双下肢变化详见图 132、图 133；住院期间患者体温、炎症指标及尿酸变化，详见表 13。

表 13　住院期间患者体温、炎症指标及尿酸变化

指标	2021 年 7 月 10 日	2021 年 7 月 11 日	2021 年 7 月 12 日	2021 年 7 月 13 日	2021 年 7 月 15 日	2021 年 7 月 17 日
T/℃	39.0	38.5	36.9	36.7	36.6	36.6
WBC/（$\times 10^9$/L）	20.09	16.61	13.0	7.94		
CRP/（mg/L）	65.50	219.97	227.94	139.84		19.94
PCT/（ng/ml）	39.55	40.14		12.61		2.26
UA/（μmol/L）	795	605		286		302

降阳明、温少阴为主治疗升结肠占位致肠梗阻伴感染性休克案例

【基本资料】

魏某某，女，91 岁，于 2021 年 7 月 1 日 20：36 平车入住我院 ICU，于 2021 年 7 月 13 日转入中医经典科继续治疗。

主诉：发热伴咳嗽、咳痰 1 周，呼之不应 9 小时。

现病史：入院前 1 周无明显诱因出现发热，伴咳嗽、咳痰，休息后不能缓解，精神逐渐转差，入院前 9 小时出现意识模糊，呼之不应，遂收入我院 ICU 治疗。在 ICU 予以醒脑静注射液、纳洛酮促醒，奥美拉唑抑酸护胃，头孢他啶抗感染治疗，维生素 C 静脉滴注补液抗氧化应激，维生素 B_1 补充 B 族维生素，人血白蛋白补充胶体，呋塞米利尿维持液体平衡，乙酰半胱氨酸、复方异丙托溴铵雾化解痉化痰，肠内营养混悬液补充肠内营养，依诺肝素皮下注射抗凝预防深静脉血栓形成，氯化钾补钾维持内环境稳态，胰岛素控制血糖，加强气道保护等治疗。经治疗患者发热、咳嗽减轻，但意识恢复较差，请脑病科会诊，无特殊处理。患者腹部 CT 平扫提示升结肠占位，阑尾炎可能，不排除肿瘤，请

普外科会诊，患者家属拒绝腹部增强CT检查。后患者意识有所改善，呈嗜睡状，可对答，查体部分合作，肺部感染及泌尿系感染相对稳定，后转入中医经典科继续治疗。

中医诊断：神昏（痰蒙神窍证）

西医诊断：感染性休克；社区获得性肺炎，重症；泌尿道感染；铜绿假单胞菌感染；急性肾功能不全；低蛋白血症；中度贫血；脑梗死急性期；睡眠障碍；器质性病变所致精神障碍；可疑小肠梗阻；结肠恶性肿瘤；凝血功能异常；心房颤动；双下肢肌间静脉血栓形成

转入症见：患者意识呈嗜睡状，精神稍差，呼唤睁眼，可简单对答，言语含糊，留置胃管、尿管。查体：体温36.8℃，脉搏90次/min，呼吸17次/min，血压108/63mmHg，血氧饱和度99%。面色、口唇、甲床淡白，球结膜轻度水肿，双侧瞳孔等大等圆，直径约2.0mm，对光反射灵敏。呼吸运动未见异常，叩诊清音，呼吸规整，双肺呼吸音粗，双侧肺未闻及明显干、湿啰音，无胸膜摩擦音。心前区无隆起，心尖搏动未见异常，心浊音界未见异常，心率90次/min，律齐，各瓣膜听诊区未闻及病理性杂音，无心包摩擦音。腹平坦，无腹壁静脉曲张，右下腹有一棕褐色结痂，约5cm×6cm，质硬，未见明显分泌物。腹部柔软，右下腹可触及一包块，约15cm×15cm，质硬，活动度差，无波动感。肝脏肋下未触及，脾脏肋下未触及，无移动性浊音。肠鸣音约3次/min。右侧肢体可见轻微活动，左侧肢体不能活动，肌力查体欠配合，四肢肌张力正常，病理反射未引出。舌淡红，苔白腻，脉沉。

【西医诊治经过】

转入后发现患者左侧肢体不能活动，请脑病科会诊后，结合头颅MRI结果，考虑脑梗死急性期，予阿司匹林抗血小板聚集、阿托伐他汀钙片调脂稳斑、血塞通活血化瘀治疗，配合针灸、皮内针疏经通络治疗。患者白蛋白波动于27.1~28.3g/L，双下肢水肿，予静脉滴注补充白蛋白、氨基酸，并嘱加强鼻饲饮食。患者转入后开始发热，感染相关指标进行性升高，患者反复诉腹痛，考虑肿瘤性疾病及阑尾炎可能，再次请外科会诊，与家属沟通后，暂不考虑手术治疗，同时拒绝留置深静脉导管，拒绝再次返回ICU，仅予抗感染等保守治疗；其间患者心率波动在100~115次/min之间，血压波动在73~98/47~51mmHg之间，考虑感染性休克，予对症补液，静脉滴注间羟胺抗休克处理。

【中医诊治经过】

一诊：2021年7月14日

中医四诊：患者嗜睡状，精神差，呼唤可睁眼，简单对答，言语含糊，偶诉腹部疼痛，留置胃管、尿管，患者可少量进食，无呛咳，患者及家属均要求拔除胃管。舌淡红，苔白腻，脉沉。

病机分析：太阴不运，化生气血无力，故精神倦怠。

治法：以运太阴为主。

处方用药：理中汤加减。

砂仁后下 10g	法半夏 15g	人参 20g	白术 20g
茯苓 20g	炙甘草 20g	桃仁 10g	炒山楂 15g
炒麦芽 15g	六神曲 15g	厚朴 15g	枳实 15g

5 剂，每日 1 剂，每日 3 次，水煎服。

患者服药期间精神仍较差，间断腹痛，夜间尤甚，胃口改善不明显。

二诊：2021 年 7 月 22 日

中医四诊：患者精神差，出现发热，伴反复腹痛，持续性隐痛，阵发性加重，未排便，无恶心、呕吐，进食较少，多汗，皮肤湿冷，留置尿管，尿量偏少。舌淡红，苔白腻，脉沉滑数。

体格检查：体温 38.6℃，呼吸 30 次 /min，脉搏波动在 105~125 次 /min，血压波动在 73~98/47~51mmHg 之间，昏睡，腹部膨隆，右下腹可扪及直径约 15cm 包块，性质同前，局部按压痛，无反跳痛，无腹肌紧张。

西医处理：完善腹部增强 CT，提示升结肠占位伴肠梗阻可能，阑尾炎不除外。立即予禁食禁饮，并请肿瘤科、普外科、ICU 会诊，相关科室会诊后认为患者肠梗阻合并肠源性感染，感染性休克，病情严重，同时难以耐受手术治疗，极可能在数小时内死亡，预后极差。患者家属理解病情，签字拒绝外科干预，拒绝转 ICU 监护治疗，拒绝胃管插管行胃肠减压治疗，拒绝心肺复苏、气管插管、深静脉穿刺、呼吸机等抢救措施。

病机分析：患者腹痛，结合 CT 结果及舌脉，辨病属中医学肠痈范畴，考虑瘀热互结导致肠痈。

治法：泻热破瘀，消肿散结。

处方用药：大黄牡丹汤合排脓散。

大黄 40g	牡丹皮 15g	焯桃仁 15g	炒冬瓜子 60g
芒硝冲服 30g	枳实 30g	赤芍 15g	桔梗 10g

1 剂，每日 3 次，水煎服。

因家属拒绝留置胃管，患者每次只能经口服数毫升中药，嘱患者少量频服。患者服药后，发热有所减轻，体温最高 38.0℃，24 小时内解大便 5 次，先为黄色稀水样便，后排出较多黄色黏稠团块样便，腹胀稍减，仍诉间断腹痛。继续守方 1 剂治疗。

三诊：2021 年 7 月 24 日

中医四诊：患者发热消退，精神差，精神有所改善，嗜睡状，仍反复诉腹痛，无恶心、呕吐，暂禁食。舌淡红，苔白腻，脉沉软。

体格检查：体温 36.8℃，脉搏 95 次 /min，呼吸 22 次 /min，血压 105/55mmHg，血氧饱和度 98%。

因患者病情重，预后差，住院时间长，住院费用高，患者家属拒绝继续使用抗生素、白蛋白等药物，仅维持基本的葡萄糖、氯化钠、钾等液体静脉输入。与家属沟通后，同意继续中药治疗，继续守方 1 剂。

患者服用该方后，每日可解大便 3~4 次，呈黄色稀便，仍偶有腹痛、腹胀，患者生命体征较前基本平稳。

四诊：2021 年 7 月 27 日

中医四诊：患者嗜睡，精神差，腹胀明显改善，诉腹部间断疼痛，有时难以忍受，需止痛药对症处理，服用前方后可解出稀大便，时有咳嗽，痰液不易咳出，间断烦躁，四肢偏凉、稍肿胀，尿管引流出淡黄色澄清尿液。舌淡红，苔白腻，脉沉软。

体格检查：体温 36.6℃，脉搏 88 次 /min，呼吸 19 次 /min，血压 102/56mmHg，SpO_2 99%。

病机分析：患者腹胀较前改善，大便可解，2~3 次 / 天，嘱患者少量进食米粥以养中气。考虑患者基本病机仍为痰瘀互结，患者高龄，精神差，四肢皮肤冷、肿胀，舌淡红，脉沉，考虑合并少阴虚寒。

治法：温少阴，降阳明，通腑泻浊，活血化瘀。

处方用药：在前方基础上加附子以回阳救逆，即大黄附子汤合排脓散加味。

大黄 40g	牡丹皮 15g	桃仁 15g	冬瓜子 60g
芒硝(冲服) 30g	枳实 30g	赤芍 20g	桔梗 10g
白附片(先煎) 15g	细辛 15g		

1 剂，每日 3 次，水煎服。

患者服用该方后，有饥饿感，每餐可进食半碗米粥，仍间断腹痛，可忍受，腹胀继续减轻，腹部膨隆感减轻，每日可解稀大便 3~4 次。

五诊：2021 年 7 月 29 日

中医四诊：患者神清，嗜睡状，仍有腹痛，疼痛程度中度，时有咳嗽、咳痰，四肢肿胀，口干，大便可解，留置尿管，患者生命体征平稳。舌淡红，苔白腻，脉沉。

体格检查：体温 36.7℃，脉搏 82 次 /min，呼吸 19 次 /min，血压 113/66mmHg，血氧饱和度 99%。

病机分析：仍考虑太阴不运，瘀热互结，气不化津故口干，气虚不能运化水湿故四肢肿胀，进食少。

治法：运太阴，化湿浊，养阴生津。

处方用药：在前方基础上加太子参补气养阴，仙鹤草补虚，鸡内金健胃消食，土茯苓清热祛湿，薏苡仁健脾祛湿，天花粉清热生津。

大黄 40g	牡丹皮 15g	焯桃仁 15g	炒冬瓜子 60g
芒硝冲服 30g	麸炒枳实 30g	赤芍 20g	桔梗 10g
附片先煎 15g	太子参 30g	仙鹤草 30g	鸡内金 15g
土茯苓 30g	薏苡仁 30g	天花粉 15g	细辛 15g

共 3 剂，每日 3 次，水煎服。

服药后，患者腹胀基本缓解，每日可解稀大便，仍间断诉腹痛不适，进食量逐渐增加，四肢肿胀逐渐缓解，生命体征平稳。于 2021 年 8 月 2 日出院，转下级医院康复疗养。

【按语】

1. 阳明不降，瘀热互结，急性炎症期当通腑泻热。

患者高龄女性，因“发热伴咳嗽、咳痰 1 周，呼之不应 9 小时”在 ICU 昏迷 10 天，经全院会诊及 ICU 积极治疗后苏醒。在 ICU 治疗过程中，发现患者肠道占位，阑尾炎可能，患者家属拒绝外科干预。患者在 ICU 住院 13 天后转入中医经典科后，病情发生变化，表现为：①患者突发左侧肢体不利，结合 ICU 头颅 DWI 结果及脑病科会诊意见，考虑脑梗死急性期；②患者进食较差，四肢肿胀，营养风险高，但是患者及家属强烈要求拔除胃管；③患者反复诉腹痛，完善腹部 CT 增强提示升结肠占位伴肠梗阻可能，同时患者感染再次加重，出现感染性休克，需加强抗感染治疗及血管活性药物维持血压。患者高龄，病情重，费用高，预后差，患者家属经过考虑后，先后拒绝有创抢救、转 ICU、外科干预及相关药物治疗，其中有 3~4 天仅维持基本的水电解质及部分能量补充和中药治疗。

本患者有腹胀、腹痛、大便不通的情况，同时 CT 提示升结肠占位，考虑肠梗阻合并阑尾炎，感染相关指标明显升高，伴生命体征明显紊乱，属重症感染致感染性休克，辨病属于中医学肠痈的范畴。肠痈是肠内产生痈肿而出现少腹部疼痛的一类疾患。《灵枢·上膈》认为本病与“喜怒不适，食饮不节，寒温不时”有关。《外科正宗》曰：“夫肠痈者……又由来有三……饥饱劳伤……或生冷并进，以致气血乖违，湿动痰生，多致肠胃痞塞，运化不通，气血凝滞而成者三也。”大黄牡丹汤出自《金匮要略·疮痈肠痈浸淫病脉证并治》：“肿痈者，少腹肿痞，按之即痛如淋，小便自调，时时发热，自汗出，复恶寒。其脉迟紧者，脓未成，可下之，当有血。脉洪数者，脓已成，不可下也。大黄牡丹汤主之。”大黄牡丹汤为肠痈治疗效方，治疗为肠痈初起之证，由湿热郁蒸，气血凝聚，热结不散，熏蒸肠腑，热盛肉腐而成。原方用药为：大黄四两，牡丹一两，桃仁五十个，瓜子半升，芒硝三合。原煎服法为：“上五味，以水六升，煮取一升，去滓，内芒硝，再煎沸，顿服之，有脓当下；如无脓，当下血。”大黄、芒硝泻热软坚、宣通壅滞；桃仁、牡丹皮活血化瘀；瓜子有甜瓜子、瓜蒌子、冬瓜子之争，但功用总为排脓散壅消肿。甜瓜子擅于化痰，排脓，脓成者宜之；瓜蒌子擅于清肺、滑肠，肺热便闭者宜之；冬瓜子擅于消痈，利水，脓未成者宜之。一般情况下三药可通用，也可同用。

本案中，患者考虑阑尾炎、升结肠占位伴梗阻，同时患者四肢肿胀，使用冬瓜子消痈，利水。本方集泻下、清利、破瘀于一方，通泄力较大，一般情况下，老人、孕妇、产妇或者体质过于虚弱者均应慎用或忌用。该患者感染性休克期间伴发热、脉沉滑数，瘀热明显，故仍以大黄牡丹汤泻热通腑逐瘀，同时联用排脓散解毒排脓。

2. 高龄老人，合并肠道肿瘤，当较长时间顺降阳明、祛痰瘀，同时顾护两本之不足。

经治疗患者热势渐退，呈现疲惫、肢冷、脉沉弱等少阴本虚之象。大黄附子汤为降阳明、温少阴，温中散寒导滞的有效方剂，凡见脉弦紧之胁痛、胃脘痛之寒实证，均可用之。应用大黄附子汤的关键是寒、实俱见，其中既有急性或慢性炎症，又有肠蠕动功能下降等原因。因此，临证时，对少阴、厥阴、阳明同病之便秘者，应把握使用大黄附子汤的良好机会。由于大黄附子汤中的附子能温里通阳，细辛暖水脏散寒湿之邪，大黄苦降以通腑，三药合用，苦辛相合，能降能通，故邪踞厥阴，表里俱急或肝胆经络为寒湿所搏者，用之均效。

本案中，患者为高龄，危重患者，因患者病情危重，家属已经放弃一切有创抢救措施，后期更是放弃一切治疗药物，经多次与患者家属沟通，患者家属同意以猛药一试，最终患者起死回生，成功出院，转社区医院继续康复治疗。

附：腹部平片、腹部增强 CT 详见图 134、图 135；患者转入中医经典科后主要化验结果详见表 14。

表 14　患者转入中医经典科后主要化验结果

指标	2021 年 7 月 15 日	2021 年 7 月 22 日	2021 年 7 月 23 日	2021 年 7 月 25 日	2021 年 7 月 29 日	2021 年 8 月 2 日
WBC/（$\times 10^9$/L）	8.88	11.85	12.87	12.98	6.4	6.28
NEUT/%	78.2	81.4	88	89.5	94.1	85.8
Hb/（g/L）	68	70	70	67	70	64
CRP/（mg/L）	73	182	>200	>200	106	25
PCT/（ng/L）	0.42	1.25	5.2	4.35	2.06	1.28
ALB/（g/L）	27.9	28.3	28.7	25.6	22.6	24.2

小建中汤加减治疗胰腺肿瘤胃肠吻合术后反应案例

【基本资料】

姜某某，女，64 岁，于 2021 年 9 月 13 日 08：32 步行入院。

主诉：恶心、呕吐 1 月余，加重 3 天。

现病史：患者于 1 月余前无明显诱因出现恶心、呕吐，食入即吐，呕吐物为胃内容物，非喷射性，无咖啡色样物质，伴腹部隐痛，时有反酸、嗳气，无头晕、头痛，无胸闷、胸痛，无腹泻等不适，遂就诊于重庆某医院，完善全腹增强 CT、胰胆管 MRI 等检查，临床诊断为胰腺恶性肿瘤、梗阻性黄疸、幽门梗阻，于 2021 年 8 月 27 日行胆道支架植入术，于 2021 年 8 月 31 日行腹腔镜下胃空肠吻合术，术中取胰腺标本送检（结果未回），术后复查胃镜：胆汁反流性胃炎、十二指肠球部狭窄、胃空肠吻合术后、反流性食管炎（LA-B），术后予补液、保肝、营养支持、输血等治疗后，患者症状稍好转。出院后继续口服护肝药，仍间断恶心、呕吐，3 天前患者无明显诱因恶心、呕吐较前加重，食入即吐，上腹部隐痛，伴全身乏力，偶有反酸、嗳气，休息后无明显缓解。门诊以“呕吐待查：反流性胃炎？胰腺恶性肿瘤术后”收入中医经典科。起病以来患者精神较差，恶心、呕吐，食入即吐，上腹部隐痛，伴全身乏力，偶有反酸、嗳气，无恶寒发热，口干口苦，纳差，夜寐一般，体重近 1 个月减轻约 11kg，大便 4~5 天 1 次，成形，量少，小便短少。

既往史：腔隙性脑梗死病史 4 年。5 个月前我院中医经典科住院，诊断为慢性萎缩性胃炎、双肾结石、甲状腺结节、甲状腺囊肿、胆囊息肉。曾于入院前 1 个月因贫血输 O 型血。

中医四诊：望之少神、表情忧虑，面色晦暗，体形消瘦；行动尚可、精神较差、发育正常、营养差；语声低微、言语清晰、呼吸如常、无咳嗽，时有呕吐，无太息、呻吟、腹鸣之声；无异常气味。舌暗红，苔薄黄，脉沉细。

体格检查：体温 36.7 ℃，脉搏 68 次 /min，呼吸 20 次 /min，血压 116/72mmHg，神志清楚，精神不振。心肺查体未见异常，腹平坦，无腹壁静脉曲张，腹部柔软，上腹部轻压痛，无反跳痛。

辅助检查：全腹增强 CT：胰颈、肝门区不规则软组织，沿肝圆韧带裂生长，包绕肝左动脉、肝固有动脉，相应管腔不光整、变窄，门脉主干受压稍变窄，胰腺体尾部萎缩、胰管扩张；肝总管、肝内胆管扩张，不除外肿瘤性病变可能。肝胃韧带淋巴结增大；胆囊炎；左肾小囊肿。盆腔少量积液。胰胆管MRI：胰颈、肝门区异常信号影，肿瘤待查，炎症待查；主胰管扩张，胰腺体尾部萎缩；肝胃间隙淋巴结增大；左肾小囊肿。磁共振胰胆管成像（MRCP）：肝内胆管扩张，胆总管及左右肝管扩张，胆囊增大，内未见充盈缺损，主胰管扩张，胆总管下段及主胰管胰头部中断。

中医诊断：呕吐（太阴证）

西医诊断：胰腺恶性肿瘤；梗阻性黄疸；幽门梗阻；慢性萎缩性胃炎；胃食管反流；胆囊息肉；双肾结石；腔隙性脑梗死；甲状腺囊肿；甲状腺结节

【诊治过程】

一诊：2021年9月14日

中医四诊：神志清，精神差，昨日呕吐3次胃内容物，上腹部隐痛，伴全身乏力，偶有反酸、嗳气，口干口苦，纳差，夜寐一般，大便偏干、量少，小便短少。舌暗红，苔薄黄，脉沉细。

病机分析：患者年老久病，脏腑功能亏虚，脾胃受损，脾气不升，胃气不降，故恶心，食入即吐。《伤寒论》云："太阴之为病，腹满而吐，食不下，自利益甚，时腹自痛。"本病病因为年老体虚，病机为太阴证，与脾胃相关。

治法：运太阴，降逆和中，益气和胃。

处方用药：旋覆代赭汤加减。

旋覆花包煎 30g	赭石先煎 30g	牡蛎先煎 30g	龙骨先煎 30g
生晒参 20g	姜半夏 20g	大枣 30g	白芍 30g
麦冬 30g	五味子 20g	竹茹 30g	柿蒂 30g
炒麦芽 30g	炒稻芽 30g	薏苡仁 60g	三七粉冲服 10g
壁虎 30g	藤梨根 30g	生姜 30g	

2剂，每日1剂，水煎服。

服药后，患者恶心、呕吐症状稍缓解，仍脘腹隐痛，纳差。

二诊：2021年9月16日

中医四诊：精神好转，呕吐、恶心稍缓解，上腹部隐痛，全身乏力，口干口苦，纳差，夜寐一般，大便偏稀，不畅，小便短少。舌暗红，苔薄黄，脉沉细。

病机分析：患者病情较前稍改善，结合患者腹部疼痛，四诊合参，考虑瘀血内停。

治法：降逆和中，活血破瘀散结。

处方用药：在前方基础上加用三棱、莪术活血行气、化瘀止痛。

旋覆花包煎 30g	赭石先煎 30g	牡蛎先煎 30g	龙骨先煎 30g
生晒参 20g	姜半夏 20g	醋鳖甲先煎 20g	白芍 30g

麦冬 30g　五味子 20g　石见穿 30g　盐泽泻 30g
炒麦芽 30g　炒稻芽 30g　薏苡仁 60g　三七粉冲服 10g
壁虎 30g　藤梨根 30g　三棱 10g　莪术 10g
生姜 30g

3 剂，每日 1 剂，水煎服。

服药后，患者恶心、呕吐频次略减少，仍纳差、胃脘隐痛。

三诊：2021 年 9 月 19 日

中医四诊：患者诉恶心、呕吐次数有减少，上腹部仍隐痛不适，全身乏力，咳嗽咳痰，口干口苦，饮温水较多，纳差，夜寐一般，大便偏稀，不畅，小便短少。舌暗红，苔薄黄，脉沉细软。

病机分析：新发轻微咳嗽咳痰，考虑久病，肺气不敛，气虚而咳。

处方用药：在前方基础上加用诃子 15g 敛肺止咳。2 剂，每日 1 剂，水煎服。

服药后，患者仍有恶心、呕吐，胃脘隐痛，其间患者血红蛋白下降，大便色黑，查血常规示红细胞 1.51×10^{12}/L，血红蛋白 49g/L，大便隐血(+)，请消化科会诊，考虑消化道出血，予禁食禁饮，完善胃镜检查，诊断吻合口溃疡伴出血，予抑酸护胃治疗，同时输注红细胞悬液 2U 纠正贫血。

四诊：2021 年 9 月 21 日

中医四诊：患者精神状态欠佳，时有恶心欲吐，上腹部隐痛，偶有反酸、嗳气，时有咳嗽、咳痰，全身乏力，汗多，口干，夜间为甚，睡眠一般，大便色黑，小便正常。舌淡红，苔薄白，脉沉细软。复查血常规示红细胞 1.57×10^{12}/L，血红蛋白 51g/L。再次分两次共输注红细胞悬液 2.5U。

病机分析：太阴里虚，中土不运，气不摄血。

治法：运太阴，益气和中，缓急止痛。

处方用药：小建中汤。

桂枝 18g　白芍 36g　大枣 45g　炙甘草 15g
生姜 18g　饴糖兑入 60ml

2 剂，每日 1 剂，水煎服。

服药后，患者恶心较前减轻，上腹疼痛有改善。继续禁食禁饮水。输血后第二天复查血常规示红细胞 2.17×10^{12}/L，血红蛋白 69g/L。此后住院期间未再输血。

处理：守方 3 剂。

五诊：2021 年 9 月 27 日

中医四诊：患者精神状态有改善，仍觉乏力，恶心欲吐减轻，上腹部隐痛偶作，偶有反酸、嗳气，时有咳嗽、咳痰，全身乏力，汗多、口干较前缓解，睡眠一般，大便色黑，复查隐血（+），小便正常。舌淡红，苔薄白，脉细滑软。复查血常规示红细胞 2.32×10^{12}/L，血红蛋白 74g/L。

病机分析：太阴虚劳里急，兼湿浊内蕴。

治法：运太阴，化湿浊。

处方：小建中汤加味。

桂枝 18g	白芍 36g	大枣 45g	炙甘草 15g
郁金 9g	木香 10g	广藿香后下 9g	麦芽 30g
茵陈 20g	豆蔻后下 6g	生姜 18g	饴糖兑入 60ml

3 剂，每日 1 剂，水煎服。

服药后，患者未再恶心、呕吐，上腹隐痛进一步减轻，开始进食，少量进食后无特殊不适。

六诊：2021 年 10 月 1 日

中医四诊：患者精神明显好转，无恶心欲吐，上腹部隐痛基本缓解，未再口干，偶有反酸、嗳气，咳嗽、咳痰减轻，全身乏力好转，汗多较前缓解，睡眠可，大便颜色较前转黄，复查大便隐血（–），小便正常。舌暗红，苔黄腻，脉沉细。复查血常规示红细胞 2.67×10^{12}/L，血红蛋白 89g/L。

病机分析：太阴得运，中气得建，津液渐复，有太阴表虚之兆。

治法：同前，加黄芪运太阴而固表。

处方用药：前方基础上加黄芪 15g 益气生血。3 剂，每日 1 剂，水煎服。

【预后及转归】

患者精神好，无恶心欲吐，无上腹部隐痛，全身乏力好转，偶有反酸、嗳气，咳嗽、咳痰缓解，进普食，饮食量一般，睡眠一般，大便色深黄，小便正常。舌暗红，苔薄黄，脉沉细滑。患者症状较入院时明显好转，病情稳定，予以带药出院。出院中药在前方基础上加大黄芪用量至 30g 增强补气生血之力，加用太子参 30g 补气润肺，砂仁 10g 健脾祛湿。出院后半月追踪药后反应：患者恶心、呕吐消失，上腹部疼痛基本未发作，贫血及全身乏力均改善。

【按语】

1. 本案病机：太阴本虚，中气大亏，气不摄血。

目前胰腺恶性肿瘤的发病率逐年增高，在治疗上多以手术为主，但术后常出现明显的胃肠道反应，表现为：食欲不振、恶心、呕吐、四肢乏力、腹胀腹痛、腹泻或便秘等。中医经典医学认为上述反应多为太阴虚劳，脾胃损伤，健运失司所致。患者有胰腺恶性肿瘤、梗阻性黄疸、幽门梗阻，行胆道支架植入术和胃空肠吻合术，术后外邪被祛除，但正气已严重受损，脾胃虚寒，营卫不足，不得温煦，所以恶心、呕吐、腹中疼痛，全身乏力。

肿瘤患者虚实并现者多，该患者形消食少，呕吐频繁，脘腹隐痛，按之柔软，面色晦暗，虚损之象明显。建中法即为虚劳病证而设，虚劳的病机是五脏气血阴阳虚损，其发展往往是阴损及阳，阳损及阴，从而导致阴阳两虚证。治疗虚劳，关键在于中焦脾胃，原因有三：①脾胃为气血生化之源，如果脾胃病久则营养乏源，气血皆亏；②脾胃为阴阳升降之枢，中虚失运则阴阳升降失调；③中医学认为人的气血阴阳平衡依靠脾来维持，在阴损及阳、阳损及阴的患者治疗中常常出现温阳则燥，滋阴则腻的情况，此时以健脾和中为宜，使"中气立则营卫流行而不失其和"，脾胃之气得以复建，中焦阳气得以四运，从阴引阳，从阳引阴，使阴阳之气得以协调，寒热错杂之证得以祛除。正如尤在泾谓"欲求阴阳之和者，必于中气，求中气之立者，必以建中也"，高度概括了建中的机理在于能使机体恢复"阴阳之和"和"中气之立"的协调平衡状态。

2. 建中类方是治疗中气不足、气血两虚之常用方，尤其是兼腹痛者。

小建中汤是治疗虚劳病之代表方。《金匮要略·血痹虚劳病脉证并治》曰："虚劳里急，悸，衄，腹中痛，梦失精，四肢酸痛，手足烦热，咽干，口燥，小建中汤主之。"小建中汤由桂枝汤倍白芍加饴糖而成，诸药共奏温养中气，平补阴阳，调和营卫之功。酸以敛阴，阴收则阳归附，甘以润土。土润万物生，中气必自立，而谓建中。此汤寓发汗于不发汗之中，取名为小建中汤。其主要运用于中焦虚寒引起的胃脘痛、腹痛、泄泻、呕吐、反胃、便血、水肿、痰饮等病证。中焦虚寒，治宜温阳益气，暖胃散寒。《素问·脏气法时论》："脾欲缓，急食甘以缓之。"既能温中，又当祛寒，当投以小建中汤。

在小建中汤基础上加黄芪，即黄芪建中汤。《金匮要略·血痹虚劳病脉证并治》曰："虚劳里急，诸不足，黄芪建中汤主之。"急者缓之必以甘，不足者补之必以温，黄芪尤有充虚塞空之长，故加黄芪以治之，以补脾肺之气，有益气生津、补气固表止汗之功。故脾胃两虚，营卫气血来源不足，卫气偏虚，若气虚为甚，形成里虚脉急腹痛以及眩悸喘喝、失精亡血等，而又见倦怠少气、自汗恶风等，均可用黄芪建中汤治疗。患者胃脘痛、乏力、汗出夜甚，契合黄芪建中汤证之太阴虚劳、少气亡血之病机，药不在多而在精，遣方用药，切中病机，故药后诸证向愈。

附：治疗前后患者舌象变化详见图 136、图 137；血红蛋白及大便隐血检查结果详见表 15。

表 15　治疗期间患者血红蛋白及大便隐血检查结果

指标	2021 年 9 月 13 日	2021 年 9 月 19 日	2021 年 9 月 21 日	2021 年 9 月 22 日	2021 年 9 月 27 日	2021 年 10 月 1 日
大便隐血		(+)	(+)		(+)	(–)
Hb/(g/L)	82	49	51	69	74	89

纯中医治愈脓毒症案例

【基本资料】

王某,女,76 岁,于 2022 年 7 月 5 日入院。

主诉:腹泻 1 日。

现病史:患者诉入院前 1 天进食外购凉面、稀饭后出现呕吐胃内容物 3 次,解黄色稀水样大便 3 次,伴腹痛,肛门灼热疼痛,到我院就诊,测体温 37.8℃,予蒙脱石散口服后体温下降,腹泻略减,但仍感乏力,脐周疼痛明显,伴头晕头痛,口干口苦,感心慌胸闷,活动则明显,时有全身汗出,烦躁,四肢酸软,肢冷。急诊以"急性胃肠炎"收入中医经典科。

既往史:高血压病史 20 余年,最高血压 190/100mmHg,偶感头昏头痛,现口服乐卡地平 10mg/ 日降压治疗,平素血压控制在 140/90mmHg 左右。2 型糖尿病病史 6 年,现口服二甲双胍 0.85g、每日 2 次降糖治疗,自诉空腹血糖波动于 6~7mmol/L,餐后血糖未监测。4 年前在重庆某医院诊断为冠状动脉粥样硬化性心脏病,并在右冠脉植入支架一枚。20 余年前于外院行阑尾切除术,2015 年因外伤致腰椎骨撕裂行保守治疗。自诉对磺胺类、头孢类、青霉素、链霉素、氧氟沙星、破伤风抗毒素过敏,否认食物过敏史。

中医四诊:望之少神,倦怠乏力,低热,腹痛、腹泻,大便呈黄色稀糊状,语声低微,口气略臭秽,腹部疼痛以脐周为主,伴头昏,四肢冷,心中烦热,心慌胸闷,易汗出,烦躁,纳差,夜寐差,小便正常。舌淡红,苔根黄腻,脉沉细数。

体格检查:体温 37.9℃,脉搏 97 次 /min,呼吸 23 次 /min,血压 99/58mmHg。神志清楚,精神状态疲倦,双肺呼吸音清晰,双侧肺未闻及干、湿啰音,心率 97 次 /min,律齐,各瓣膜听诊区未闻及病理性杂音。腹平坦,无腹壁静脉曲张,腹部柔软,腹压痛,无反跳痛,腹部无包块。肝脏肋下未触及,脾脏肋下未触及,墨菲征阴性,麦氏点压痛,无反跳痛,肝区叩击痛,肾区叩击痛,无移动性浊音。肠鸣音未见异常,4 次 /min。双下肢无浮肿。舌淡红,苔根黄腻,脉沉细数。

辅助检查：2022 年 7 月 4 日我院发热门诊查降钙素原 19.60ng/ml，血常规示白细胞 19.81×10^9/L，中性粒细胞 92.9%，血清淀粉样蛋白 30.32mg/L。2022 年 7 月 5 日血常规示白细胞 11.33×10^9/L，中性粒细胞 91.3%，C 反应蛋白 96.51mg/L，血清淀粉样蛋白 >320.00mg/L；糖化血红蛋白 8.1%，降钙素原 20.53ng/ml。心电图示：窦性心律；ST-T 段轻度改变。心脏彩超：冠状动脉支架置入术后，三尖瓣少量反流；左室舒张功能不全Ⅰ级，左心房压正常。胸腹部 CT 平扫：右肺上叶磨玻璃结节，左肺上叶尖后段混合磨玻璃结节；双肺散在实性小结节，增殖灶可能；双肺间质性改变，右肺下叶少许慢性炎性病变；主动脉、冠状动脉壁钙化。

中医诊断：泄泻（太阳阳明合病）

西医诊断：脓毒症；急性胃肠炎；冠状动脉粥样硬化性心脏病，冠状动脉支架植入后状态，心功能Ⅲ级；高血压 3 级（极高危）；2 型糖尿病

【诊治过程】

一诊：2022 年 7 月 5 日

中医四诊：患者神清，倦怠乏力，低热，腹痛、腹泻，大便呈黄色稀糊状，肛门灼热疼痛，语声低微，口气略臭秽，腹部疼痛以脐周为主，伴头昏，四肢酸软，四肢冷，心中烦热，心慌胸闷，易汗出，烦躁，纳、眠差，小便正常。舌淡红，苔根黄腻，脉沉细数。

病机分析：老年女性，饮食不洁，邪毒内侵，入里化热，邪犯太阳，深入阳明，故见发热、口干口苦；胆胃不和，故见腹痛、腹泻；阳明郁热内扰，故见心烦、夜寐不安；舌淡红，苔根黄腻，脉沉细数为阳明郁热兼津亏表现。

治法：开太阳，清阳明，缓急止痛。

处方用药：葛根芩连汤加味。

葛根 40g　　酒黄芩 15g　　酒黄连 15g　　炙甘草 10g
白芍 30g　　麸炒枳壳 15g

2 剂，每日 1 剂，每日 3 次，水煎服。

服药后，患者大便稀溏改善，腹胀痛减轻。

二诊：2022 年 7 月 7 日

中医四诊：患者精神好转，诉四肢酸软乏力稍有减轻，胃脘部疼痛胀满、全腹隐痛均有改善，仍有头晕头痛，心慌、胸闷减轻，全身汗出减，仍口干、口苦，入睡困难，大便稀溏已停止，肛门灼痛缓解，小便正常。舌淡红，苔黄腻，脉沉弦。复查血常规示白细胞 5.95×10^9/L，中性粒细胞 66.4%，降钙素原 4.60ng/ml。

病机分析：同前，阳明郁热较前减轻。

治法：同前。

处方用药：守方 3 剂。

服药后，患者大便成形，口干口苦改善，纳可，夜寐好转。

三诊：2022 年 7 月 11 日

中医四诊：患者无发热，腹痛、胃脘痞满均缓解，口干口苦减轻，纳眠可，大便正常，复查血常规示白细胞 9.97×10^9/L，中性粒细胞 80.7%，降钙素原 0.5ng/ml。感染相关指标明显下降，达到出院指征，予前方守方 7 剂出院。

【预后及转归】

出院 7 天后电话随访患者，患者精神食欲良好，无腹痛、腹泻，无口干口苦，纳、眠可，二便调，痊愈。

【按语】

1. 本案病机：热陷阳明，协热而利。

本案为纯中医治愈急性胃肠感染导致脓毒症案例。患者对多种抗生素过敏，进食不洁食物后出现发热、恶心、呕吐、腹痛、腹泻等不适，结合感染相关指标明显升高，考虑为急性胃肠细菌感染所致脓毒症，病情凶险，患者合并冠状动脉粥样硬化性心脏病、高血压、糖尿病等多种基础疾病，如不早期截断病势，后果不堪设想。患者腹泻表现为腹痛即泻，泻下急迫呈水样，大便黄褐秽臭，伴有发热，乏力，口干口苦，纳、眠欠佳，舌淡红，苔根黄腻，脉沉细数。其病机为阳明里热已炽，充斥表里，协水湿而下利。里热攻冲肌表，故身热；邪热熏蒸津液则汗出；热邪内迫，大肠传导失司，水湿不化故下利臭秽；热邪下注，故肛门有灼热疼痛感；邪热熏蒸肝胆，则口干口苦。治宜解表清里，方予三分之一量葛根芩连汤加味。

《伤寒论》第 34 条曰："太阳病，桂枝证，医反下之，利遂不止，脉促者，表未解也，喘而汗出者，葛根黄芩黄连汤主之。"葛根芩连汤由葛根、黄连、黄芩及甘草组成，是治疗下利的常用方。方中葛根辛甘而凉，入脾、胃、肺经，既能解表退热，又能升脾胃清阳之气而治下利；黄连、黄芩入阳明清热燥湿，厚肠止利；甘草甘缓和中，调和诸药，兼顾护太阴中土。因患者同时存在腹痛、腹胀，加芍药缓急止痛，加枳壳行气除满，全方共奏解表清里之效，是治疗表证未尽而里热炽盛致下利的良方。

患者急性肠道感染导致脓毒症，病情进展迅速，已经开始出现四肢冷、血压低等脓毒症休克早期表现，一般需要用抗生素抗感染治疗，但此患者多种抗生素过敏，我们先以纯中医治疗，辨证与选方高度一致，达到了一剂知、两剂已的效果，迅速截断了传变途径，患者症状得到改善，几剂过后已然痊愈，故只要方药和病证合契，中医效如桴鼓绝非虚言。

2. 经方辨治下利浅析。

首辨阴阳，是辨证施治的前提。

(1) 阳证下利。《伤寒论》第 32 条:“太阳与阳明合病者,必自下利,葛根汤主之。”《伤寒论》第 34 条:“太阳病,桂枝证,医反下之,利遂不止,脉促者,表未解也,喘而汗出者,葛根黄芩黄连汤主之。”以上两条论述了太阳表证未罢,阳明里热已盛的太阳、阳明合病所致的下利。前者表寒未尽,表重里轻,以葛根汤发汗解表,兼以止利。后者表不解而邪内陷,表里俱热,以葛根芩连汤辛凉解表,清热止利。《伤寒论》第 172 条:“太阳与少阳合病,自下利者,与黄芩汤。”少阳夹湿热下利,以黄芩汤清热止利,缓急止痛。另外,《伤寒论》第 165 条:“伤寒发热,汗出不解,心中痞硬,呕吐而下利者,大柴胡汤主之。”也为少阳、阳明合病之下利证。第 374 条:“下利谵语者,有燥屎也,宜小承气汤。”为阳明病之下利。

《素问·至真要大论》曰:“诸呕吐酸,暴注下迫,皆属于热。”总体来讲,阳证下利多见于体质尚可或中青年,或新病患者,临床表现除下利臭秽、肛门灼热外,常伴有发热、汗出、心烦、口干口苦欲饮水、面色红、舌红、苔黄腻、乏津等里热攻冲表现。亦可伴有恶寒、关节肌肉疼痛等太阳表证未罢之象。结合弦滑或洪大之脉象,可辨为阳证下利。

(2) 阴证下利。《伤寒论》第 280 条:“太阴为病,脉弱,其人续自便利。”第 281 条:“少阴之为病,脉微细,但欲寐也。”第 338 条:“伤寒,脉微而厥……乌梅丸主之,又主久利。”阴证下利,无论属太阴、少阴还是厥阴,首先其脉象均表现为微、细、弱等不足之象。另外,患者多见于久病或老年阳虚基础,常伴有倦怠乏力、形寒肢冷,甚至休克、意识模糊、厥逆等表现。

治疗方面,第 386 条:“霍乱……寒多不用水者,理中丸主之。”此太阴脾胃虚寒,运化失常,而致下利,用理中丸温运太阴燥湿止利。第 277 条:“自利不渴者,属太阴,以其脏有寒故也,当温之,宜服四逆辈。”四逆辈包括四逆汤、通脉四逆汤、白通汤、白通加猪胆汁汤、四逆加人参汤、附子理中汤等。其所治疾病的共同点为阴寒内盛,阳气衰微,虚阳欲脱之危重证候,表现为“下利清谷,四肢厥逆,脉微欲绝”,治疗均以四逆汤为基础化裁。

(3) 阴阳兼备,寒热错杂下利。《伤寒论》第 163 条:“太阳病,外证未除而数下之,遂协热而利,利下不止,心下痞硬,表里不解者,桂枝人参汤主之。”为太阳表邪不去,反伤脾阳,致脾胃虚寒而下利,治疗当解表温中止利。《伤寒论》第 359 条:“伤寒本自寒下,医复吐下之,寒格,更逆吐下,若食入口即吐,干姜黄芩黄连人参汤主之。”上热下寒相格,呕吐腹泻交替发作,治疗以辛开苦降,清上温下,调和脾胃,下利自止。另外,半夏泻心汤、生姜泻心汤、甘草泻心汤三泻心汤证均治疗误下损伤脾胃,寒热互结所致的痞证而下利。还有前述第 338 条乌梅丸证之下利,均属阴阳兼备,寒热错杂。半夏泻心汤主治“呕而肠鸣,心下痞”之下利,病机重在中焦痞塞不通;生姜泻心汤主治“心下痞硬……腹中雷鸣，下利”，在半夏泻心汤基础上兼水饮内停，故加用生姜温胃逐饮；甘草泻心汤主治“下利日数十行，谷不化”，在半夏泻心汤基础上兼太阴不运，加用炙甘草厚土运太阴而助运。此类下利多伴腹胀、腹部冷、肢体尤其是下肢畏寒之寒象，同时又伴口干口苦、大便臭秽、咽痛等热象，治疗亦寒温并用，寒热平调。

下利的辨证，有阴阳表里寒热之分，有表里合邪、虚实夹杂、寒热互见、阴阳参错的复杂情况。治疗下利，有解表、清里、温中、和解等不同，如能思求经旨，释义发微，自能左右逢源，验之临床，大有裨益。

附：治疗前后患者舌象变化详见图 138、图 139；治疗期间血常规、C 反应蛋白、降钙素原检查结果详见表 16。

表 16　治疗期间患者血常规、C 反应蛋白、降钙素原检查结果

指标	2022 年 7 月 4 日	2022 年 7 月 5 日	2022 年 7 月 7 日	2022 年 7 月 8 日
WBC/（$\times 10^9$/L）	19.81	11.33	5.95	9.97
NEUT/%	92.9	91.3	66.4	80.7
NEUT/（$\times 10^9$/L）	18.39	10.35	3.95	8.04
CRP/（mg/L）	6.87	96.51	25.70	9.07
PCT/（ng/ml）	19.60	20.53	4.60	0.5

参考文献

[1] 颜芳. 实践中医之"阴阳篇"[M]. 北京: 中国医药科技出版社, 2014.
[2] 刘志杰.《伤寒论》师承课堂实录 [M]. 北京: 人民军医出版社, 2009.
[3] 俞根初. 重订通俗伤寒论 [M]. 上海: 上海卫生出版社, 1956.
[4] 刘渡舟. 伤寒论通俗讲话 [M]. 北京: 人民卫生出版社, 1980.
[5] 彭子益, 周鸿飞. 圆运动的古中医学 [M]. 北京: 学苑出版社, 2007.
[6] 尚志钧. 神农本草经校注 [M]. 北京: 学苑出版社, 2008.
[7] 黄煌. 经方的魅力 [M]. 北京: 人民卫生出版社, 2006.
[8] 王付. 经方药物药理临证指南 [M]. 北京: 中医古籍出版社, 1999.
[9] 尚炽昌, 王付. 经方配伍用药指南 [M]. 北京: 中国中医药出版社, 1998.
[10] 朱章志, 李赛美. 经方临床应用与研究 [M]. 广州: 广东经济出版社, 1997.
[11] 李可. 李可老中医急危重症疑难病经验专辑 [M]. 太原: 山西科学技术出版社, 2004.
[12] 武冰, 郝万山.《伤寒论》六经辨证体系与《黄帝内经》五脏阴阳理论的关系 [J]. 北京中医药大学学报, 2007, 30 (12): 802-804.
[13] 邓贤斌, 葛小苏, 张锦祥, 等. 斡旋中土、升清降浊法在临床中的应用 [J]. 新中医, 2014, 46 (11): 3.
[14] 赵京伟, 朱珍.《伤寒论》六经学说与《内经》三阴三阳理论关系的探讨 [J]. 浙江中医杂志, 2004, 39 (5): 185-187.
[15] 黄臻, 温姗, 颜芳, 等. 破格救心汤治疗严重心力衰竭安全性研究 [J]. 环球中医药, 2012, 5 (7): 509-511.
[16] 屈杰, 陈丽名, 李小会.《伤寒论》与《黄帝内经》关系研究 [J]. 中医学报, 2022, 37 (6): 1135-1138.
[17] 邓贤斌, 陈路军, 颜芳, 等. 圆运动六经辨证体系的探索 [J]. 国际中医中药杂志, 2022, 44 (10): 1086-1091.
[18] 曾祥珲, 邓贤斌, 颜芳, 等. 基于六经辨证探讨血行感染脓毒症的治疗 [J]. 上海中医药杂志, 2022, 56 (4): 38-41.

文末彩插

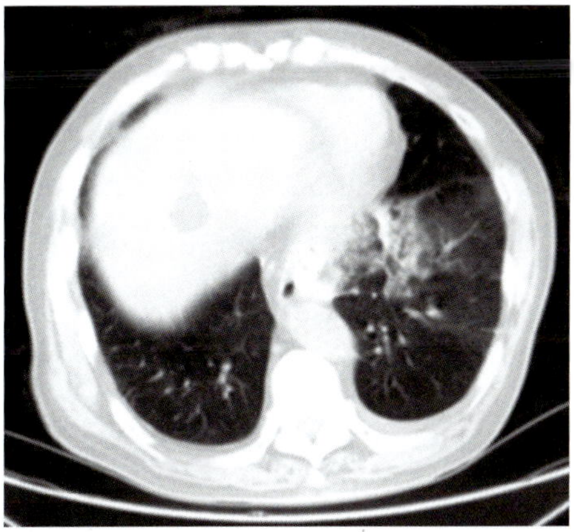

图1　患者胸部 CT（2019 年 8 月 4 日）
左下肺少许炎症伴左下胸腔少许积液

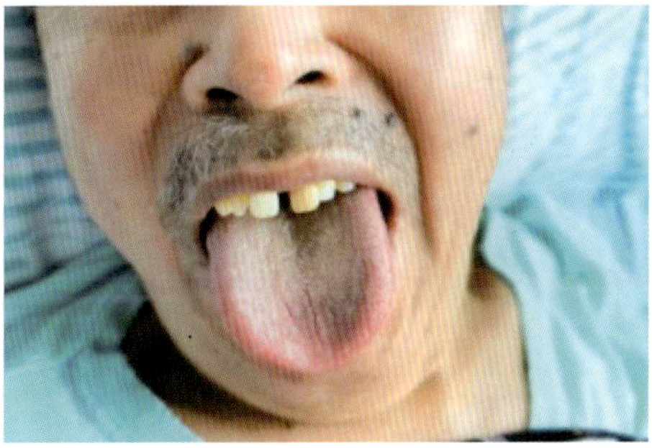

图 2　治疗前舌象（2019 年 8 月 4 日）

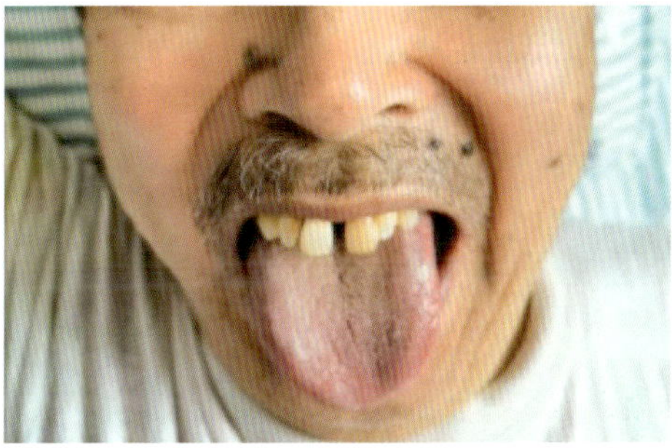

图 3　治疗后舌象（2019 年 8 月 8 日）

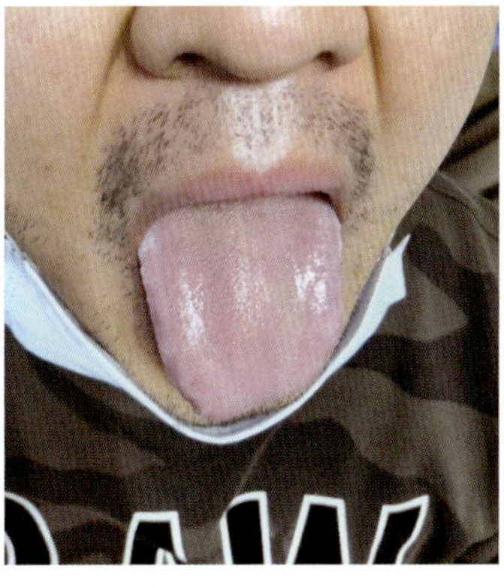

图 4　治疗前舌象
（2019 年 1 月 25 日）

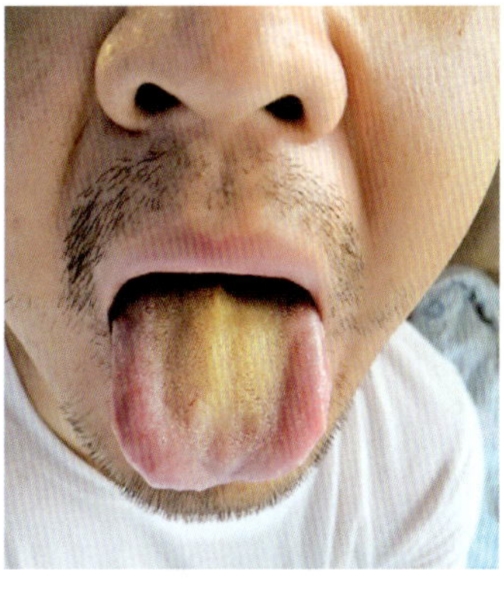

图 5　治疗中舌象
（2019 年 1 月 27 日）

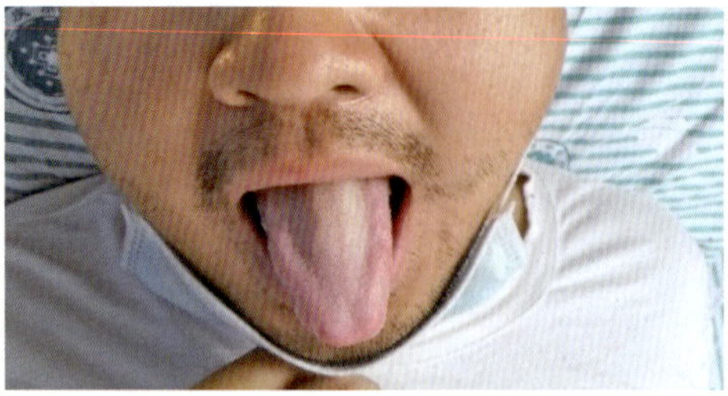

图 6　治疗中舌象(2019 年 1 月 28 日)

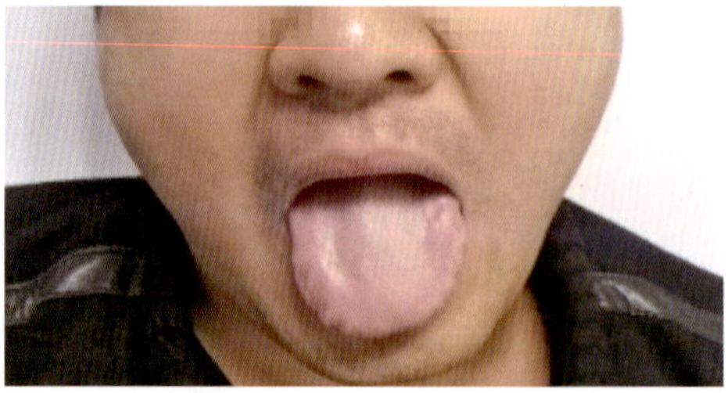

图 7　治疗后舌象(2019 年 1 月 30 日)

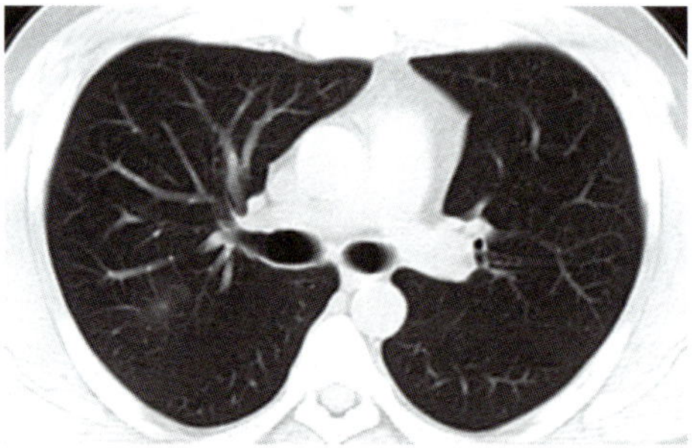

图 8　治疗前胸部 CT-1
(2019 年 1 月 25 日)

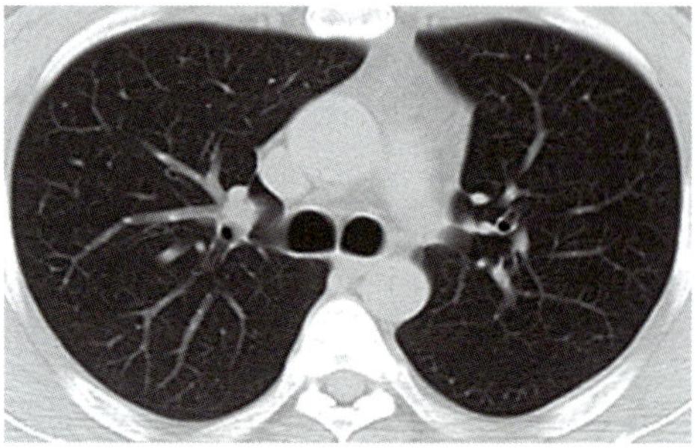

图 9　治疗后胸部 CT
(2019 年 1 月 30 日)

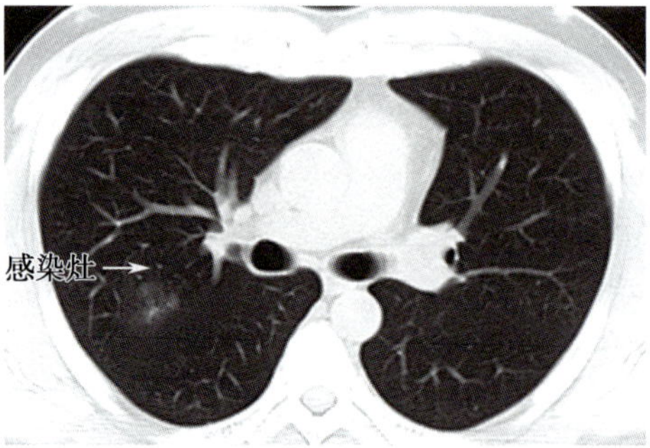

图 10　治疗前胸部 CT-2
(2019 年 1 月 25 日)可见感染灶

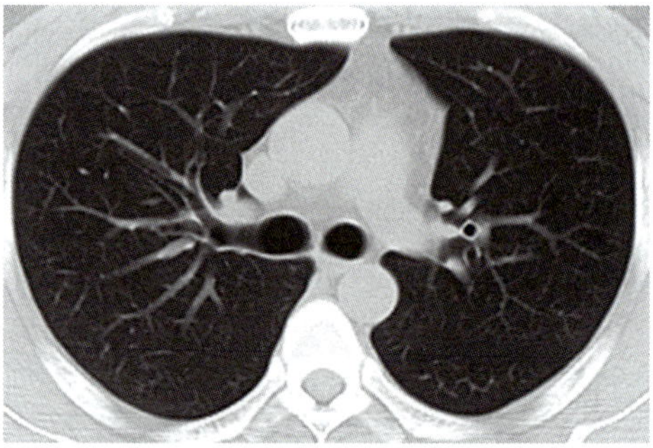

图 11　治疗后胸部 CT-1
(2019 年 1 月 30 日)感染灶吸收

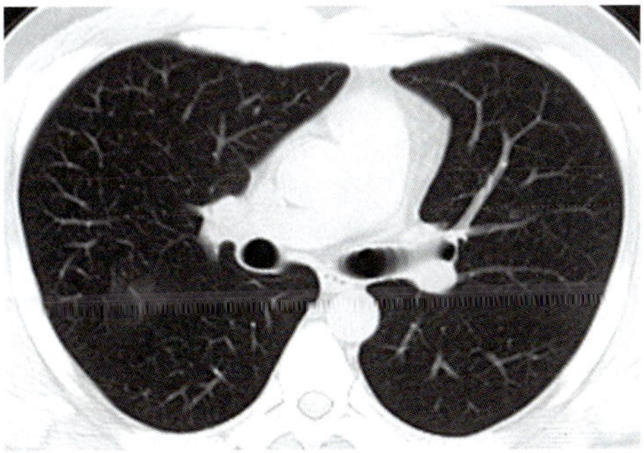

图 12　治疗前胸部 CT-3
（2019 年 1 月 25 日）可见感染灶

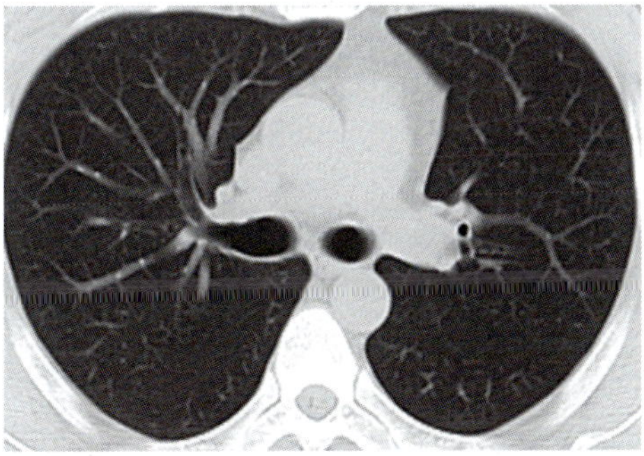

图 13　治疗后胸部 CT-2
（2019 年 1 月 30 日）感染灶较前明显吸收

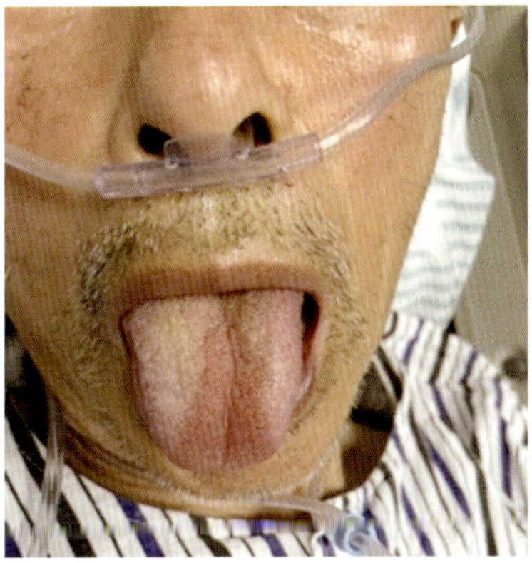

图 14　治疗前舌象
（2021 年 10 月 14 日）

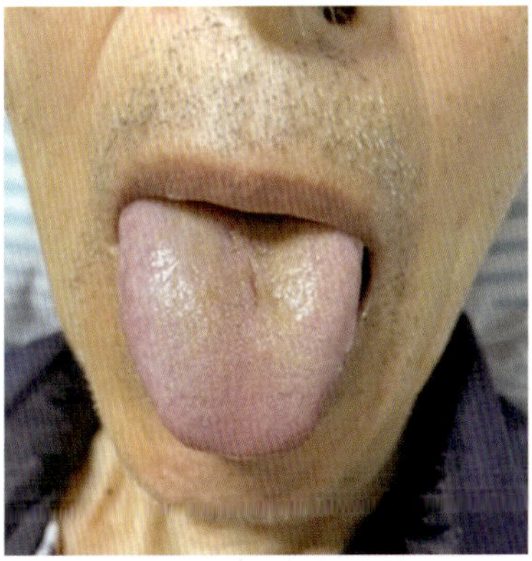

图 15　治疗后舌象
（2021 年 10 月 19 日）

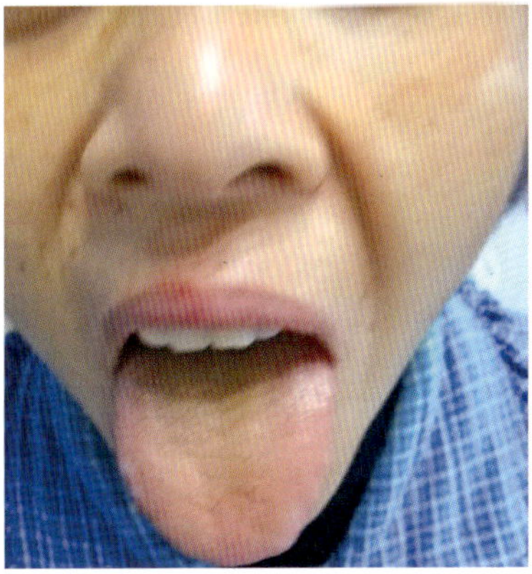

图 16　治疗前舌象
（2019 年 11 月 5 日）

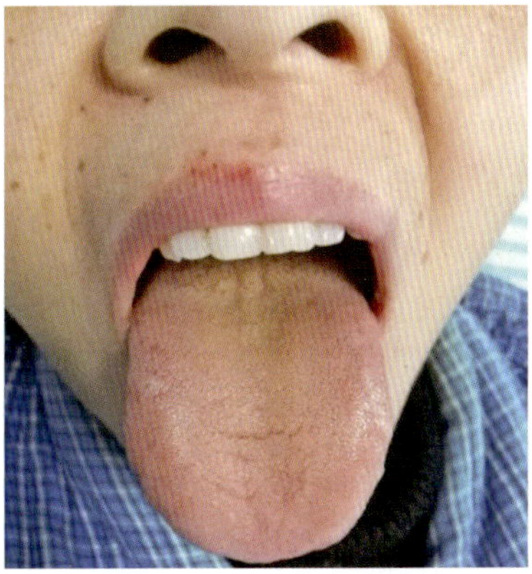

图 17　治疗后舌象
（2019 年 11 月 11 日）

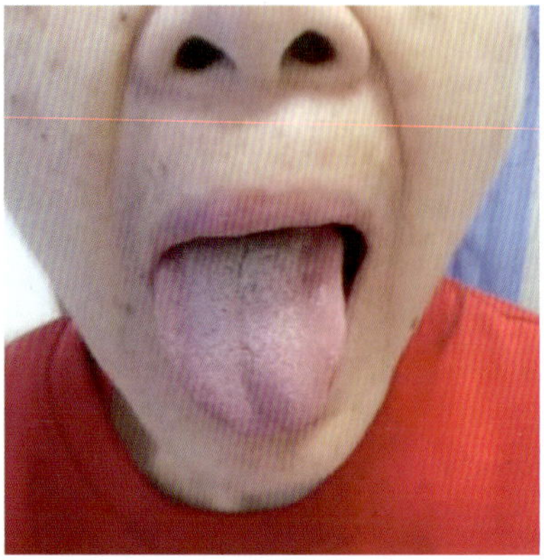

图 18　治疗前舌象
（2019 年 10 月 15 日）

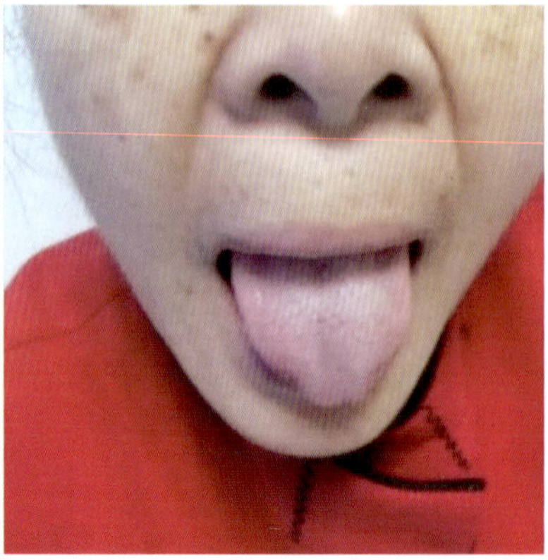

图 19　治疗中舌象
（2019 年 10 月 17 日）

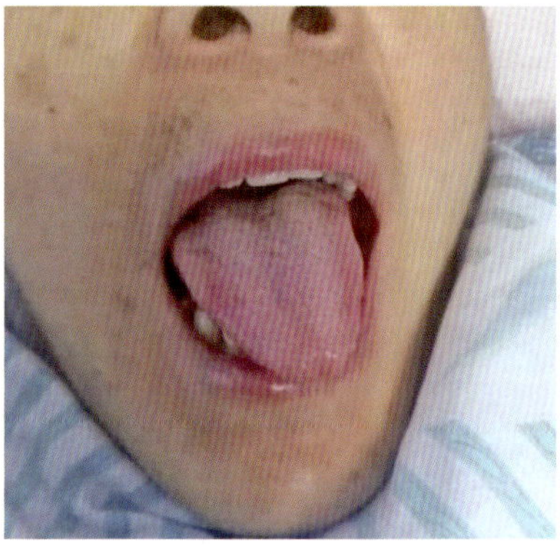

图 20　治疗后舌象
（2019 年 10 月 21 日）

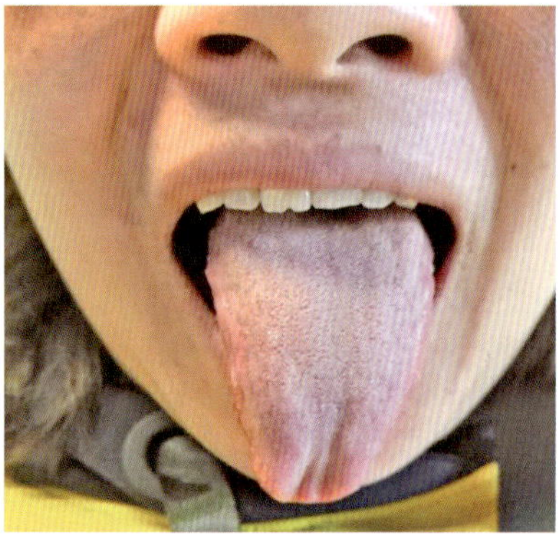

图 21　治疗前舌象
（2019 年 11 月 19 日）

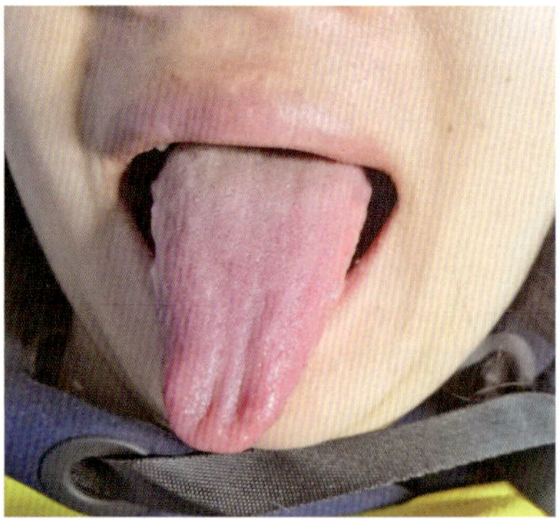

图 22　治疗中舌象
（2019 年 11 月 22 日）

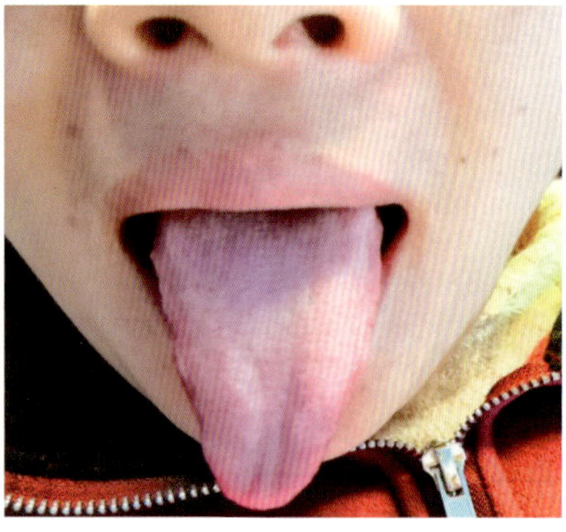

图 23　治疗后舌象
（2019 年 11 月 25 日）

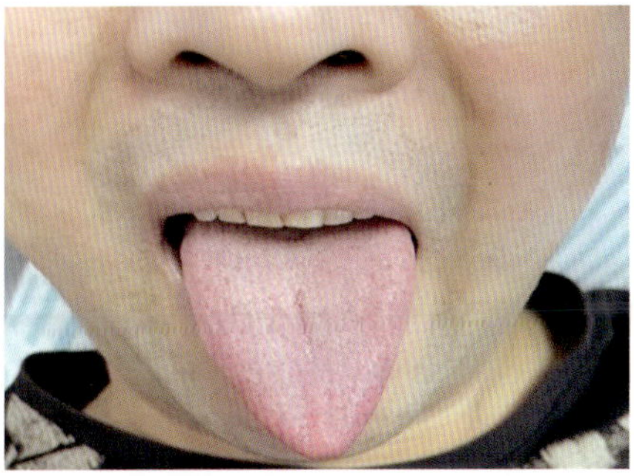

图 24　治疗前舌象
（2021 年 6 月 16 日）

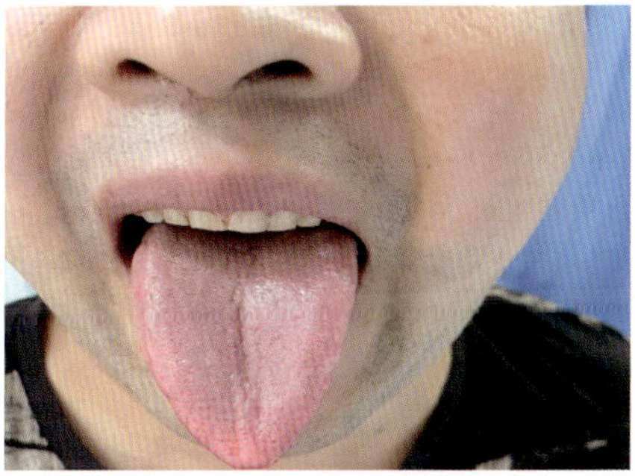

图 25　治疗中舌象
（2021 年 6 月 17 日）

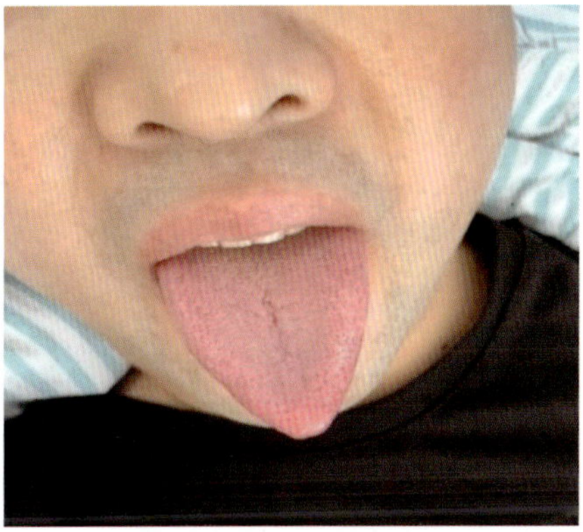

图 26　治疗中舌象
（2021 年 6 月 19 日）

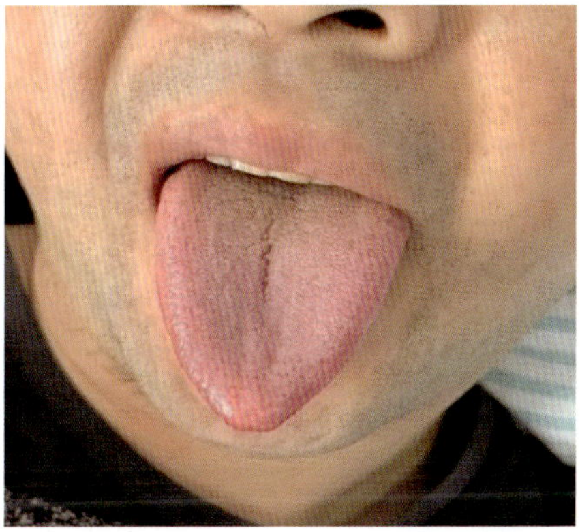

图 27　治疗后舌象
（2021 年 6 月 21 日）

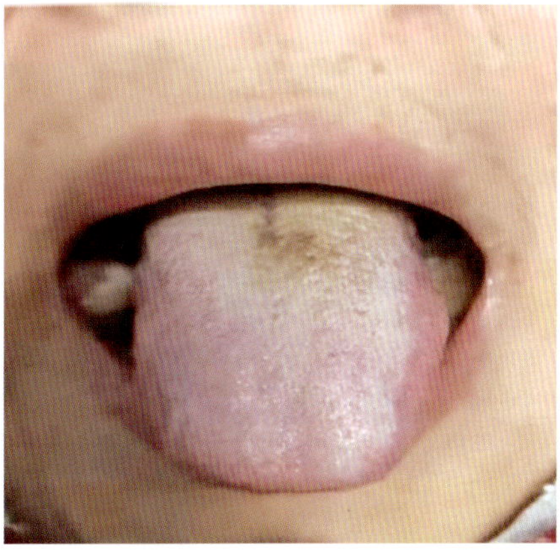

图 28　治疗前舌象
（2019 年 11 月 11 日）

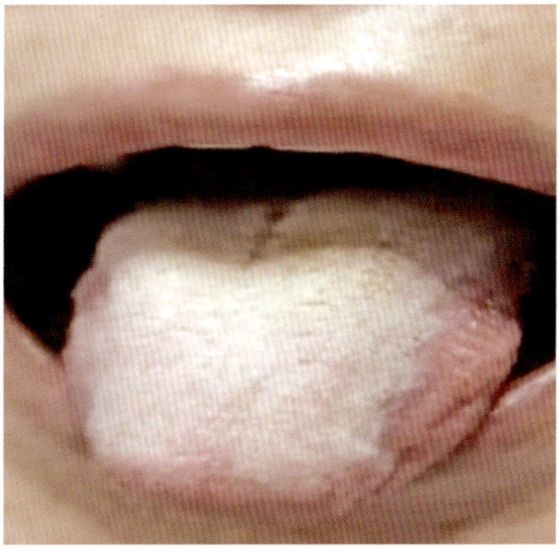

图 29　治疗中舌象
（2019 年 11 月 12 日）

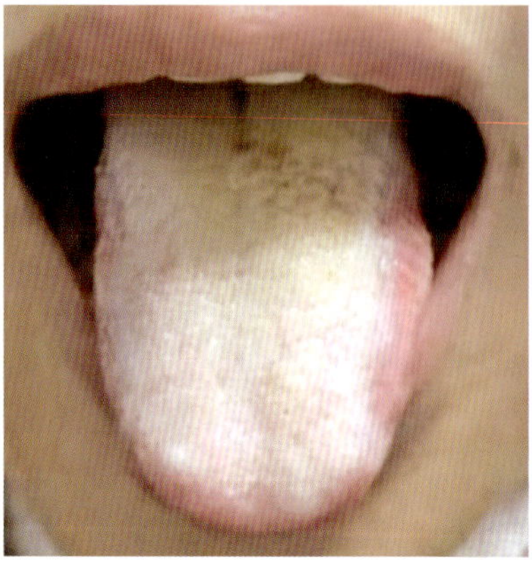

图 30　治疗中舌象
（2019 年 11 月 13 日）

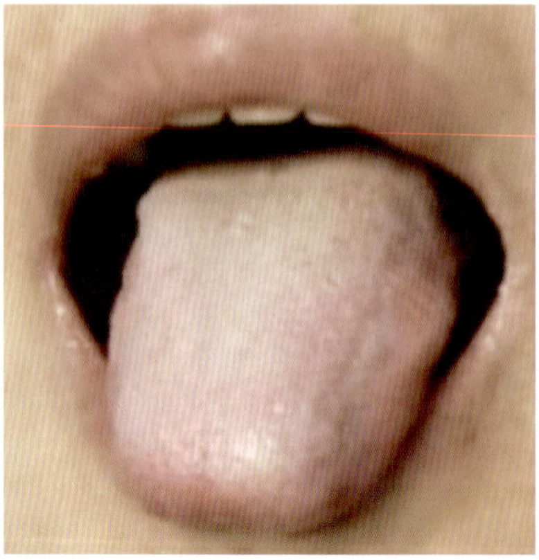

图 31　治疗后舌象
（2019 年 11 月 15 日）

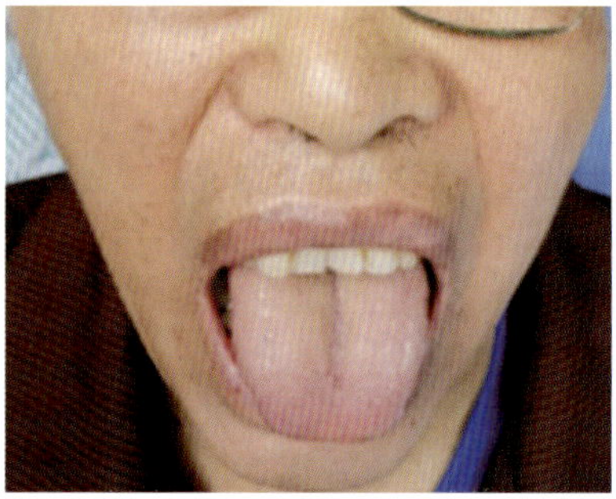

图 32　治疗前舌象
（2019 年 4 月 24 日）

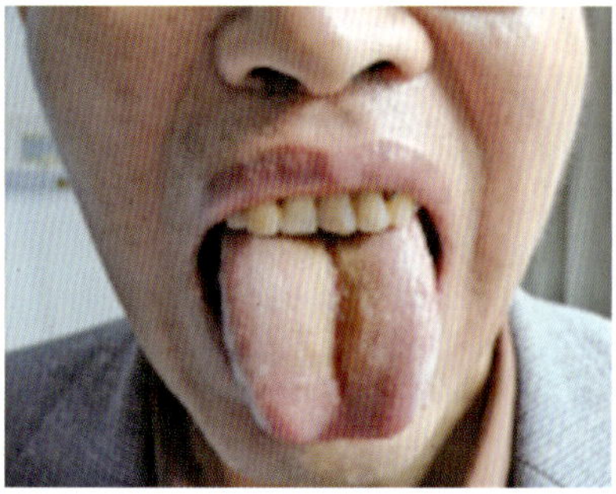

图 33　治疗中舌象
（2019 年 4 月 30 日）

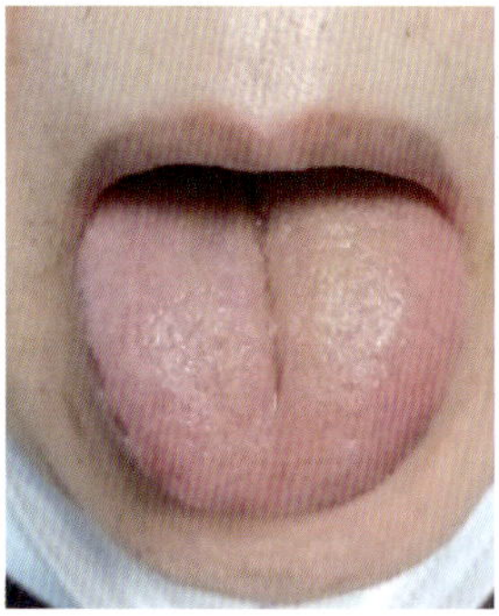

图 34　治疗后舌象
（2019 年 5 月 4 日）

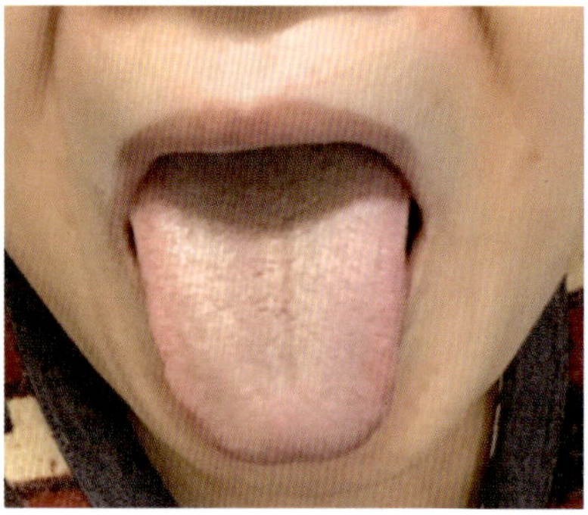

图 35　治疗前舌象
（2020 年 4 月 28 日）

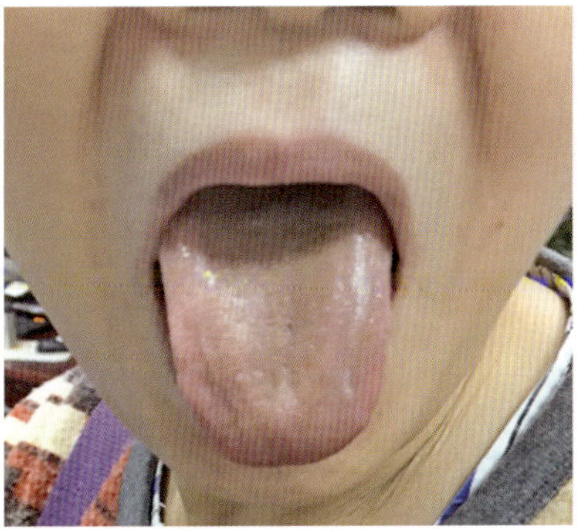

图 36　治疗后舌象
（2020 年 5 月 5 日）

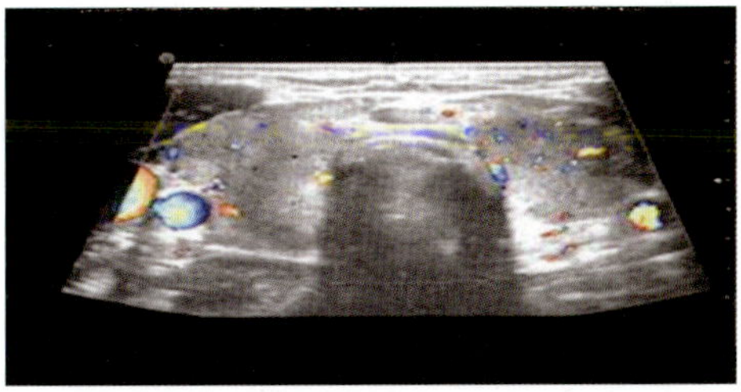

图 37　甲状腺超声（2019 年 6 月 9 日）
甲状腺增大，实质回声不均质，血供较丰富

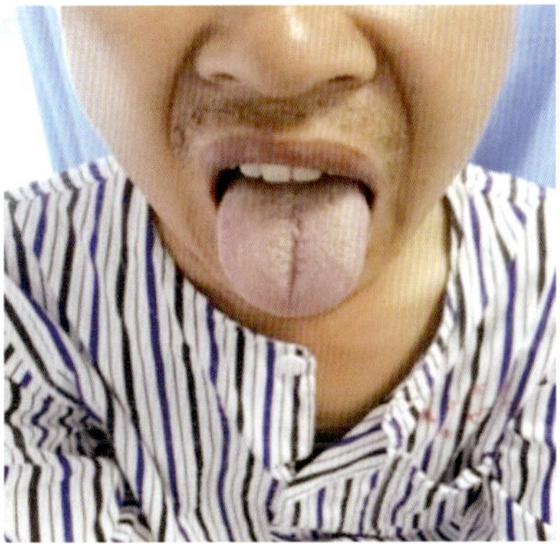

图 38　治疗前舌象（2019 年 6 月 9 日）

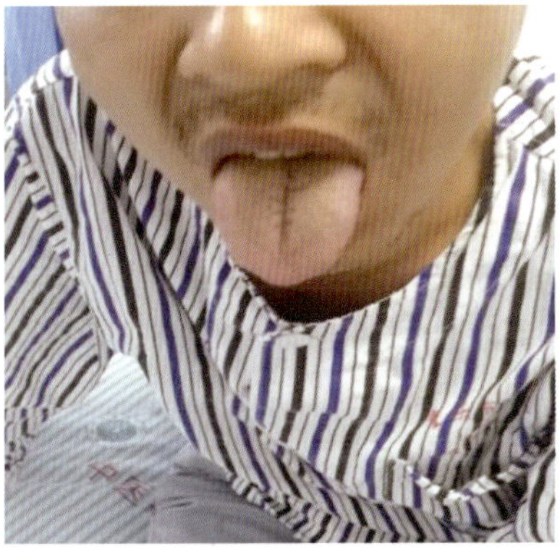

图 39　治疗中舌象((2019 年 6 月 10 日)

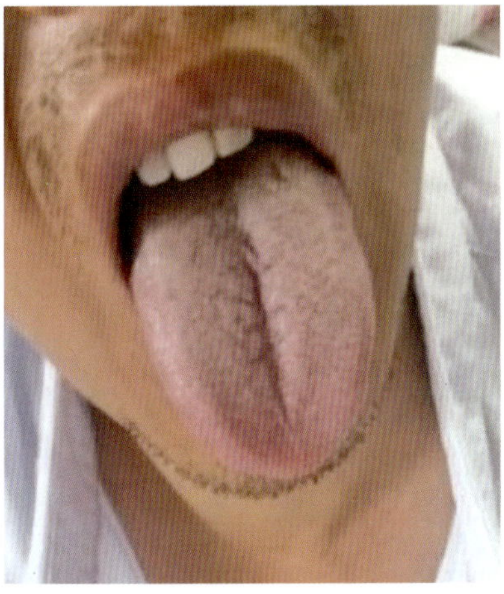

图 40　治疗后舌象（2019 年 6 月 14 日）

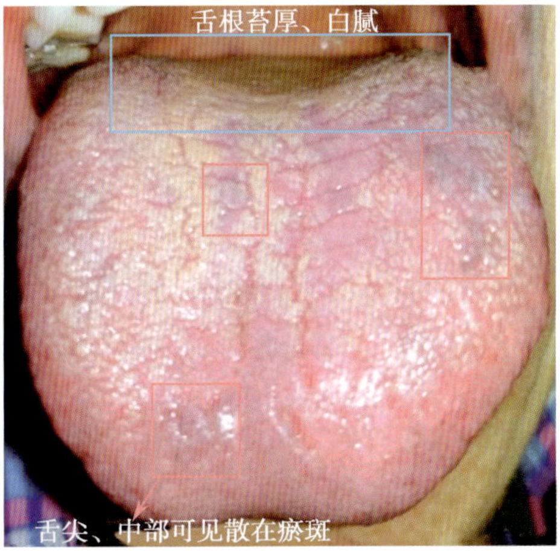

图 41　治疗前舌象（2019 年 11 月 18 日）

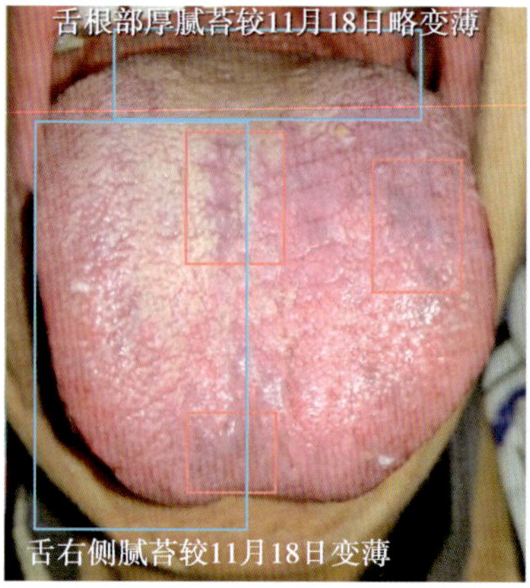

图 42　治疗中舌象(2019 年 11 月 19 日)

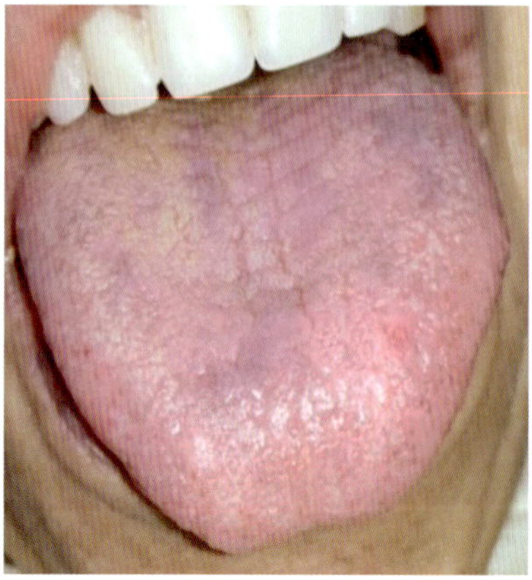

图 43　治疗后舌象(2019 年 11 月 21)

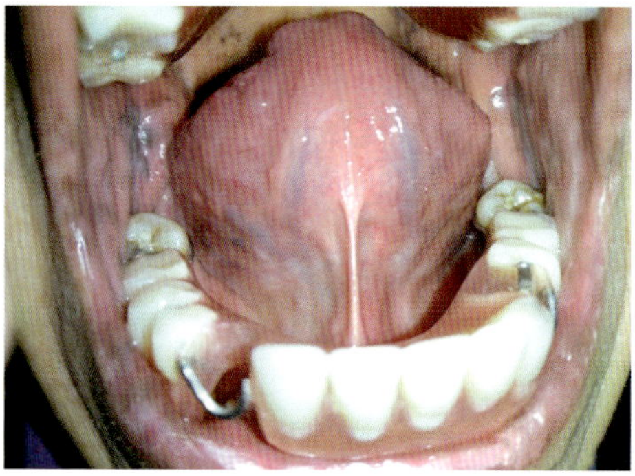

图 44　治疗前舌象(2019 年 11 月 18 日)

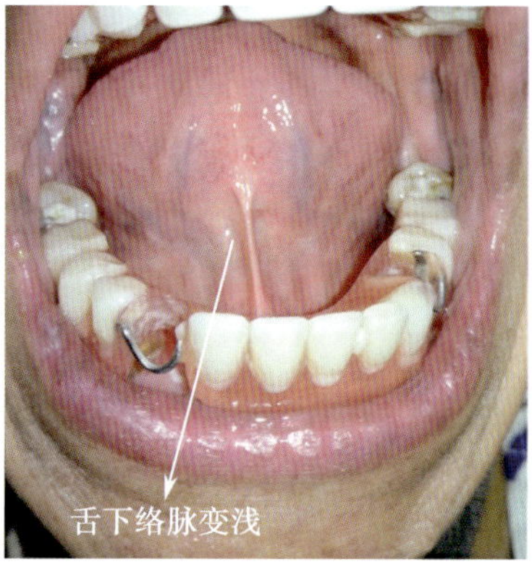

图 45　治疗后舌象(2019 年 11 月 19 日)

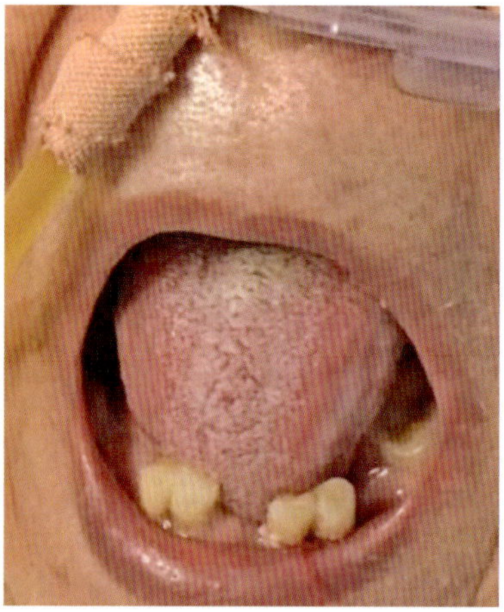

图 46　治疗前舌象(2021 年 1 月 15 日)

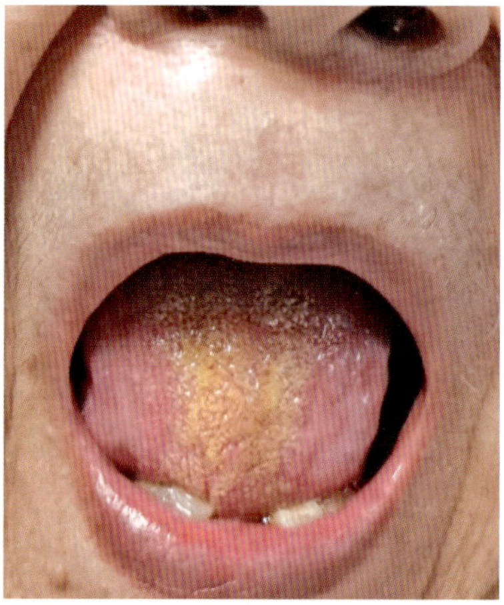

图 47　治疗后舌象(2021 年 1 月 19 日)

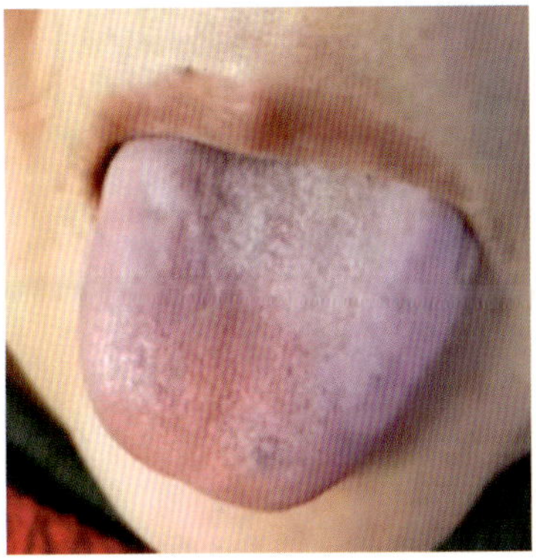

图 48　患者舌象
（2021 年 1 月 7 日）

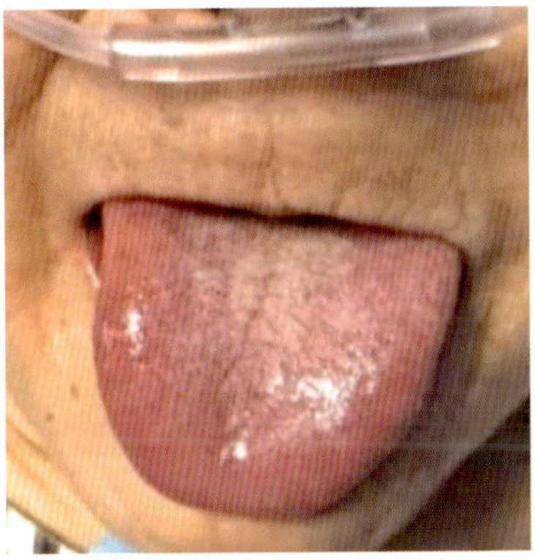

图 49　治疗前舌象（2021 年 8 月 21 日）

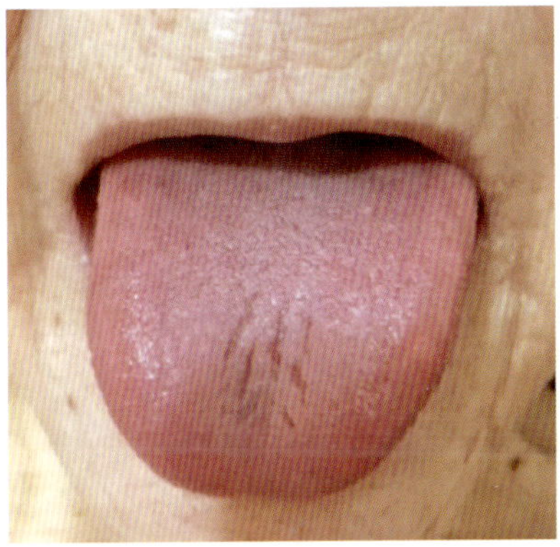

图 50　治疗后舌象（2021 年 9 月 2 日）

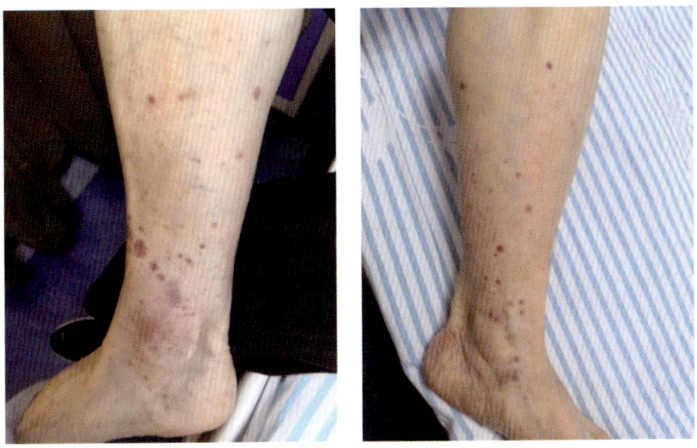

图 51　入院时双下肢图（2020 年 9 月 1 日）

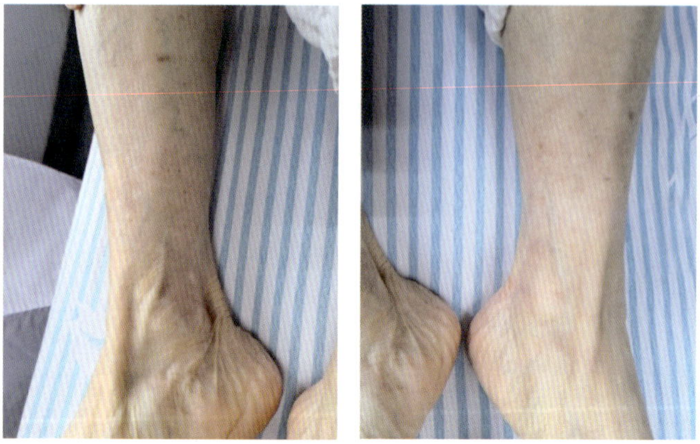

图 52　出院时双下肢图(2020 年 9 月 9 日)

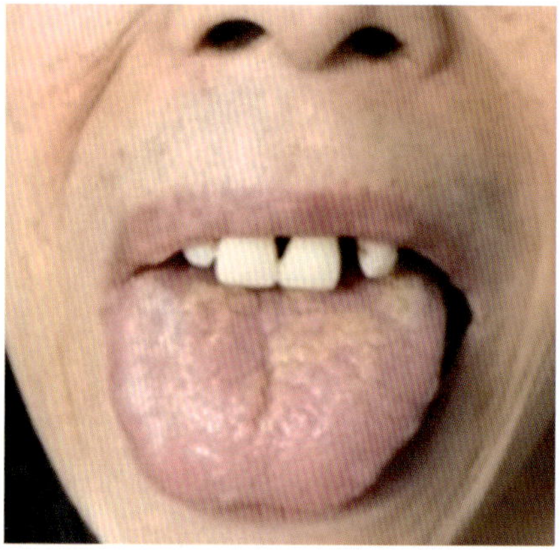

图 53　治疗前舌象
(2020 年 6 月 6 日)

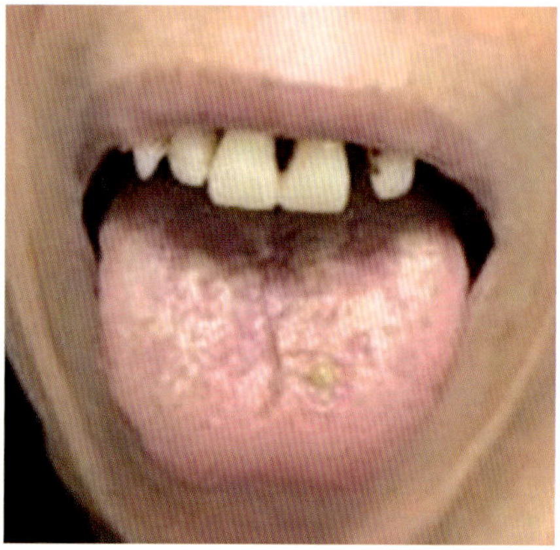

图 54　治疗后舌象
(2020 年 6 月 10 日)

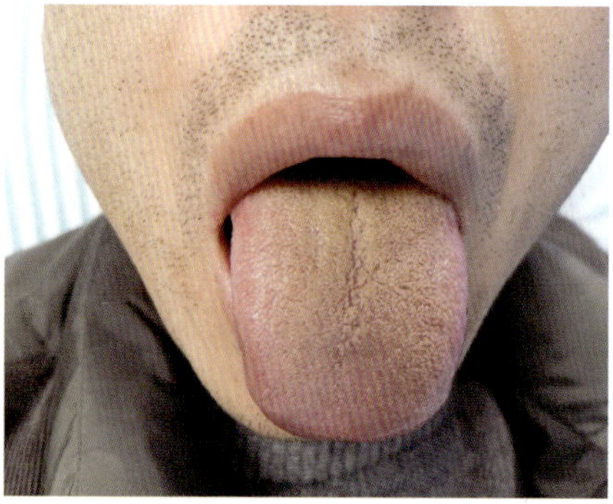

图 55　治疗前舌象
(2019 年 11 月 23 日)

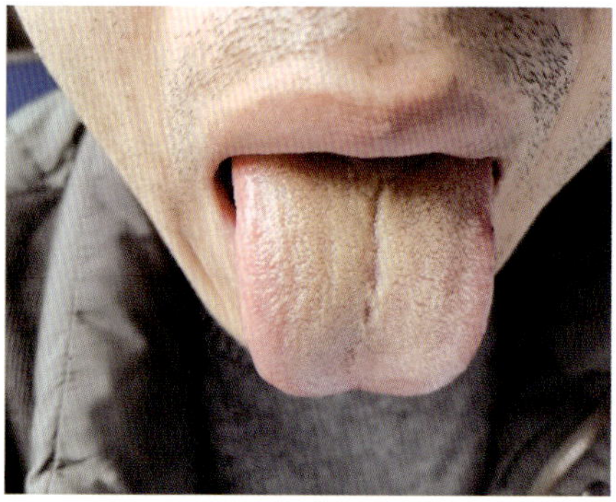

图 56　治疗后舌象
(2019 年 12 月 4 日)

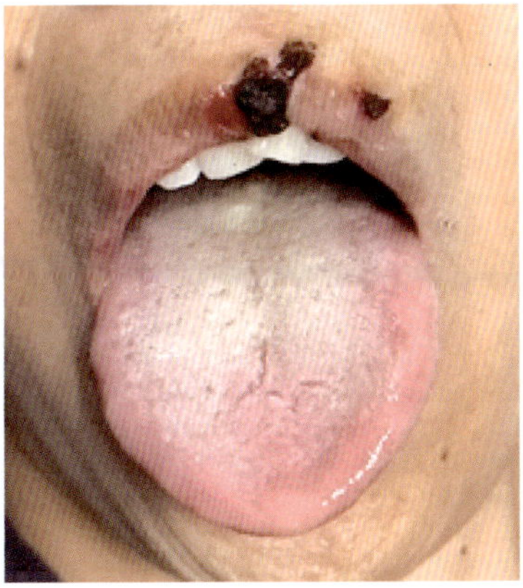

图 57　治疗前舌象
（2019 年 10 月 18 日）

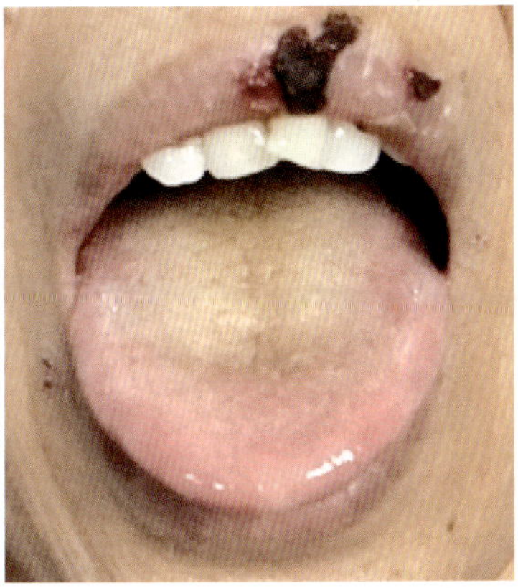

图 58　治疗中舌象
（2019 年 10 月 23 日）

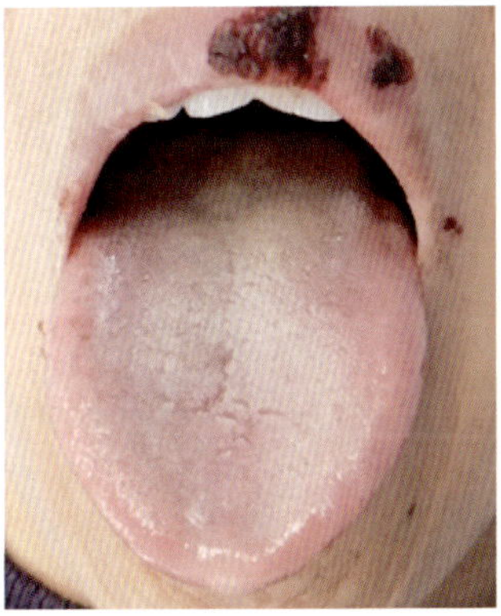

图 59　治疗后舌象
（2019 年 10 月 25 日）

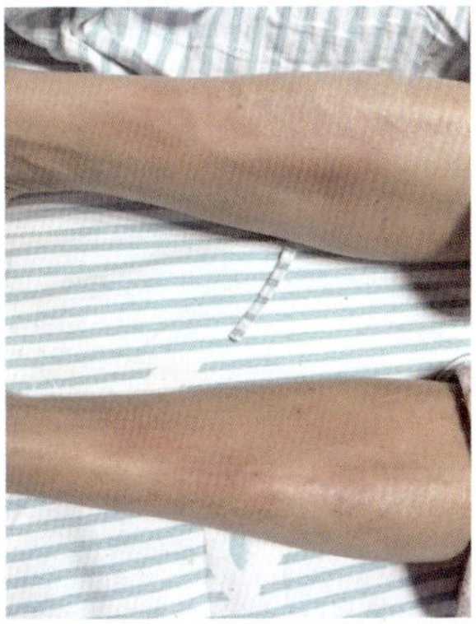

图 60　治疗前双下肢红肿
（2019 年 10 月 18 日）

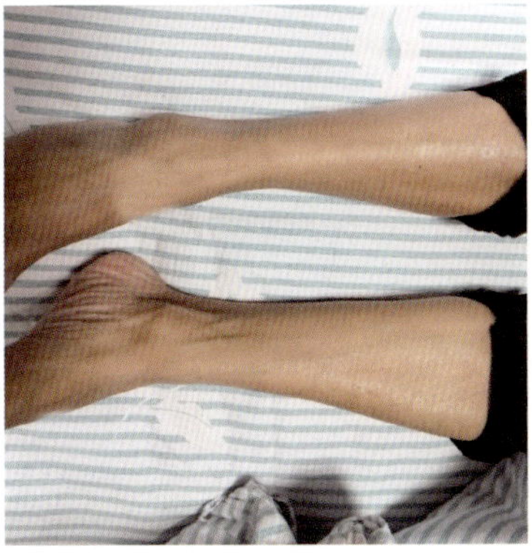

图 61　治疗后双下肢红肿消退
（2019 年 10 月 25 日）

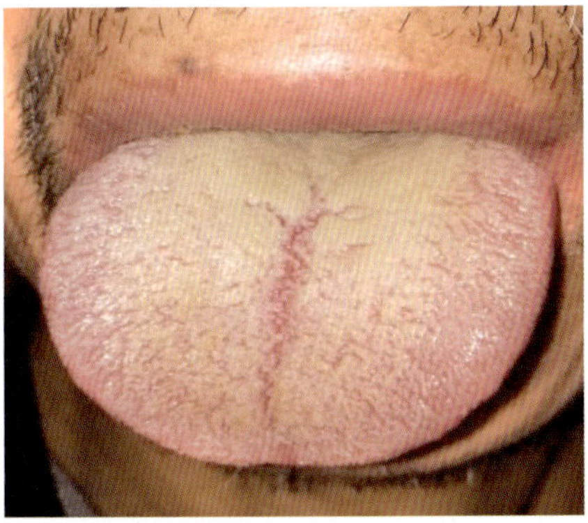

图 62　治疗前舌象
（2019 年 11 月 12 日）

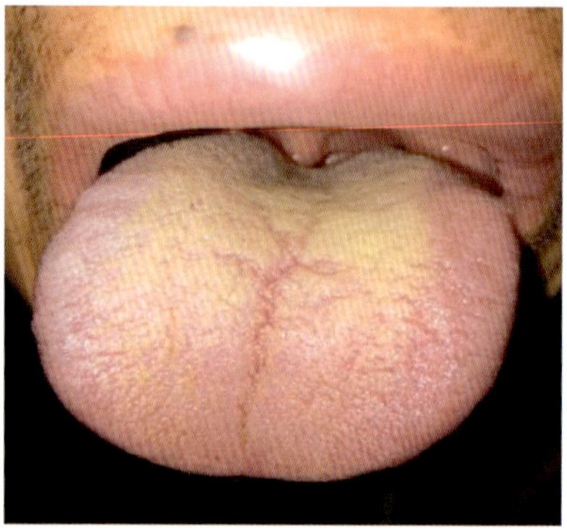

图 63　治疗中舌象
（2019 年 11 月 15 日）

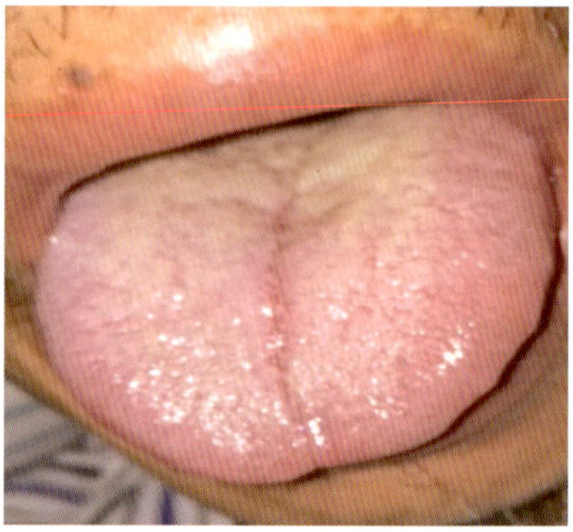

图 64　治疗后舌象
（2019 年 11 月 20 日）

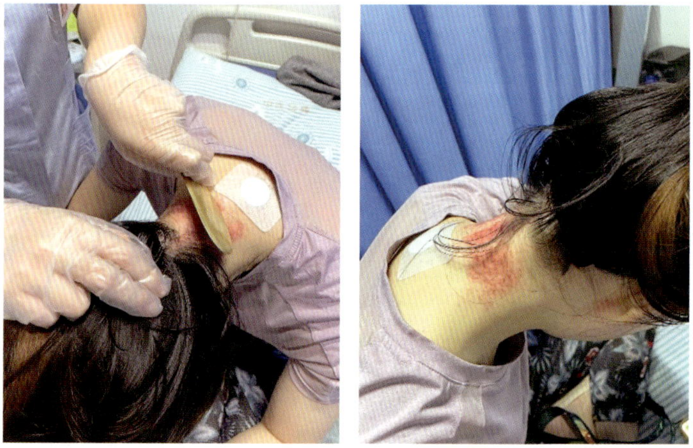

图 65　患者治疗：铜砭刮痧

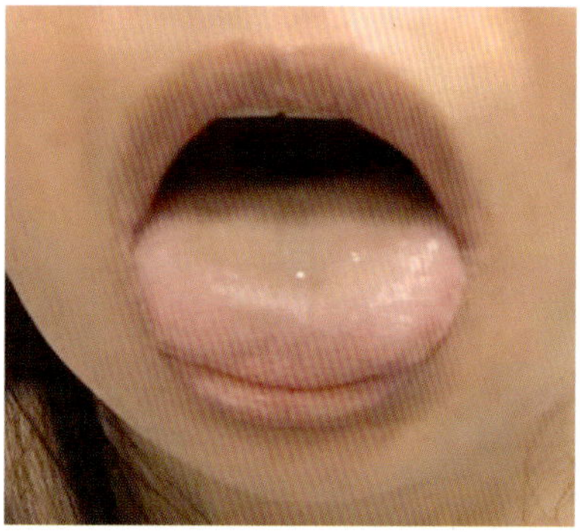

图 66　治疗前舌象
（2021 年 7 月 8 日）

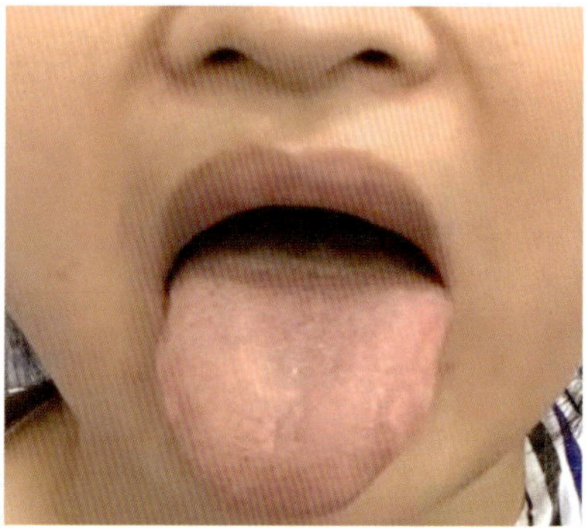

图 67　治疗后舌象
（2021 年 7 月 10 日）

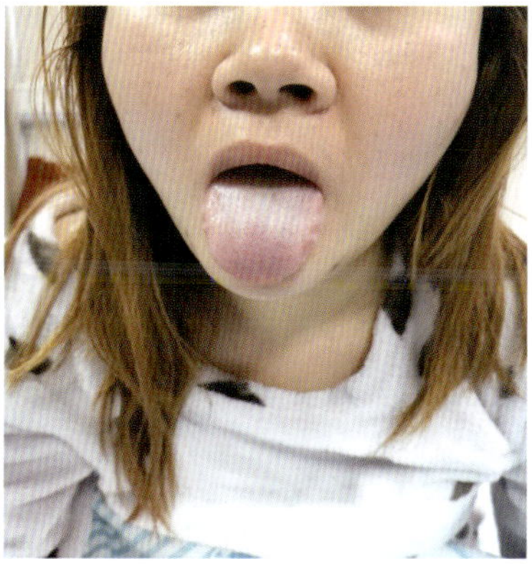

图 68　治疗前舌象
（2020 年 11 月 25 日）

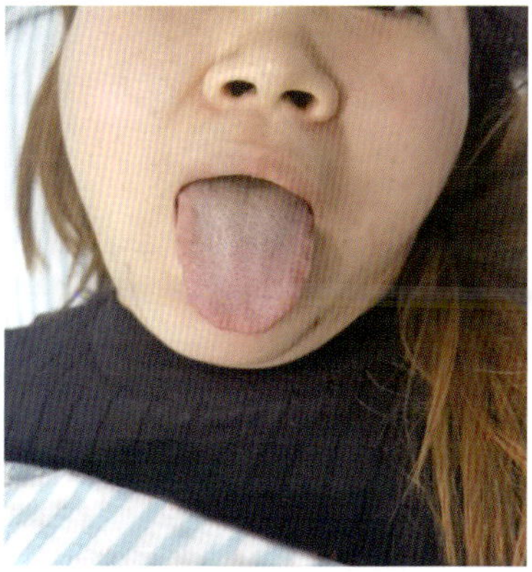

图 69　治疗后舌象
（2020 年 11 月 28 日）

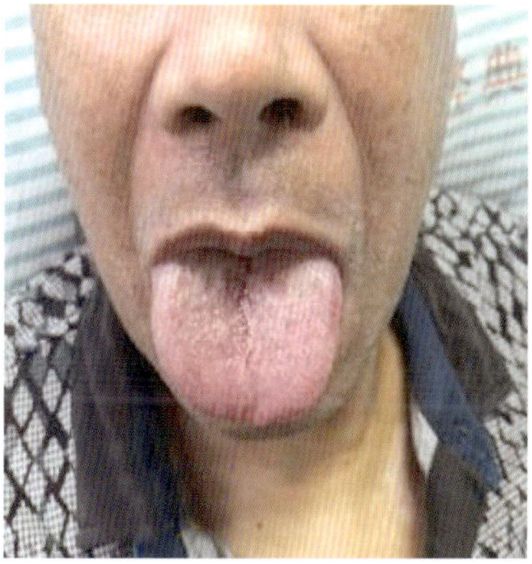

图 70　治疗前舌象
（2019 年 9 月 16 日）

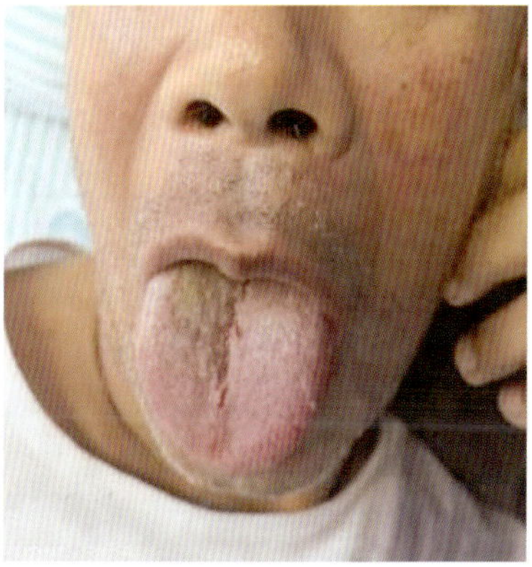

图 71　治疗中舌象
（2019 年 9 月 21 日）

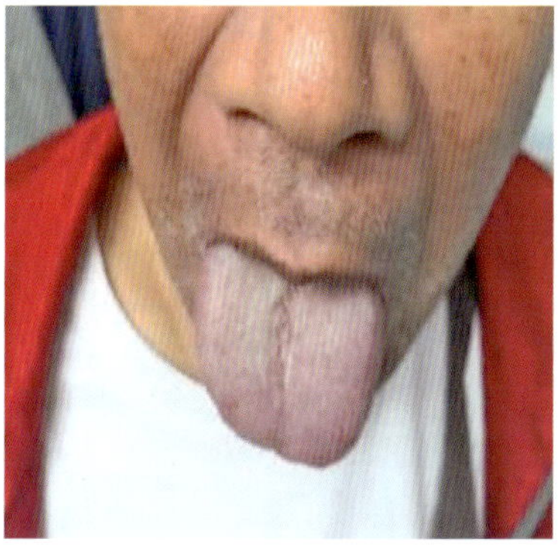

图 72　治疗中舌象
（2019 年 9 月 23 日）

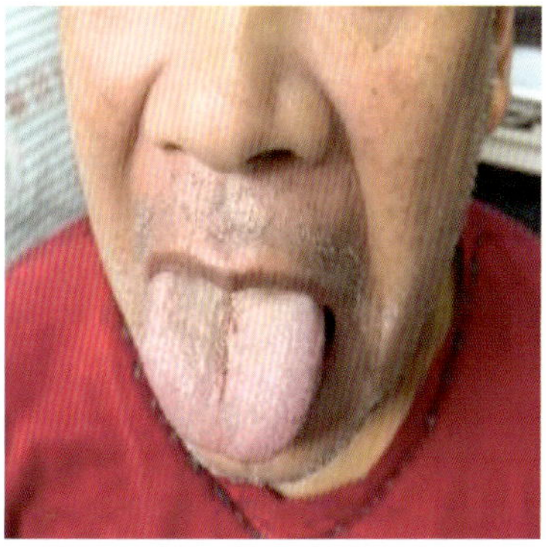

图 73　治疗中舌象
（2019 年 9 月 25 日）

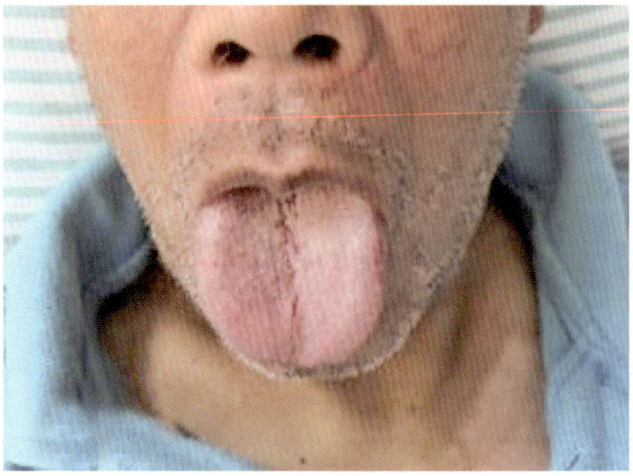

图 74　治疗后舌象
（2019 年 9 月 28 日）

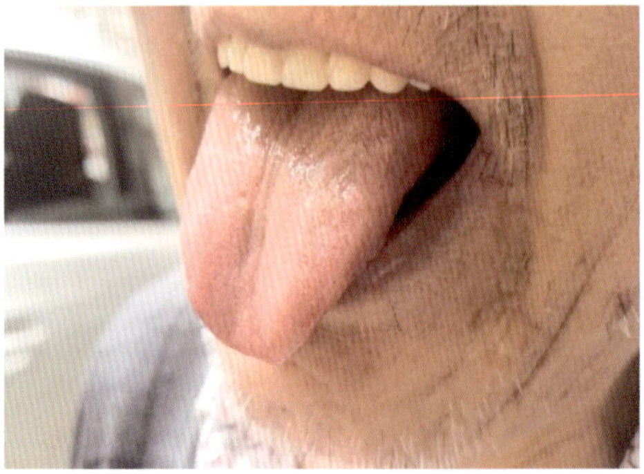

图 75　治疗前舌象
（2021 年 3 月 28 日）

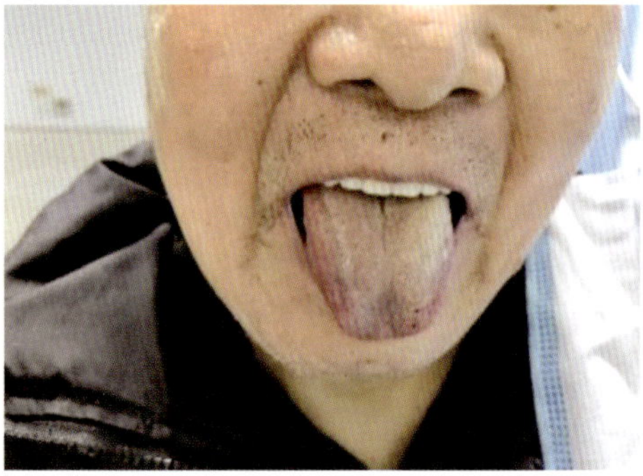

图 76　治疗中舌象
（2021 年 4 月 6 日）

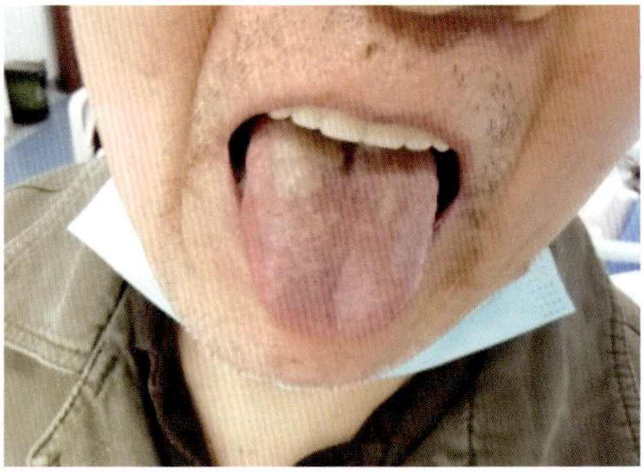

图 77　治疗后舌象
（2021 年 5 月 6 日）

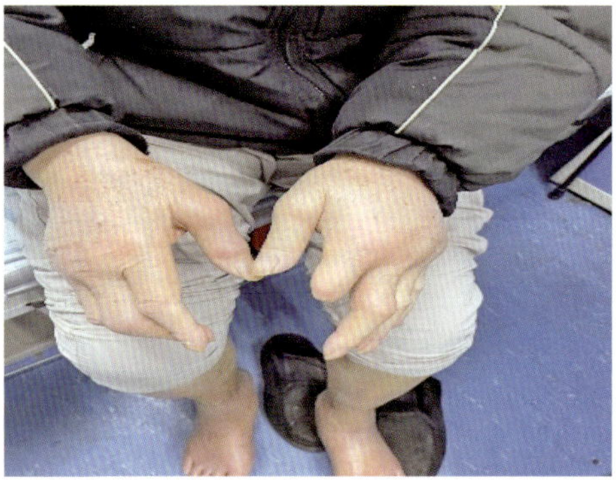

图 78　治疗前双手
（2021 年 3 月 28 日）

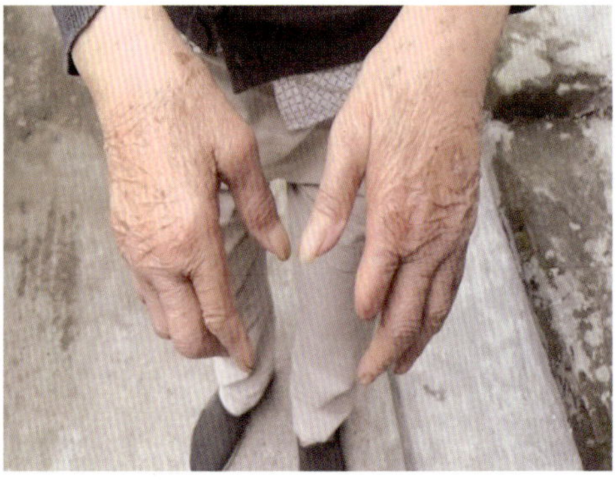

图 79　治疗后双手
（2021 年 5 月 6 日）

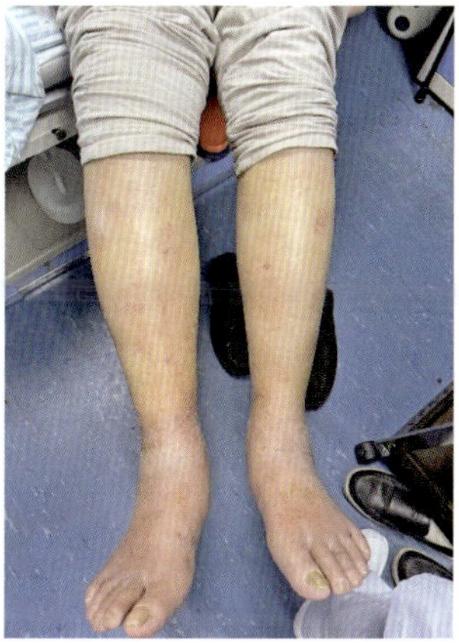

图 80　治疗前双下肢
（2021 年 3 月 28 日）

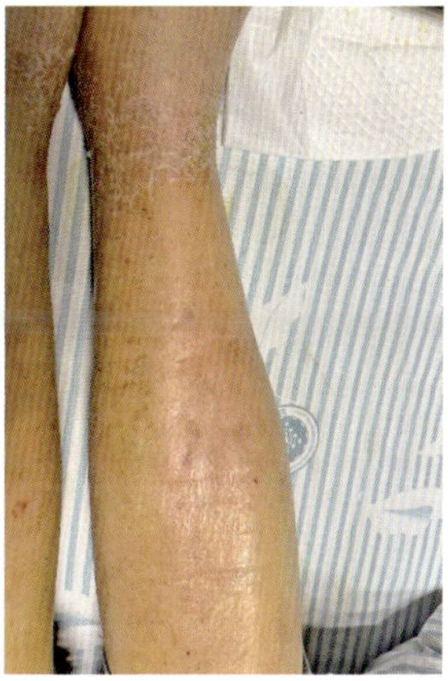

图 81　治疗中双下肢
（2021 年 4 月 6 日）

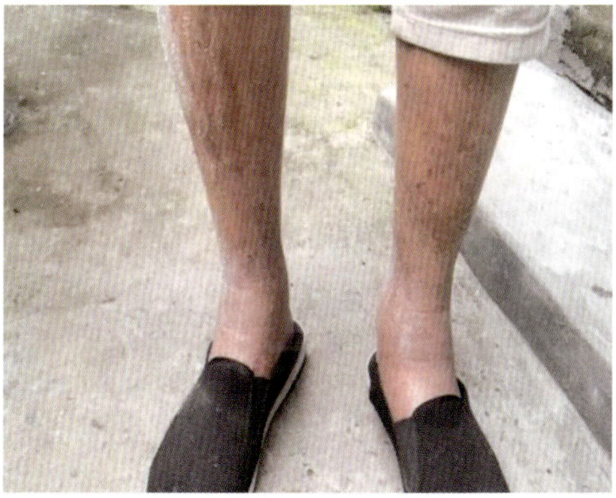

图 82　治疗后双下肢
（2021 年 5 月 6 日，家属拍摄）

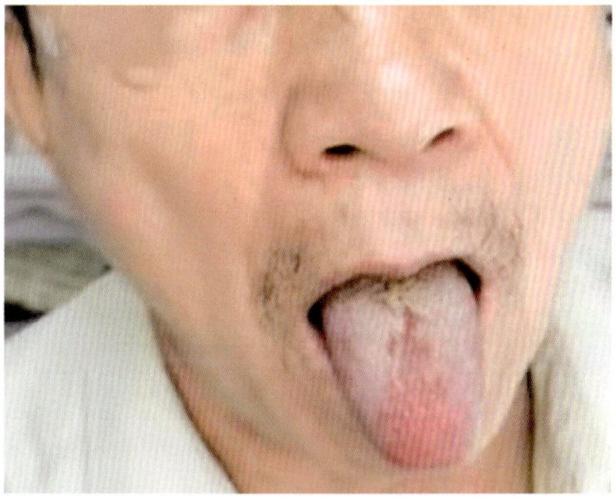

图 83　治疗前舌象
（2022 年 7 月 4 日）

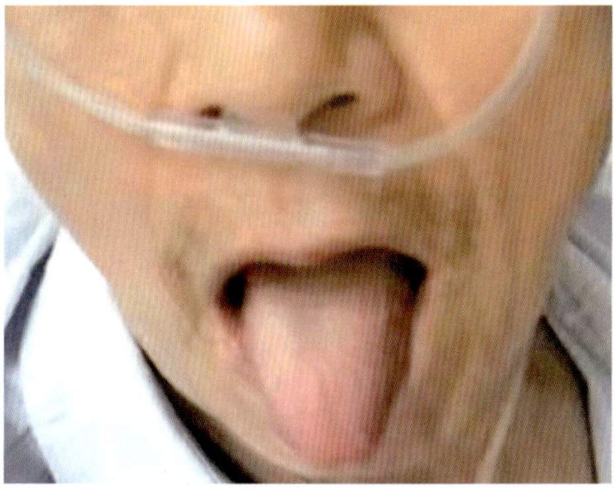

图 84　治疗后舌象
（2022 年 7 月 8 日）

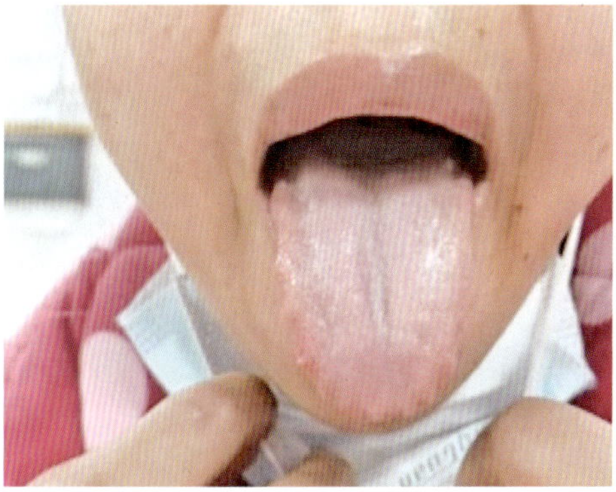

图 85　治疗前舌象
（2022 年 2 月 23 日）

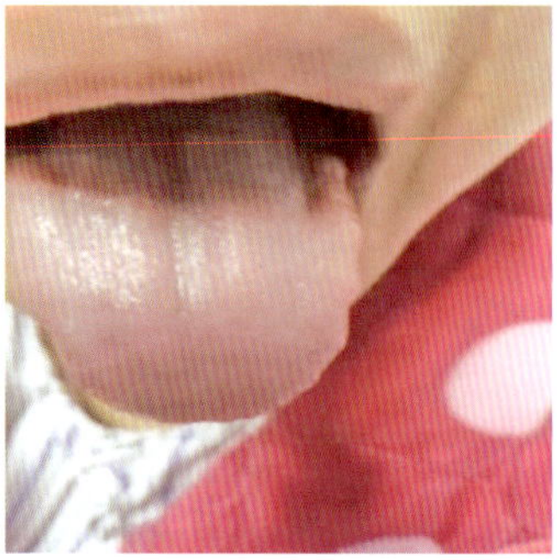
图 86　治疗中舌象
（2022 年 2 月 27 日）

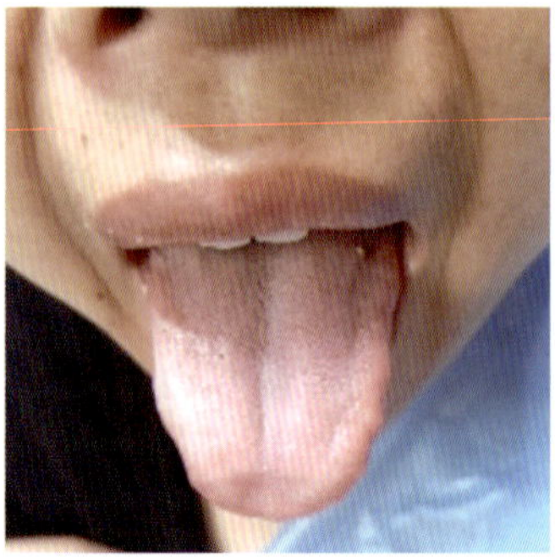
图 87　治疗后舌象
（2022 年 3 月 1 日）

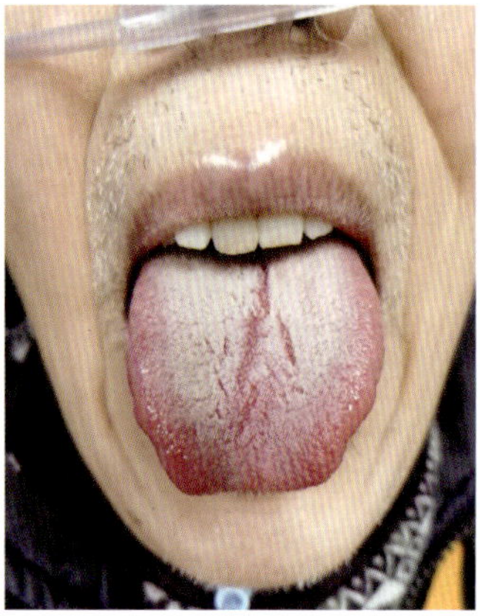
图 88　治疗前舌象
（2022 年 2 月 11 日）

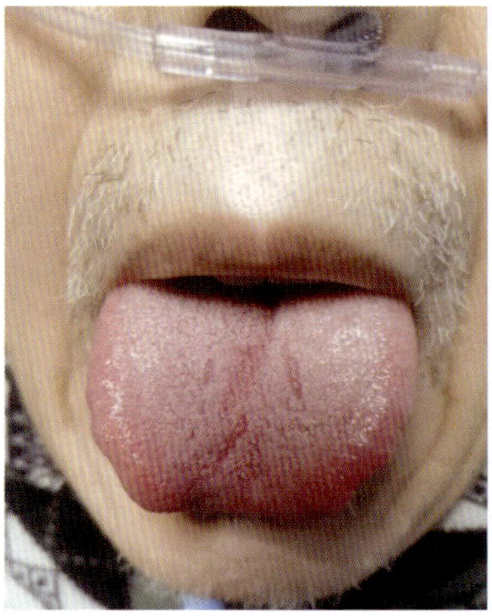
图 89　治疗中舌象
（2022 年 2 月 15 日）

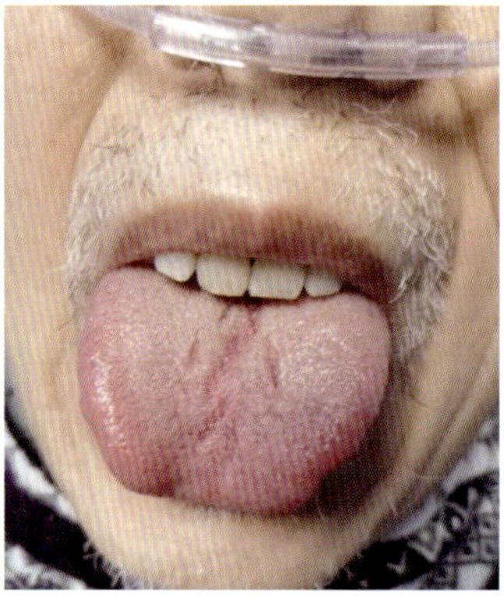
图 90　治疗后舌象
（2022 年 2 月 17 日）

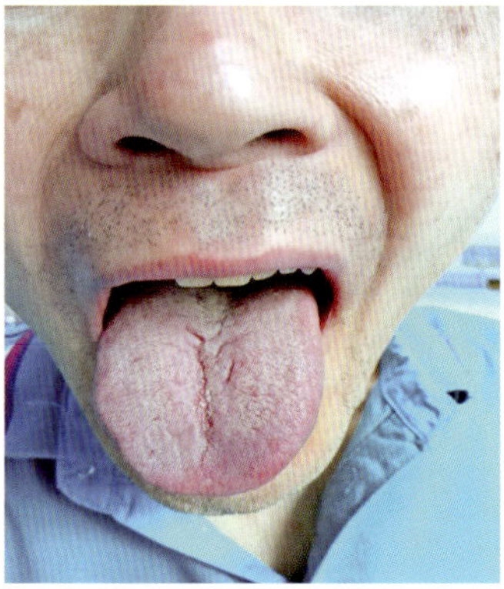
图 91　治疗前舌象
（2021 年 6 月 30 日）

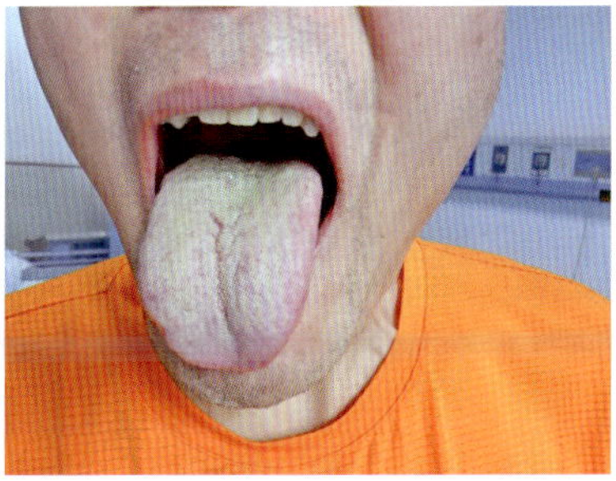

图 92　治疗中舌象
（2021 年 7 月 2 日）

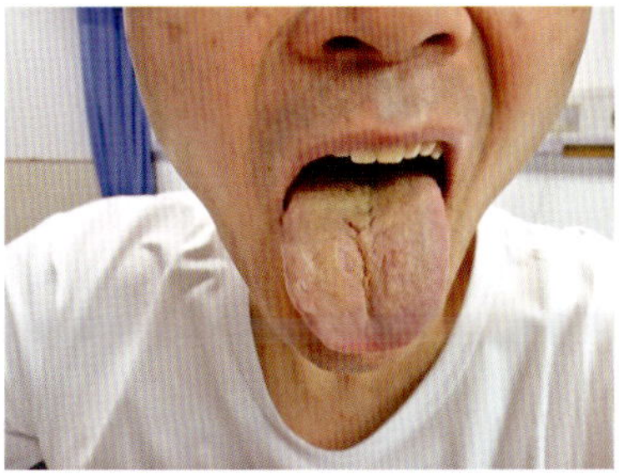

图 93　治疗后舌象
（2021 年 7 月 7 日）

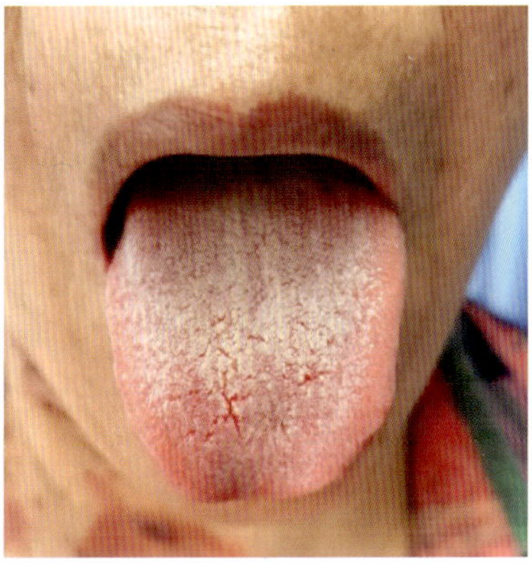

图 94　治疗前舌象
（2022 年 5 月 5 日）

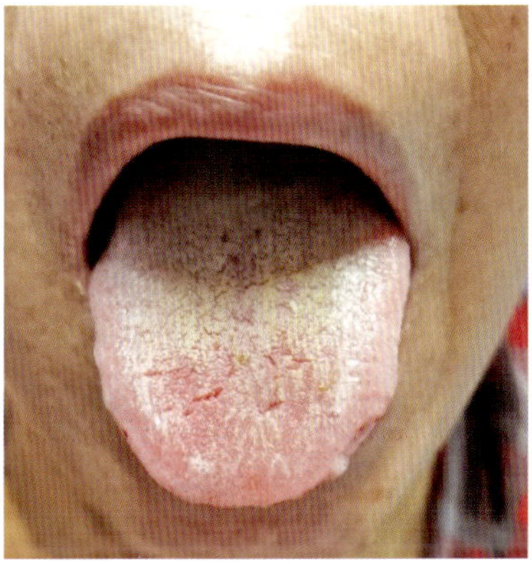

图 95　治疗中舌象
（2022 年 5 月 8 日）

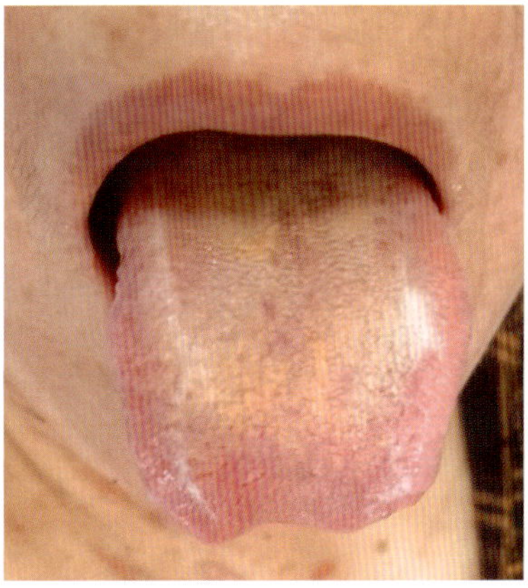

图 96　治疗后舌象
（2022 年 5 月 11 日）

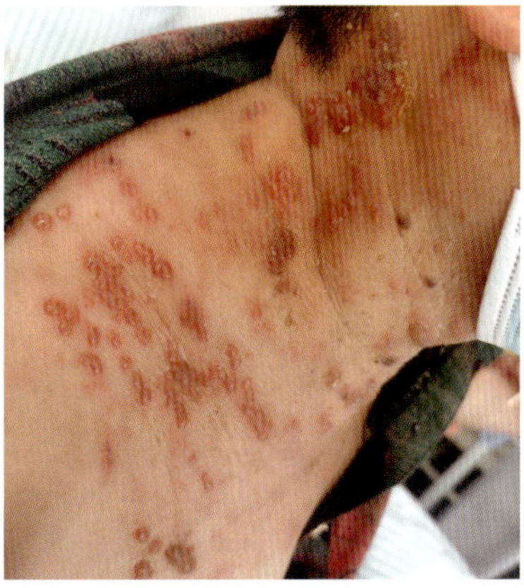

图 97　治疗前皮肤
（2022 年 5 月 4 日）

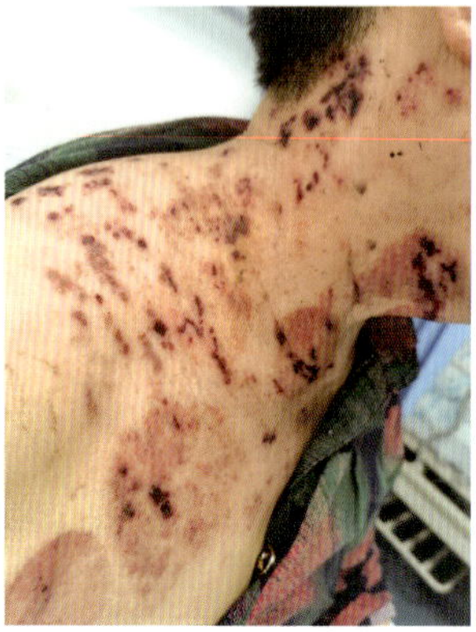

图 98　治疗中皮肤
（2022 年 5 月 5 日）

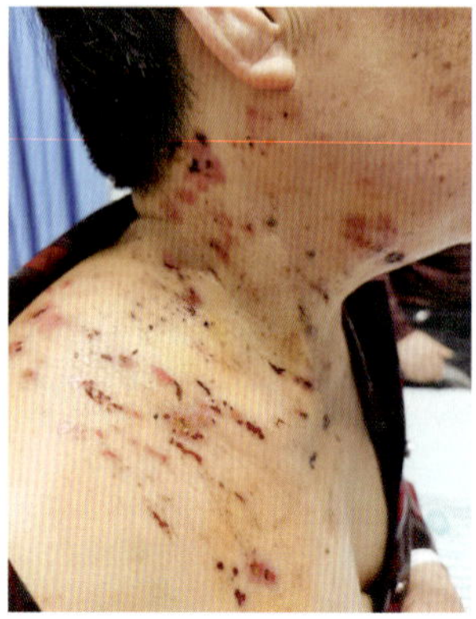

图 99　治疗中皮肤
（2022 年 5 月 9 日）

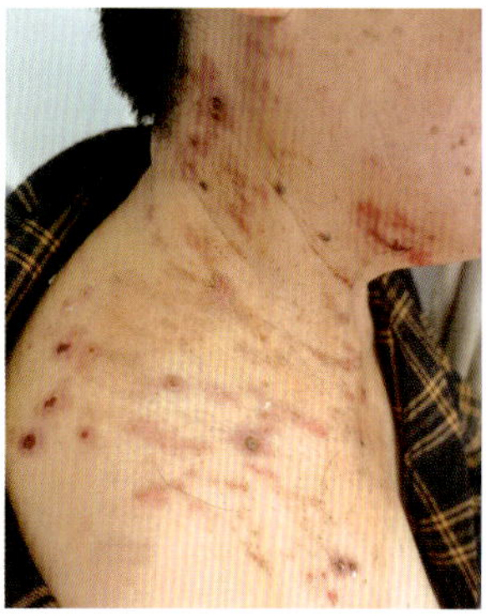

图 100　治疗后皮肤
（2022 年 5 月 12 日）

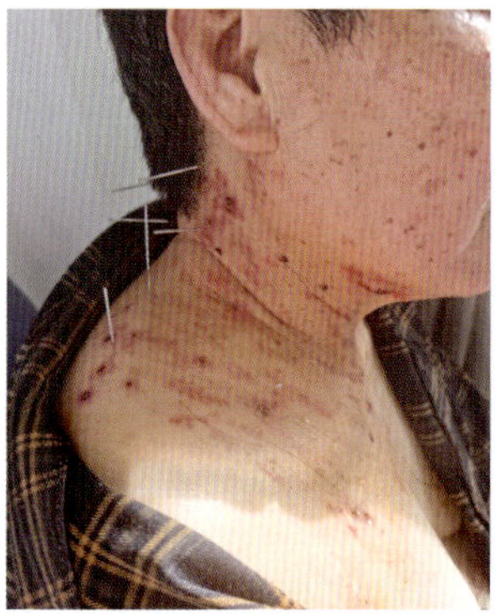

图 101　针刺治疗

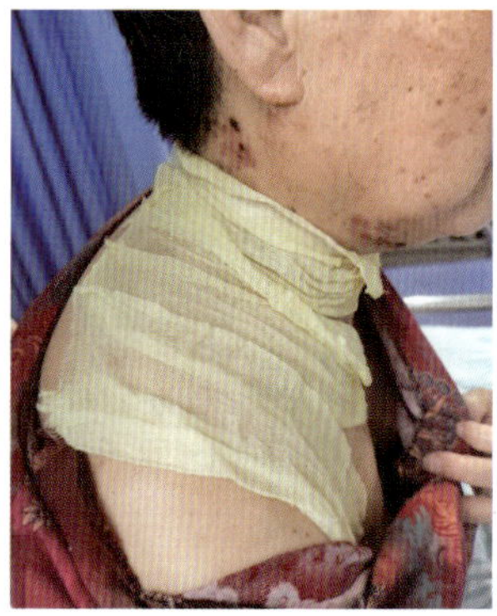

图 102　中药塌渍

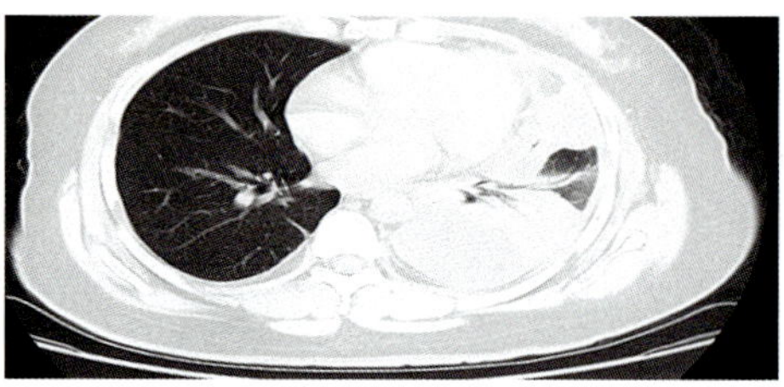

图 103　治疗前胸部 CT
（2021 年 5 月 31 日）
右肺中叶内侧段及双肺下叶炎症，左肺部分实变。左侧胸腔积液，部分包裹

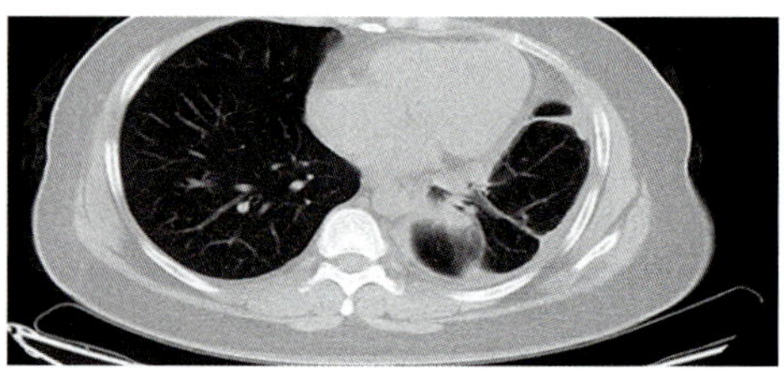

图 104　治疗后胸部 CT
（2021 年 6 月 21 日）
胸腔积液明显吸收，双肺炎症较前明显减轻

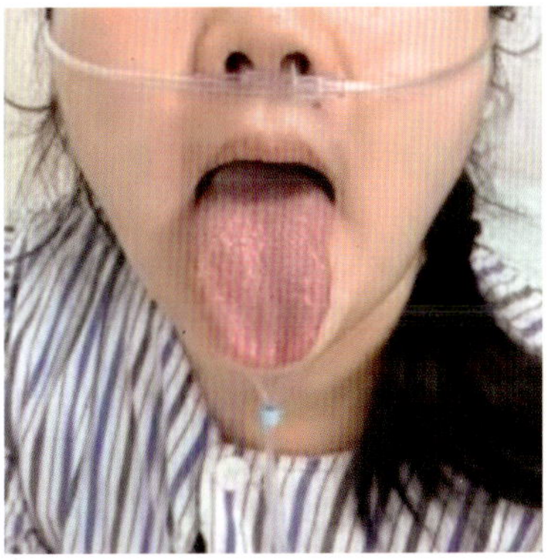

图 105　治疗前舌象
（2021 年 5 月 31 日）

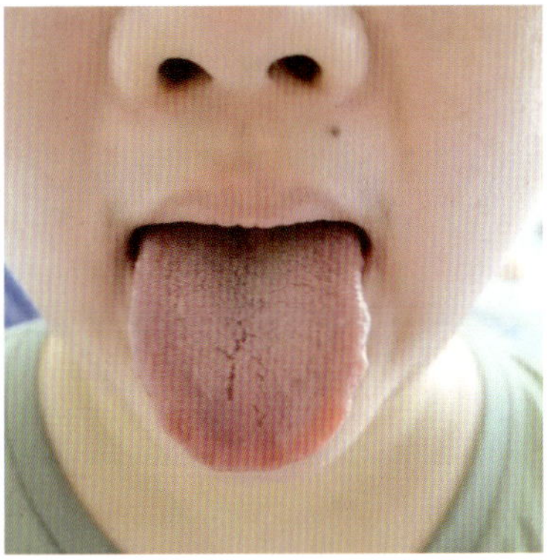

图 106　治疗后舌象
（2021 年 6 月 21 日）

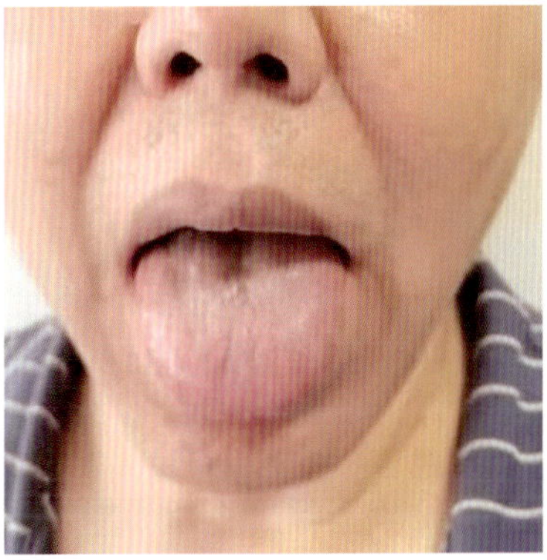

图 107　治疗前舌象
（2021 年 7 月 12 日）

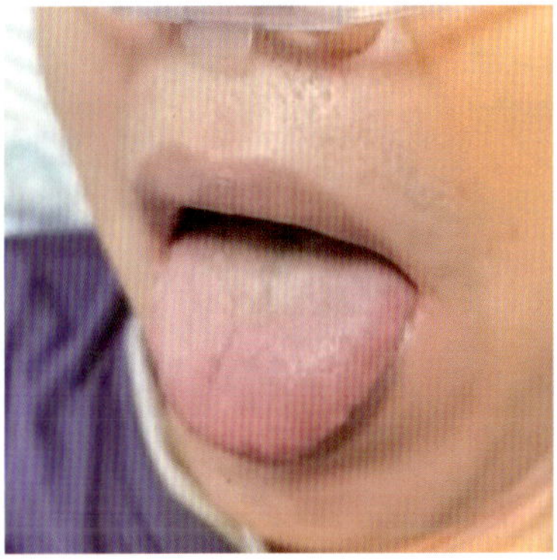

图 108　治疗后舌象
（2021 年 7 月 28 日）

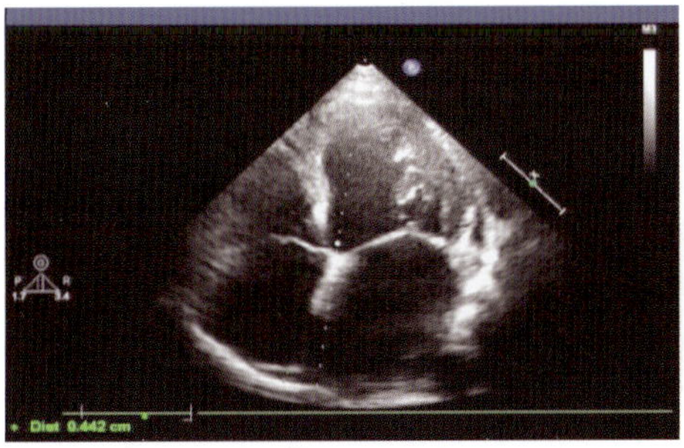

图 109　治疗前心脏彩超
（2021 年 7 月 12 日）

全心增大；二尖瓣及三尖瓣少 - 中量反流，主动脉瓣少量反流；中度肺动脉收缩压增高(51mmHg)；左室收缩功能减退（重度），左室舒张功能减退，EF 30%

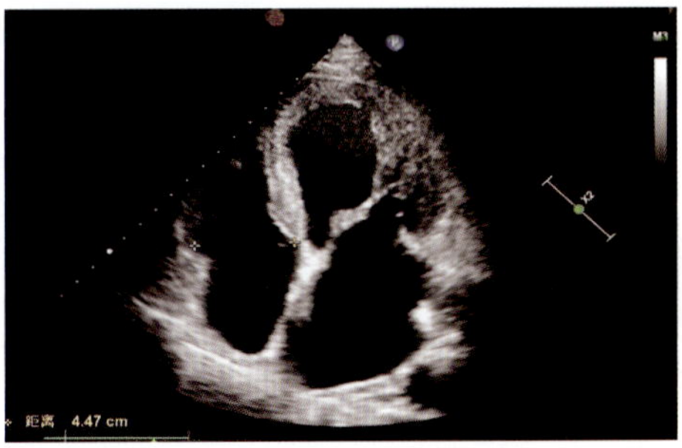

图 110　治疗后心脏彩超
（2021 年 7 月 28 日）

左心及右房增大，左室舒张末内径 63mm；室间隔运动幅度降低；二尖瓣、三尖瓣大量反流；肺动脉收缩压升高(49mmHg)；左心功能减退，舒张功能不全（Ⅱ级），左心房压升高，EF 45%

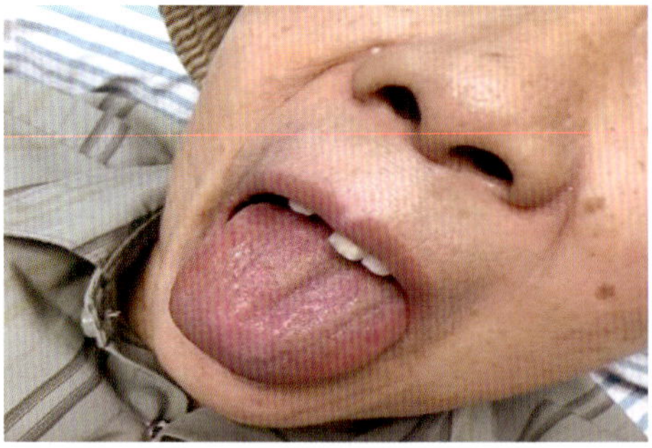

图 111　患者舌象（2019 年 7 月 28 日）

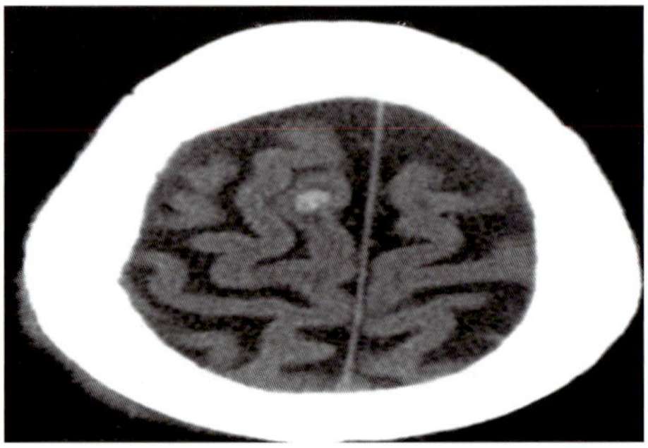

图 112　治疗前头颅 CT
（2019 年 7 月 29 日）
右侧额叶小结节状高密度影，不除外血肿形成，右顶部头皮软组织肿胀

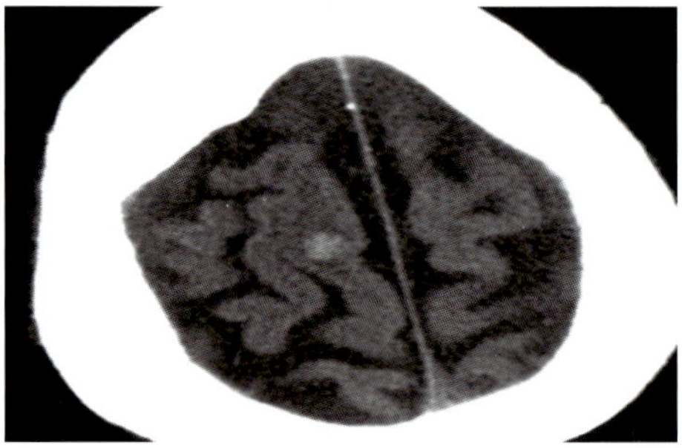

图 113　治疗中头颅 CT（2019 年 8 月 5 日）
右侧额顶叶交界区少许出血灶，较前片（2019 年 7 月 29 日）病灶密度减低；蛛网膜下腔出血，较前片变化不明显；右侧额颞顶部颅骨内部下征象，不除外硬膜下积液

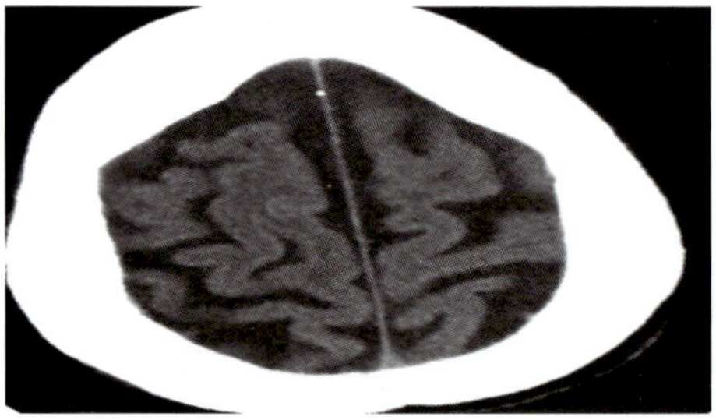

图 114　治疗后头颅 CT
（2019 年 8 月 12 日）
右侧额顶叶交界区少许出血灶，较旧片（2019 年 8 月 5 日）有明显吸收

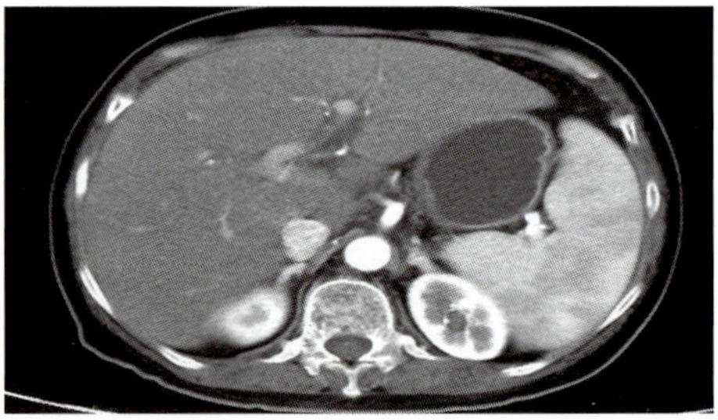

图 115　全腹部 + 盆腔 CT
（2019 年 8 月 12 日）
肝右叶前上段小结节，考虑血管瘤；胆囊壁明显增厚，胆囊炎？脾大，左肾囊肿，腹主动脉、双侧髂动脉、脾动脉钙化，子宫动脉钙化斑块，扫及双侧胸腔少量积液，肺间质改变

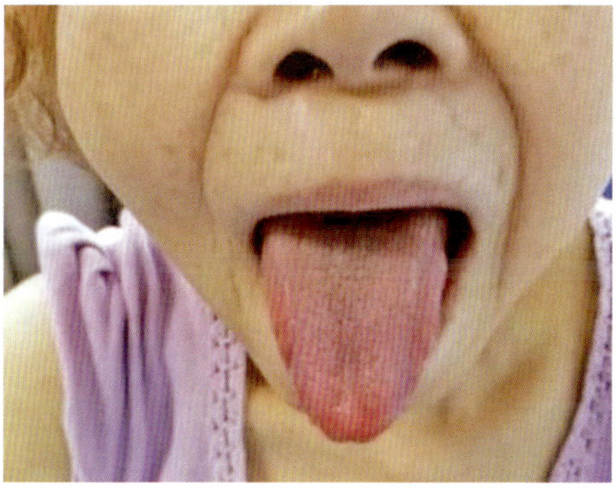

图 116　治疗前舌象
（2019 年 8 月 12 日）

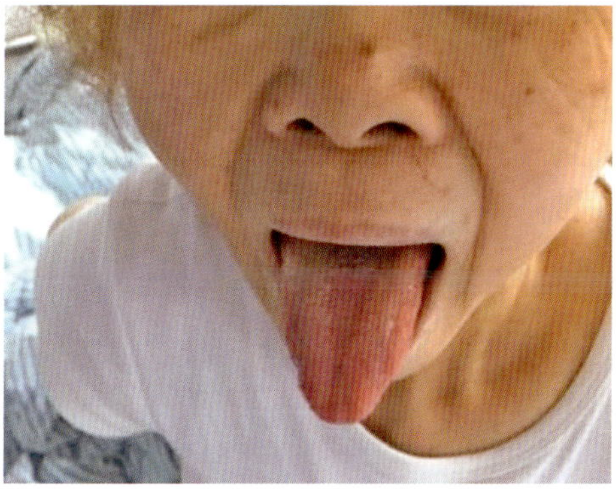

图 117　治疗中舌象
（2019 年 8 月 19 日）

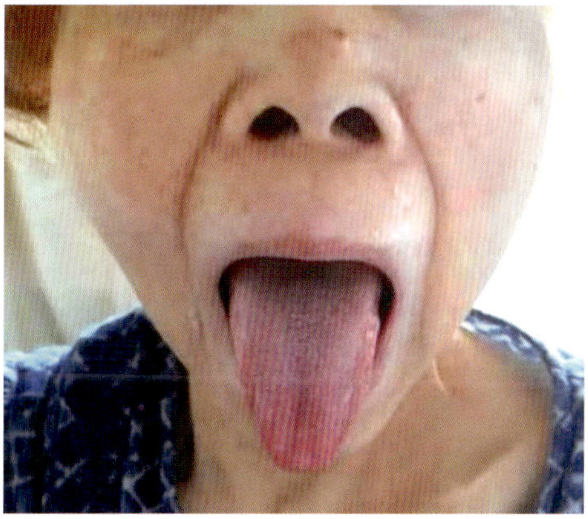

图 118　治疗后舌象
（2019 年 9 月 3 日）

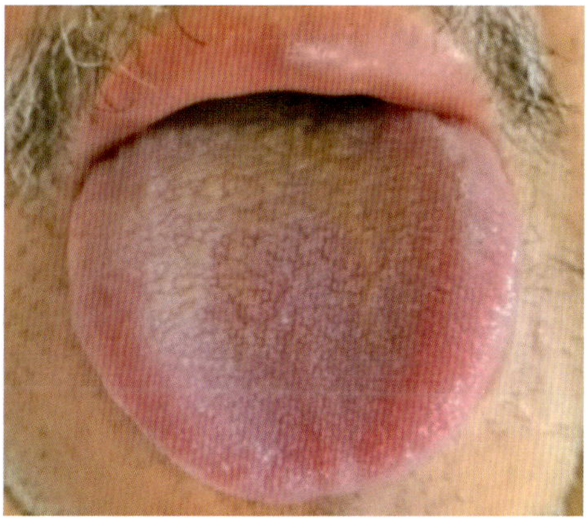

图 119　患者舌象
（2019 年 7 月 8 日）

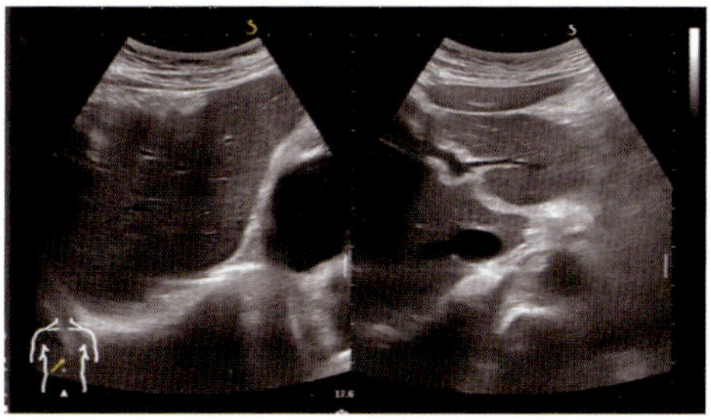

图 120　治疗前胸水彩超
（2021 年 11 月 1 日）
双侧胸腔积液，较深处约 9.7cm

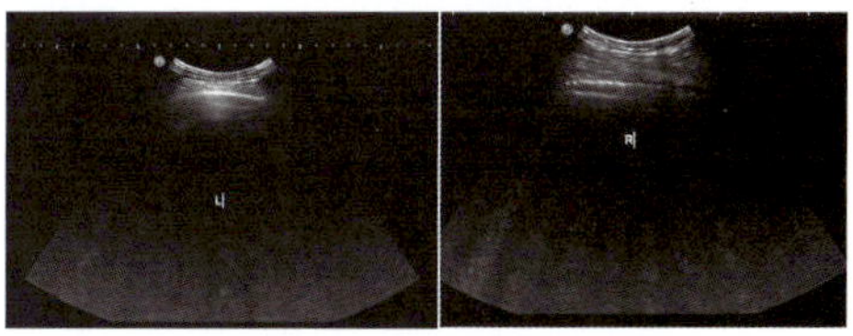

图 121　治疗后胸水彩超
（2021 年 11 月 12 日）
双侧胸腔未见明显积液

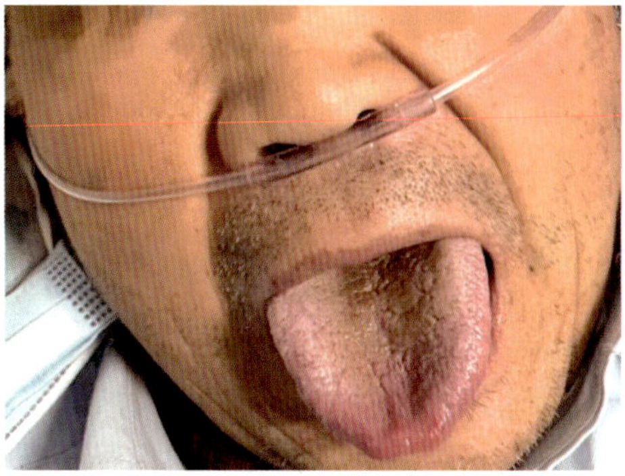

图 122　治疗前舌象
（2021 年 11 月 1 日）

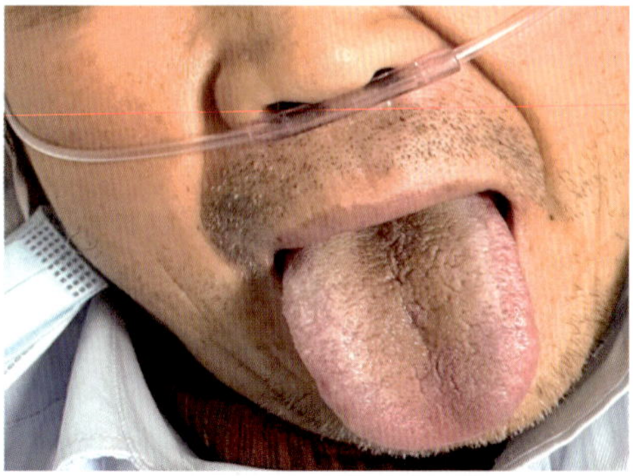

图 123　治疗后舌象
（2021 年 11 月 12 日）

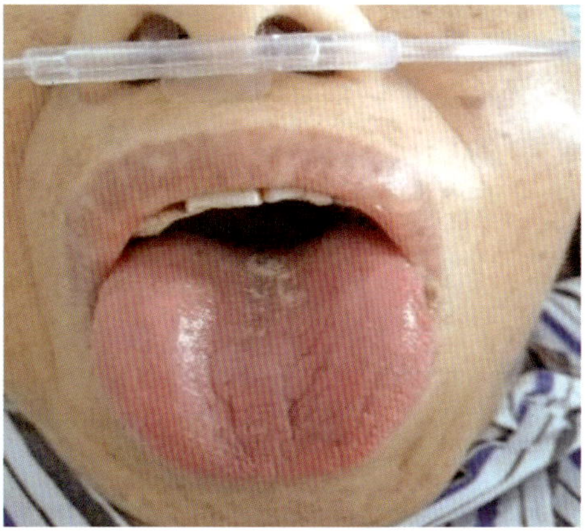

图 124　治疗前舌象
（2019 年 4 月 6 日）

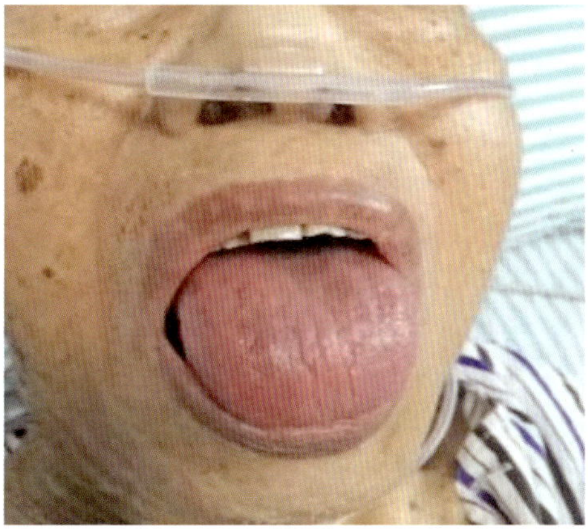

图 125　治疗中舌象
（2019 年 4 月 13 日）

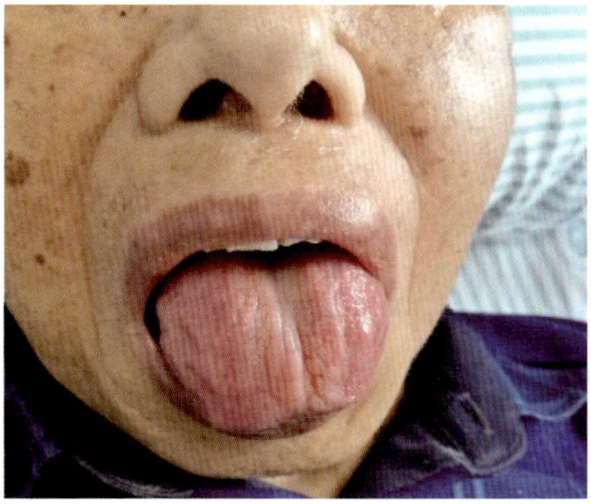

图 126　治疗后舌象
（2019 年 4 月 17 日）

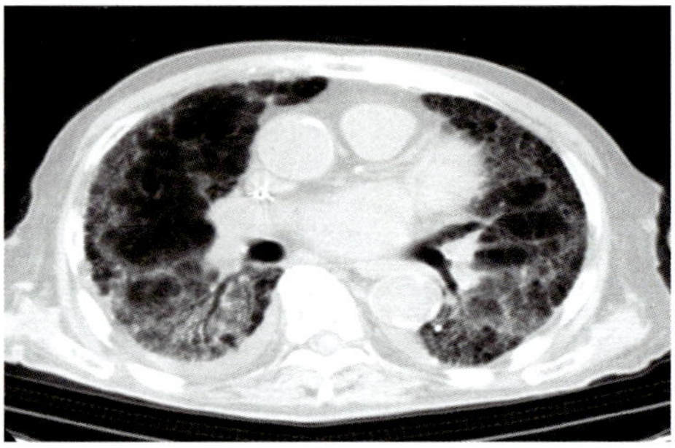

图 127　胸部 CT（2019 年 4 月 6 日）
双肺间质性改变，伴散在炎症

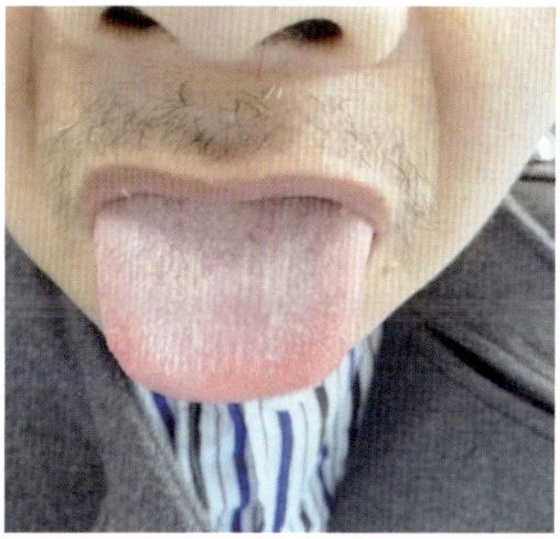

图 128　治疗前舌象
(2019 年 3 月 7 日)

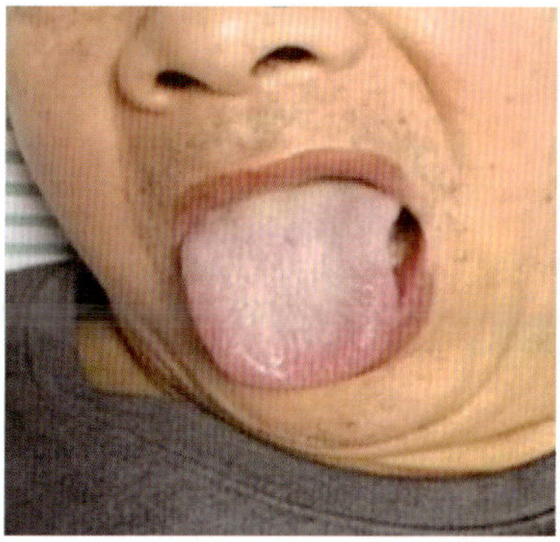

图 129　治疗中舌象
(2019 年 3 月 13 日)

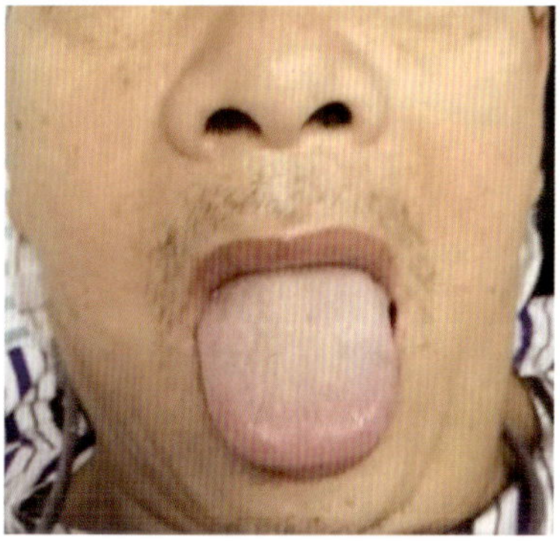

图 130　治疗后舌象
(2019 年 3 月 17 日)

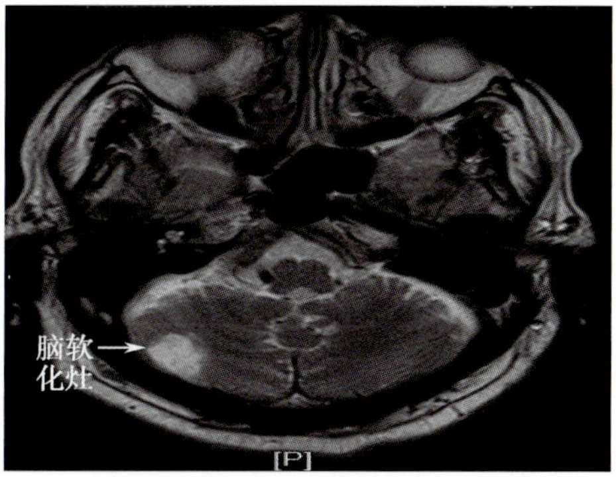

图 131　头颅磁共振 DWI
(2019 年 3 月 6 日)
左侧基底节区少许急性脑梗死；右侧小脑半球软化灶；脑干区、双侧脑室周围、半卵圆中心、额顶叶多发梗死灶，部分病灶软化

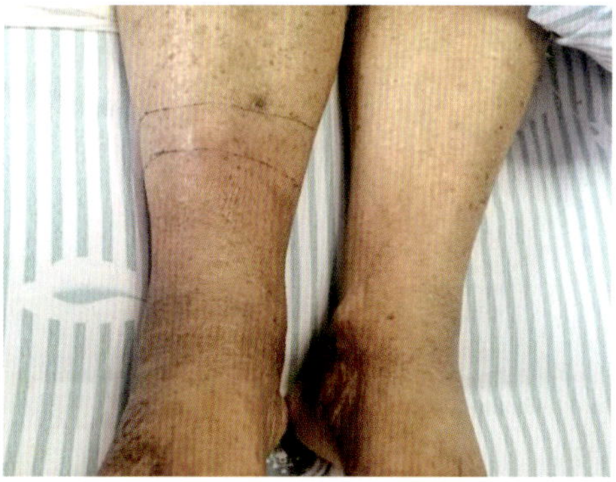

图 132　治疗前下肢图
(2021 年 7 月 10 日)

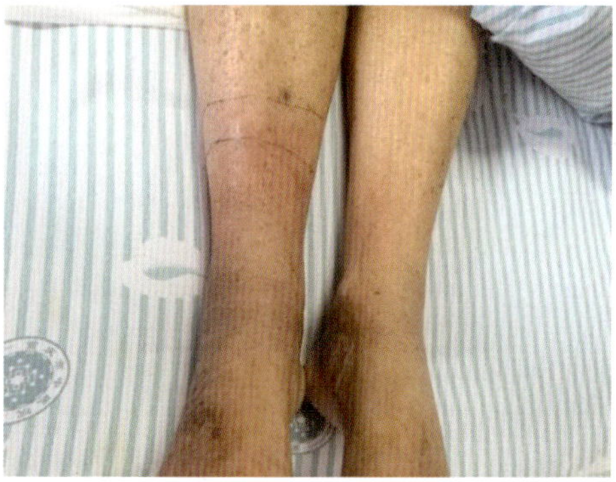

图 133　治疗后下肢图
(2021 年 7 月 17 日)

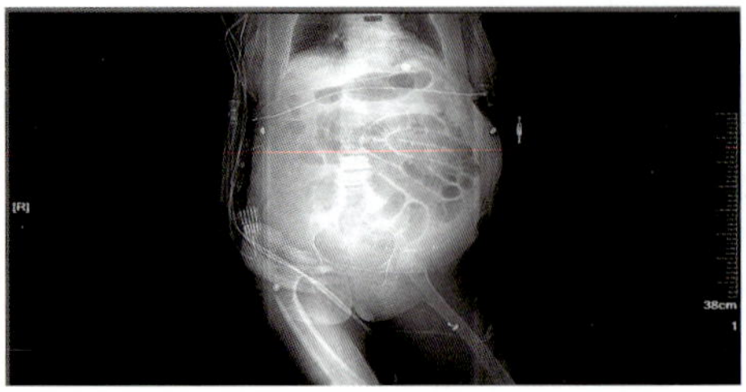

图 134　腹部平片(2021 年 7 月 22 日)
肠梗阻伴大量积气

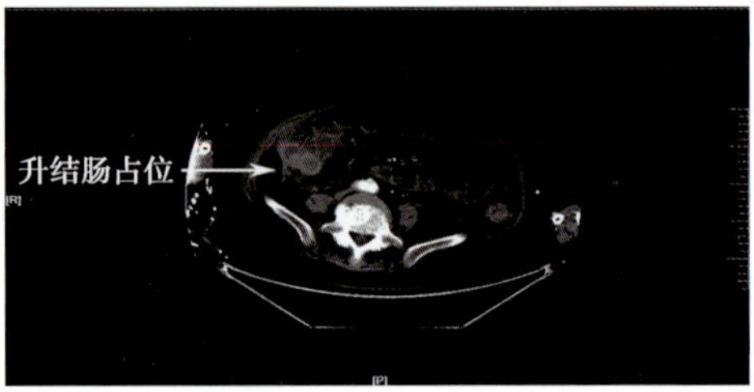

图 135　腹部增强 CT(2021 年 7 月 22 日)
升结肠占位

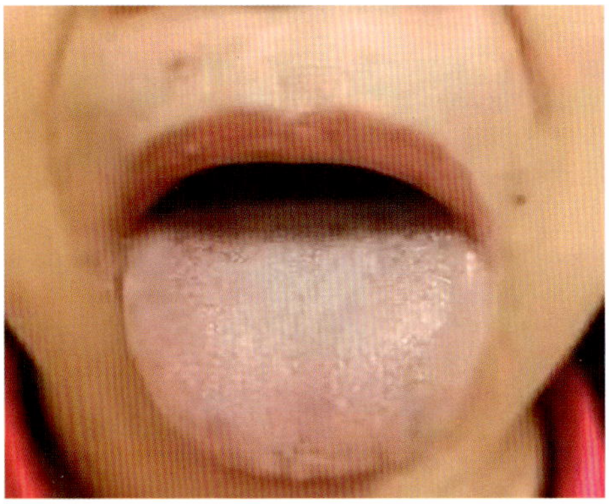

图 136　治疗前舌象
(2021 年 9 月 14 日)

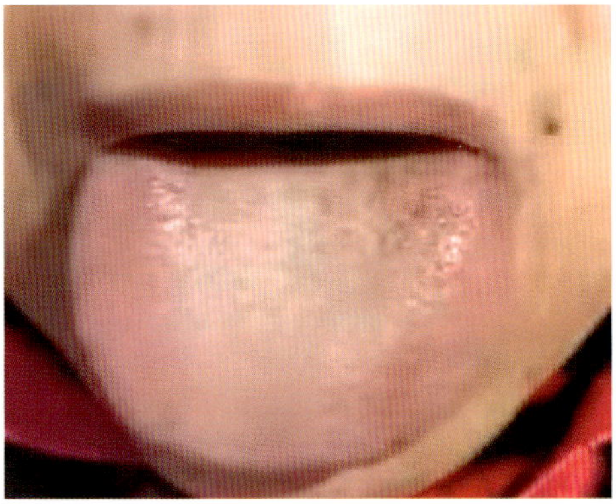

图 137　治疗后舌象
(2021 年 10 月 1 日)

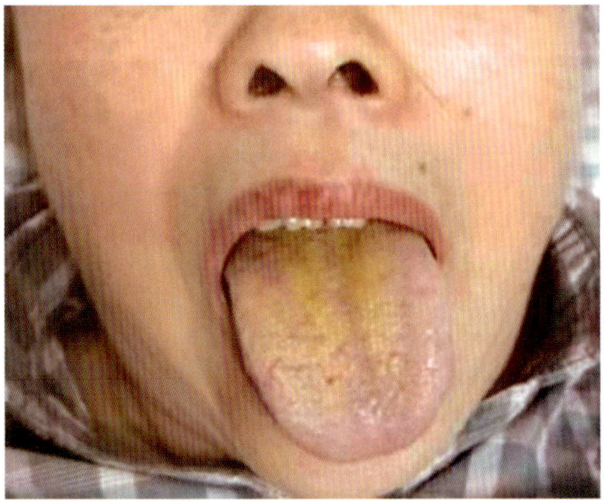

图 138　治疗前舌象
(2022 年 7 月 5 日)

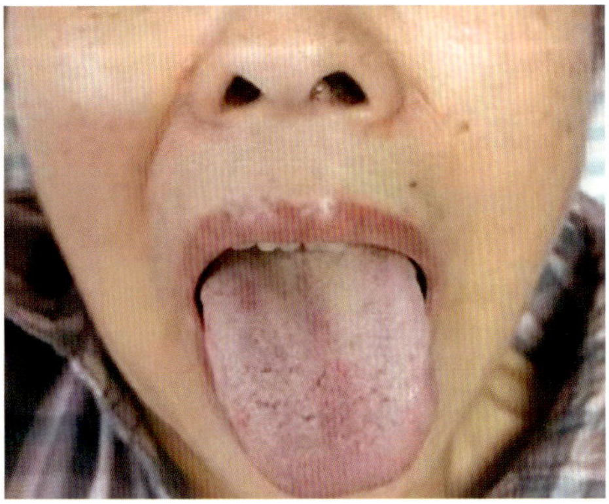

图 139　治疗后舌象
(2022 年 7 月 7 日)